WEGE ZUM GEDICHT

WEGE ZUM GEDICHT

MIT EINER EINFÜHRUNG VON EDGAR HEDERER

HERAUSGEGEBEN VON
RUPERT HIRSCHENAUER UND ALBRECHT WEBER

SCHNELL UND STEINER MÜNCHEN UND ZÜRICH

VORWORT

Der vierbändigen Sammlung „Deutsche Gedichte" gesellt sich dieses Buch. Es kommt mitten aus erzieherischer Arbeit und ist angeregt durch die Forschung. Beglückend und wegweisend ist es, daß sich zu diesem Werk Lehrer der Universität, Dichter und Schriftsteller mit Lehrern der Höheren Schulen vereinen. So wie sich die Stimmen in dem Gespräch erheben, kann „Wege zum Gedicht" nicht Vorschrift und Schema meinen, sondern Klärung und Anregung.

Die Einführungen geben das Wesen des Gedichtes und die Methode seiner Deutung zu bedenken. Die Interpretationen stellen Beispiele vor. Die Bibliographie gibt dem Suchenden Hinweise.

Die Interpretationen, die aus verschiedenen Bereichen kommen, werden sich nicht alle dem Gebrauch in der Schule unmittelbar bequemen, dem Lehrer aber förderlich sein. Einige heben das Gedicht vor das Licht letzter Wertungen, andere zielen mehr auf Anwendung im Unterricht. Auch die Warnung vor Irrwegen gehört hierher. Bei der Zahl und Vielfalt der Beiträge konnten nicht alle die Forderungen erfüllen, die die Einführung: „Zum Deuten von Gedichten" nennt. Die Herausgeber bejahen diese Forderungen.

Was zustandekam, verpflichtet indes zum Dank an die Mitarbeiter. Neben den Verlegern, die mit der Gedichtsammlung viel gewagt haben, danken wir vor allem Herrn Universitätsprofessor Dr. Edgar Hederer, der schon seit Jahren das Gespräch zwischen Universität und Schule pflegt, für Rat, Kritik und Hilfe. Das Buch wurde vom Bayerischen Philologenverband gefördert. Am Bayerischen Staatsministerium für Unterricht und Kultus fand unser Anliegen freundliche Unterstützung.

Möge das Buch sein, was sein Titel sagt.

München, den 21. August 1956

ALBRECHT WEBER   RUPERT HIRSCHENAUER

INHALT

*Die Zahlenangaben am Rand der Gedichte verweisen auf Band und Seite
der im gleichen Verlag erschienenen Sammlung „Deutsche Gedichte"*

EINFÜHRUNG

Zum Deuten von Gedichten

Ist nicht jedes Wort „ungereimt", das man einem Gedicht hinzufügt? Was keine Rede sonst vermag, geschah. Wie sich's ereignet hat, ist nicht herauszuforschen. Der Griff hinter die Worte greift fehl; da ist hinter dem Erscheinenden nicht ein Eigentliches; die Gestalt — alles an der Oberfläche ist gleich weit vom Mittelpunkt entfernt — ist auch das Wesen; Innen und Außen erscheinen ineins. Von Gehalt oder Gestalt zu reden ist Mißverständnis; eines ist im andern. Nichts, das man auch anders sagen könnte und was man noch hinzusagen mag, verkürzt, vereinzelt, ist zu allgemein; — im Gedicht aber ist alles unendlich und in sich einig. Was also gibt es noch auszusagen? Eben dies: das Unübersetzbare, Unersetzliche, Unendliche des Gedichts.

Erst muß der Raum der rechten Begegnung sein und der Sinn erweckt für eine unendliche Mitteilung. Alle Bemühung ist aber umsonst, wenn man glaubt, es rede wie ein anderes Wort auch; dann hat man zwar dies oder jenes, das in dem Gedicht drin stehen mag; aber nie das Gedicht. Das Wort des Dichters, das nicht nur „bedeutet", sondern ins Leben bringt, beschwört und durch Gestalt erlöst, muß sich dem entziehen, der unmittelbar fragend zudringt, ohne von der dichterischen Erscheinung überkommen zu sein. Mehr noch: was auf unser Leben wartet, hat uns erreicht oder das Gedicht hat sich nicht ereignet. Wie weit der Abstand auch sein mag, der den Leser vom Vermögen des Dichters trennt, es überkommt ihn ein dichterischer Zustand. Was sich mitteilt, eine Wahrheit, die nicht ohne ihre Schönheit, Schönheit, die Gestalt der Wahrheit ist und das Wahre „wahrer" macht, ist nicht Meinung, die man hinnimmt, Urteil, dem man zustimmt oder nicht, sondern etwas, in das man erst mit ganzem Wesen eingehen mußte, um überhaupt zu erfahren, worum es geht. Es schenkt sich nicht jedem und einfach von selbst. Da bedarf es oft der Erweckung. Offenheit, höhere Bereitschaft wollen erwirkt sein; wahrer „Bildung" bedarf es auch, der Erziehung zu formvollem Erleben.

Ein Ernst redet, der nicht ist ohne die Enthebung, die Spiel heißt, ein Anspruch, der zugleich Seligkeit ist, eine Wahrheit, die überzeugt, indem sie hinreißt. Leicht und frei genug muß der Leser sein, Nüchternheit und Befangenheit in eigener Existenz enthoben, Wahrheit so zu erfahren: „furchtbarer in des Reizes Hülle" (Schiller), fruchtbarer auch. Die Macht eines Zauberworts will uns erreichen und ein Wort, das selig in sich selbst und zugleich mächtig ist, die Seele des Dichters mit unserer zu vereinen. Nicht dem Müßigen, nur dem, der gesammelt und bereit ist, öffnet es sich und macht fähig, die Welt als Zeichen zu verstehen, den Blick „ins Herz der Dinge" zu tun. Die poetische Mitteilung läßt es nicht zu, daß man die Dinge, die ein „Du" im Gedicht sind, wieder zu einem „Es" macht; als wäre man ein Fremder, als hätte uns der Dichter nicht gezwungen, das Wissen, das er durch Vereinigung mit den Dingen gewann, mit ihm zu teilen. Eine Einsicht redet, die unsere inneren Kräfte unerwartet erhöht; sie mußte zum Gedicht flüchten, um sich offenbaren zu können. Nur Sammlung, die zugleich Gelöstheit ist, findet da Eingang. Seele wie Sinne wollen gelöst, der Geist auf eine eigentümlichere, innigere Erkenntnis gesammelt, alle Kräfte einem freien Gesamterlebnis überlassen sein. Wer auf den bloßen Inhalt eines Gedichts starrt und Probleme sucht, wer Form als solche genießen will, wer sich der zerstreuenden Neigungen und der Neugier des Geistes nicht begeben hat, nimmt poetische Wahrheit nicht wahr. Ihm wird der umfassende Zustand nicht zuteil, mit dem das Gedicht uns die Tiefe der Welt und unserer Seele aufschließt. Zuweilen kann es der Deutende herbeiführen, was im Kunsterlebnis geschehen muß. Wissend und hilfreich kann er verengende Einstellungen abwehren, die Augen öffnen für den alles fassenden Blick des Dichters, die Schleusen aufmachen, daß unangehalten der Strom des dichterischen Erlebens einströme in die Seele des Nacherlebenden.

Aber es genügt nicht, zu bewirken, daß der Dichter seine Erschütterungen auf uns überträgt, uns zum Nachhall seiner Ergriffenheit macht. Wir begegnen im Gedicht dem, was über den Dichter und uns hinaus ist, und das will Antwort. Mit dem Dichter sind wir befragt vom wahren Maß der Dinge; sonst erzeigt sich auch nicht das Maß des Gedichts. Ich muß mich vor das Reich des Wahren bringen lassen, das sich so groß auftat, als das Gedicht groß war. Das Gedicht zeigt, was zu leisten war — im Gelingen und Mißlingen —; es bringt uns vor das, was auch dem Geist des Dichters vorgegeben war. Deutung darf sich nicht beruhigen im bloßen Nachfühlen, sie muß diesen letzten Schritt tun, der Dichter und Leser gleicherweise prüft; sie muß auf die wahre Ordnung des Seins blicken. Die Wahrhaftigkeit des Dichters ist noch nicht die Wahrheit. Er kann dem wahren Sein genügen und vor ihm versagen. Ein Geheimnis der Kunst ist es aber, daß wahres Gelingen nur ist, wo Wahrheit ist. Große Schönheit ist nur, wo große Wahrheit ist. Kunst kommt von Können; aber wahres Können kommt nur aus wahrem Sein. Schönheit gedeiht nur in der rechten Ordnung des Seins, sie selbst ist höchste Ordnung. Das Große in der großen Kunst zu erfahren, das Notwendige, bedarf es eines, der die Wahrheit sucht und dabei fähig ist, in der Gestalt den Sinn, in der Schönheit den Beweis des Wahren zu erfahren.

Ein Gedicht redet in einmaligen Zeichen und läßt sich nicht in die allen gehörenden Begriffe übersetzen. Es redet in der Fülle des Sinnbilds, befreit die Einbildungskraft, redet nicht von den Dingen, die Dinge reden sich selbst aus, sind Wort geworden. Alles, was im Gedicht erscheint, ist miteinander verbunden, hat eine gemeinsame Tiefe, den Grund des Gedichts. Je größer ein Gedicht ist — wovon immer es spricht — desto unausmeßbarer ist sein Grund, desto weiter die Aura, die vom Körper des Gedichts ausstrahlt, desto größer und klarer blickt uns seine Wahrheit an. Eine Deutung, die das nicht in den Blick nimmt, greift zu kurz. Um die Gedichte der Weltliteratur ist eine grenzenlose Ausstrahlung. Wahrheit teilt sich als Kraft des Lichts mit. Den Worten wohnt die Macht inne, die Welt zu reinigen. Ein großes Gedicht schafft große Ordnung und hellt weiteste Zonen der Welt auf. Entlang den Dingen und den Aussagen eines Gedichts geht es ins Ganze. Und an die Stelle des Ursprungs. Das Vollkommene enthält am reinsten den Ursprung. Ein vollkommenes Gedicht hat den genauesten Ausdruck einer Sache und zugleich seinen unendlichen. Es gibt das dichteste Bild einer Wirklichkeit und stellt sie zugleich in ihr „Gestirn". Was dem Dichter erscheint, ist eine Vision der Dinge. Deutung, die bloß hinsieht, wo er schaut, verfehlt kläglich, was er meint. Es ist darum stets die erklärende Sprache bedroht, den höheren, offenbarenden Zustand der Wirklichkeit, wie ihn die Dichtung entdeckt — auch der Gedanken; denn das Gedachte kommt hier in sein äußerstes Leben — zu verwechseln mit dem Rohstoff, den die gewöhnliche Sprache meint. Die Dinge selbst scheinen dem Dichter das Wort in den Mund gelegt zu haben, das sie zu dauerndem, „weissagendem" Leben erhebt, wie zum Geschenk für die liebende Verwandlung in ihr Leben, — zur Stunde war es das Schicksal eines Aufgeopferten. Der Dichter schafft das Gefühl der Berührung und des Besitzes, der Begegnung mit dem Wesen, ein Wissen, das das innige Haben einer Sache ist, nicht nur ein „Treffen". Wer ein Gedicht erklärt, muß den innersten Umgang mitvollzogen haben, den der Dichter vermocht hat mit dem Leben der Dinge. Das Wissen des Dichters — „Der Dichter macht sich zu allem, was er sieht und sein will" (Novalis) — läßt sich nicht in ein Wissen in der Distanz zurückbringen. Deuten heißt im Gegenteil, zu der mystischen Verwandlung, zum „Identifikationswissen" des Dichters bereit machen. Man hat den Dichter einen „positiven Phänomenologen" genannt; denn er allein trifft seine Bestimmung nicht nur de — finierend, abgrenzend, sondern er greift ins Wesen und hat ein Wort dafür; sein Griff „begreift" nicht nur, er nimmt von Leben zu Leben Besitz, einigt sich mit der Wesensmitte des Fremden. Noch der Gedankendichter steht Aug in Aug mit dem Leben des Gedachten, ist es selbst. Nichts, das hier nur abstrakt wäre, auch der Begriff wird zum „Du". In einem Augenblick, da Kant einmal von der Pflicht sagt: „Pflicht, du erhabener Name", wird der Denker zum Dichter. Wer ein Gedicht deutet, muß sich der „positiven" Aussage des Dichters stetig verpflichten, will er sich nicht in fremde Räume verlieren. Alles in einem Gedicht meint nicht nur sich selbst, sondern ist Schlüssel für ein Ganzes. Die Dinge werden zu „Chiffren", zum umfassenden Organ, das eigene und fremde Sein auszusagen. „Jedes Willkürliche, Zufällige, Individuelle kann unser Weltorgan werden. Ein Gesicht, ein Stern, eine Gegend, ein alter Baum u.s.w. kann Epoche in unserem Innern machen" (Novalis). In der Entrücktheit des Dichters gibt ihm ein Erscheinendes Aufschluß über den Weltsinn. Das Bild enthält im scheinbar Zufälligen ein Notwendiges und erreicht ihn wie ein Weltereignis: „Vorgänge, so gleichgültig, daß sie nicht imstande wären, das nachgiebigste Schicksal nur ein Zehntausendstel zu verschieben —, siehe hier winken sie, und die göttliche Zeile tritt über sie fort ins Ewige." (Rilke)

Mit dem Gedicht tritt uns ein Wert an. Ein beliebtes Mißverständnis ist es, der Wert einer Dichtung sei etwas „Subjektives" und Relatives. Er ist etwas Objektives, das in einem Subjekt Gestalt annahm. Das erfährt wiederum nur ein ergriffenes Subjekt; der Wert bleibt ein Objektives. Daß solcher Wert nicht relativ ist, bezeugt die beglückende Einigkeit aller, die angemessen erleben. Es gibt einen Konsensus über den dichterischen Wert. Wenn es Unterschiede gibt in der Beurteilung, dann nicht, weil der Wert etwas Unsicheres ist, sondern weil nicht alle die gleichen Maßstäbe oder mit dem Gedicht das Gleiche vor Augen haben. Sind gleich Urteilsfähige vor dem Gleichen, wird auch der gleiche Wert bestimmt. Ohne des Wertes gewiß zu sein, läßt sich eine wesentliche Deutung nicht leisten. Sie soll von dem Wert, der erscheint, betroffen machen. Ein bequemes Asyl der Unwissenden ist es, zu glauben, vom Wert zu reden, sei nicht mehr

Sache der Deutung und Wissenschaft. Dabei beginnt hier erst die rechte Erkenntnis. Wer glaubt, mit einem unpersönlichen Wissen auskommen zu können, ohne Entscheidung, ohne ergriffen zu sein vom Wert, der verschließt sich dem Wesen der Dichtung; seine Deutung erreicht kaum den äußersten Rand des Gedichts. Freilich kann der Akt des Wertens schweigende Voraussetzung sein. Den Wert zeigen, heißt nicht schwärmen, hymnisch reden mit halbdichterischen Worten, sondern zwingend bestimmen, als ein Gesichertes zeigen, vor dem nachdenkenden Sinn aufhellen, was im Fühlen erkannt, im Erkennen gefühlt sein will. Hat das entscheidende Erlebnis, das des Werts gewiß wurde, nicht stattgefunden – höchtes Anliegen der Wissenschaft, den Wert evident zu machen – dann kommt es zu einem unsicheren, unpersönlichen Suchen nach Begründungen, dem der eigentliche Grund immer entzogen ist. Doch zwingt literarische Wertung nicht wie ein üblicher Schluß, sie muß immer auch Appell sein an die Erlebnisfähigkeit. Sie hat eine Beweiskraft, der jeder zustimmt, der sich zum Kunstwerk richtig verhält, eine, die nie aufgeht in einem bloßen Denkvorgang, nie einer nur unpersönlichen, sondern einer die ganze Person einfordernden Erkenntnis entstammt. Das gilt um so mehr, je höher der Wert ist. Das Vermögen, zu werten, muß mit dem Wert des Erkannten wachsen. Der hohe Gewinn musischer Erziehung ist es, daß sie die Teilhabe des ganzen Menschen unerläßlich macht, daß sie personbildend ist und keine Unverbindlichkeit des Geistes mehr zuläßt.

Unbildung oder Sentimentalität ist es, zu glauben, Wissen hindere das rechte Erleben eines Gedichts. Das rechte Wissen macht das Fühlen nur fühlender, den Genuß tiefer und klarer; es lehrt ein Verstehen, das hinausbringt über das bloß stimmungshafte Sich-Überlassen — wenn ohne rechte Einstimmung auch kein Verstehen ist. Rechter Genuß ist stets auch Erkennen und Ergreifen eines Werts. Der will mit geprüfter Empfindung erfahren sein. Ein Wort zur Wissenschaft: da ein Gedicht ohne Mitleben nicht verstanden werden kann, ohne musisches Vermögen, ohne im Grunde poetisches Erkennen, erreicht wissenschaftliche Befragung ihren Gegenstand gar nicht, läßt sie dieses Vermögen beiseite; sie muß es zum unentbehrlichen Mittel ihrer Erkenntnis machen. Falsche Wissenschaft erforscht nur das, was sich vor der Dichtung in die Form eines üblichen Urteils, eines Syllogismus bringen läßt; was, wie sie glaubt, sich „objektivieren" läßt. Sie verliert, um „wissenschaftlich" zu bleiben, den Gegenstand ihrer Wissenschaft, Dichtung, aus dem Auge. Genau da weicht sie aus, wo der wissenschaftliche Ernst erst anhebt: das Eigentliche, das uns in der Kunst ist, zu fassen. Wer nicht in die besondere Erkenntnis des Dichters eintritt, vermag nichts der Sache gemäß zu deuten. Eine Gleichung höheren Grades läßt sich nicht auf eine einfache bringen, der unendliche Ausdruck des Dichters nur mit „infinitesimalen" Methoden erforschen, was sich als Zeichen bedeutet hat, nicht in eine begrenzte Aussage zurückführen. Die Ergriffenheit durch ein Objektives läßt sich nicht behandeln, als wären es private Empfindungen.

Die Deutung eines Gedichts muß sich aber immer wieder überschreiten in das Unausdeutbare. Das Unauflösbare darf nicht aufgelöst erscheinen, die träumerische Ahnung, die Ausdrucksfülle des Sinnbilds einfach in ein Wißbares verwandelt werden. Ein Geheimnis kann sich nur verhüllend offenbaren; der Schleier darf nicht zerrissen werden; ein geheimes Wissen geht nicht in ein allen gemeines ein. Deutung soll die Rätsel, die uns ein Gedicht sehen lehrt, nicht enträtseln wollen, sondern als Rätsel tiefer verstehen lehren. Im Gedicht reden Wahrheiten, die sich nur dichterisch bezeugen und bedeuten können. Zwar verstehe ich Dichtung zuweilen besser, indem ich auch denkerisch nachsinne, philosophiere, selbständig befrage, was das Gedicht befragt; aber ich kann das Gedicht nicht in Philosophie übersetzen. Von seinem „Sinn" als solchem reden, ist nicht möglich; der wäre Prosa, nicht Poesie. Ein Zauberwort läßt sich in keinen Begriff zwingen; aber ich kann den Sinn wecken für das Unvergleichliche, das das Zauberwort enthält. Wie aber kann es vermieden werden, daß die Unschuld des dichterischen Traums gefährdet, das Verschwiegene durch Bewußtsein gestört, die Ahnungstiefe des lyrischen Worts verflacht wird? Durch Takt, Scham und Vorsicht, durch Geistesgegenwart, die das erlösende Wort weiß, durch Selbstvergessenheit, die den Augenblick herbeiführt, da das Gedicht sich gleichsam selbst entdeckt, durch Geist und Figur, die dem Kunstwerk in seinem eigenen Gesetz begegnen, mit einem Wort: durch Angemessenheit.

Der Augenblick muß reif sein. Vielleicht wird der Deutende den Unterwiesenen erst bei der Hand nehmen und weite Wege führen müssen, bis er ihn wieder vor das Gedicht bringt, oder miteins mit einem Wink dazu bringen können, daß sich ihm ganz die Gestalt des Gedichts erzeige. Die Haltung des Deutenden selbst ist entscheidend; das verpflichtet ihn auch zur rechten Sprache. Ein welches ruft, ein solches antwortet. Die falschen Blicke sehen ein Falsches. Eine kunstwidrige Frage zwingt Kunst, sich zu entziehen. Wo die Sinne ohne

Scham sind, ist die Welt ohne Geheimnis. Pure Wörtlichkeit verfehlt den Sinn, bloßes Interesse an der Form macht, was eine Schöpfung ist, zum Machwerk. Was in einem Weltgedicht erscheint, nimmt nur die wirklich herangereifte Begegnung wahr: ein Licht teilt sich mit, das alles Seiende klärend umfängt, eine Verheißung ist zu hören, die durch alle Wesen reicht. Durch unwiderstehliche Gestalt wurde dem entsprochen, was den Menschen vorauswaltet; Gestalt birgt den Sinn. Dem gilt es ebenbürtig zu begegnen. In der Aussage eines großen Gedichts bringt es uns mit dem „Weltwesen" zusammen. Nichts ist nur in sich selbst. „Das Gedicht lebt und wird weit dadurch, daß es über sich selbst hinaus andere Dinge zu sich heranzieht" (Picard). Was erschien, gab Zeichen, schuf Durchblick durch die Welt. Durch Gestalt hat sich die Welt geordnet. Die Dichtung hat sich der Bitte um Erlösung, die die Dinge dem Menschen vorbringen, angenommen. In jedem gelungenen Gedicht ist etwas von der Macht, die Orpheus hat, durch „Gesang" zu beschwichtigen. Ein großes Gedicht vermag nur zu deuten, wer erfahren hat, daß durch dieses Gedicht die Welt anders wurde.

Dichtung läßt ein Wissen ohne Folgen nicht zu. Die Wahrheit eines Gedichts entläßt uns nicht einfach wieder. Die unausweichliche Macht der Schönheit ist es, uns zu wandeln: „und da ist keine Stelle, die dich nicht sieht. Du mußt dein Leben ändern" (Rilke). Wer sich nicht dahin bringen läßt, wohin das Gedicht hinreißen will, wer nur das Hinreißende genießt, wer nur Entrückung sucht und nicht Verwandlung, fehlt am Gedicht. Deutung will, daß man hier nicht ausweicht. Alles Erklären nützt nichts, weiß man nicht auch zu bewegen. Das heißt wiederum nicht schwärmen, sondern das Gefühl sicher machen, den Geist verpflichten. Es gibt nichts hinzuzutun, einen Sinn zu geben, sondern den Sinn zu finden, der jetzt an dieser Stelle des Gedichts aufleuchtet. Alles muß darauf ankommen, daß die Brücke unserer begrenzten Verständigung bis ans Ufer des dichterischen Worts hinüberführt — um dann wieder abgebrochen zu werden. Der Deutende kann nur von sich weg in das Größere des Gedichts weisen. Die Wissenschaft von der Dichtung ist nach dem Wort eines Philosophen „immer am Ziel", dem Text des Dichters. Am Ende aller Bemühung steht das erneute, wissendere Lesen des Gedichts.

*

Unter den zahllosen Möglichkeiten, ein Gedicht zu erklären, geht es um die notwendige, wesentliche und hilfreiche — auch die hat mancherlei Weisen. Von jeder Stelle, hat man den Faden nur richtig ergriffen, führt es in die Mitte. Es gibt kein Rezept. Jedes Gedicht will es anders, die Stunde, die Fassungskraft des Unterwiesenen, das Vermögen des Deutenden.

Da gibt es Dinge, die man wissen muß, um das Gedicht recht zu verstehen, die Bedeutung etwa der Wörter, die nicht zu allen Zeiten die gleiche ist. Die Umstände, unter denen das Gedicht entstand, können einmal bedeutsam werden — beileibe nicht immer, und nimmermehr läßt sich das Gedicht aus dem Leben des Dichters einfach herausfragen. Zuweilen will die Zeit gekannt sein, um den Ausdruck recht zu verstehen; doch immer geht es auch um das andere: das Kunstwerk vom trüben Schein bloßer Geschichtlichkeit zu befreien, deutlich zu machen, was uns über die Zeiten unmittelbar angeht. Das ist nicht das Gleiche wie das, was uns „anspricht" und heute entspricht. Was groß und gültig war unter anderen Bedürfnissen und Absichten, will unsere besondere, demütige Bemühung. Das Überdauernde suchen, heißt indes alles andere, als keinen Ort in der Zeit haben. Das Unsterbliche hat seine Geschichte und seinen Wandel, es entbindet immer neue Möglichkeiten, Zeiten und Menschen zu erreichen.

Oft ist der Zugang zum Gedicht zu steil oder versperrt. Was alles ist an Voraussetzungen nötig, ein mittelalterliches Gedicht nicht mißzuverstehen als ein heutiges; weder Sinn noch Schönheit erschließen sich ohne Leitung der Gedanken, des Ohrs, der Empfindung, ohne Wissen um die Formen und Formeln, Analogien und Bilder, sei es ein Minnelied, das Gedicht eines Mystikers, symbolische Weltauslegung, die nicht versteht, wer die Symbole nicht kennt. Oder es muß das verengte Bewußtsein erst aufgesprengt werden für die Gesichte eines seherischen Dichters, für Schau, Geburt im Wort, für Bilder, in denen die Mächte anwesend sind, für äußerste Gestalt wie Hölderlins späte Dichtung, die in jedem Zug gleichsam auf dem Sprung ist, auszubrechen in eine Uroffenbarung. Mit dem Geist will das Ohr geschult sein für solches Sprachereignis, das Notwendige im freien Rhythmus, das Zerbrechen der Rede vor der Fülle des Andrängenden. Braucht es hier alle Anstrengung, in Schau und Sprache des Sehers emporzuführen, so dort der anderen, der falschen Schwere ledig zu werden, die Schwebe zu erreichen, um der Geistermacht eines späten Gedichts Goethes inne zu werden. Oder in einem schlichten Lied das ganze Wunder der Kunst zu erfahren; wie etwa bei Matthias Claudius das tägliche Wort zum lyrischen Urlaut wird. Vorurteilen ist zu begegnen, dem etwa, daß Rückert etwas anderes ist als ein großer Lyriker, und da gibt es Genaues zu sagen und nichts, was auf ein Gartenlaubengedicht auch zutrifft. Falsche Haltungen sind abzuwehren: hinter adligem Spiel das persönliche Bekenntnis vernehmen zu wollen, in einem Gedicht des Barock, das vollendete Kunstübung und verwegenes Denkspiel ist, Beichte oder Stimmung im romantischen Sinn zu suchen. Gilt es beim Gedicht des 17. Jahrhunderts Sinne und Sinn fähig zu machen für ein Dichten, das noch ursprünglich formvoll erlebt, so bei Goethe für ein Wort, in dem Leben erst „wird" und zu sich kommt, im romantischen Gedicht von Hemmungen des inneren Sinns zu befreien, vor dem Gedicht des 18. Jahrhunderts zu geistigem Fühlen zu erziehen. Einmal ist ein Kennwort zu deuten oder, man denke an Rilkes Elegien, erst dem nachzusinnen, was gemeint ist, dann wieder muß man sich erst der Leuchtkraft der Bilder überlassen oder dem Ton, der schon alles sagt. Dabei darf sich nichts selbständig machen, alles Erklären muß ausmünden in die ungeteilte Aufnahme des Kunstwerks mit allen Kräften des Geists, der Seele und der Sinne. Das geht oft nicht ohne denkerische Mühe ab, und die will wieder vergessen sein. Wo Erklärung Zugang ist, nicht wo sie Zutat ist, hat sie ihr Recht.

In notwendigen Schritten muß die Deutung den Kräften des Erlebenden folgen. Jeder braucht andere Hilfen, der eine in der Seele, der andere in den Sinnen, der eine bedarf noch des rechten Ernsts, der andere der Entschwerung, des Sinns für Formen oder für geheime Bedeutung; hier will falsche Beweglichkeit, die alles versteht und sich in alles verliert, dort Schwerfälligkeit und Einseitigkeit beseitigt sein. Weiß man dem Gesetz zu folgen, unter dem das Gedicht steht, dann wird man nicht mit weithergeholten Deutungen langweilen, mit untauglichen Methoden an dem Gedicht herumkratzen, sondern sich sicher in seine Mitte vorantasten oder miteins mit wissendem Griff ins Wesen und an die Stelle bringen, von der aus alles als notwendig hervortritt. Eine unübersehbare Zusammenkunft erwartet uns von scheinbar Zufälligem, das in der Seele totales Ereignis wird, Spontanem, das sogleich gesetzhaft hervortritt, Wahrheit, die sich nur im Spiel enthüllt, Gewähltestem, das zugleich das Natürlichste ist, von Tiefsinn der Oberfläche und Glanz der Tiefe, letzter Anstrengung und zauberischem Gelingen, ein unausdeutbares Ineins: der Geist ist in den Sinnen, die Sinne sind im Geist beheimatet. Man muß überall zugleich sein und ist es auch, hat man sich nur einmal der lyrischen Logik ganz anvertraut. Schicht um Schicht öffnet es sich wie von selbst, von innen nach außen, von außen nach innen und eines ist auch das andere. Das Gedicht wartet gleichsam darauf, seine innere Unermeßlichkeit – es ist auch die seiner Gestalt – dem aufzutun, der ihm angemessen begegnet. Daß auch dem Unterwiesenen die Augen aufgehen, muß man die notwendige und erlösende Frage stellen. Jedes Gedicht als ein unvergleichliches Leben will eine andere.

Dem allzu Bekannten soll man begegnen, wie wenn es zum ersten Mal wäre, zum Hohen, Fremden den steilen Weg nicht scheuen. Bei einem Volkslied heißt es, den Hintersinn und die Schicksalsgewalt, das geniale „Ich weiß nicht was" dichtender Kindermenschen begreifen, in deren Gedichten die hohen lyrischen Werke zu ahnen sind. Oder im Barock heißt es, den Sinn wecken für Kunstübung und Denkspiel und doch auch das Leben spüren machen, das in bildnerischer Besessenheit gewaltig hervorwill, die Großheit, mit der der Mensch dichtend sich übersteigt, die frommen, heldischen und die verwegenen Siege der Kunst über eine umdüsterte Welt, die helle und dunkle Wortgewalt, die Trostkraft. Die bildende Kunst mag man zu Hilfe rufen, Empfindung und Sinne zu bilden für Gedichte des 18. Jahrhunderts, den Glanz einer Welt, in der die Götterbilder noch nicht verblaßt sind, die Glorie und Hoheit eines Menschen, der sich als Krone der Schöpfung aufrichtet und in edlen Gebilden seiner Würde versichert. Glucks, Haydns, Mozarts Musik mag zeigen helfen, wie nicht anders als in der Musik, in dem Gedicht dieser Zeit alle Not und Seligkeit sich ereignet im klar gefügten Gebild, Fassungslosigkeit noch sich faßt und zur Arie wird, Form das Ordnungslose besiegt und wie es solcher Form bedarf, daß die Seele sich ganz zu lösen vermag. Der Schulung des Sinns für Rhythmen und Bild bedarf es, Klopstocks Macht neu zu erfahren, seine Schaukraft, das große Fühlen der Welt. Wenig an Vorbereitung mag nötig sein für das Wort eines Claudius, wie es gerade und einfach aus dem Grunde der Welt und des Herzens herausredet, aber der Vergewisserung, daß man es nicht verwechsle mit Biederkeit und kunstloser Einfalt. Man gewinnt heute leichter für das Archaische, das Steile, Schwierige oder das gewagteste Neue als für die unerschöpfliche Bedeutung solcher Einfalt oder die makellose Vollkommenheit eines Eichendorffschen Gedichts. Hat einer aber kein Organ für eine besondere Gestalt bezwingender Schönheit, so steht es schlecht um seinen Sinn für das Schöne überhaupt.

Sind Ohr und Geist, Sinne und Sinn geschult, Größe wahrzunehmen, wie man sie mit einem Blick aus einem Gemälde heraussieht, aus ein

paar Takten Musik heraushört, so auch augenblicks aus ein paar
Worten, Silben eines Gedichts weiß, dann wird die Deutung sicher,
wohin sie auch greift. Im Vergleichen werden die Maßstäbe klar. Die
äußersten Maße von Hölderlins Gedicht zu ermessen, das lyrische
Weltwunder, das Goethe ist, genügen die heimischen nicht. Größe
und Grenze deutscher Dichtung zu bestimmen, bedarf es des Ver-
gleichs mit den fremden Leistungen, ihren Liedern der Liebe, den
Gesängen, die die Erde in schönem Besitz haben und das gesellige
Leben der Menschen preisen, vor denen die deutsche Dichtung zuweilen einen Mangel an Welt hat, — in unvergleichlicher Weise aber
von Anbeginn die irdischen Dinge vor das Ewige hält. Goethe allein
fordert den Blick in weitere Bereiche als in abendländische Dichtung,
das Vergleichbare und Unvergleichliche zu wissen — den Blick in
den anmutigen Tiefsinn sufischer Dichtung, den Vergleich mit dem
östlichen Dichter, der in drei Zeilen das Weltwesen wie in einem Tau-
tropfen gegen das Licht hält, die Fülle durch Leere zwingt, das
Schwerste schwerelos bewältigt. Einmal wird man auch erfahren, daß
es Gedichte gibt, die unser Leben ständig mitleben, stellvertretend
und vorbestimmend, Gedichte ohne deren „Vorfühlen" die Welt ärmer
wäre, für die noch, die von ihnen nicht wissen, Gedichte, die gleichsam eine Notwendigkeit im Haushalt der Welt haben; nicht anders
erfährt man ihre Herrlichkeit.
Beim Vollkommenen sind die Maßstäbe zu holen für alles andere
auch. Aus tausend Lyrismen muß man eine Zeile Goethes heraus-
hören, das Einmalige seines weltdurchatmenden Gedichts, die Aura
der Unermeßlichkeit, Erfüllung ohnegleichen des lyrischen Wesens
vom frühen Gedicht bis zum späten Geisterlaut, der durch „Äonen"
trägt. Doch solche Bestimmungen soll man nicht lobpreisend herab-
reden auf den Suchenden; man muß es genau erfahren lehren, vor
allem am Wunder des Worts, an einem einzigen Wort, Goethes „Ach",
wie es aus dem Mund des großen Liebenden in immer weitere Weiten
geht, an einem „aber" und „nämlich" Hölderlins, in dem das furchtbar Enthüllende sich ankündigt, das unvorgreifbare Wahre, das sich
ereignen wird in einem äußersten Zustand — zwischen „heilig" und
„verflucht". Indes soll nur Begegnung sein nach dem Maße der Fassungskraft. Der Lehrende soll den Lernenden nicht verführen, sich
in Zustände hineinzumimen, die ihm nicht zukommen. Wüßte man
wirklich, welche Zone ein spätes Gedicht Hölderlins betritt, welches
Licht durchbricht, das mit Blendung droht, man wäre zurückhaltender
im Umgang.

Man wird vorsichtig sein müssen mit Aufweisungen über das „Letzte, Tiefste" – „es gibt nun bald kein Tiefstes mehr, das jeder nicht erreichte" (Grillparzer) – wenn da nicht auch die Fähigkeit ist, das Leichte, Schwebende zu verstehen und den unerschöpflichen Sinn des Einfachen. Über den späten Hölderlin, den späten Rilke bedeutend zu werden, ist oft leichter als den Wert reiner, schlichter Offenbarungen zu erweisen, wie sie ein Justinus Kerner oder Uhland zuweilen vermochten. Am bescheidensten Vers, und sei es: „Weißt du, wieviel Sterne stehn", muß man zeigen können, warum das noch ein gutes Gedicht ist und kein sentimentaler Albumvers. Dann wird es gleich wieder nötig sein, den Blick aufzuschließen in größere Reiche der Weltenthüllung und von dem kleinen Bezirk die Grenzen zu sagen. Daß die Empfindung sich vor einem unerschöpflich fruchtbaren Geheimnis weit genug aufschließe, muß die Sorge vor allem vor romantischer Dichtung sein, aber auch, daß das Gefühl sich nicht verliere im Unbestimmbaren und vorbehaltlos jedem romantischen Bild anvertraue. Bei Eichendorff kann man es zeigen, wie die immer gleichen Bilder der Waldeinsamkeit und Wanderlust, die ein anderer nur handhabt, immer neu einer wahren Nötigung der Seele entstammen, mit welch geheimer, genauer Zaubermacht es ihm gelingt, im vollkommenen Gedicht den Augenblick zu halten, da die Erde in den Himmel verschwebt. Jeder Dichter stellt andere Aufgaben, jedes Gedicht. Die Droste des „Geistlichen Jahrs" stellt andere als der apokalyptische Realismus ihrer Naturgedichte, sie selbst die Natur in all ihren Elementen bis in die leise Reibung des Grashalms, ringend mit ihrem Gott, als gäbe es vor ihr kein Christentum. Soll man sich hier der zeitlosen Tiefe weiblichen Seins überlassen, so muß man etwa bei Hebbel erst bohrendem Denken folgen, die heilende Kraft eines Bilds zu erfahren; bei Meyer wird man mit Kunstverstand einiges aufhellen; bei Keller oder Storm bedarf es anderer Einstimmung. Nicht nur um Nachfühlen und Einfühlen geht es auch hier; so kann man fragen, warum Storms Husum nicht mehr die ganze Welt ist wie Meyers Kilchberg in: „Horch, mein Kilchberg läutet jetzt." Oder man wird in Liliencrons Meisterschaft, die sich an das hält, was in die Sinne fällt, eine andere entdecken: die vor dem Unsäglichen. Zu zeigen, was es bedeutet, wenn es in später Zeit, bei Trakl noch einmal zu wahrer Schau und Geburt kommt, daß es sich in ein paar Versen Hofmannsthal noch einmal aus ganzem All auf den Menschen bezieht, muß man auch von dem Verlust reden, mit dem nun das lyrische Wesen bedroht ist, welch leere, immer fremdere Räume der Dichter

durchwandern muß, ehe er wieder vor wahre Gestalt kommt. Bei Rilke
– der es immer neu befragt hat: wo ist noch Ursprung? – bei ihm, in
dem die deutsche Lyrik noch einmal weltgültig wird, soll man das
unvergleichliche Gelingen wie manche Abseitigkeit und „falsche Idee"
ohne Kult und ohne schnöde Voreingenommenheit betrachten und
zwar in diesem Gedicht, dieser Zeile, diesem Wort, so offen, wie fähig,
sich zu entscheiden. Man wird wissen, wieviel es ist, wenn in unserer
Zeit noch ein großes Gedicht gelingt. Man wird prüfen, ob Notwendigkeit oder Machwerk und Scharlatanerie ist in den Montagen
einer neuen Assoziationskunst. Genug der Beispiele, der Andeutungen,
die nicht Anweisungen sind. Der rechte Kunstsinn hat es stets weniger mit Gattungen als Individuen zu tun. Das einzelne Gedicht ist der
Fall, der auch das Gesetz offenbart. Wie es in allem Wandel des
Menschseins bleibende Gesetze des menschlichen Herzens gibt, so
treten auch in der Kunst immer neu, immer anders die überdauernden
Gesetze der Vollendung hervor.

✳

Den Grad der Schönheit zu ermessen, nicht zu trennen von der Wahrheit, die sich mitteilt, die Tiefe der Einsicht, nicht zu trennen von
der Weise, in der sie hervorkommt, das Maß an Aufhellung der Welt,
muß man das Licht gesehen haben, vor dem sich das Gedicht verant-
wortet hat, den Grund berührt haben, auf dem es steht. Man muß
die Stelle der Notwendigkeit eines Gedichts erreicht haben, um die
Notwendigkeit in allen Zügen, allen Einzelheiten zu verstehen, um
zeigen zu können, wie alles zueinander und zum Ganzen gehört, Ton,
Bild und Gestalt, untrennbar von Gehalt und Bedeutung. Wo die
Grenzen zwischen innerer und äußerer Form eines Gedichts sind, vermag keiner zu bestimmen. An allen Stellen drückt sich das Gleiche
aus; Stil ist nichts anderes als das Sichtbarwerden einer Bedeutung; er
beruht nach Goethes Wort auf dem Gesetz der Dinge. Am Ton, einem
Bild, einer Aussage, einem Wort läßt sich erhellen, worum es im Ganzen geht. Isoliert man aber eine Beobachtung, schon kommt man vom
Eigentlichen ab. Trifft man eine Feststellung, die nur „fest-stellt", was
es in einem strömenden Ganzen als aufleuchtendes Zeichen zu verstehen gilt, nimmt man irgendeine Schicht des Stils oder der Aussage für sich, trennt man das Was vom Wie, das Wie vom Was, schon
hat man sich vom Ziel des Gedichts heillos entfernt. Freilich: man
muß vorübergehend isolieren; daß es vorübergehend ist, muß ganz

deutlich sein. Ganz und gar verfehlt ist es, redet man von etwas, das sich von der Aussage dieses Gedichts abheben ließe, sagt man, diese Gedichtform, dieses Versmaß, diese Satzform, dieser oder jener Vokal oder Konsonant habe eine bestimmte Bedeutung – sie hat in einem anderen Gedicht eine ganz andere. Es geht nicht an, was aus verborgener Nötigung zu diesem Wort geführt hat, einfach als absichtliche Komposition zu verstehen, so sehr etwa der Klang seine Rolle gespielt hat, als die Worte zusammenkamen; „Schallanalysen" und Formanalysen, die sich selbständig machen, scheitern. Nichts ist auch damit getan, daß man die unendliche Antwort, die die Gestalt gibt, wieder in Probleme zurückübersetzt: „Die Gestalt erledigt das Problem", sagt dagegen Hofmannsthal. Was von der Gestalt wegführt, ist abwegig. Aber abwegig ist es auch, nur die Gestalt zu betrachten, nur, wie es uns ergreift, und nicht, was das Gedicht ergreift, wahr macht, was in der Erscheinung erscheint. Das Gedicht ist keine Etüde, es hat eine Aussage, es bringt uns vor etwas. Man weicht seinem Sinn und Ziel aus, sieht man von der Aussage ganz ab und erklärt es – mehr oder weniger sublim – nur in seinem Stil, als in sich einiges, einstimmiges Kunstwerk. Das hat seinen Wert, hilft es, das Gedicht, besser gesagt mit dem Gedicht, gemäßer zu begreifen, was den Dichter ergriff. Was immer man anzieht, nützt nichts, erwirkt es nicht das tiefere Ereignis des Gedichts in uns. Das Gedicht selbst schrieb die Wege vor, die Erschütterung, Einsicht, eine offenbarende Gebärde des Lebens in der Ausdrucksfülle erleben zu lehren, in der sie den Dichter überkam. Diese Wege darf man nicht verlassen. Man soll nicht gefühlig umkreisen, was klar zu beschreiben, was nachdenkend zu bewältigen ist, die Welt, die sich ausdrückt, die Gesetze, die walten, Erkenntnis, die sich kundgibt. Das will genau getan sein. Was eine Welt war, soll wieder eine Welt werden, was sich in Schönheit ereignet hat, schöne Empfindung; Wahrheit soll sich so zeigen, wie sie erschien: im einmaligen Antlitz.

Deutung ist nicht ohne Kritik, Wert vom Wertlosen scheidend, Echtes von Gefälschtem, das Notwendige vom Beliebigen. Dafür gibt es wieder kein Schema, aber untrügliche Proben. Um es zu wiederholen: wie es um Wesen und Wert steht, läßt sich nicht geradeaus, in folgerndem Denken vorrechnen; aber nach eigenem Gesetz sichtbar machen. Die letzte Beweiskraft kommt aus dem Persönlichsten, Lebendigsten des Urteilenden; der Griff, der den Beweis führt, mag wieder verschieden sein, ergriffen wird das Gleiche, Unverrückbare. Ein Wissender trennt zwingend den Wert vom Unwert; vor seinem Blick entlarven sich von selbst ein halbes Können, ein falsches Wollen, ein schwacher Kopf, die zu kleine Seele als das, was sie sind. Hörend und sehend mit feinstem Organ, den Finger auf dem Text, zeige der Deutende, wo sich ein Dichter größer macht, als er ist; mehr will, als er kann, oder auf Können verläßt, wo ein anderer, zwar in der Tiefe ergriffen aber zum lyrischen Wort nicht fähig ist, redet und nicht erwirkt, oder sein Gedicht glaubt, „machen" zu können, wo sein Wort ohne Schicksal ist, oder wo einer nichts empfangen hat, was die Welt hören muß, so groß er auch redet. Den wahren vom falschen Ton, wo die Worte das Gefühl und den Geist nicht tragen, das Gefühl und der Geist die Worte nicht füllen, das Echte vom Unechten zu unterscheiden, das Notwendige, Ursprüngliche vom Gebrauchsfertigen, die Gebärde, die Zeichen gibt, von der leeren, das Bild, das genau und alles enthält, vom ungenauen, das Wort, das eine Welt birgt, vom abseitigen oder zu allgemeinen, muß nimmermüdes Vergleichen helfen. In leuchtenden Einzelheiten oder mit überschauendem Blick kann man Größe zeigen, in der Qualität eines Bildes, der unnachahmlichen Schwebung des Tons, der erhabenen Notwendigkeit einer Wortfügung, in einem erleuchteten Wort oder dem ganzen, lichtverhüllten Körper des Gedichts — der ist auch seine Seele. Ein dürstendes künstlerisches Gewissen wird offenbar machen, wo es notwendig und ursprünglich herkommt und wo nur in der Seele und mit Worten etwas künstlich zusammengeholt wird. Ist der lyrische Sinn geweckt, dann kann man appellieren und fragen, wo die Worte ihres Auftrags mächtig oder ohnmächtig sind — wie immer das Thema lautet. Dem einmal Erweckten wird es augenblicks deutlich, daß hier ein Wort ist, indem es sich ereignet, dort eines, in dem es sich nicht ereignet, was der Dichter meint, hier alle Anstrengung nichts ausrichtet, dort absichtslos scheinbar und geistermächtig das Äußerste geschieht. Vom Gleichen redend entstand im einen Falle ein überfrachtetes Gebilde, im anderen ein unendliches Gedicht. Man braucht oft ein Wort nur zu ändern, die Stellung der Worte, und es wird offenbar, daß alles nur so und nicht anders, jegliches gebunden in die einzige Gestalt sich ereignen mußte, rein und grenzenlos den Sinn enthaltend. Daß dichterischer Wert nichts Relatives ist, mag ein Konsens erhärten; nicht schwer mag es fallen, die Mehrheit für Goethes „Füllest wieder Busch und Tal" gegen das frühere „Füllest wieder s'liebe Tal" auf seine Seite zu bringen oder in Meyers Römischem Brunnen gegen „Und alles strömt und alles ruht" für das spätere „Und strömt und ruht". Geht es bei irgend einem Gedicht erst einmal um die Aussage, so bei einem anderen erst um den Ton, doch stets um die Frage, ob Thema und Ton ineinander erlöst sind. Der Ton, in dem sich die Grunderschütterung mitteilt, kann uns schon unterrichtet haben, worum es im Letzten geht – noch haben wir inhaltlich nichts wahrgenommen; oder ein Wort wahrer Weisheit hat uns erreicht und wir wissen, daß das nur in den verhüllenden Zeichen geschehen konnte, die allein große Kunst vermag.

Der offenbarende Wink kommt genau da zu Hilfe, wo die Kräfte noch unbereit sind. Schulen heißt auch Reinigen. Ungereinigte Empfindung sieht die Schönheit nicht. Der Deutende selbst muß so fähigen wie unschuldigen Sinnes sein. Nirgends kann sich ein Unterweisender auf seine Methode verlassen. Noch die Unbeholfenheit, die wenigstens spüren macht, worum es geht, fördert mehr als Routine, die glänzend und glatt am Wesen vorbeiredet. Zum eigensten Verständnis zu führen, bedarf es einmal der kleinen zögernden Schritte, ein anderes Mal blitzhaften Erhellens an einer Kernfigur. Wo der „elegante Beweis", wie die Mathematiker sagen, am Platz ist, ist es der gründliche nicht. Das wohl bereite Wort ist falsch, wo nur das spontane zutrifft; dann wieder kann gewissenhafte Ergründung und Sicherung des Urteils nötig sein. Alles Probieren vernichtet; aber ein zeichenkräftiges Wort läßt das feinsinnigste Zergliedern weit zurück. Alles Klassifizieren ersetzt nicht das Schwerere, das Qualifizieren. Nur der äußersten Bemühung gelingt hier gültige Bestimmung.

Nach den Fehldeutungen vergangener Zeiten weiß man, daß das Gedicht einem schöpferischen Vermögen entstammt, das unableitbar ist. Aber weiß man, daß das Unableitbare, das Unwägbare zumeist das Eigentliche ist, so lauert nun die neue Gefahr: das Unwägbare – und sei es auf feinster Waage – vorwiegen zu wollen. Es muß unwägbar bleiben, wenn man es auch zu zeigen vermag. Der Griff, der jetzt ins Eigentliche dieser höheren Gebilde greift und die Gesetze der Begegnung mit diesen Gebilden zartester Verletzlichkeit nicht kennt, ist zerstörerischer als alle früheren Irrtümer. Das Letzte, Verhüllend-Enthüllende, das um die Dinge in einem Gedicht ist, muß man unbetastet lassen. Stets muß man auch fürchten, die geheimnisvolle Gegenwart der Dinge, die der Dichter vermocht hat, wieder zu verscheuchen; in dem Augenblick, da man des Dichters Wort vernimmt, sind sie im Zimmer, stehn leibhaftig auf. Ein falsches Wort – und sie sind weg und es ist nur mehr von ihnen die Rede. So ist es mit allem: eben ist noch Leben und Gegenwart und schon ist alles zerredet. Solche Vorsicht sei kein Ausweichen; sie erwarte und bereite so behutsam wie inständig den Augenblick, da das Unbestimmbare sich selbst bestimmt. Zwischen dem Doppelpunkt und dem Zitat geschieht das Entscheidende, hat der Erklärende sich recht verhalten. Wer in der Mitte des Kunstwerks geweilt und sich dort Rechenschaft abgelegt hat, wird fähig, das erschließende Wort zu sagen.

Aus der staunenden Begegnung darf kein eigensinniger, immer nur um die eigene Richtigkeit bekümmerter Prozeß werden oder gar eine Art Zweikampf zwischen Gedicht und Interpret. Was nützt es, wenn die Interpretation glorreich Runde um Runde gewinnt und am Ende das Gedicht völlig „niedergeschlagen" am Boden liegt. Alle Zielstrebigkeit muß beweglich und umsichtig sein; ist das unmeßbare Ganze aus dem Auge, dann läuft die Untersuchung leer, wie man es auch dreht und dreht. Wenn es der Deutung, die ihren Weg finden muß, zwischen falsch verstandener „Objektivität", die nur mit schlechtem Gewissen das Schöpferische ansieht und dilettantischer Mimik, die nicht weiß, zu welch entschiedener Anstrengung der Geist hier gefordert ist, wenn es ihr dann doch immer wieder die Stimme verschlägt vor der namenlosen Fülle des Dichters, dann ist das die rechte „Objektivität". Wer das Gedicht nur zum Absprung für eigene Sinngebung macht, fehlt an ihm. Das rechte Deuten ist ein Akt der Liebe, die keine Willkür kennt, die auch alles daransetzt, den anderen teilnehmen zu lassen am eigenen Gewinn; sie zeigt, was er noch nicht sieht. Liebe weiß, was er braucht.

Unweigerlich kommt der Augenblick, da man das Gedicht wieder in Ruhe und zu sich selbst lassen muß. Die Deutung löscht sich wieder aus. Ihr Sinn kann es nicht sein, daß das Gedicht Gegenstand sei, sondern Auge.

Edgar Hederer

WORT UND WORTGERÄUSCH
ZU TRAKLS „VERKLÄRTER HERBST"

Es gibt die Welt des Wortes und die Unwelt des Wortgeräusches.
In der Welt des Wortes ist es ein Geschehnis, wenn Mensch und Ding
einander begegnen. Der Mensch umfaßt hier das Ding, er umfaßt es
mit seinem Geist, daß der Geist sage, was das Ding sei, daß er die
Wahrheit des Dinges sage, und er umfaßt es mit seiner Seele, daß die
Seele die Wahrheit lebendig mache, durchwärme. Der Laut des Wortes, der Wortkörper, wird wahr und warm durch den Geist und durch
die Seele des Menschen. Die Dinge sind *da* durch das Wort des
Menschen.
In der Unwelt des Wortgeräusches aber sind die Dinge nicht mehr
da, sie huschen nur vorüber, ist es kein Geschehnis, kein Akt mehr,
wenn der Mensch auf ein Ding zugeht, es ist wie im voraus alles schon
erledigt, bevor er es angefaßt hat, er hat das Ding überhaupt nicht
vor sich, er streift nur darüber hinweg, als sei es ein bloßes optisches
Zeichen, er umfaßt es nicht mehr mit dem Auge und nicht mehr mit
dem Geist und nicht mehr mit der Seele. Dann ist auch das Wort ohne
Geist und ohne Seele, es wird purer Wort*körper,* purer Laut: Wortgeräusch. — Der Mensch hat keine Zeit mehr, einem Ding wirklich
zu begegnen, er hat keine Zeit mehr für das Ding, weil er keine Liebe
mehr hat. Liebe und Zeit gehören zueinander.

Verklärter Herbst   VI/73

Gewaltig endet so das Jahr
Mit goldnem Wein und Frucht der Gärten.
Rund schweigen Wälder wunderbar
Und sind des Einsamen Gefährten.

Da sagt der Landmann: Es ist gut.
Ihr Abendglocken lang und leise
Gebt noch zum Ende frohen Mut.
Ein Vogelzug grüßt auf der Reise.

Es ist der Liebe milde Zeit.
Im Kahn den blauen Fluß hinunter
Wie schön sich Bild an Bildchen reiht –
Das geht in Ruh und Schweigen unter.

In den Worten des Gedichtes sind der Herbst und die Dinge des Herbstes wirklich vor einem, es ist nicht wie beim Wortgeräusch, wo die Worte nur Zeichen sind, daß ein Ding vorüberhuscht, gleichgültig fast, was für ein Ding. Hier sind die Dinge, die ganz und gar bestimmten Dinge, durch das Wort da. Wenn das Wort so die Sache ist, dann erscheint das Wort als ein beglückender Überfluß; die Sache ist da, und durch das Wort ist sie noch einmal da. In diesem Überfluß ist die Sache wie gelöst aus der Notwendigkeit, das Ding zu umfassen, sie ist frei und darum schön.

Der Mensch antwortet also mit dem Wort darauf, daß die Dinge da sind, es gehört zu seiner Ehre, darauf zu antworten. Indem der Mensch das Ding mit dem Worte nennt, zeigt er dem Schöpfer an, daß es bei ihm angekommen sei, daß er es empfangen habe. Dazu hat überhaupt der Mensch das Wort. Das Wort des Menschen ist vor allem Antwort an den Schöpfer. Die Sprache ist das Inventar der Schöpfung.

Ich habe eben gesagt, die Sprache müsse Antwort sein des Menschen an den Schöpfer, daß die Dinge bei ihm, dem Menschen, angekommen seien. Der Dichter aber tut noch mehr: er zeigt nicht nur an, daß er deutlich gesehen habe, was der Schöpfer schuf, er hält die Dinge, die nun bei ihm sind, nicht nur mit dem Worte fest, sondern: er schickt die Dinge im Worte, mit dem Worte der Dichtung, wieder an den Schöpfer zurück. Das Wort des Dichters macht die Dinge schwebend, sein Wort ist keine starre Deutlichkeit, sondern eine schwebende. Das ist der wahre Rhythmus des Gedichtes: daß es das Ding hinbringt zum Menschen, aber daß es das Ding zugleich wieder zurückschweben läßt zum Schöpfer.

Das Gedicht von Trakl ist deutlich, deutlicher Herbst mit all seinen Dingen, der Herbst fällt aus ihm heraus, wenn der Sommer zu Ende ist, und er kehrt in das Gedicht zurück, verschwindet in ihm, wenn der Winter beginnt. Und es ist nicht nur dieser eine Herbst, sondern alle Herbste, das Gedicht war da, ehe der Herbst für die Erde geschaffen war, und singt sich weiter durch alle Herbste hindurch, wenn es schon lange keine Erde mehr geben wird: dann ist der Herbst beim Schöpfer, für immer.

Das macht die Ehre des Dichters aus, daß er das kann und darf: er entschwert die Erde, er macht die Erde, auf die die Dinge schwer drücken, leichter. Auch das, was nicht vom Schöpfer, sondern vom Menschen her die Erde und die Menschen belastet, wird durch das Wort des Dichters schwebender, die Erde wird durch ihn freier und unbelasteter.

Max Picard

EIN BRIEF

Lieber Herr Doktor!

Sie haben mir geschrieben, bei einem Gedicht wie dem Goetheschen:

> Dämmerung senkte sich von oben,
> Schon ist alle Nähe fern;
> Doch zuerst emporgehoben
> Holden Lichts der Abendstern!
> Alles schwankt ins Ungewisse,
> Nebel schleichen in die Höh';
> Schwarzvertiefte Hindernisse
> Widerspiegelnd ruht der See

bei einem solchen Gedicht rieten Sie Ihren Schülern, daß jeder allein aufs Feld gehe und dort die Dämmerung dem Gedicht gemäß erlebe. Das ist genau das, was Abbé Brémond meint: daß der Dichter versuche, auf uns eine gewisse Erschütterung zu überpflanzen, uns zu einem bestimmten Erlebnis zu weisen und in einen bestimmten höheren Zustand zu versetzen. – Das halte ich für falsch. Das Erlebnis, die Erschütterung durch das Erlebnis, charakterisiert weder den Vorgang des Dichtens noch den des Verständnisses der Dichtung.

Durch die wirkliche Dichtung wird der Zuhörer von selbst mitgelebt, er wird zu einem Teil der Dichtung selber, ein Stück von ihr: so gehörten die Zuhörer der griechischen Tragödie zur Tragödie.

Erschütterung, Erlebnis? Das ist eine viel zu geringe Kategorie, das ist nur im Bereich des Psychischen. Niemals ist die Menschheit so sehr erschüttert worden wie jetzt, und nie war die Dichtung so gering wie jetzt, wenn man sie mit dem Maß der Erschütterung von heute vergleicht. Das Primäre beim Dichter ist die dichterische Potenz, nicht das Erlebnis und die Erschütterung, sonst wäre jeder tiefenpsychologische Seelenerschütterer (diese Ingenieure der psychischen Erschütterung!) ein Dichter und ihre Patienten dazu. Die dichterische Potenz führt hin zum Erlebnis, durch sie erfährt der Dichter selber erst die Wirklichkeit, es ist nicht umgekehrt, daß der Dichter das Erlebnis ins Dichterische übertrüge. Das nähme ihm ja alle Ursprünglichkeit. Natürlich gehen dem Gedicht Begegnungen mit den Dingen voraus. Aber erst durch das Gedicht werden die Begegnungen realisiert, sie werden das Beispiel einer vollkommenen Begegnung. Es ist, als seien die Dinge um dieser Begegnung willen eben erst geschaffen worden, so unmittelbar stehen sie vor einem. Das Gedicht steht primär da, souverän über der vorangegangenen Begegnung. Es steht auch primär in der Zeit da, und das eben macht den Zauber des Gedichtes aus, daß das Vorher und Nachher der Uhrenzeit aufgehoben ist.

Es ist falsch, daß man den Schüler lehrt, die Dinge mit seinem Gefühl zu erfassen, sie so nachzuerleben; er muß dazu gebracht werden, auch die Dinge anzuerkennen und zu verstehen, mit denen er durch sein Gefühl nicht unmittelbar verbunden ist. Das Gefühl, dessen Unmittelbarkeit, ist nicht das Maß der Dinge, es ist, nach Hegel, nur ein Anfang, über den hinausgegangen werden muß. Das Gefühl muß dem Objektiven, das im Gefühl fehlt, nachgebildet werden, nicht umgekehrt darf etwas, was ist, nur anerkannt werden, wenn es gefühlt werden kann.

Ich glaube, daß ein Gedicht vor allem Wahrheit darstellt und auch Wahrheit überträgt. Auf der Basis der Wahrheit begegnen sich Dichter und Verstehender, Schüler. Der Zuhörer wird durch das Gedicht in eine Sphäre von Wahrheit geführt, die sich ihm überträgt.

Die Wahrheit allein ist die der Dichtung würdige Kategorie. Der Schönheit geht der Zuhörer nicht verlustig durch die Wahrheit, denn die Wahrheit des Gedichtes strebt und zittert nach der Ur-Wahrheit, und die Schönheit ist der Glanz, mit dem sich die Wahrheit des Gedichtes selber vorleuchtet zur Ur-Wahrheit.

Ihr

Max Picard

(Mit freundlicher Genehmigung des Verfassers aus: „Der Mensch und das Wort", Eugen Rentsch Verlag, Erlenbach-Zürich 1955, S. 188—190).

34

DER LEHRER ALS INTERPRET

Der Lehrer als Interpret muß in der Nachfolge des Dichters etwas leisten, was der Dichter leistet. Es gilt nicht, ein Kunstwerk mit kaltem Blick nach erfüllten Regeln abzufragen. Nur der Hingabe erschließt sich das Gedicht als Gestalt, die sich offenbaren will.

An den Lehrer sind damit hohe Aufgaben gestellt. Er wird sie nur erfüllen, wenn er selber staunend anschauen kann und das Organ besitzt, sein Staunen mitteilend zu begründen. Das Kunstwerk wirbt nicht. Es bedarf des dienenden Umgangs mit der reinsten Gestalt der Sprache, in Geduld und Stärke. Tätige Hingabe ist verlangt, bloßes Genießen und Schwärmen nützt nichts.

Dieses tätige Umgehen mit Sprache weckt Kräfte, verwandelt, und schafft den Grundton, dem nachhorchend wir ins Wesen gelangen. Das ist ein schwerer Weg. „Wird sich der fremde Schmetterling von selber auf einen Menschenfinger setzen, und gar auf meinen? Wohl kaum! Aber gesehen hab ich ihn, durch die geschlossenen Lider, eben als ich schlief: da muß er auf meiner Stirn gesessen sein und ein- oder zweimal die Flügel langsam geöffnet und wieder geschlossen haben, denn ich spüre noch die Farbschatten und das Wehn, das lautlose, auf den Schläfen. Und doch gibt es deren, die ihn auf ihre Nadel zu spießen denken, um den Namen drunter zu schreiben, den sie ihm gaben! Wie heißt er denn wahrhaft, der Fremde? Psyche, Seele des Toten. Die, als sie noch im Leben lebte, es nicht anders, nicht ungeistiger berührte als mit solch lautlosem Schaukeln der Flügel, denen Luft und Duft so zärtlich verwandt ist wie dem Mädchenohr das Plaudern einer Gitarre, das die unbewegte Nacht in laue Wellen setzt." So überlegt Max Kommerell, als er über Gedichte Hugo von Hofmannsthals sprechen soll. (Nachlese der Gedichte, 1934). Also nicht aufspießen, sondern anschauen! Das Anschauen lebendiger Gestalt gibt Gestalt. Das Gedicht ist vollkommene Gestalt. Diese Gestalt des geformten Wortes, selbstlos vom Lehrer vorgetragen, schenkt dem Schüler Gestalt.

Der Lehrer wird zu allererst *das eigene Ich fallen lassen*. Im entkrampften Herzen soll sich das Wort niederlassen und wohnen, nicht zufällig, sondern notwendig — und es bedarf sorgsamsten Umgangs mit dem Wort. Angerührt von Gestalt, werden wir sie ergreifen und begreifen, in die Sprachbewegung des Gedichtes eindringen und fähig sein, das ergriffene Gedicht darzubieten.

Helena fragt Faust:
„So sage denn, wie sprech ich auch so schön?"
Faust antwortet:
„Das ist gar leicht, es muß von Herzen gehn."
Wenn wir *von Herzen sprechen,* sprechen wir nicht prunkend, nicht gefühlvoll, in hohlem Pathos. Wir sprechen nicht uns, sondern das Gedicht. Wir tragen es vor, sagen es nicht auf, wir bieten es nicht an, wir bieten es dar. Wenn wir auch, um falsche Haltung zu vermeiden, das Gedicht vorlesen, so sind wir doch vom Schriftbild des Textes gelöst, wir tragen nicht auswendig vor, sondern inwendig.

Die so erfüllte Darbietung des Gedichtes ist nicht schon die Interpretation, wohl aber ein Höhepunkt, der die Interpretation entscheiden wird. Deshalb ist doch wohl das Zeugnis für die Gestalt des Gedichtes durch *das Vortragen zuerst und zuletzt dem Lehrer aufgegeben* und nicht dem Schüler. Dieser begegnet dem Gedicht vielleicht zum ersten Mal, er ist daher zunächst vom Stoff beeindruckt, er kann nicht auf Anhieb den Vers, die Strophe gestalten, auch nicht nach stillem Lesen des Gedichtes. Der Schüler muß Ganzheit und Einheit der Gestalt vermittelt bekommen durch den, der sich schon lange Zeit anschauend im Raum des Gedichtes bewegt hat, so daß das Gesprochene die Schönheit zum Leuchten bringt. Auf die Sinne müssen wir wirken, besonders auf das Gehör. Das Wort, die Wortstellung, Klang und Bild lassen wir rhythmisch durch uns hindurchströmen, daß wir Gestalt in Sinne und Geist des Schülers zeichnen. Dieses Gesetz des Ausdrucks und Eindrucks, des Innen und Außen, befolgen wir von der untersten Klasse bis zur obersten. Wir bereiten Wege zum Gedicht.

Der Lehrer der Höheren Schule hält *keine wissenschaftliche Vorlesung. Er führt ein Gespräch mit dem Schüler,* den er vorbereiten will zur Begegnung mit der dichterischen Gestalt.

Wenn durch die Darbietung das organische Ganze, das in Ordnung leuchtende Gebilde der Dichtung, dem Schüler anvertraut ist, wird der Lehrer nicht auf weite literarhistorische Untersuchungen, geisteswissenschaftliche Erörterungen, biographisch-psychologische Fragen eingehen. Er wird auch nicht breite Erörterungen anstellen, um das Gedicht einer Epoche zuzuweisen, auch zu weitausholende sachliche Erläuterungen und Erklärungen wird er vermeiden. Das ist Sache eines Kommentars, aber nicht der Interpretation. Der Lehrer muß freilich mit all den Fragen vertraut sein, um den Kern des Kunstwerkes richtig anzugehen und seine Substanz nicht zu verletzen. Er muß aber wissen, daß er mit Erläuterungen allein nicht an das Geheimnis der Kunst rührt. Goethe spendet denen kein Lob, die zur Erhellung seiner Gedichte die „Specialissima, wobei und woran sie entstanden seien", als unentbehrlich erachten. Hugo von Hofmannsthal war entschlossen, alle seine Briefe zu vernichten, um sie dem Zugriff der „Biographisten" zu entreißen. Kommentar ist nicht Interpretation. Der gute Kommentar aber hilft uns, die der Interpretation des Gedichtes vorausgehenden oder nachfolgenden Erklärungen, die oft unerläßlichen, richtig einzubauen und zu verwerten.

Wie vergegenwärtigen wir dann das Gedicht in der Schule? Wir erweisen das dichterische *Kunstwerk als Organismus*. Wir können es nicht wie einen Mechanismus zerlegen, wie eine Uhr etwa, deren Teile wir auseinanderlegen und nach genauer Prüfung zusammenfügen — und das Uhrwerk tickt wieder. Wir gehen, ohne den Spannungsbogen der organischen Einheit zu verletzen, einmal vom Ganzen ins Einzelne und einmal vom Einzelnen zum Ganzen. Wir ziehen nicht einzelne Stellen heraus, um sie isoliert zu betrachten, wir fügen jede Stelle in das rhythmische Kraftfeld und erweisen aus der Mannigfaltigkeit, die in Sprache, Tonfall, Melodie, Motiv sich zeigt, den *Stil*, „durch den alles Vergängliche unvergänglichen Sinn gewinnt" (E. Staiger, Die Kunst der Interpretation). Damit haben wir die erste Klippe für den Interpreten vermieden, „nur eine Schmetterlingssammlung von lauter einzelnen Aperçus zu liefern" (Staiger, ebenda).

Wenn so eine erste Wahrnehmung des Wahren und Schönen in der Seele der Schüler aufgeht, dann können wir klären und hinzeigen und nachweisen, ohne unseren Schatten in die einmalige und unverwechselbare Gestalt des Gedichtes zu werfen. Wir bringen es nicht mehr über uns, den ureigenen Stil des Kunstwerkes durch unseren Stil zu kränken, indem wir etwa mit unseren Worten das Gedicht wiederholen und ihm schon dadurch eine ganz falsche Stelle zuweisen. Wir begnügen uns auch nicht mit dem matten Frage- und Antwortspiel, diesem unechten Geplänkel, das immer im Sande verlaufen wird mit seinem trockenen Schema, das die Herzen ausdörrt.

Jedes Gedicht hat Gesetz und Ordnung, nach denen es gedeutet werden will, in sich. Das Gedicht bestimmt die Methode, nicht der Lehrer. Er muß hineinschwingen in den *Rhythmus* und er wird einen *Grundton des Kunstwerkes* erfahren, der das Ganze durchseelt, und ihn in der Tonführung, im Tonfall an die Schüler herantragen. Diese Form ist nicht beliebig, sondern durch den Stoff gefordert. Stoff und Form drücken sich durch einander aus. Der Stoff lebt durch die Form.

Sie ist keine Verzierung, sondern Kraft, die sich im Reim, in den klingenden und stumpfen Ausgängen, in Kadenzen und Akkorden, im Refrain, im Echo verlautbart. Dieser rhythmische Grundcharakter wird dem Schüler schon bei der Darbietung durch den Lehrer nicht ganz verborgen geblieben sein. Die Schüler erfahren, daß es nicht das „Was" ist, das ein Kunstwerk schafft, sondern das „Wie", daß der Inhalt noch nicht entscheidet. Der Tonfall bildet den Sinn des Wortes um. „Es liegen in den verschiedenen poetischen Formen geheimnisvolle große Wirkungen. Wenn man den Inhalt meiner Römischen Elegien in den Ton und die Versart von Byrons „Don Juan" übertragen wollte, so müßte sich das Gesagte ganz verrucht ausnehmen" (Goethe zu Eckermann, 25. 2. 1824). Die an jeder Stelle des Gedichtes sich offenbarende rhythmisch-musikalische Lage gilt es ohne systematische Schroffheit, ohne ästhetische Theorie sichtbar zu machen, hörbar zu gestalten bis zu einem bestimmten Wort oder einer rhythmischen Figur, aus denen das Gedicht emporsteigt, und die es zu erfassen gilt.

Aus dieser Wahrnehmung heraus verweisen wir auf den Weg, den Paul Wanner zur Vergegenwärtigung des Gedichtes einschlägt: „Das Gedicht ist Aufgabe der Stunde, es gilt, es recht erklingen und ganz zur Wirkung kommen zu lassen. Es ist ein Gegenstand, an dem redlich und doch leicht gearbeitet werden muß, wie an einem Musikstück. Dazu muß es ganz und rein in Erscheinung treten. Dies kann es nur, wenn man es spricht. Man ruhe also nicht, bis es richtig gesprochen ist" (Der Deutschunterricht, 1947/1, S. 65). Wir werden mit dieser Arbeit besonders in den unteren und mittleren Klassen, die noch unmittelbar hören und aufnehmen, gute Erfolge erzielen können, bisweilen unterstützt von den Lehrern für Musik und Kunsterziehung.

Zur Vergegenwärtigung des Gedichtes führt den Lehrer auch die Suche nach dem *Kern des Kunstwerkes,* um den herum sich die Aussage des Gedichtes versammelt. Bei wiederholtem Lesen, lautem Lesen, erschließt sich eine Mitte, die geistig-seelische Ursprungsstelle, der stärkste Eindruck. Diese Achse erscheint nicht selten bewußt in der Mitte der äußeren Gestalt, kann aber auch an anderen Stellen liegen. Wir sollen den Schülern zeigen, wie alle Töne und Klänge, Linien und Bewegungen der Sprache von diesem Quellpunkt ausgehen. Diesen Ort nicht durch planloses Raten, sondern durch sinnvolles Planen zu ergründen, ist einer der Wege, die wir die Schüler zum Gedicht führen können. Den geistig-sinnlichen Kern können wir bisweilen erhärten, sparsam freilich, durch klärende Parallelstellen aus dem Werk des Dichters und seine Welt aufleuchten lassen.

Es ist schon hervorgehoben worden, daß das Wort in seiner Fügung im Gedichte einen neuen Sinn bekommt. Es ragt über die hic et nunc gezeigte Situation hinaus, es transzendiert den *Sonderfall ins Allgemeingültige*. Es läßt eine durch den Einzelfall hindurchschimmernde, zeitlos überpersönliche Wirklichkeit erstehen, vor der die sinnlich wahrnehmbare Welt verbrämt erscheinen muß: *das Symbol*. Behutsam wird der Lehrer besonders vor den Schülern der Oberstufe diesen Glanz der in der Sprache gegebenen Möglichkeiten leuchten lassen. Aber gerade auf diesem steilen Grat drohen Gefahren, abzustürzen in bloße Umschreibung.

Insbesondere werden wir auf der Hut sein müssen, daß wir nicht dem schon erwähnten Biographismus huldigen, jenem Phänomen besonders auch der Schule, das um jeden Preis vom Dichter Erhobenes und Verklärtes zurückstoßen will in seinen biographischen, geographischen und geschichtlichen Ort. Was die Dichter bewußt versiegelt haben, wird aufgebrochen und zur Schau gestellt. Was die Dichter sorgfältig verstellt und ausgestrichen haben, wird von falscher Klugheit wieder säuberlich geordnet und reingeschrieben. Das ist aber der Abfall vom Dichter und der Interpretation des Kunstwerkes. Derart indiskret, leuchten wir vielleicht alles aus. Wir wissen jetzt alles, aber den Hauch der Seele, den lebenspendenden, haben wir verjagt aus dem Gedicht und er wird den Schüler nicht mehr treffen. Aus dem Symbol ist wieder roher Stoff geworden, wenn wir bedeutungsvoll dem Schüler flüstern: „Das war Friederike ... das war Christiane ... das war Marianne – das war jener Berg ... das jener Fluß ... das jenes Tal". Wir müssen gewiß sachlich sein und genau, aber entzaubern ist böse Tat, gerade vor Schülern. Wir müssen sie verzaubern, daß das „Ich" des Dichters ihr „Ich" wird und das „Du" des Dichters ihr „Du". So wollen es die Dichter, deswegen sprechen sie.

Droht uns nicht noch eine Gefahr? Wir Lehrer müssen viel wissen und reden. Wollen wir nicht bisweilen alles besser wissen und reden wir nicht auch einmal zu viel? Unser Beruf, zu dem so sehr das Verbessern mit dem Rotstift gehört, bringt das mit sich. Wie schade ist es, wenn der Lehrer – wir erinnern uns an unsere Schulzeit – jedes Wort oder immer wieder sein Lieblingswort herausgegriffen hat oder *Probleme* erörtert, *Formeln* geprägt und *Ideen* verkündet hat und auch die „Moral von der Geschicht", an Kunstwerken „aus Morgenduft gewebt und Sonnenklarheit"! (Goethe, Zueignung). „Habt doch den

Mut, euch ergötzen, euch überraschen, euch erschüttern zu lassen, ohne immer nach einer Idee zu fragen!" (Goethe). Es wird also besser sein, etwas zu übersehen als jedes Stäubchen aufzublasen. Die Kunst des Verschweigens ist eine große Kunst. Es ist bisweilen gut zu wissen, was man nicht sagen darf, um das Erleben und Verstehen des Kunstwerkes nicht zu gefährden. „Ein Rätsel ist Reinentsprungenes" (Hölderlin).

So werden wir nicht immer die Fülle des Wissens ausbreiten, auch nicht jeden Vokal und Konsonanten unter allen Umständen bemühen, gelegen oder ungelegen, bis der Schüler sagt: „Unser Lehrer hört auch noch das Gras wachsen!"

Wir werden immer wieder die Verse hörbar machen, immer im Ton der Dichtung. *Das rhythmische Wort des Dichters muß durch die Stunde wehen.* Es stimmt uns zusammen, stimmt uns in der Stimmung des Dichters, hebt uns aus uns heraus und zieht uns hinüber in die Lage und in den Raum des Sprechenden. So ist es der Dichter, der spricht. Er vollbringt das Werk an uns und den Schülern, bis zu jener Stufe des Daseins, auf der alles Trennende abfällt und das Geheimnis des Einfachen uns unbegreiflich beglückt.

„Horch auf die Musik. Selbst im raschen Hin und Her des Bühnendialogs sollten unsere Ohren imstande sein, das Wechselspiel der Vokalklänge einer Verszeile wahrzunehmen und als Anzeichen der Ordnung des Alls zu begreifen, und das Komma in der Zeile mit fast ebensoviel Hingabe zu bedenken wie das Komma auf dem Unterflügel des Schmetterlings." (Christopher Fry, Warum Verse? Die Neue Rundschau 1956, 2. und 3. H., S. 364).

Wie vergegenwärtigen wir in der Schule das Gedicht? Rilke, weit entfernt, sein Wort anzubiedern, übte eine Weise der Mitteilung, die für Lehrer und Schüler nicht belanglos ist: *das Vorlesen.* „. . . Ich brachte nicht einfach Gedichte, sondern ich setzte mit einer allgemeinen Einführung ein, die überall ungefähr die gleiche war, – während ich dem zweiten Teil des Abends eine dem jeweiligen Ort schmiegsam angepaßte, aus dem unmittelbaren Stegreif erfundene Causerie voranstellte, die über verschiedene Gegenstände zu meiner Arbeit zurückleitete und, ganz unmerklich, für diese so vorbereitend und aufklärend war, daß dann selbst sehr persönlich gestaltete und „schwere" Gedichte mit ungewöhnlicher Stärke aufgenommen wurden . . ." (An Anton Kippenberg, 2. 12. 19). (Über den Aufbau, Inhalt und Eindruck dieses Vorlesens unterrichten Aufzeichnungen in: R. M. Rilke, Briefe an Frau Gudi Nölke.)

Kann nicht auch der Lehrer auf diesem Weg Interpret des Dichters und der Dichtung sein? Wird er nicht nach einem gelungenen Versuch die Schüler bewegen und begeistern können, solche Arbeit selber zu übernehmen und eine Stunde des Vorlesens in der Klasse zu gestalten? Nun ist der *Augenblick für den Schüler* da. Er soll nicht immer schweigen und hören, er soll auch sprechen und formen. Nur so dringt er persönlich und freudig in das Geheimnis der Dichtung vor. Er wird vom Lehrer angeleitet, Gedichte aus vorliegenden Sammlungen auszuwählen, die schon in dieser Absicht zusammengestellt sind, thematisch und psychologisch. Zu Hause muß er den Vortrag des Gedichtes üben, wie er den Vortrag eines Musikstückes einübt, so daß kein Ton falsch ist, daß alle Beziehungen stimmen. Die anderen Schüler nehmen Stellung, der Lehrer hält unmerklich seine Hand über den Geistern, spornt an, hält zurück, verbindet, gleicht aus, versöhnt. Protokolle, die am besten je zwei Schüler über solches Vorlesen von Gedichten anfertigen, erweisen den beschwingten Geist solcher Stunden.

Es ist doch auch von Bedeutung, daß auf diese Weise Schüler Gelegenheit haben, *nach ihrer Wahl Gedichte auszusuchen* und zu lernen. Es drängt die weite Welt des dichterischen Wortes in die Klasse herein, sie bleibt nicht stehen bei den zehn oder fünfzehn Gedichten, die der Lehrer aus seinem Erleben heraus zu deuten sucht. Die Stimme Goethes ist ebenso anwesend wie die Georges, die Droste ist da und Ingeborg Bachmann, das Alte und das Neue.

So sehr sich der Lehrer bemühen wird, daß bei diesem Auswählen nichts Falsches sich begegnet, nicht Unvereinbares sich stößt und verletzt, so sehr wird er die echte Möglichkeit der *Darbietung motivgleicher Gedichte* begrüßen, die sich in einem gemeinsamen Punkte berühren, in Motiv, Bild oder Ding, in einem Punkt, der aber Kraftfelder ganz verschiedenen Erlebens ausstrahlt. Nie werden wir es zulassen können, daß das vollendet in sich ruhende Gedicht in einem Vergleich etwa als Mittel benutzt wird, ein Gedicht, das unvergleichliche Welt ist. (Vgl. Eberhard Sitte, Vergleichende Gedichtbetrachtung im Deutschunterricht. DU 1953/3. – H. Thiele, Das freie Gespräch als Möglichkeit, Gegenwartslyrik zu erschließen. DU 1954/56.)

Wird es den Lehrer nicht freuen, wenn Schüler auf diesem Grund gemeinsamer Arbeit Fragen beantworten, die ihn quälen? Welche Gedichte soll ich auswählen, wo liegt Ton, Klang, Rhythmus, Bild, Stoff, die echtes Erleben und Verstehen verbürgen? *Die Jugend hat ihren Ton und Rhythmus.* Ihn gilt es zu hören, ihn gilt es vielleicht auch zu klären und zu ordnen. Wie unsere Kollegen von der Kunst- und Musikerziehung Zeichen und Ton der unmittelbaren Gegenwart nicht verweigern im Schulraum, sondern fruchtbar und anregend hereinbeziehen zu den Menschen, die Gegenwart leben, so sollen auch wir den hellen Tönen der unmittelbaren Stunde uns nicht verschließen. In solchen Gesprächen der Schule erfahren die jungen Leute, daß über das in der Ichaussage von Stimmung flutende Gedicht hinaus gerade auch das objektive Fügen und Ordnen nach Normen und Gesetzen und auch das Wort als Grund der Selbstvergewisserung und Selbstbehauptung *Kunst* ist. Auf dieser Ebene können Dichter, Epoche, Sageweise unmittelbar aus den Gedichten heraus beschworen werden. Die Schüler lassen sich zu *selbständigen Versuchen der Interpretation* anregen, der Lehrer nimmt ihre Arbeiten ernst, setzt sich damit auseinander, lernt vielleicht auch daraus. Er kommt absichtslos in echte Berührung mit dem Schüler. Lehrer und Schüler lernen sich in einer neuen Weise schauen und achten. Es schwinden die Begriffe „Klasse" und „Stunde" im hergebrachten Sinn.

Es ist die gute Stunde da, der fruchtbare Augenblick, in dem sich das erste und letzte Gesetz jeder Weisung zum Gedicht erfüllt: Lehrer und Schüler begegnen sich in innerem Einverständnis vor dem Kunstwerk, durch die reinste Form der Sprache angerührt und verwandelt. Sie schauen so zueinander, daß ein gemeinsamer Blick zum Kunstwerk möglich ist.

Rupert Hirschenauer

INTERPRETATIONEN

Hartmann von Aue:
Dem kriuze zimt wol reiner muot

Dem kriuze zimt wol reiner muot
und kiusche site:
sô mac man saelde und allez guot
erwerben mite.
ouch ist ez niht ein kleiner haft
dem tumben man
der sîme lîbe meisterschaft
niht halten kan.
ez wil niht daz man sî
der werke drunder frî:
waz touc ez ûf der wât,
ders an dem herzen niene hât?

Nû zinset, ritter, iuwer leben
und ouch den muot
durch in der iu dâ hât gegeben
lîp unde guot.
swes schilt ie was zer werlt bereit
ûf hôhen prîs,
ob er den gote nû verseit,
der ist niht wîs,
wan swem das ist beschert
daz er dâ wol gevert,
daz giltet beidiu teil,
der werlte lop, der sêle heil.

Diu werlt mich lachet triegend an
und winket mir.
nû hân ich als ein tumber man
gevolget ir.
der hacchen hân ich manigen tac
geloufen nâch:
dâ niemen staete vinden mac,

Sît mich der tôt beroubet hât
des herren mîn,
swie nû die werlt nâch im gestât,
daz lâze ich sîn.
der fröide mîn den besten teil
hât er dâ hin,
und schüefe ich nû der sêle heil,
daz waere ein sin.
mag ime ze helfe komen
mîn vart diech hân genomen,
ich wil irm halber jehen:
vor gote müeze ich in gesehen.

Mîn fröide wart nie sorgelôs
unz an die tage
daz ich mir Kristes bluomen kôs
die ich hie trage.
die kündent eine sumerzît,
diu alsô gar
in süezer ougenweide lît.
got helfe uns dar,
hin in den zehenden kôr,
dar ûz en hellemôr
sîn valsch verstôzen hât,
und noch den guoten offen stât.

Mich hât diu werlt alsô gewent
daz mir der muot
sich zeiner mâze nâch ir sent:
dêst mir nû guot.
got hât vil wol ze mir getân,
als ez nû stât,
daz ich der sorgen bin erlân,

dar was mir gâch.
nû hilf mir, herre Krist,
der mîn dâ vârend ist,
daʒ ich mich dem entsage
mit dînem zeichen deich hie trage.

die manger hât
gebunden an den fuoʒ,
daʒ er belîben muoʒ,
swenn ich in Kristes schar
mit fröiden wünneclîchen var.

Während sich die französischen Troubadours von Anfang an an der
Kreuzzugswerbung beteiligen, dringt der Kreuzzugsgedanke in die
mittelhochdeutsche Lyrik erst gegen Ende des 12. Jahrhunderts, zur
Zeit des dritten Kreuzzuges, ein. Damals sind bereits hundert Jahre
vergangen, seit die ersten Aufrufe und Predigten über den Sturm auf
Jerusalem die Gesamtheit der abendländischen Christen in religiöse
Ekstase versetzt und einen Massenaufbruch nach dem Heiligen Lande
hervorgerufen hatten. Wenn auch der Rausch einer alles überwinden-
den Hingabe und Opferbereitschaft, der die ersten Kreuzzüge getragen hatte, geschwunden war, so blieb doch die Forderung der Befreiung des Heiligen Landes von den Ungläubigen bestehen. Die in
allen Kreuzpredigten wiederholten Gedanken der Buße, der Sünden-
vergebung und des himmlischen Lohnes für den Kreuzfahrer blieben
Allgemeingut des kirchlichen Denkens, das auch in Zeiten scheinbaren
Zurücktretens des Kreuzzugsgedankens in Dichtung und Predigt wei-
terlebte und jederzeit in den Worten der großen Prediger zu gewaltiger Wirkung gesteigert werden konnte.
Als durch den erneuten Fall Jerusalems im Jahre 1187 die Forderung
eines Kreuzzuges wiederum zum brennenden Anliegen aller Christen
wurde, traf sie in Deutschland auf eine veränderte ständische und
kulturelle Situation. In den ersten beiden Kreuzzügen, deren Führung
allein in den Händen des Papstes lag, hatten die Stimmen Peters von
Amiens und Bernhards von Clairvaux das heilige Feuer einer Bewegung
entfacht, in der sich das Erlösungsstreben des Einzelnen seinen Weg zu
bahnen suchte. Im dritten Kreuzzug aber ging die Führerschaft aus
den Händen eines schwachen Papstes in die Barbarossas, eines starken weltlichen Herrschers, über. Dadurch verbanden sich kirchliche
Ziele und weltliches Eroberungsstreben zu einer Synthese, die ihre
Parallele in einem einzigartigen Zusammenklang weltlicher und christlicher Lebensideale hatte. Auf dem von Friedrich I. zum 1. 12. 1187
ausgeschriebenen Reichstag zu Straßburg und auf dem im folgenden
Jahr stattfindenden Hoftag zu Mainz (Curia Christi) wurde für den
neuen Kreuzzug geworben. Der päpstliche Legat Heinrich von Albano
und der Bischof Gottfried von Würzburg sprachen im Auftrag des

Papstes zu der versammelten Ritterschaft. Auf dem Höhepunkt seiner äußeren Macht, die der festliche Hoftag zu Mainz offenbarte, nahm der Kaiser das Kreuz und verpflichtete sich damit zum Dienst des obersten Lehnsherrn. Mit ihm verpflichtete sich nicht wie in früheren Kreuzzügen eine ungegliederte Masse von Erlösungsbedürftigen, sondern die gesamte unter seiner Führung zu einem einheitlichen Stand herangewachsene deutsche Ritterschaft. Dieser neue Stand, dessen Entwicklung in den Nachbarländern schon eher abgeschlossen war, war religiös *und* weltlich gebunden; er blieb dem himmlischen wie dem irdischen Herrn, Gott wie dem Kaiser, zu Dienst und Gehorsam verpflichtet. Das gemeinsame Ideal einer heroisch-kämpferischen und zugleich von christlicher Ethik geleiteten Lebenshaltung trug ihn, eine gemeinsame Kultur mit verfeinerten Lebensgewohnheiten schloß ihn zusammen. *Die Aufforderung zur Kreuznahme* riß den Einzelnen aus dem durch feste Konventionen geregelten, in höfischer Sitte und festlichem Turnier gipfelnden Ritterdasein in eine harte und rauhe Wirklichkeit. Der Ruf zum Kreuzzug gab den religiösen Grundlagen des Rittertums ein neues Gewicht. Die großen, nie erloschenen Ideale gewannen im Lehensverhältnis zwischen Ritter und Kaiser neues Leben, wenn sie gemeinsam zur Befreiung von Gottes Land auszogen. Die Begegnung mit dem harten Schicksal auf der großen Fahrt ins Heilige Land sprengte die erstarrenden Schichten eines übernommenen, aber nicht immer erlebten Bildungsideals. Die entscheidende Wendung vom Erlernten zum Erlebten wird sichtbar in der Lyrik der Stauferzeit, die damit über die Konvention höfischer Gesellschaftsdichtung hinaus einen lebensnahen Zug erhält.

In drei großen Gedankenkreisen vollzieht sich die Wandlung und Vertiefung der bisher allein die Lyrik bestimmenden Minneproblematik. Sie führen das gesellschaftliche Spiel der Minnesangdichtung in den Bereich einer ernsten und verantwortungsbewußten Auseinandersetzung über die von Gott gesetzte Ordnung der Beziehungen von Mensch zu Mensch und von Mensch zu Gott. Man könnte sie etwa so abgrenzen:

Die Wandlung vom irdischen Lehensdienst zum himmlischen.

Die Wandlung vom irdischen Lohn zum göttlichen.

Die Wandlung von Frauenminne zu Gottesminne.

Diese Verwandlungen vertiefen das gesamte weltlich-ritterliche Vollkommenheitsideal in das auf diesseitige und jenseitige Werte in harmonischer Ausgewogenheit gerichtete Vorbild des christlichen Ritters, des Kreuzfahrers. Träger dieser Wandlung ist nicht der Ordensritter, der durch die Einbeziehung mönchischer Regeln den Zusammenklang ritterlicher und christlicher Forderungen am reinsten verkörpert, sondern der *weltliche Ritter,* vor dem sich die Forderungen der Welt und der Kirche in kompromißloser Härte auftun, und der aus dem Reichtum seines Lebens und Dichtens die Kraft zur Synthese beider finden muß. Der große Dialektiker dieses weltlichen Rittertums staufischer Prägung ist *Hartmann von Aue.*

Die Lebenszeit Hartmanns von Aue ist urkundlich nicht festzulegen. Sie fällt in die Blütezeit höfischen Rittertums, in der die gesicherte politische Stellung des Ritterstandes dem auf dem Gipfel seiner Macht stehenden mächtigen Stauferreich Friedrichs I. und Heinrichs VI. eine schöpferische Beteiligung an der internationalen höfischen Kultur ermöglicht. Auch Hartmanns Teilnahme an einem der Kreuzzüge erscheint der Forschung als gesichert. Der Kreuzzugsgedanke beherrscht und formt einen Teil seiner Lyrik, der sich deutlich von seiner konventionell höfisch bestimmten Minnelyrik abhebt.

Die Kreuzzugslyrik Hartmanns nimmt ihren Ausgang von einer Erschütterung seiner festgefügten Stellung in der höfischen Gesellschaftsordnung, die die Grundlage seiner Epen und seiner Minnelyrik bildete. Der Tod seines Dienst-Herrn hat das ritterliche Lehnsverhältnis zerstört, das ihm einen festen Platz in der als gültig anerkannten Ordnung des ritterlichen Daseins angewiesen hatte. Damit ist Hartmann der feste Grund, von dem aus er die Formung seiner Persönlichkeit in der Auseinandersetzung mit den gültigen Werten der Zeit vornimmt, geschwunden. Die Übermacht des Schicksals, Gottes, der hier in sein Dasein eingreift, zwingt ihn, sich mit den irrationalen Mächten auseinanderzusetzen. Auch mag die endgültige Abwendung seiner Herrin die zweite der irdischen Bindungen gelöst haben, die bis dahin dem Leben Hartmanns Sinn und Wert verlieh. Dieses Lied 206, 10-18 legt, gleichviel welchen biographischen Wert es besitzt, den Boden frei, aus dem das Kreuzzugserlebnis bei einem mittelalterlichen Ritter erwachsen konnte. Die Erschütterung der irdischen Seinsordnung, die Lösung der freudig anerkannten irdischen Bindungen, schafft den inneren Raum für ein Neues, das in der Teilnahme am Kreuzzug gipfelt.

Das Streben nach einer festen Ordnung, das sich innerhalb der Minnedichtung in dem Kreisen um Dienst und Lohn zeigte, wirkt tief auf die religiöse Dichtung Hartmanns ein. Darum bleibt der Dienst-Lohngedanke im Zentrum der Kreuzzugslyrik. Die Erfüllung der höfisch-ethischen Werte, der bisher das Ziel von Hartmanns Streben gilt, ist

mit der plötzlichen Zerstörung der irdischen Bindungen in Frage gestellt. Das veranlaßt eine Abwendung von Frau Welt, deren „fröiden"
mit dem Tode des Herrn und der Absage der Minne-Herrin dahin
sind. Aber die Lösung aus der höfischen Ordnung der Welt vollzieht
sich nicht ohne inneren Kampf. Dieser innere Kampf selbst bleibt
anfangs noch verhüllt durch den Aufruf-Charakter, den dies Gedicht
trägt und der in den beiden ersten Strophen zum Ausdruck kommt.
In ihnen lebt die Stimmung der Zeit, wie sie in den Aufrufen der
päpstlichen Legaten und der großen Prediger mitschwingt, die an den
beiden den Barbarossa-Kreuzzug vorbereitenden Hoftagen gehalten
wurden. Damals verlangte der päpstliche Legat Heinrich von Albano
(1187) die innere Bereitschaft, die echte 'devotio' der Ritter, die sich
zum Kreuzzug entschließen wollten. Damals lautet schon diese Aufforderung, die später im ganzen Lande verbreitet wurde: „Illud etiam
universitati vestrae duximus nominandum, ut ad curiam Jesu Christi
in ea gravitate et modestia qua convenit, evectionum necessitate et
omni curiositate et gloria temporali postposita, studeatis accedere"
(Migne CCIV, 250 d 12 ff). (Dies auch glauben wir, euch allen gegenüber erwähnen zu müssen, daß ihr euch bemüht, zur Curie Jesu
Christi mit dem gehörigen Ernst und Anstand zu kommen und die
Notwendigkeit der Ausfahrt jeder Wißbegier und zeitlichem Ruhm
hintanzustellen.) Es sollte die persönliche Verantwortung vor dem
Entschluß zur Fahrt gestärkt und die Erfüllung des Versprechens
erleichtert werden. Hartmann verbindet damit die Übertragung des
Lehenverhältnisses und seiner Forderungen ins Religiöse.
Die Ideologie der zeitgenössischen Predigten und Aufrufe kommt diesem Streben entgegen. In G. Wolframs Aufsatz „Kreuzpredigt und
Kreuzlied" (ZfdA XXX, 1886, S. 89 ff.) sind einzelne Entsprechungen
der Gedanken in Hartmanns Kreuzzugslyrik und den Kreuzzugs-
aufrufen und Bullen gegenübergestellt. Es zeigt sich dabei, daß Hartmann nicht den Appell an das Gefühl des Christen für die Leiden
Gottes im heiligen Land, das Mitgefühl mit den dort den Ungläubigen
ausgelieferten Christen, nicht den Kummer über den Verlust der
heiligen Stätten, nicht die gefühlsmäßige Verpflichtung einer Ver-
geltung von Christi Opfertod aus den Argumenten der Kreuzpredigt
übernimmt. Die Gedanken, die *er* als die ihm gemäßen empfindet
und in seiner Dichtung ausspricht, sind die Hinweise auf das Verhältnis des Ritters zu Gott als dem obersten Kriegsherrn, auf die ritterliche Ehre, die zum Kampf verpflichtet, auf den Dienst-Lohn-
gedanken, in seiner Abwandlung von irdischem und himmlischem

Lohn, schließlich die Hinweise auf die innere Wandlung des Menschen, die mit der Kreuznahme eng verbunden ist.

Die Erweiterung des ritterlichen Weltbildes durch die Kreuznahme erfüllt die ersten zwei Strophen, die der Dichter Hartmann von Aue unter der Einwirkung der Geschehnisse auf den beiden Hoftagen 1187/88, besonders durch den Beschluß Barbarossas, die Kreuzfahrt im Frühjahr 1189 anzutreten, zur allgemeingültigen Aussage bringt. Die beiden Eingangsstrophen tragen den Stempel der Wandlung von irdischer zu himmlischer Lehnspflicht, zeigen aber darüber hinaus alle Merkmale eines großen Aufrufsliedes, dem, wie bei der Kreuzpredigt die „nova devotio", die neue *Hingegebenheit an das Kreuzzeichen* den strahlenden Glanz und die mitreißende Kraft verleiht.

Davon sprechen Anfang und Ende der ersten Strophe.

> Dem kriuze zimt wol reiner muot
> und kiusche site
>
> .   .   .   .
>
> eʒ wil niht daʒ man sî
> der werke drunder frî:
> waʒ touc eʒ ûf der wât,
> ders an dem herzen niene hât?

Das Kreuz erfordert einen von der Idee des Heiligen Kriegs durchdrungenen Menschen, der sich auch innerlich dazu bereitet hat, seine im Dienst der Welt ausgebildete und erprobte Kampfkraft für Gott einzusetzen. Aus der „tumpheit" ist er zur „wîsheit" gelangt, und er erkennt im Kreuzzug einen ritterlichen Dienst an Gott. Das Kreuzzeichen wird ihm inneren Halt verleihen, wenn die Versuchung der Welt an ihn herantritt. Mit der Kreuznahme ist nicht nur die Verpflichtung zur Erfüllung dieses Versprechens, sondern auch zur Wandlung der Gesinnung gegeben. Die Selbstbeherrschung, die dem Ritter erst Vollkommenheit verleiht, hat sich jetzt auf dem Zuge in das Heilige Land zu bewähren.
Jetzt ist die Stunde der christlichen Ritter gekommen, und so paraphrasiert die zweite Strophe mit dem Ziel der Erhöhung des Kreuz-Ritterstandes die Thematik der ersten.
Wieder spricht Hartmann unmittelbar die Gleichaltrigen seines Standes an und wieder nimmt er die begeisternde Kraft der Bilder aus der eigenen Erfahrung. Die persönliche Befreiung und innere Sicherung,

die er durch das rechte Verstehen der Kreuzzugsidee an sich selbst erfuhr, wertet er für die Zeichnung des neuen Ritterideals aus. Der Gedanke der Lehnspflicht gegenüber dem himmlischen Herrn, der alle weltlichen Güter verliehen hat, soll den Ritter zur Kreuzfahrt veranlassen, er wird beides damit erwerben, ritterlichen Ruhm und das Heil der Seele.

Diese Fassung des Lohngedankens, die nicht nur auf das Seelenheil, sondern gleichzeitig auf irdische Anerkennung gerichtet ist, zeigt, wie Hartmann bei aller persönlichen Jenseitszugewandtheit doch den Wert der Welt und ihrer Ordnungen grundsätzlich anerkennt. Welt- und Gottesreich schließen einander nicht aus, sie ergänzen einander. Ihre Forderungen widerstreiten sich nicht. Das Bild des idealen höfischen Ritters ist schon in diesen ersten beiden Strophen seines Kreuzliedes klar durchgezeichnet. Die letzten zwei zitierten Zeilen entsprechen den hohen Idealen des staufischen Rittertums, wie sie Wolfram als Summe des Parzival-Epos in die Worte faßte:

> swes lebn sich sô verendet,
> daʒ got niht wird gepfendet
> der sêle durch des lîbes schulde,
> und der doch der werlde hulde
> behalten kan mit werdekeit,
> daʒ ist ein nütziu arbeit. (Parzival 827, 19-24)

Aber nicht nur Wolframs Ritterideal deckt sich damit. Auch die „driu dinc" (guot, êre, gotes – hulde), die Walther von der Vogelweide (822) gerne in einem Herzen vereinigt sehen möchte, sind darin zu einer Lebenslehre zusammengefaßt. Aber damit diese Ideale nicht allzusehr aus der Realität des Seins eliminiert erscheinen, fügt Hartmann den beiden Aufrufstrophen die ebenso wichtigen und der *mittelalterlichen Wirklichkeit* entsprechenden persönlichen Strophen hinzu, die uns heute zugleich als zeittypisch erscheinen.

Hartmann hat eine neue Erkenntnis in diesem Lebensabschnitt gewonnen. Das Leben in den ritterlichen Tugenden genügt nicht, um die „saelde" zu erringen. In die rational begreifbare ethische Weltordnung der Ritter muß das Irrationale mit hineingenommen werden. Das Schwankende, Trügerische der Welt, in der wahre „staete" nicht einmal in der „minne" den Lohn findet, der ihr gebührt, die persönliche Enttäuschung, sind der Grund für Hartmann, sich von einer Welt abzuwenden, die in dem Glanz ihrer höfischen Vollendung noch unverändert fortbesteht. Ihm selbst hat sich noch Frau Welt in allen

Verführungskünsten gezeigt. Viel zu lange folgte er ihren Lockungen (hacchen) und fand keine innere Ruhe (staete). Er fühlt sich selbst jetzt noch unsicher und er muß Christus anrufen, daß er ihm die Kraft gibt, sein Wort zu halten und der Welt zu Gunsten des Kreuzes zu entsagen.

In diesem Entschluß wird er durch den Schmerz und den Tod seines Lehnsherrn bestärkt. Hier ist ein Hinweis auf die Kreuzbullen und Predigten erforderlich. Mit der Kreuznahme war den Teilnehmern an der Fahrt die ewige Seligkeit versprochen. In dieser Heilsgewißheit lag der höchste Lohn. Nun will Hartmann dem heißgeliebten Herrn die Hälfte seines ewigen Lohns abtreten, den er mit der Kreuznahme gewinnt. Damit ist der hohe Wert der „triuwe" des Lehnsritters zu seinem Herrn nochmals betont und ist ganz in die Realität des Zeitgeschehens hineingenommen.

Erst jetzt ist für den Dichter aus der Unruhe eine innere Ruhe geworden, seitdem auf Mantel und Rüstung die Zeichen des Kreuzes leuchten. Eine Strophe vollkommener Poesie reiht sich an dieser Stelle ein und bringt in ihren Symbolwerten den irrationalen Charakter dieser Kreuzzugslyrik zur Wirkung. „Kristes bluomen", die Zeichen der Gottesritterschaft, verkünden eine „sumerzît", die sich jetzt schon zu erfüllen beginnt. Gott möge alle, die ausziehen, zu der vollen Seligkeit (zehenden kôr) führen, die in jenen Bereichen liegt, aus denen der „hellemôr", der Teufel, sich selbst verstieß, die sich aber denen wieder öffnet, die Gottes Ruf jetzt folgen.

Darauf kommt es an, daß diejenigen, die das Kreuz nehmen, auch wirklich von der Welt mit ihren Verlockungen scheiden können. Jetzt kommt es dem Dichter zugute, daß er sich nicht völlig dem Reich dieser Welt verschrieben hat. Er ist Gott dankbar dafür, daß er sich jetzt den Bindungen der Welt entziehen und innerlich frei an der großen Fahrt teilnehmen kann. Der Entschluß zur Kreuzfahrt wirkt auf Hartmann wie eine Erlösung. Er erlebt nach diesem Entschluß erst die wahre „vröide" – genauso wie die wahre „minne" (Lied 218, 5) – die umfassender und tiefer ist, als die aufgegebenen Freuden der Welt. Eine vita nova hat begonnen. Ein so verwandelter Ritter ist erst der christliche Ritter des Kreuzzugszeitalters. Ihn hat Walther von der Vogelweide vor Augen, wenn er mahnend seiner gottentfremdeten Generation in der großen „Elegie" die Worte zuruft:

> dar an gedenket, ritter! eʒ ist iuwer dinc.
> ihr traget die liehten helme und manegen herten rinc,
> dar zuo die vesten schilte und diu gewîhten swert. (125, 1-3)

Aber damals ist der Glanz der geweihten Schwerter und der Kreuz-zugsideale schon verblaßt, der sich in diesem und in allen anderen Kreuzzugsgedichten Hartmanns noch strahlend ausbreitet. Das Gedicht Hartmanns nimmt (zusammen mit dem berühmten und heiß umstrittenen Abschiedslied 218, 5 „Ich vâr mit iuwern hulden") eine besondere Stellung im Minnesang ein. Es zeigt die Abkehr vom reinen Minnesang und die Hinwendung zur religiösen Dichtung. Was in dem späten Lied 218, 5 zur vollen Reife gelangt ist, läßt sich in diesen Strophen zwar erst als Anfang einer Entwicklung erkennen. Aber schon der kühne Strophenbau mit seinem erregenden Wechsel bis zur sechsten Zeile von Vier- und Zweitaktern, dabei zum Schluß über Dreitakter zur vollen Vierhebigkeit aufsteigend, zeigt die absichtsvolle Kunstform, die das bewegte Gewand für den neuen Inhalt darbieten soll. Ein neuer Klang geht von diesen Zeilen aus. Er ist vom Erlebnis des eigenen Schicksals und des allgemeinen Zeitgeschehens getragen. Auf drei Ereignisse, den Tod des Lehnsherrn Hartmanns, die Absage seiner Minne-Herrin und den Entschluß Barbarossas zum dritten Kreuzzug im Frühjahr 1189 sollte zum Verständnis des Ganzen hin-gewiesen werden. Zu beachten bleibt der dreigliedrige Strophenbau. Es gehören Strophen eins und zwei als Aufrufslied zusammen. Sie werden in ihrer *Allgemeingültigkeit* des Inhaltes ergänzt durch die zwei Mittelstrophen, die das *individuelle* Begreifen des Schicksals enthalten. In den beiden Schlußstrophen erscheint nochmals die in-nere Befreiung durch die getroffene Entscheidung. Die Gottesminne hat über die höfische Minne gesiegt; die mittelhochdeutsche Lyrik ist in das ihr eigene Reich des Erlebnisses an Stelle der gedanklichen Fiktion zurückgekehrt. Geschichtliche und dichterische Wirklichkeit ergänzen sich und geben der Poesie ihren vollen Glanz wieder.

Friedrich Wilhelm Wentzlaff-Eggebert

WALTHER VON DER VOGELWEIDE:
MUGET IR SCHOUWEN

Walthers Lied (51, 13) scheint zunächst reiner, schwebender Lyrismus, unmittelbar zugänglich ohne die Voraussetzungen von Feudalismus, Rittertum, Kirche, Mittelalter. Das ist richtig und einer der Vorzüge dieses Liedes auch vor den nach Inhalt oder Form gewichtigeren Liedern Walthers selbst. Den Lyrismus einsehen, das Glück des lyrischen Augenblicks verstehen und vermitteln kann aber niemand, der selbst nur den Eindruck lyrisch umschreibt. Der Interpret muß vielmehr — wie bei Goethe, wie bei Mörike — die Situation, die Begriffe und Gedanken der Gedichte ganz nüchtern aufbauen — dann erst kann er den Lyrismus als ihr schwebendes Ergebnis dichterisch und menschlich verständlich machen.

Zuerst gebe ich den Text[1] mit einer prosaischen, schon interpretierenden Übersetzung, die aber im Unterricht selbst besser als Ergebnis eingehender, die mhd. Worte in ihre Bedeutungsnuancen und Lebensbereiche verfolgender Besprechung am Schluß stehen dürfte.

VII/14

I

Muget ir schouwen, waʒ dem meien
wunders ist beschert?
seht an pfaffen, seht an leien,
wie daʒ alleʒ vert!
grôʒ ist sîn gewalt:
ine weiʒ, obe er zouber künne:
swar er vert in sîner wünne,
dân ist niemen alt.

Könnt Ihr sehen (und beurteilen),
wieviel Wunderwirkung dem Mai
zugeteilt ist?
Schaut Pfaffen, schaut Laien an, wie
das alles (die ganze Menschengesellschaft) sich (jetzt munter)
verhält!
Mächtig ist seine Herrschaft! Ich
weiß nicht, ob er vielleicht sich auf
Zauberei versteht? Denn wohin er
auch kommt in seiner Pracht, da
gibt es niemand mehr, der alt wäre.

---

[1] Nach Lachmanns Walther, 11. Ausgabe v. Carl von Kraus, 1950. Ich verzichte hier auf alles Philologische; es ist in den Untersuchungen von Carl von Kraus leicht zugänglich zusammengefaßt: Carl von Kraus, Walther von der Vogelweide. Untersuchungen, 1935, S. 180—189.

54

II

Uns wil schiere wol gelingen.
wir suln sîn gemeit,
tanzen lachen unde singen
âne dörperheit.
wê wer waere unfrô?
sît die vogele alsô schône
singent in ir besten dône,
tuon wir ouch alsô!

Jetzt wird für uns gleich alles gut,
wir werden Freude haben,
werden tanzen, lachen, singen,
(doch) frei von dumpfer bäurischer Lust.
Könnte denn einer Freude abweisen? Da doch die Vögel so schön
singen in ihren besten Melodien:
Auf, tun wir's ihnen nach!

III

Wol dir, meie, wie dû scheidest
allez âne haz!
wie dû walt und ouwe kleidest,
und die heide baz!
diu hât varwe mê.
dû bist kurzer, ich bin langer',
alsô strîtents ûf dem anger,
bluomen unde klê.

Segen sei dir, Mai, (dafür) wie du
alles unterschieden (belebst, und
doch in Eintracht) ohne Feindschaft!
Wie kleidest du Wald und Wasserland (verschieden) und das freie
Feld noch schöner!
Denn es hat die meisten Farben!
„Du (Blümchen) bist (trotz deiner
schöneren Farben doch) kürzer, ich
aber (Kleeblume) bin dafür höher" -
so streiten sich (in einträchtigem
Wettbewerb) auf der Wiese Blümchen und der Klee.

IV

Rôter munt, wie dû dich swachest!
lâ dîn lachen sîn.
scham dich daz dû mich an lachest
nâch dem schaden mîn.
ist daz wol getân?
owê sô verlorner stunde,
sol von minneclîchem munde
solch unminne ergân!

Roter Mund — wie kannst du dich
so ins Unrecht setzen![2] Laß (doch
lieber) dein Lachen sein! (Denn)
du solltest dich schämen, daß du
dein Lachen auf mein Unheil verwendest.
Heißt das recht gehandelt? Weh
über den Verlust der Gelegenheit
(der Herrscnaft des Mai), wenn von
(so) zur Eintracht reizendem Mund
solche Mißtracht (in Worten der
Verweigerung) ausgehen wird.

[2] *mich swachest* im Textband (VII) ist Druckfehler *(dich)*.

V

Daz mich, frowe, an fröiden irret,
daz ist iuwer lîp.
an iu einer ez mir wirret,
ungenaedic wîp.
wâ nemt ir den muot?
ir sît doch genâden rîche:
tuot ir mir ungnaedeclîche,
sô sît ir niht guot.

Was mir, Dame, die Freude (das
Gebot der Stunde) vereitelt, das ist
Euer Ich (Euere Natur nach Leib
und Seele).
(Denn Ihr allein zerstört es mir
(das Recht der Natur jetzt), (Ihr
allein seid) Weib, doch ohne Gewährung.
Wie könnt Ihr solchen Willen (jetzt
unter dem Frühlings-Gesetz für
Mensch und Natur) wagen? Ihr
tragt (von Natur und Seele) reich-
ste Gewährung in Euch, wenn Ihr
(jetzt nicht danach handelt,) Gewährung versagt, dann seid Ihr nicht
gut (stellt Ihr Euch außerhalb des
jetzt geltenden Gesetzes)!

VI

Scheidet, frowe, mich von sorgen,
liebet mir die zît:
oder ich muoz an fröiden borgen.
daz ir saelic sît!
muget ir umbe sehen?
sich fröit al diu welt gemeine:
möhte mir von iu ein kleine
fröidelîn geschehen!

Ihr, Dame, müßt mir das (alle Na-
turgesetze jetzt störende) Leid nehmen, müßt mir die Jahreszeit zur
Freude machen (wie es ihr Gesetz
jetzt verlangt).
Sonst muß ich (allein) nur mit ge-
borgter (nicht aus Eintracht stam-
mender) Freude aufwarten. Möch-
tet Ihr doch die Seligkeit erfüllen!
Könnt Ihr nicht (wie alle andern
seit Anfang des Liedes) Euch um-
schauen? Alle Welt erfüllt in Eintracht die (Frühlings-)Freude. Laßt
doch auch mir von Euch wenigstens ein winziges Stückchen Freude zukommen!

I. *Muget ir schouwen:* die Anrede gleich stellt das Lied in eine Situation hinein. Wie es oft im Mittelalter und in allen Gattungen ,ge-
schieht, oft ganz starr nach dem Schema: Zeit — Hörer — Thema
(Nû wil ih iu bêrron Heina wâr reda vor tuon Von . . .: Ezzos Lied
um 1060). Hier bei Walther ist das Schema aber ganz in lebendigen
Vorgang verwandelt. Äußerlich: Anruf im Auftritt des Dichter-Sän-

gers, ritterlich von Erscheinung, den Knappen mit der Fiedel zur Seite, vor den höfischen Damen und Herren, weit der Blick ins maifrische Land, in das die Anruf-Geste hinauszeigt. Er singt, es ist eine anhebende, sich ausspannende Melodielinie, in die der Anruf hineinschwingt, auch hier im Text spürbar, wo uns die Melodie nicht erhalten ist:[3] sehr fremd für unser Ohr, gar nicht „musikalisch", aber Linie eines Anrufs fast wie ein Vogellied im Frühling. Dazu Rhythmus und Strophenbau: sehr leicht und einfach und doch wie spannungsreich. Zweimal die anschwingende und wieder absetzende Periode (Aufgesang), dann als Drehpunkt ihre Schlußzeile wiederholt, der, mit doppeltem Anschwingen, nochmals die Periode wie eine Pointe folgt (Abgesang). Wie schmiegsam lebendig und pointierend gespannt auch Satzbau und Gedankengang dem Schema folgen, sei nur angedeutet.

Der Anruf *Muget ir schouwen* . . . führt auch innerlich, als Vorstellung und Gedanke, gleich in lebendigen Vorgang: Da draußen ist Mai! Der Sänger spricht ihn nicht aus, malt ihn nicht ab in Kunst als zweiter Natur. Mit seinem Auftritt, dem Aufzug des Liedes, zieht der Mai in Person auf: ein Wundertäter! Der Abgesang der Strophe entwickelt das fort. Halb herrschaftlich-zeremoniös ist der Aufzug des Mai, fast blutiger Ernst: *grôz ist sin gewalt* – halb kommt er als zaubernder Gaukler: *ine weiz obe er zouber künne.*

Ein personifiziertes „Wunder" der Frühlingslust im Lied des Sängers ist dieser Mai – aber im Zwielicht von Herrschaft und Gaukelei wie der Dichter, wie das Minnelied selbst. Dieses Zwielicht hat seine realen Seiten – wir wissen seit kurzem mehr von dem Kampf Walthers um ständischen Aufstieg, Aufstieg als Dichter, bis zum Reichs-

---

[3] Überlieferte und erschlossene Walther-Melodien sind jetzt bequem auch zum Gebrauch in der Schule zugänglich: Die Lieder Walthers von der Vogelweide. Unter Beifügung erhaltener und erschlossener Melodien neu herausgegeben von Friedrich Maurer, 1. Bändchen, Die religiösen und die politischen Lieder, ATB 43, 1955; 2. Bändchen, Die Liebeslieder, ATB 43, 1956. Desgleichen für den späteren Minnesang: Minnesang des 13. Jahrhunderts. Aus Carl von Kraus' 'Deutschen Liederdichtern' ausgewählt von Hugo Kuhn. Mit Übertragung der Melodien von Georg Reichert, 1953. Maurer bringt auch zu unserm Lied im 2. Bändchen S. 57 unter Nr. 42 eine Melodie. Sie kann sich aber nur auf metrische Übereinstimmung mit einem Lied (Rayn. 2067) des französischen Trouvères Gautier d'Espinaus (um 1200) stützen, das Friedrich Gennrich (ZfdA 79, 1942, S. 47) aus der Hs. Paris Bibl. nat. fr. 20050 fol 51 v übertragen und mit Walthers Text als Kontrafaktur unterlegt hat. Die Melodie hat gerade bei diesem Metrum für Walther keinerlei Gewähr, kann aber als Beispiel für den Klang mittelalterlicher (französischer!) Minnesangweisen auch im Unterricht sehr fruchtbar benutzt werden.

lehen von Friedrich II.[4] Aber auch, wo vorher Minnesänger sich sozial in der Sicherheit hochadliger Geburt und hoher politischer Missionen bewegen durften (Friedrich von Hausen, Heinrich VI. selbst), steht doch ihr Lied in jenem Zwielicht: Minnedienst mit ernster lehnsrechtlicher Terminologie einerseits, und andrerseits doch eine spielerische, fast betrügerische Gaukelei mit dem Gefühl, Gefühl zwischen Herren und Damen der Gesellschaft, ernsthaft beschäftigten, ernsthaft verheirateten, kirchlich frommen Staatsträgern. Daß Walther dieses Zwielicht hier auch über die Natur, den befreienden Frühling legt, zeigt die bewußte Absicht in all dem: Spiel im Ernst, Ernst im Spiel, Unterhaltung und Weltbild in Einem: diese mittelalterliche Autonomie der Kunst, die gerade nur durch ihr zwielichtiges Schweben die Hörer, die Menschen in ihrer Gänze, angreifend und verwandelnd, erreicht. Nicht umsonst gibt Walther, als Schlußpointe der Strophe aufgespart, dem zaubernden Gaukler Mai die gleiche Wirkung, die in Wolframs Parzival der Gral hat: *dân ist niemen alt!*

Das ist also Natur, ist der Frühling, er kommt im Aufzug als „Wunder" daher wie der Dichter-Sänger selbst. Und lebt nicht in Rousseauhafter Sehnsucht, sondern lebt zusammen mit den Menschen, gibt Eintracht auch in ihre Gesellschaft. Pfaffen und Laien, so sagte gleich der zweite Stollen, die zwei Säulen der Menschheit im Mittelalter, wie sie in der Welt und vor Gott nebeneinander stehen, sie „fahren" zusammen unter der zwielichtigen Herrschaft des Mai. Die Formel „Pfaffen, Laien" wird auch weiterhin besonders im Tanzlied und Leich die ganze menschliche Gesellschaft unter der Musik geeint nennen. Bei Walther steht das auf dem ernsten Hintergrund des Zwiespalts zwischen Pfaffen und Laien, den seine Sprüche so oft als Realität der Zeit geißeln müssen.

II. Eintracht von Natur und Gesellschaft unter der Herrschaft des Frühlings: das sagt dann die ganze zweite Strophe. Wieder als Vorgang, und diesmal ausdrücklich als Vorgang des einenden Liedes! Wieder steht die Gesellschaft voran. Zuerst nur vage allgemeine Hoffnung: *Uns wil schiere wol gelingen,* „alles wird jetzt gut" in der Einheit der Freude: *wir suln sîn gemeit.* Die Einheit aber ist das Lied, ist selbst Vorgang, Lust, Tanz: *tanzen lachen unde singen.* Und *âne dörperheit* eint Walthers Mai, eint die Hoffnung, die Freude, eint *tanzen lachen unde singen* die Gesellschaft. Man braucht hier nicht

---

[4] Karl Kurt Klein, Zur Spruchdichtung und Heimatfrage Walthers von der Vogelweide. Beiträge zur Waltherforschung, Innsbruck 1952.

einmal an Neidharts Töne als Gegenbild zu denken und an Walthers Polemik sonst dagegen, obwohl es auch hier naheliegt. Die Mai-Freude, die er zeigt, vorsingt, im Liede vortanzt und mit der Gesellschaft, für sie vollziehend einsetzt, versichert sich, bloß durch die Nennung der *dörperheit* als Gegentyp, all der höfischen Freiheit und Würde, der Selbst-Wahl, des Adels durch Minnedienst und Minnesehnsucht, die das höfische Lied bisher ausgebildet hatte. Nicht dumpfe Lust, nur im Rhythmus der Jahreszeiten lebend, wie es noch die Maitanzstrophe der Carmina Burana zeigt (die nur leise Persönliches als Sehnsucht nach dem Tanzpartner, der im Wechsel der Jahreszeiten nicht wiederkehrt, zur Stimme des Liebesliedes befreit): *Gruonet der walt allenthalben Wâ ist mîn geselle alte . . .* (Carmina Burana, Hilka-Schumann 1941, Nr. 149, II).

Und nun erst kommt, für den Schluß-Satz des Abgesangs wie eine Pointe aufgespart, der gleichlaufende Vollzug der Natur zu Wort: *sît die vogele alsô schône Singent.* Einträchtiger Vollzug der Freude in der menschlichen Gesellschaft wie in der vom Menschen unabhängigen, „objektiven" Natur: unter des Maien *gewalt.*

III. Erst die dritte Strophe beginnt wieder, wie der Anruf der ersten, mit dem Mai. Ihn selbst ruft sie an. Seine einende Herrschaft aber tritt jetzt unter einen neuen Gedanken, den, nur durch die Nennung von *dörperheit,* die zweite leise vorbereitet hatte. Dieser Mai eint nicht zu gleich machender dumpfer Lust. Er eint, indem er unterscheidet: *wie dû scheidest Allez âne haz!* In zwei Natur-Sphären belegt es die Strophe. Die größere: *walt-ouwe-heide,* die drei Naturformen des unbebauten Landes, verschieden bekleidet, verschieden sogar im Wert auch für die freie Freude der Gesellschaft — die *heide,* der Ort von Sang und Tanz ist schon als Natur mit Vorzug bedacht! — und doch ohne Feindschaft in der Eintracht des Geschehenlassens, der Gewalt des Mai. Dann nochmals, wieder als Schlußpointe, der aufs kürzeste gedrängte Wiesen-Dialog zwischen Blumen und Klee, den Walther geliebt hat (114, 23): ein funkelndes Dialog-Bruchstück, ein Streit nach beliebtem literarischen Schema — und doch ein Streit gerade in Eintracht unter dem Gesetz der Natur, des Frühlings!

Nur: die Gegenseite fehlt in dieser Strophe ganz. Von der Gesellschaft ist nicht die Rede. In der Natur allein zeitigt der Mai Eintracht in der Unterscheidung der Gaben und Aufgaben. Aufs bisherige Thema gesehen schließt die Strophe wie ein Hiat. Der Mund bleibt offen, der nach dem Gleichlauf in der Gesellschaft fragt.

IV. Hier setzt nun die vierte Strophe mit bewußt harter Fügung, ja geradezu als Überraschung, das zweite Thema des Gedichts dagegen, in Wahrheit das erste und einzige sogar: die Minne. Ganz und gar unvermittelt, angeredet wie das Publikum eines zweiten Lied-Anrufs: *Rôter munt . . .!*

Von Farben war in der dritten Strophe schon die Rede. Und so setzt dieser rote Farbtupfen den Mund zunächst einmal mitten in die Natur hinein: ein prägnantestes Stückchen Natur und prägnantestes Reiz-Ziel zur Eintracht des Unterschiedenen nun in der menschlichen Natur: zum Kuß! Warum nur der Tadel, geradezu in Tönen der gerichtlichen Klage *(swachen, schade)?* Warum setzt seine Röte den Mund doch ins Unrecht gegenüber der Natur, sein Lachen für den Sänger sich ins Unrecht gegenüber dem Frühlingsgebot? Seine Röte ist Natur, sein Lachen ist Freude — aber beides erfüllt nicht das Gebot der Stunde, des Frühlings, des Liedes. Denn — der Mund hält das Wort der *unminne* in Bereitschaft, obwohl er *minneclich,* obwohl er Minne *ist.*

Das ist, wieder als Schlußpointe, die geradezu logische Überraschung des Liedes. Denn Minne ist, hier wie sonst im Mittelalter, nicht Liebe, jedenfals nicht im Sinn der neuzeitlichen Gefühlsskala und Innerlichkeit. Minne ist, wie auch die ahd. und mhd. Wortgeschichte beweist, zunächst einfach Eintracht, die *unio* selbst. Von all der Gedankenfracht der *unio* im mittelalterlichen Sinn, von dem Streben nach Vereinigung mit dem *summum bonum,* das die Ethik des Minnesangs, als irdische *unio*-Theologie, und das die Mystik, parallel dazu und aus lateinischen Quellen gespeist, doch fast gleichbedeutend entwickeln — von all dem ist hier freilich nicht die Rede. Es war nur unausdrücklich mitgesetzt mit der Ablehnung der *dörperheit* in der dritten Strophe. Denn hier geht es Walther, und zwar mit der ausdrücklichsten, witzigsten Deutlichkeit, um eine reine „Natur-Lehre" der *unio,* der Minne: Unter der Herrschaft des Frühlings, unter dem Aufzug des Mai im Lied, war die Eintracht eingesetzt, als Naturgesetz für die ganze Natur und die ganze Gesellschaft (I; II): Eintracht in und durch Unterschiedenheit (III). Aber das prägnanteste Stück Natur in dem ganzen Aufzug, Reiz zur tiefsten, zur natürlichsten Eintracht zwischen den Menschen: der rote Mund der Dame, der Einen unter den Vielen —, er verleugnet durch sein verweigerndes Wort seine Natur-Bestimmung zur Eintracht, verleugnet die Herrschaft des Frühlings, verleugnet die Freude!

V. Die fünfte Strophe nimmt das zum Inhalt (in der Struktur ähnlich, wie die zweite das „Lied" zum Inhalt nahm). Wieder wird fast juristisch argumentiert. Für „mich", für den Sänger, den Stifter der Mai-Herrschaft und Natur-Eintracht, der Freude im Lied – gerade für ihn irrt ein Rechtsbruch das allgemeine Gesetz. Die Dame, ihr *lîp*, d. h. nun die ganze, zur unio in sinnlich-sittlicher Ganzheit geschaffene und prägnant einladende Menschen-Natur selbst, dazu geschmückt mit aller Raffinesse der Gesellschaft, die ja Walther auch in dieser Beziehung immer wieder der Natur zur Seite und voranstellt (45, 37) – sie, zur *genâde*, d. h. zur rechtlichen Eintracht vom höheren zum niedrigeren Geschöpf verpflichtet *(genâden rîche)* – sie bricht das Gesetz *(ungnaedeclîche)*. (Antithetisch wie in Strophe IV *minneclîch-unminne* vom roten Mund!) Sie wäre nicht *guot?*

Nicht *guot:* In der Schluß-Pointe, im Witz öffnet sich hier ein tragischer Ton, der ja bei den Großen – Reimar, Morungen, Walther – schon hinter dem Minnespiel hervorklang und noch den Hintergrund ihrer so artistisch scheinenden Kunstfehden bildet. Der wie im Spiel ergriffene irdische Beispielfall, die *unio* zwischen Mann und Frau, als Selbst-Wahl und Selbst-Erziehung von den ritterlichen Sängern umgedichtet zur irdischen *unio* mit dem irdischen *summum bonum* – er wird zum Beispielfall für eine Theodizee. Beides muß man hier zusammen sehen: das Spiel, die Unterhaltung, den Witz sogar, und den gerade nur im Spiel sich befreienden, bewußt werdenden Ernst der den ganzen Menschen angreifenden *unio*-Frage. Denn hier ist sie nicht religiös zu lösen, durch Rettung vor dem Teufel in den Schutz der kirchlichen Institutionen und Vollzüge; auch nicht politisch, nicht ständisch-ideologisch – sie bleibt ja Spiel. Aber im Spiel auch nicht abzutun, intrikat gerade, weil schwebend in ihrer Realität.

VI. Nicht daß die Frage gelöst würde! Sie wird ja kaum gestellt, klingt bloß als Unterton mit: Wie kann, was doch von Natur zur *unio* geschaffen und in der im Lied gestifteten Frühlingsherrschaft (I–III) als innerster, unmittelbarster Kern ihrer „Freude" gemeint war, die *unio* von Mann und Frau (IV) – wie kann sie sich dem Menschen, dem Sänger, dem Stifter der Freude versagen (IV; V)? Was ist hier nicht *guot,* nicht in göttliche und menschliche und Natur-Ordnung passend? Die letzte Strophe bescheidet sich mit der Wendung, durch die der Minnesang bisher schon – im Gegensatz zum höfischen Epos – die Frage abbog, entschärfte, allerdings auch zum lebenslangen Vollzug verewigt hatte: mit der Wendung zur demütigen Bitte. Sie faßt Zeile für Zeile die Ergebnisse zusammen, zum Teil in wörtlichen Anklängen: *scheiden* (III), die *zit* (Mai! I–III), *fröide* (II; V), *umbe sehen* (Anfang I). Und biegt sie um in Hoffnung, in Dienst, in demütige Frage nach dem – *fröidelîn*.

Wieder ein Witz, Schlußpointe noch einmal: nicht die ganze *unio,* nur ein kleinster Teil, vielleicht der Kuß, den der rote Mund als Natur verspricht, soll es sein. Aber auch fragende Demut, die dem Minne-Dienst auf *unio* mit dem irdischen *summum bonum,* hier „naturgesetzlich" als Kern der Eintracht der Welt erschaut, erst sein Recht, seine Hoffnung gibt?

Auch dieses Lied ist nicht einfach als Lyrismus nachzufühlen. Es ist zuerst einmal ein Minnelied. Was als „Naturlyrik" grob mißverstanden wäre, die Strophen I–III, ist normaler „Natureingang", aber vom besonderen Thema, von der besonderen Wendung des Minneliedes her ausgeweitet bis zum Gleichgewicht mit der Minne, daher drei Strophen gegen drei, das ganze sechsstrophig gegenüber dem fünfstrophigen Normalfall.

Die besondere Wendung des Minnedienstes, die Walther nach Form, Aufbau, logischer Pointierung hier zunächst fast als Witz darbietet, heißt: *unio* als Frühlingsgesetz für Natur und Gesellschaft – gegenüber *unio*-Versagung durch die Minne-Dame. Hinter der wirkungssicheren Schlag-auf-Schlag-Pointierung – die übrigens hohe Ansprüche an das Mitgehen des Publikums stellt – öffnet sich aber ein ernsterer Horizont. Das fast scherzhafte Frühlingsgesetz der *unio* verschleiert-enthüllt die Seinsbestimmung alles Seienden: dem *summum bonum,* dem Einen in einträchtiger Verschiedenheit anzuhängen. Die so witzig juristisch pointierte Minne-Versagung – aus Koketterie, aus Herrinnen-Spiel, denn die ernsteren, reelleren Gesichtspunkte der Ehe, der Moral, des Dekalogs sind ja bewußt ausgeschaltet, es ist von da gesehen bewußtes Spiel im Spiel! – verschleiert-enthüllt die Frage nach der Natur des Menschen. Die Frage nämlich: Warum muß der Mensch zu seinem Natur-Recht und Ziel durch Leid, Entbehrung, Versagen gehen, zuletzt durch den Tod? Er muß es, so dürfte die Antwort lauten, weil sich ihm und nur ihm allein von aller Natur das Sein selbst erschließen soll: das sich erst schenkt, wenn wir uns verschenken. Diese Antwort gibt das Minnelied jedoch nie direkt. Nur im Dienst, als Vollzug der Frage. Hier: als demütige Hoffnung, die nicht mehr auf das Naturgesetz pocht – Hoffnung auf ein *fröidelîn.*

Der Lyrismus unseres Gedichts aber schenkt sich solch nachdenkender Bemühung zuletzt. Daß die ganze schwebende Balance von Reali-

täten, von Gedanken und Fragen, von Laune und von Ernst, der um
ein Weltbild ringt – daß diese schwebende Balance, am Frühlings-
einzug entzündet, zu Walthers souveränem Kunstspiel fortgetrieben,
sich hier zum Gleichgewicht von Gedanke in Natur, Natur in Gedanke realisierte – das ist das Glück der Stunde, das sich uns aus dem
Gedicht unmittelbar erneuert, wenn immer wir ihm nachdenkend
nahekommen.

Hugo Kuhn

Neidhart von Reuental:
„Der walt stuont aller grise"

Auf der höheren Schule liest man meist eine Auswahl aus dem Nibelungenlied und einige bekannte Lieder Walthers. Neidhart von Reuental steht etwas abseits, verdient aber auch in dieser Lektüre einige Beachtung. Das Leben Neidharts, über das die Urkunden schweigen, können wir nur in Umrissen aus eigenen und fremden dichterischen Erwähnungen erschließen. Da er spätestens um 1210 zu dichten begonnen hat, muß er wohl zwischen 1180 und 1190 geboren sein. In Bayern hatte er ein Gut, das vielleicht dem Namen nach in einem Rechnungsbuch des Klosters Tegernsee verzeichnet ist. Er verließ es nach einem Zerwürfnis mit dem bayerischen Herzog und suchte in Österreich Zuflucht. Ein großes Erlebnis war für ihn gewiß die Teilnahme an dem Kreuzzug von 1217 bis 1219. Um 1240 ist er wohl gestorben.

Die Lieder des Dichters werden von alters her in Sommer- und Winterlieder eingeteilt. Die Sommerlieder besingen Mädchen und Frauen, Fröhlichkeit und Tanz im jungen Frühling. Die Winterlieder dagegen haben mehr erzählenden Charakter, sie schildern, wie der Stubentanz in Übermut und Rauferei ausartet. Welcher Lebenszeit des Dichters gehört das ausgewählte Sommerlied an? Man möchte die Winterlieder am ehesten in die österreichische Zeit des Dichters setzen, aber die chronologische Ordnung läßt sich kaum festlegen, da sich inhaltliche und formale Kriterien häufig kreuzen: Walther von der Vogelweide verteidigte das höfische Minnelied und tadelte die derbe Komik „unhöfischer" Poesie, wobei er wohl an Neidharts Winterlieder dachte: „Owê hovelîcheʒ singen, / daʒ dich ungefüege doene / solten ie ze hove verdringen! . . . frô Unfuoge, ir habt gesiget." (64, 1) War Neidhart ihm ein lästiger Nachbar? Die Sommerlieder Neidharts sind stilistisch mit seinen Kreuzzugsliedern vergleichbar. Gehören sie deshalb in die Zeit um 1217/19? Diese Fragen lassen sich kaum beantworten, und so müssen wir unseren Wunsch, das Lied „Der walt stuont aller grîse" zeitlich im Schaffen des Dichters einzuordnen, aufgeben.

Die Überlieferung des Textes ist nicht für alle Verse gut. Die Anthologie von Hirschenauer und Weber folgt einer bisher geläufigen Version und hat Vers I,4 den Imperativ „nemt sîn war" und entsprechend

Vers I,6 den weiteren Imperativ „reiet", angefügt mit der Konjunktion
„und". Besser nach Metrik und handschriftlicher Lesung ist der
neueste Text von E. Wiessner (1955): „hebt iuch dar . . . reien, dâ die
bluomen sint!" Das ist auch syntaktisch klarer, weil „dar" und „dâ"
einander entsprechen.

VII/19

Der walt stuont aller grîse   6,1
vor snê und ouch vor îse.
derst in liehter varwe gar.
hebt iuch dar,
stolziu kint,   6,5
reien, dâ die bluomen sint!

Uf manegem grüenem rîse
hôrte ich süeʒe wîse
singen kleiniu vogelín.
bluomen schîn   6,10
ich dâ vant.
heide hât ir lieht gewant.

Ich bin holt dem meien:
dar inne sach ich reien
mîn liep in der linden schat.   6,15
manic blat
ir dâ wac
für den sunnenheiʒen tac.

„Ganz grau vor Schnee und Eis stand der Wald da. Der leuchtet (nun)
in heller Farbe. Begebt euch, stolze Mädchen, zum Reigen dorthin,
wo die Blumen sind.
Auf manchem grünen Zweige hörte ich die kleinen Vöglein liebliche
Weisen singen; den Glanz der Blüten fand ich da. Die Heide hat (wie-
der) ihr lichtes Gewand.
Dem Maien bin ich hold (gesonnen): Meine Liebste sah ich da im
Schatten der Linde (den Reigen) tanzen. (Manches Blatt =) Viele
Blätter wehten ihr Kühlung an diesem sonnenheißen Tage."
Es gehört viel dazu, ein mittelalterliches Lied wirklich erleben zu
können. Aus den großen Hymnen wie „Stabat mater dolorosa" oder

„Dies irae" können wir eher einen unmittelbaren Hauch verspüren. Wird es uns aber gelingen, ein Lied Neidharts so zu erwecken, daß wir uns in Gehalt und Form zugleich einfühlen können? Zu den Tanzliedchen „Der walt stuont aller grîse" kennen wir die Weise nicht, uns bleibt vorerst nur der Strophenbau: Die sechs Verse einer Strophe sind in drei Reimpaare gegliedert, die ersten drei Verse und der sechste weisen je vier Hebungen auf, sind aber im Auftakt nicht immer geregelt. Der Strophenbau selbst ist zweiteilig, mit stumpf und klingend ausgehenden Versen, nach acht und zwölf Takten; die beiden ersten Verse gehören zusammen, ebenso durch den Reim verbunden die Verse drei bis sechs. Auffällig sind die beiden Kurzverse, durch den Reim an die größeren Nachbarn gebunden; nach der zweiten Hebung ist jeweils eine Pause anzunehmen. Wir können den Schwung und das Leben in diesen Strophen nur erahnen, doch hatten diese Kurzverse gewiß das Lied auch der Weise nach besonders reizvoll gestaltet. Die Weisen der sanglichen Lieder im Mhd. stehen unseren Volksliedern näher als dem gregorianischen Kirchengesang.

Vom volkstümlichen Reigenlied her kann man das Lied auch weiterhin erfassen. Man muß sich einmal eine altdeutsche Landschaft vorstellen, wie sie Albrecht Altdorfer gemalt hat. Im Bilde seiner Donaulandschaft ist der Wald lieblich, voller Lebensfrische und von der Morgenröte angestrahlt, dagegen wächst er in dem „Drachenkampf des hl. Georg" zu einer düsteren, drohenden Wand auf. Der Wald, der im Mittelalter das Land weithin beherrschte und sich ganz anders in das Bewußtsein der Menschen drängte als heute, ist für den Dichter einmal die liebliche Stätte voll Geborgenheit, in der Kälte des Winters jedoch eine gefährliche Wüstenei, die man meidet. „Der walt stuont aller grîse", ganz grau, das ist auch die Farbe des Alters. Der mittelalterliche Mensch liebte den Winter nicht, und so erschienen Schnee und Eis dem Dichter nicht blitzendweiß, sondern feindlich und voll elementarer Bedrohung. Das Wort wertet ab zur Bedeutung „schmutzigweiß", „grîs" sagte man auch vom Wolfe und von der rauhen, ungebleichten Leinenkleidung der Bauern. Diese Bilder vom Wald sind langüberliefert, wir finden sie in der altnordischen Sagakunst so gut wie im Minnesang. Mit dem dritten Vers prägt der Dichter den Gegensatz: „in liehter varwe gar". Wenn wir „gar" in der Bedeutung „ganz" fassen, so spricht aus der Formel schon der volle Farbenglanz des Frühlings. Wir haben auch sonst in der mittelalterlichen Kunst mit festen, vorgeprägten Bildern zu rechnen. In der bekannten Handschrift der Carmina Burana (Clm. 4660) stehen neben dem namenlosen Liede „Diu werlt fröut sich uber al gegen der sumerzîte" zwei Miniaturen, die mit naiver Malerfreude einen solchen Wald mit „manchem grünen Reise" und den vielen „kleinen Vöglein" darstellen. Einige stilisierte Blätter bezeichnen den Baum, drei Bäume den Wald, ein tiefblauer Himmel aber ist erfüllt von vielen Vögeln. Auch die lateinische Lyrik des Mittelalters spricht von der „silva frondosa", der „parva luscinia" und den „colores florum". Ist es Armut, wenn der Dichter brav wie ein Handwerker, der die Regeln der Kunst wohl erlernt hat, damit seine Lieder schmückt? Im sechsten Winterlied klagt Neidhart: „Verboten ist den kleinen vogelinen / ir gesanc / diu den sumer sungen über al / nu siht man leider lützel bluomen schînen". Vogelsang und Blumen sind die Bilder des Frühlings, die jeder kennt und vom Dichter erwartet. Wie ein Leitmotiv der Musik greifen sie aus: der Zuhörer horcht auf, denn dieser Klang ist ihm vertraut. Wenn ein Bild auftaucht, wartet er wie in einem Bilderbuche auf das folgende, zugehörige Bild.

Wir wissen heute, daß der Natureingang in den Liedern Neidharts zu den „uralten, volkstümlichen Gesängen" gehörte, mit denen man den erwachenden Frühling begrüßte und die Dorfjugend zum Tanze rief (Golther). Die Zahl dieser Eingangsformeln ist nicht groß, nicht auf die Wortwahl kam es dem Dichter an, sondern auf den Einsatz in der Strophe. Dazu einige Beispiele aus den Sommerliedern: „Der meie der ist rîche" (2), „Heid, anger, walt in fröuden stât" (4), „In dem tal / hebt sich aber der vogele schal" (6). Auch in vielen Winterliedern findet man dieselben formelhaften Eingänge, nur mit umgekehrten Vorzeichen. In feinem Ton wandelt Neidhart in dem Reigenliede das Vertraute ab. So bekommt der Eingangsvers „Der walt stuont aller grîse" durch dieses starre „stuont" und durch die Mittelstellung des dumpfen uo überhaupt die unheimliche Kraft düsterer Bedrohung, im zweiten Vers noch gesteigert mit der Wendung „und ouch vor îse". So wirken die beiden Eingangsverse für uns heute nicht mehr formelhaft. Das angeschlagene Leitmotiv genügte damals schon für den vertrauten Zuhörer. Doch es hieß ja „stuont", ist also vergangen; „der ist" heißt ein leuchtendes Jetzt, was gewiß auch durch die unbewußte Wahl hellerer Vokale betont wird. Neben das Gegensatzpaar Winter — Frühling tritt als Steigerung die Aufforderung zum Tanze. Dabei ist die Anrede an die Mädchen vor Neidhart kaum in dieser Wortwahl üblich. Wenn er dieses Beiwort „stolz" öfters gebraucht

– „ein stolziu maget" sagt er mehrmals – dann scheint es fast, als ob er damit die Mädchen des Dorfes, die keiner hohen Minne würdig sind, erheben will. Rasch hat man auch im Mittelalter fremde Tänze und Spiele bis in die bäuerliche Schicht übernommen. „reien" ist ein französisches Modewort des 13. Jahrhunderts und bezeichnet den Tanz, den die jungen Leute zur Sommerszeit im Freien sprangen. Diese Entlehnung verdient aber kein besonderes Gewicht, da es derselben Schicht höfischer Modewörter angehört, wie die Ausdrücke des ritterlichen Kampfspiels „buhurt, tjoste", und rasch den Weg ins Volk gefunden hat.

In anderen Tanzliedern spürt man schon zu Beginn die Abneigung gegen die bäuerlichen Tänzerinnen, hier aber muß ein anderes persönliches Gefühl sprechen, denn „stolziu kint" erinnert wohl nur im Beiwort an die Minne der kassischen Minnesinger, „kint" ist ja wieder vertraulich. Wir dürfen hier vielleicht an seine Friderun denken, die dem Stande nach ihm nicht ebenbürtig war. Er glaubte, wie er berichtet, ihrer Liebe sicher zu sein und wollte sie auch einmal heiraten. Im 22. Sommerliede schildert er nämlich nach der Anrede „stolze mägde": „Vriderûn als ein tocke (Puppe, zierliche Gestalt) / spranc in ir reidem rocke / bî der schar." An der Seite trug sie einen Spiegel, den ihr Neidhart geschenkt hatte, aber der Meierssohn Engelmar riß ihr das Geschenk herab. Der Dichter hat vielleicht nicht so sehr an diese Friderun gedacht, als er das Tanzlied schuf, es soll auch nicht zu einer Erzählung werden, aber der Schalk Neidharts blitzt auch aus diesem nur angedeuteten Erlebnis.

Wir können die erste Strophe dreigipflig nennen: Winter – Frühling – Tanz der Mädchen. So ist der innere Bau des Liedes schon in der ersten Strophe angelegt, in der zweiten wird nun der Lobpreis der erwachenden Natur, der im dritten Vers nur angedeutet ist, voller entfaltet. Zu dem persönlichen Bekenntnis der dritten Strophe „Ich bin holt dem meien" und „mîn liep" sind die letzten drei Verse der ersten wie ein Vorspiel. Noch klingen die Schrecken des Winters als dunkler Kontrast fort, da tritt fast unbemerkt aus dem eisigen und verschneiten Winterwald der blumenprächtige Mai. „Uf manegem grüenem rîse" heißt zwar dem Sinne nach „auf vielen Zweigen", aber diese Einzahl und der unvermittelte Wechsel des Ortes sind reizvoll und ansprechend in ihrer Naivität. Der Dichter scheut sich nicht, in seinem Tanzlied zu träumen. Die dritte Strophe ist nicht nur Durchführung des Leitmotivs, sondern auch ein letztes und höchstes Bild der Erinnerung.

Aus der Aufforderung des Anfangs wird zuletzt der Mädchenreigen in sommerlicher Stimmung. Die Liebste muß sogar den Schatten suchen, um sich vor der heißen Sonne zu schützen. Auch das ist den Zuhörern und Kennern der Lieder Neidharts bekannt. Die Verse „Diu linde ist wol behangen / mit loube / dar under tanzent vrouwen" aus dem 20. Sommerlied klingen sehr nachbarlich, aber auch sonst nehmen wir diese lebendig abgewandelte „Bilderbuchfolge" wahr: „diu (linde) was uns den sumer vür die heiჳen sunne ein dach" im 46. Winterlied. Nicht im Einzelwort oder im Einzelmotiv liegt die Kunst dieses Lieddichters, sondern in seiner großen Formbegabung, mit der er die volkstümlichen, ja volksliedhaften Wendungen vom Mai und Sommer, von Wald, Anger und Heide aus den schlichten Tanzstrophen des Dorfes zu einer persönlichen, sehr künstlerischen Form emporführt. Dazu sind ihm vor allem die Steigerung und die Wortwahl dienlich. Aus der Anrede in der ersten Strophe wird das persönliche Bekenntnis „Ich bin holt dem meien", und, um die volksliedhafte Kürze der zweiten Strophe zu wahren, verdichtete er einfach durch die Wendung „ir dâ wac"[1], „bewegte sich für sie", die letzten inhaltsreichen Verse. Etwas umstritten ist das treffsichere Wort „sunnenheiჳ", vielleicht haben wir damit eine der wenigen eigenen Wortschöpfungen neben dem gleichfalls ungesicherten „winderraeჳe", „winterlich scharf", im 76. Winterliede.

Kennen wir Neidhart nicht anders? Seine Winterlieder mit den kräftigeren Schilderungen der Bauerntänze charakterisieren ihn vielleicht deutlicher. In einem Sommerliede (3), das äußerlich dem ausgewählten gleicht, besingt der Dichter die erwachende Natur in den beiden ersten Strophen, in der dritten folgt der derbste Kontrast: „Eine Alte rang mit dem Tode Tag und Nacht; die sprang seitdem (nach dem Einzug des Frühlings) wie ein Widder im Reigen und stieß die Jungen alle nieder." Die dritte Strophe hier ist gar nicht derb, vielmehr lieblich, aber aus den Versen „manic blat / ir dâ wac / für den sunnenheiჳen tac", blickt ein schalkhaftes Lächeln: „Seht nur, was diese Tanzlust mitten im Mai vermag! Jetzt muß meine Liebste schon im Schatten der Linde Kühlung suchen." Die Winterlieder enden oft mit Gewalttat, da wirft Ruprecht dem Eppe ein Ei an den Kopf oder

---

[1] *wac* — zu stv. wegen, intrans. „sich bewegen" und trans. (etwas) „bewegen". Das Verb gehörte im Obd. zur V. Ablautreihe *(wac)*, im Md. auch für VI, belegt *(wouc, wûc)*. Erhalten ist das schwache Kausativum *(be)wegen* „machen, daß sich etwas bewegt". Sinn des Satzes *„Manic blat / ir dâ wac /"* ist: „manches Blatt bewegte sich für sie, d. h. verschaffte ihr Kühlung".

Engelmar reißt der Friederun den von Neidhart geschenkten Spiegel von der Seite. Im Sommerliede „Der walt stuont aller grîse" bleibt der Dichter bei der Andeutung stehen, sie entspricht auch der zarten, lyrischen Stimmung.

Emil Ploß

ANDREAS GRYPHIUS:
THRÄNEN IN SCHWERER KRANKHEIT (ANNO 1640)

VII/44

Mir ist, ich weiß nicht wie, ich seufze für und für.
Ich weine Tag und Nacht; ich sitz' in tausend Schmerzen;
Und tausend fürcht' ich noch; die Kraft in meinem Herzen
Verschwindt, der Geist verschmacht', die Hände sinken mir.

Die Wangen werden bleich, der muntern Augen Zier
Vergeht gleich als der Schein der schon verbrannten Kerzen.
Die Seele wird bestürmt gleich wie die See im Märzen.
Was ist dies Leben doch, was sind wir, ich und ihr?

Was bilden wir uns ein, was wünschen wir zu haben?
Itzt sind wir hoch und groß, und morgen schon vergraben;
Itzt Blumen, morgen Kot. Wir sind ein Wind, ein Schaum,

Ein Nebel und ein Bach, ein Reif, ein Tau, ein Schatten;
Itzt was und morgen nichts. Und was sind unsre Taten
Als ein mit herber Angst durchaus vermischter Traum.

Die Überschrift nennt das Thema des Gedichts. Der Zusatz „Anno 1640" betont, daß es ein autobiographisches Gedicht ist. Auch der Einsatz des Gedichts selbst bringt das Ich. Ein kurzer Satz. Die Zäsur ist eine Pause. Bei dem nachdenklichen „ich weiß nicht wie" sinkt die Stimme und schweigt dann. Sie erhebt sich neu: „ich seufze für und für". Wieder endet ein Satz. Es klingt atemlos, kraftlos. Die kurzen Sätze häufen sich. Sie alle drücken aus: Krankheit, Schmerzen, Verzweiflung, Tasten im Ungewissen, und schließlich auch Furcht vor Kommendem. Gegen Ende der Strophe folgt ein etwas längerer Satz, der sich über das dritte Versende hinzieht. Dadurch wird die Gleichmäßigkeit der Halbzeilensätze vermieden. Aber dieser längere Satz bestärkt den Eindruck des Kraftlosen, Erlöschenden noch mehr: die Einschnitte werden im 4. Vers noch zahlreicher, sie sitzen da, wo die barocken Schrägstriche, die „Virgeln", stehn: „Verschwindt / der Geist verschmacht / die Hände sinken mir." Dieser zerbröckelnde, zerstückelnde Alexandriner hat den Klang von dahinsinkender, kurzatmig erlöschender Stimme. Das Strophenende ist eine Pause.

Die zweite Strophe setzt ähnlich fort, auch hier Aussagen über das Ich in der Krankheit: zunächst vorwiegend Körperliches, dann mehr Seelisches. In der sechsten Zeile kommt ein Vergleich hinzu:

> „ . . . der muntern Augen Zier
> Vergeht gleich als der Schein der schon verbrannten Kerzen."

Und auch die nächste Zeile bringt einen Vergleich:

> „Die Seele wird bestürmt gleich wie die See im Märzen."

Es sind Bilder aus dem Makrokosmos, um das Leben des Mikrokosmos deutlicher zu machen, Embleme, die im 17. Jahrhundert oft benutzt wurden. Die Kerze als das Sichverbrennende, dessen Licht bald aufhört, galt als Sinnbild der sich verzehrenden und nicht lange dauernden menschlichen Kraft. Das sturmbewegte Meer war Sinnbild für die durch das bewegte und bewegende Chaos der Dinge ratlos gepeitschte Seele. Der Hinweis auf diese Dinge soll zeigen, daß die Vergänglichkeit und Geworfenheit allgemeines Weltschicksal ist. Es sind weniger schmückende als vielmehr weltbildhaltige Vergleiche, die aus der Vorstellung der Mikrokosmos-Makrokosmos-Parallelen herkommen. Darum kommt nun die Schlußzeile des zweiten Quartetts nicht ganz unvorbereitet. Vom Ich springt der Gedanke über zum Allgemeinen und verbindet beides in engster Zusammenfassung:

> „ . . . Was ist dies Leben doch, was sind wir, ich und ihr?"

Alles zu Beginn Gesagte drängte auf diesen Höhepunkt hin, denn das Leiden des Ich drängte zu der Frage: Was ist der Mensch? Bei diesem allen wird die Kürze der Sätze beibehalten. Sogar hier (8) teilt sich der Alexandriner in zwei kleine Sätze, und der zweite Halbvers teilt sich wiederum. Die Sprache wird immer langsamer, pausenreicher, und klingt in banger Frage aus: „was sind wir — ich und ihr?" So endet auch diese Strophe genau wie die vorige mit einem zerstückelten, sich auflösenden Verse.

Das erste Terzett beginnt mit Fragesätzen. Insofern wird formal die vorige Zeile fortgesetzt. Aber dem Sinn nach muß nach dieser Grundfrage „Was ist dies Leben doch? . . ." eine Antwort kommen. Eine erneute Frage kann nur entweder eine Teil-Frage sein, die das in jener allgemeinsten Frage schon Enthaltene fortführt, oder kann eine rhetorische Frage sein und als solche eine Antwort versuchen. Die Zeile „Was bilden wir uns ein, was wünschen wir zu haben?" schwebt zwischen beiden Möglichkeiten. Das, was wir wertschätzen, sind kurzsichtig als Sicherungen empfundene Dinge der irdisch-nichtigen Welt;

wir leben in einem Wertreich, das ein Wahn ist. Der Satz wendet sich
wieder zu kurzen Aussagesätzen. Der Alexandriner wird nun zum
erstenmal in diesem Sonett antithetisch, während er bisher nur rei-
hend war. „Itzt sind wir hoch und groß, und morgen schon vergraben." Was diese Langzeile gegeneinander stellt, bringt die folgende
Halbzeile nochmals, aber diesmal im Bild: „Itzt Blumen, morgen Kot."
Dies ist die Antwort auf die gestellte Grundfrage. Vergänglichkeit
also ist das Hauptmerkmal des Menschen, Vergänglichkeit, und das
heißt Kreatürlichkeit wie alles Irdische. Der Mikrokosmos also ist
nicht anders als die makrokosmischen Dinge um uns, und der dichterische Ausdruck dieses Gedankens ist wieder die Parallele des Menschen
und der Natur. Darum folgt nun eine Häufung der Bilder:

> „ . . . wir sind ein Wind, ein Schaum,
> Ein Nebel und ein Bach, ein Reif, ein Tau, ein Schatten . . ."

Das Vergängliche, rasch Verschwindende, nicht mehr Wiederzufin-
dende wird als Beispiel herangezogen. Überall, wohin der Blick sich
richtet, sieht er das Gleiche: Vergänglichkeit. Der nächste Halbvers
faßt nochmals zusammen. So wie vor der langen Häufung die kurze
Bild-Antithese stand „Itzt Blumen, morgen Kot", so steht hinter ihr
die ebenso kurze Begriffs-Antithese „Itzt was und morgen nichts."
Wir sind ein „Was", das ins „Nichts" geht; wenn der Mensch seinem
Wesen nach so ist — können dann wohl seine Taten etwas Bleiben-
des sein? Nein, auch sie sind nichts:

> „ . . . und was sind unsre Taten
> Als ein mit herber Angst durchaus vermischter Traum."

Man kann bei Gryphius, diesem tief empfindenden und tief grübelnden
Menschen, das Wort „Angst" wohl allgemeiner fassen als in der
Alltagssprache des 17. Jahrhunderts. In vielen seiner Gedichte begegnet es uns, es ist gleichsam das Kennwort für das Lebensgefühl des
von der Unsicherheit und Last des Daseins bedrängten Menschen. Die
„Taten" des Menschen geschehen als „Traum" in einer eingebildeten,
schattenhaften Wertwelt. Aber es ist kein ruhiger Traum, denn in ihn
mischt sich dauernd „herbe Angst", eine nagende Ahnung, daß alles
Getane sinnlos und nichtig sei. Mit diesem Blick auf die allgemeine
Nichtigkeit unseres Wesens wie unserer Taten endet das Gedicht. Das
letzte Wort ist „Traum"; vorher fiel das Wort „Angst" ins Ohr; es
begann „Mir ist, ich weiß nicht wie . . ." So berühren sich Anfang
und Ende, nur ist es dort das konkrete Gefühl des Ich in einem bestimmten Augenblicke, hier eine allgemeine Aussage über das Wesen
des Menschen. So ist also dieses Wesen des Menschen durch jenes

Erleben des Ich, die Krankheit, besonders deutlich geworden. Das Kranksein als ein Gewahrwerden des Vergehens ließ besonders deutlich das Wesen des Lebens erkennen. So schließt sich alles zusammen. Auch rein gefühlsmäßig aufgenommen ist das Gedicht ganz einheitlich, ohne Bruch; man merkt kaum, daß der Beginn ganz persönlich, der Schluß ganz allgemein ist. Denn ganz und gar ist beides verbunden, „dies Leben, ich und ihr". Das Leiden des Ich ist im Grunde ein Leiden am Wesen des Menschen, an seiner Gebrechlichkeit. Es ist nicht nur ein zeitweiliges Leiden des Ich an der Krankheit, die vorübergehen kann, sondern die Krankheit bringt die Vergänglichkeit und Nichtigkeit des Menschen besonders deutlich ins Bewußtsein.

Die Geschlossenheit und künstlerische Kraft des Sonetts läßt vergessen, daß man bei einem Gedicht des Barock vielleicht eine andere Antwort erwarten würde: den Hinweis auf die Erlöstheit der Seele und das Unsterbliche im Menschen. Wir wissen aus zahlreichen anderen Werken des Dichters, daß er oft und mit starkem Willen die christliche Antwort ausgesprochen hat. Aber hier fehlt sie, und in mehreren ähnlichen Gedichten ebenfalls. Die Spannung zwischen Diesseits und Jenseits, in welcher der Mensch des 17. Jahrhunderts sich befand, ist in diese Gedichte nicht mit hineingekommen; für sich betrachtet könnten sie den Eindruck erwecken, als ob die Haltung des Dichters zum Leben nichts als düsterer Pessimismus und eine nur durch künstlerische Zucht gebändigte Verzweiflung sei. Es ist bezeichnend für das Lebensgefühl des Dichters wie für die Objektivität in der Kunst seiner Zeit, daß ihm dergleichen Gedichte möglich waren, in denen das Thema des menschlichen Leidens an der Vergänglichkeit in so strenger, künstlerischer Ausschließlichkeit durchgeführt ist. Gryphius und seine Zeitgenossen sahen ein Gedicht dieser Art von vorn herein als Durchführung eines Themas. Jedes Thema hatte seine feste Stellung innerhalb der Weltordnung. Hier ist das Thema: Krankheit und irdische Not. In anderen Gedichten ist es z. B. die Geburt Christi oder die Hoffnung auf ewige Seligkeit. Da die Weltordnung als Ganzes etwas Sicheres und Selbstverständliches ist, kann der Dichter ein Einzelthema herausgelöst im Gedicht behandeln. Daraus folgt: Wenn ein neuzeitlicher Leser versuchen wollte, auf Grund eines einzigen solchen Gedichts das Weltbild des Dichters zu bestimmen, so würde er fehlgehn. Denn dieses Gedicht bringt nur einen kleinen Ausschnitt aus dem Ganzen. In diesem Gedicht ist nur das Diesseits. Zu dem Gesamt aber gehört ebenso das Bild des Jenseits und die Spannung, die zwischen beiden Bereichen besteht. Das

Gedicht ist zwar in sich gerundet, ein Kunstwerk für sich; es setzt aber das barocke Bild voraus, daß die Welt ein „ordo" ist und daß der Dichter seine „Sachen" (die neulateinischen Poetiken sagen „res") aus diesem entnimmt. (Die Anordnung barocker Gedichtsammlungen, die erst geistliche, dann weltliche Gedichte — oft mannigfach thematisch gegliedert — bringen, spiegelt diese Grundvorstellungen wieder.) Der Klang des ganzen Gedichts ist tiefe Traurigkeit. Atemlos, stokkend beginnt es und geht es weiter. In der achten Zeile gelangt es zum Höhepunkt. Als die nächsten Verse inhaltlich nicht weiterführen, als der Mensch sieht, daß er aus seinen Bedingtheiten nicht entweichen kann, wird die erschöpfte Seele unruhig: die siebengliedrige Häufung (11/12) bringt etwas gewaltsam Gesteigertes in die Sprache, als ob das Häufen dieser Beispiele, das Ausrufen dieser Nichtigkeit, befreiend sei. Aber danach, gleichsam wie nach einer fiebrigen Anstrengung, versagt des Kranken Stimme erst recht. Ganz kurz: „Itzt was — und morgen nichts." Und dann folgt der Schlußsatz. So entspricht der Duktus des ganzen Gedichts dem Gefühl des Kranken (Klage, Aufregung, Erschöpfung) und ist zugleich auch klare Durchführung des allgemeinen Themas (Krankheit, Wesen des Menschen, Vergänglichkeit als mikrokosmisch-makrokosmisches Schicksal). Die Krankheit wird zum Sinnbild der Vergänglichkeit, und Vergänglichkeit kennzeichnet das Wesen des Menschen. Dieses Verallgemeinern ist das Barocke des Gedichts, während das stark Persönliche-Stimmungsgetragene schon darüber hinausweist. Gerade diese Spannung aber gibt dem Ganzen das starke innere Leben, und der Formwille des Dichters hält alles engstens zusammen. Die straffe Einheit des Ganzen und die strenge formale Pointiertheit in allen Einzelheiten machen die besonderen barocken Kennzeichen aus. Es strömt nicht, es ist kein Klageerguß einer sich unmittelbar tagebuchartig äußernden Seele, sondern es ist geformt, komponiert. Obgleich das Motiv ganz persönlich ist, hat der Dichter doch Abstand. Auch das Selbstbildnis wird streng handwerklich aufgefaßt, und das Persönliche wird ins Allgemeine gewandt. Der Inhalt betont die kreatürliche Verfallenheit des Menschen, aber die Form zeigt doch eine geistige Strenge, ein bejahtes Gesetz, in dem der Mensch sich als geistiges Wesen über Nebel und Bach, Tau und Schatten erhebt. So mag das Gedicht dem Dichter Trost gewesen sein; nicht als Ausströmen eines Gefühls, sondern als Rettung in ein Gesetz, als geistige Ordnung inmitten alles Schwankend-Vergänglichen. Dazu paßt die Sonettform in ihrer Strenge und Festigkeit, ihrer objektiven Gesetzlichkeit; Gryphius und das ganze

Barock haben sie darum so sehr geschätzt. Seinen schwerblütigen, düsteren, phantasiereichen Geist in strengste Form zu binden, wie es die Poetiken seiner Zeit vorschrieben, das war es, was Gryphius wollte, was ihm auch gelang und was die Größe und Besonderheit seiner barocken Kunst ausmacht.

Erich Trunz

Hofmannswaldau und Goethe:
„Vergänglichkeit" im Liebesgedicht

Erster Teil

Christian Hofmann von Hofmannswaldau:
Vergänglichkeit der Schönheit

Es wird der bleiche Tod mit seiner kalten Hand
Dir, Lesbie, mit der Zeit um deine Brüste streichen,
Der liebliche Korall der Lippen wird verbleichen;
Der Schultern warmer Schnee wird werden kalter Sand.

Der Augen süßer Blitz, die Kräfte deiner Hand,
Für welchen solches fällt, die werden zeitlich weichen,
Das Haar, das itzund kann des Goldes Glanz erreichen,
Tilgt endlich Tag und Jahr als ein gemeines Band.

Der wohlgesetzte Fuß, die lieblichen Gebärden,
Die werden teils zu Staub, teils nichts und nichtig werden,
Dann opfert keiner mehr der Gottheit deiner Pracht.

Dies und noch mehr als dies muß endlich untergehen,
Dein Herze kann allein zu aller Zeit bestehen,
Dieweil es die Natur aus Diamant gemacht.

Die Texte sind da, und wir glauben allzu gerne, das Gedicht drücke
die Gedanken des Autors aus, spiegle seine persönlichen Gefühle wider
und lasse wohl gar seine Weltanschauung (übrigens ein enger, weil
allzu moderner Begriff) ein wenig durchscheinen. Und jedenfalls stehe
das Kunstwerk hier auf dem Papier.
Aber solch ein einzelner Text eines Barockgedichtes ist ein abge-
sprengtes Stück eines Ganzen, eines für uns meist versunkenen Kunst-
Ganzen. Und diese „großen Herren", wie Hofmannswaldau, haben nie
einem impulsiven Gefühl oder Gedanken nachgegeben, wenn sie dich-
teten. Kühle Architekten, die sie waren, denen die Flamme im Innersten wohnte, haben sie jeweils gesagt, was „frommt", was die Formen
ausfüllt, die Formen im künstlerischen und im gesellschaftlichen Sinne,
was die angeredeten Menschen zugleich „unterrichten" und „ergetzen"
konnte. Ein einzelner Gedicht-Text ist Teil eines Ganzen in einem
dreifachen Sinn.

Fürs erste steht ein barockes Gedicht fast stets in einem mehr oder minder deutlichen Zyklus-Zusammenhang; und erst im Ganzen gewinnt das einzelne seinen vollen Sinn. Zweitens ist solch ein Text meist nur das arme Relikt einer größeren geselligen „Aufführung", ein uns gerettetes Stückchen Rollentext, von dem man wissen muß, in welchem Akt des geselligen Lebens er steht und in wessen Mund er gehört, auch, wie er etwa durch Musik erhöht oder überhaupt erst zu seinem ganzen Wesen vervollständigt wird. Das gesellige Leben sieht für Hochzeit, Begräbnis, Ball, Fürstenempfang usw. an bestimmten Stellen Dichtung vor, ja bestimmt die Art der Dichtung, ihren helleren oder dunkleren „weltanschaulichen" Gehalt und auch die Form. – Dies führt uns zum dritten Begriff des „Ganzen". Sogleich ein Beispiel. Hofmannswaldau schrieb ein bekanntes Gedicht „Die Wollust". Blättert man in dem alten Band von 1679, so entdeckt man das folgende Gedicht „Die Tugend", das genau dieselbe Länge, dasselbe Versmaß und viele anspielungsreiche Ausdrucksgleichheiten mit jenem aufweist. Es ist ein Pendant. Sein „Gegen-Satz". Solches gibt es unzählige Male im Barock. Es streiten z. B. Mars und Venus: Taten-Mut und Liebe. Oder Vergänglichkeitsklage und Ewigkeitshoffnung. Zwei konträre, spiegelbildliche Gedichte nehmen die Wahrheit zwischen sich in die Schwebe. So wird die ungesagte Wahrheit, oder die kaum sagbare Wahrheit, dennoch verlautbart, ja in den höchsten Fällen sogar anschaulich gestaltet. Sie wohnt, wie gesagt, in der Mitte, doch meist einem der beiden Partner näher. (Gestaltungsweisheit: der Don Quixote wird durch Sancho, Julia durch die Amme „ergänzt".) Dies gilt – und auf diesen Analogieschluß kommt es an – nicht nur für Pendant- und Zyklus-Stücke, sondern es gilt für die meisten barocken Gedichte, vorzüglich die meisten weltlichen Gedichte. Bekanntes Beispiel: Ein Sinnspruch Schefflers bleibt einseitig; er muß ausbalanciert werden. In den barocken Sammlungen finden wir stets Vanitas-Gedichte, die oft in Verwesungsbildern schwelgen, wir finden sie unmittelbar neben Gedichten des scheinbar horazischen carpe diem. Ich glaube nicht recht an das Hin- und Hergerissensein des Barockmenschen zwischen solchen Extremen. Es sind vielmehr verschiedene Szenen, verschiedene Rollen, die so verschiedene Texte fordern. Alle diese Gedichte, das Verzweiflungsgedicht, das Erotikon, das Kirchenlied, die Lustverachtung, die Lustverherrlichung, es sind alles Rollen im theatrum mundi, dem sich der Barockmensch stets eingefügt weiß. Nicht zu jeder Zeit kann man das Höchste darstellen. Das Spiel führt bald eine schöne Stunde herauf

und bald eine trübe. Ein großes Vorbild ist Salomon, der im Buch
Kohelet, benachbart seinem „Hohen Lied", es ausspricht, das Leben
sei eitel und hinfällig und es sei süß und man solle es genießen,
trinkend und feiernd, es gebe eine Stunde für die Liebeslust und eine
für die Trauer, und so habe jedes Ding seine rechte Stunde.

Man müßte wissen, an welcher Stelle des barocken theatrum mundi
ein Gedicht wie das unsrige steht. Das kann hier nicht voll entwickelt werden; aber einen Beitrag suchen wir zu geben, wenn wir
im folgenden unser Sonett als Ausstrahlung des geselligen Lebens,
des allgemeinen Weltbildes und der „Rollenbildung" betrachten[1].

Lyrische Kunst ist lange Zeit als die Fertigkeit betrachtet worden,
„fremde Gefühle" kunstgerecht auszudrücken, wie es abschließend
Gottsched formuliert als der letzte – und schwächste – Theoretiker
dieser uralten, bald mehr oder minder geltenden Auffassung; „kunstgerecht" will sagen, daß ein sinnvolles, nach herkömmlichen Gesetzen wohlaufgebautes Gebilde entstehen soll, z. B. Sonett oder
„Arie". Der fingierten Lesbia, Heldin vieler Sonette des Dichters
– die einander ähneln wie die Stücke einer barocken Bilderserie –,
entspricht das fingierte Liebhaber-Ich des Dichters, – der sich in
manchen dieser Sonette Sylvius nennt. Er inszeniert ein Stück, dessen
Charakter schon durch die Namen in einer bestimmten Richtung
festgelegt sind. Hinter Lesbia steht natürlich die betörende, launen-
hafte, im Quälen erfahrene Lesbia Catulls; hinter Sylvius (auch von
Guarini bestimmt) steht der schichtere, sich mitunter etwas faunisch
(„Sylvius") gebärdende, wohlbekannte Hofmann-Silen, eine ironisch-
gebrochene Gestalt.

Jedes galante Gedicht ist ein Rollengedicht, wie der spätere Fach-
ausdruck lautet. Mit anderen Worten: Die erste künstlerische Wirklichkeit ist die einer Art Bühne. Das galante Dichten besteht in der
erfinderischen Ausgestaltung von Rollen. Es gilt zu erfinden: neue
Charaktere auf Grund der fest vorgegebenen „Chargen", neue Hand-
lungen, Vorgänge, neue interessante Situationen zwischen den Cha-

---

[1] Aus den Romanen Ziglers, Beers und Anton Ulrichs kann viel für den „Ort"
der Lyrik entnommen werden. — Für den Text unseres Gedichts habe ich, im
Gegensatz zu allen Anthologieausgaben (eine wirkliche Ausgabe Hofmannswaldaus gibt es nicht, bei deplorablem Text), den Hinweis auf die Handschrift
herangezogen, der sich in R. Ibels Hofmannswaldau-Buch findet. — Schon
die Tatsache, daß in den beiden 1954 erschienenen Anthologien, nämlich
von Cysarz und Milch, die „Wollust" ohne ihr Pendant abgedruckt ist,
spiegelt die frohe Einfachheit der meisten bisherigen Erforschung der deutschen galanten Dichtung.

rakteren, schon angedeutet in den Überschriften der Lesbia-Sonette. „Er ist ein unglücklicher Wecker", „Sie weinete" usw. Dem Dichter stehen Melodie, Tonfall, Bonmots und unzählige andere Mittel, anspielungsreiche, von den vergötterten Vorbildern übernommene und abgewandelte Wendungen zur Verfügung, um diese Charaktere und Vorgänge künstlerisch zu verwirklichen. Der Spielraum ist dabei lächerlich eng. Das Kunstgesetz verlangt, wie in der gleichzeitigen Musik, „in Ketten zu tanzen". Diese Strenge ist übrigens eine erleichternde Vorbedingung für das Entstehen von Kunst – den Nachbarkünsten freilich noch günstiger als der Poesie.

In der ersten Strophe scheint jemand zu sprechen, dessen Gesicht undurchsichtig ist. „Um deine Brüste streichen". So erfindet ein Erotiker. Der Tod legt sonst seinem Opfer die Hand an die Schläfe (auch bei Hofmannswaldau) oder er faßt es hart an. Die Gebärde liegt fest. Die beiden Hauptthemen der schlesischen Schulen, memento mori und carpe diem – zugleich gewissermaßen musikalische Gruppen – treten hier in einen etwas unerwarteten Bund, der freilich bei Hofmannswaldau und seinen Genossen auch sonst schon versucht worden ist. Die neue Nuance ist in der ersten Strophe das Verwirrende: die Maske des Sprechenden schwankt noch undurchsichtig zwischen „Galanthomme" und „Eremit" (mit dem Totenschädel in der Hand) – den beiden großen Themen so vieler Barockmaler. Die Doppelheit klärt sich, wenn man das Gedicht zu Ende liest. Er bestürmt das Herz der Dame, das er hart nennt wie einen Diamanten. Er predigt der Dame die vanitas. Sie soll ihn erhören, um nicht das schnell verwehende Leben zu versäumen.

Niemand, der Hofmannswaldau kennt und den Ton dieses Sonettes unbefangen versteht, wird daran zweifeln, daß es auch eine ernste Sinnlinie in diesem Sonett gibt. Und das Doppelspiel wird nur derjenige als zynisch empfinden, der es eben nicht als Spiel versteht, Spiel einer virtuosen Doppelrolle, gewissermaßen einer barocken Umkleidungs- und Verkleidungsrolle. Und welche barocke Rolle wäre nicht aus Schein und Sein gedoppelt! (Alewyn). Dabei sind also die beiden Grundgrößen Gestalten des gottgeschaffenen theatrum mundi. Die verblüffende Schlußpointe hebt schließlich, wie wir zeigen werden, das Verkleidungsspiel mit einer bewußt aus der Rolle fallenden, alles wegwischenden Gebärde auf: Das Spiel ist aus. – So enden die meisten erotischen Gedichte Hofmannswaldaus.

Welchen Platz hat solches galantes Spiel im geselligen Leben? Zunächst einen sehr scharf umgrenzten. Die Grenzen sind unerbittlich wie die des Karnevals, der am Aschermittwoch ins Niegewesene versunken ist. Etwas aus dem Spiel ins Leben zu tragen, gilt zumindest als geschmacklos. Umgekehrt: Privates aus dem Leben in die Kunst zu tragen, ein privates Glück oder Leid im Gedicht auszusprechen, ist in der galanten Schule ebenso undenkbar. Es wäre in den Augen der dichtenden „großen Herren" („groß", selbst wenn sie arme Schlucker waren) ein indiskretes und unbescheidenes Sich-wichtignehmen, eine Impulsivität, ein Mangel ritterlicher Zurückhaltung. Jeglicher Geniekult, ja jegliches modernes Persönlichkeitsbewußtsein liegt noch meilenfern. An Stelle des Persönlichkeitsbewußtseins herrscht das wohlbeschiedene oder, wie man damals mit stolzer Demut sagte, das „bescheidene" Rollenbewußtsein. Im Leben wie in der Kunst kommt es auf die Ausfüllung der Rolle an. Dieses vorpersönliche Gefüge war vielleicht unser letzter „Mythus".

So darf man „galant" als eine glückliche literarhistorische Bezeichnung ansehen. Hier holt die Kunst aus dem Lebensphänomen des Galanten, besonders des Kompliments vor der Dame, alle künstlerischen Möglichkeiten heraus und hebt sich, wie zu erwarten, am Ende in einer Art Selbstironisierung auf. Auch die Bilderwelt dieser Poesie (natürlich von Gongora und Marino[2] herkommend) ist so zu verstehen. Die ewigen „Korallen" oder „Rubinen" der Lippen, „Schnee" der Schultern, „Alabaster" der Brüste, „Nacht" der Augen, das sind alles nur leichte Übertreibungen der im L e b e n geläufigen Komplimente. Solche Bilder erforderte diese Gattung durch ihr erstes Wesensprinzip. Auch eine Namengebung wie „Lesbia" schreibt sich aus den geselligen Wünschen ebenso her wie aus der poesis docta. Man störe sich also nicht an Anspielungen und Juwelen. Der Dichter war in der Lage eines Meisters, der bestimmte Standard-Juwelen in immer neu zu erfindende Goldschmiedewerke einzufügen hatte. Späte Verfeinerung läßt diese raffiniert schimmernden Gebilde wie von Ironie umflimmert sein.

In Poetiken der Barockzeit wird es mehrfach ausgesprochen, z. B. in Harsdoerffers „Trichter", daß ein gutes Gedicht meist auf verschiedene Weise erfaßt und ausgelegt werden könne, entsprechend dem Bildungsstand des Aufnehmenden. Die feinsten zu genießenden Werte, besonders formale Werte, nehme nur der poetisch Gebildete auf, während der Mindergebildete mehr durch das Stoffliche „unterwie-

---

[2] Zur Gedanken- und Bilderwelt dieses Sonetts wäre z. B. besonders Marino: Adone VII 70 zu vergleichen, woraus die meisten Bausteine dieser Verse entnommen sind.

sen" und „ergetzt" werde. Nicht anders steht es um unsere Verse. Für ein einfachstes Verständnis ist es ein Vergängnis-Sonett, gerichtet an eine verehrte Frau, ein Gedicht-Typus, dessen Muster in Deutschland ein bekanntes Sonett des Gryphius an Eugenien gewesen ist. Einem höheren Verständnis ist es ein galantes Sonett. Und für den eingeweihten Zunftgenossen, überhaupt für Hochgebildete ist es schließlich ein „Scherz-Sonett", das den ganzen galanten Stil auf leichte Weise ironisiert und sich über Lesbia insgeheim lustig macht. Der Diamant wechselt sein Licht je nach der Auffassung. Er bezeichnet *zuerst* wirklich das Unverwesliche, sogar jeder Befleckung Widerstehende (so der Diamant): du stirbst – deine Seele überlebt und deine „Werke folgen dir nach"; dann wird nur die Kraft und Güte deines Herzens vor Gott zählen – und in diesem Sinne ist das Gedicht seit je von vielen Lesern aufgefaßt worden. In der *zweiten* Verstehensweise ist der Diamant ein sehr geläufiges Bild des galanten Sprechens – ein Herz wie ein Stein, wie ein Diamant – und bezeichnet die Unzugänglichkeit, die spröde diamantene Härte des umworbenen Herzens. Der Dichter s c h e i n t zu sagen: Bekehre dich, und s a g t: Liebe mich. Das ist nicht frivol. Die vanitas ist eine so feste, gewohnte Größe, daß man mit ihr auch in einem solchen Zusammenhang spielen darf. – Nach der *dritten* Auffassungsweise ist der Diamant nur der gut sitzende Schlußwitz eines federleichten Scherz-Sonetts, das sich schließlich in Selbstironie aufhebt. Was von dir übrig bleiben wird, verehrte Schönheit, von allen deinen Herrlichkeiten von Kopf bis Fuß, das ist – nicht die unsterbliche Seele, die darinnen wohnt – das ist ein trauriger Stein in Herzform aus dem sprödesten Material. Hier streckt selbst die Allherrscherin Verwesung die Waffen. (Auch der alte Topos der Werbung klingt an: Dein Stolz ist Unnatur.) Der souveräne Dichter macht der verwöhnten Schönen sein Kompliment mit der bekannten erotischen Aufzählung und Liebesbitte, aber er macht es so, wie man es verblendeten Schönen machen sollte, so nämlich, daß sie es gar nicht merkt, wie er sich über sie und den ganzen schmuckschweren Stil, den sie gerne hört, lustig macht. Er redet sie mit einer Übertreibung an, die etwas von Parodie hat. In einem anderen Lesbia-Sonett heißt es am Schluß, nachdem geschildert ist, wie Lebia sich schon einige Tage nicht mehr hatte sehen lassen: Ah, ich begreife, „Die Gottheit will verehrt und nicht geschauet sein." In vielen Lesbia-Sonetten wird das Gerüst eines heiligen Lehrsatzes oder Bibelwortes zu einer solchen Pointe benützt. Darin liegt Spiel und Spottfreude (nie dem Heiligen gegenüber) und auch ein Salzkorn Kulturkritik. Ja, etwas von leiser Selbstironie ist beigemischt, wie sie uns überhaupt von der Höhenlinie barocker Kultur lächelt, eine Selbstironie, wie sie besonders einem Erotiker gut ansteht. Hier stößt man vielleicht an einen Bereich, dessen Fortleben in Mozart uns noch geläufig ist, und der sogar in einem Vers des alten Goethe anklingen mag: „Wer sich nicht selbst zum besten haben kann, / Gehört gewiß nicht zu den Besten."

Also drei Rollen in einer: St. Antonius, Hofmann-Silen, poeta ioculator. – Die Verwirklichungsmittel im einzelnen: Ein klares Spiel der Kontraste und Steigerungen herrscht allenthalben: Die kalte Hand auf der warmen Haut, der „bleiche Tod" vor dem leuchtenden Korall der Lippen, der verbleichen wird, („lieblich" bedeutet in der galanten Sprache vielfach: liebreizend, zärtlich), und schließlich – eine Steigerung – der Glanz der Frauenschultern, deren helle, warme Haut in ein kennerisches Oxymoron („warmer Schnee") gefaßt ist, plötzlich verwandelt in pulvis et cinis; dabei noch der meisterliche Kontrast: „warmer Schnee", „kalter Sand". Aber nichts ist bloßer Schmuck, schmückendes Anhängsel. Alles hat seine Funktion im künstlerischen Gefüge. Kernworte dieses Gefüges (nicht Randworte) treten in die Reime: Hand, Streichen, Verbleichen, Sand usw. Begegnet man nach dem trüben Strophen-Ausklang „kalter Sand" dem neuen, heftigen Einsatz: „Der Augen süßer Blitz" (ein noch stärkeres Oxymoron, zumal da die beiden Worte damals noch weniger abgegriffen gewesen sind als heute), so weiß der Kenner, was mit dem genannten Kontrast- und Steigerungsspiel gemeint ist, und es wird nicht mehr nötig sein, die weiteren Einzelheiten dieses Spieles durch das ganze Gedicht zu verfolgen. Desgleichen soll das rein musikalisch-architektonische Gefüge, natürlich im Zusammenhang mit der Syntax, hier übergangen werden. Nur darauf, wie sehr das Gedicht als Ganzes höchst rational durchgestaltet ist, sei noch hingewiesen.

Wohl jedes barocke Gedicht besitzt eine rationale Disposition, zumindest ein Rückgrat verstandesklaren Gedankenganges. So sind hier z. B. in der erotischen Aufzählung die statuarischen Einzelheiten von den bewegten unterschieden. Erst mit dem ersten Terzett beginnen die bewegten: der Gang, das Gebärdenspiel, das anbetende Herzudrängen der Verehrer. Dies im Sinne der Steigerung. Auch sonst könnte man solche verstandesklaren Steigerungen feststellen. Die statuarischen Vorzüglichkeiten gipfeln in „des Goldes Glanz". Die abschließende Gebärde, der abklingende Rhythmus der darauffolgenden Zeile „Tilgt endlich . . ." markiert ein Ende, nämlich den bekannten Einschnitt zwischen den Quartetten und den Terzetten. Nach dieser Pause wird das Tempo bewegter. – Das *letzte* Terzett beginnt mit gespielter Trockenheit – ein Resümee des Ganzen. Alle diese Lesbia-Sonette, so prunkvoll sie sich entfalten, lenken gegen Schluß zur Einfacheit hin, doch nur aus dem Grunde, damit die Pointe wirklich einschlage, wie es schon Benjamin Neukirch, dem wir am Ende des Jahrhunderts die Bewahrung der meisten galanten Gedichte unseres und anderer Autoren verdanken, bemerkt und festgehalten hat.

Einige Erklärungen: „Für welchen solches fällt" heißt: vor welchen so vieles besiegt niederfällt. Eines der üblichen Komplimente: keine Kraft, keine Tugend, keine Hoheit kann ihr widerstehn. Genau in diese Metaphernsprache des Kampfes gehört das folgende „weichen", damals soviel wie: besiegt abziehen. „gemeines Band": allgemeines Schicksal. „teils zu Staub, teils nichts und nichtig": Fuß und Hand werden zu Staub, die Anmut wird zu nichts und da sie auch nicht mehr genau erinnert wird, so wird sie nichtig werden. „Gottheit": Göttlichkeit, noch im achtzehnten Jahrhundert geläufiges Kompliment für die Dame, z. B. noch bei Hölty: „und noch mehr als dies": rhetorisch für die nichtgesagten Glieder der Aufzählung.

Der Sinn des Vergänglichkeitsgedankens wird durch das folgende konträre Goethe-Gedicht, das genau vom barocken Vergänglichkeitsthema ausgeht, nochmals hervorgehoben werden. Auch der Stil sei nochmals an Hand dieses Kontrastes in einer Schlußbetrachtung erläutert.

Zweiter Teil

JOHANN WOLFGANG VON GOETHE: SULEIKA SPRICHT

Der Spiegel sagt mir, ich bin schön!
Ihr sagt: zu altern sei auch mein Geschick.
Vor Gott muß alles ewig stehn,
In mir liebt Ihn, für diesen Augenblick.

[ALLGEGENWÄRTIGE]

In tausend Formen magst du dich verstecken,
Doch, Allerliebste, gleich erkenn' ich dich;
Du magst mit Zauberschleiern dich bedecken,
Allgegenwärt'ge, gleich erkenn' ich dich.

An der Zypresse reinstem, jungem Streben,
Allschöngewachsne, gleich erkenn' ich dich;

In des Kanales reinem Wellenleben,
Allschmeichelhafte, wohl erkenn' ich dich.

Wenn steigend sich der Wasserstrahl entfaltet,
Allspielende, wie froh erkenn' ich dich;
Wenn Wolke sich gestaltend umgestaltet,
Allmannigfalt'ge, dort erkenn' ich dich.

An des geblümten Schleiers Wiesenteppich,
Allbuntbesternte, schön erkenn' ich dich;
Und greift umher ein tausendarmger Eppich,
O Allumklammernde, da kenn' ich dich.

Wenn am Gebirg der Morgen sich entzündet,
Gleich, Allerheiternde, begrüß' ich dich,
Dann über mir der Himmel rein sich ründet,
Allherzerweiternde, dann atm' ich dich.

Was ich mit äußerm Sinn, mit innerm kenne,
Du Allbelehrende, kenn' ich durch dich;
Und wenn ich Allahs Namenhundert nenne,
Mit jedem klingt ein Name nach für dich.

Das eine Gedicht beschließt das vierte, das andere das achte Buch des
Divan. Im ersten tritt die Gestalt Suleikas zum ersten Mal deutlich
hervor, ihre Worte berühren sofort „Höheres und Höchstes". Das
zweite Gedicht enthält die irdische Apotheose Suleikas; zum letzten
Mal tritt sie hier vor uns hin, schon verklärt und fast aufgelöst in
„Natur": Es ist der Abschied, den der Dichter vor ihr nimmt; er
behält sie zurück als „Allgegenwärtige", wie die Überschrift, sicher
mit bewußtem religiösem Anklang, in der Niederschrift des Gedichts
lautet, eine Überschrift, die dann für den Druck gestrichen worden ist. Schon ein schneller Blick auf den Inhalt zeigt, daß dieses Gedicht genau erfüllt, was das erste gefordert hat: „In mir liebt Ihn".
Die beiden Gedichte, der erste und der letzte Augenblick Suleikas,
können sich gegenseitig erhellen und laden so zu einer gemeinsamen
Betrachtung ein. — Barockgedichte sprechen oft von der Hinfälligkeit
der Schönheit, gerade der Frauenschönheit, und von der Überwindung
der Vergänglichkeit und berühren dabei „Höheres und Höchstes". Dies
alles in dem besprochenen Barocksonett. Dies alles wieder in „Suleika
spricht", und doch hat kein Thema und Motiv denselben Sinn behalten. Auch deshalb reizt die Betrachtung.

Das Natürlichste wäre es, die beiden Goetheschen Gedichte zunächst aus dem Zusammenhang des jeweiligen Buches zu verstehen; selbst das „Allgegenwärtige" steht im Zusammenhang eines organisch gefügten, ja eines gewachsenen Buches. Aber auch das erste Gedicht ist mindestens mit dem vorausgehenden Stück (also dem vorletzten Stück des vierten Buches) zusammenzusehen. Es sei auch im Folgenden in engem Zusammenhang mit ihm behandelt.

Dieses vorletzte Stück des Buchs der Betrachtungen (des vierten) – das Stück soll zugleich zitiert werden –, ist eine Vergänglichkeitsklage. Es heißt: „Dschelal-Eddin Rumi spricht". Die Klage ist also dem persischen Mystiker (der zur Zeit Meister Eckarts gelebt hat) in den Mund gelegt. Vielleicht handelt es sich um eine Erfindung, vielleicht um eine frei nachgestaltende Übersetzung Goethes. Jedenfalls wird der Leser sofort erkennen, wie außerordentlich ähnlich diese Vergänglichkeitsklage den barocken Formulierungen von der Vanitas klingt und wie sehr auch das Bedürfnis nach einer Überwindung der Vanitas in ihnen schmerzlich lebt. Auf dieses Gedicht folgt, wie gesagt, „Suleika spricht", ebenfalls ein Vierzeiler. Es ist die Antwort auf die Klage und die Überwindung der Klage. Man dürfte sogar sagen: Suleika ist die Überwindung.

Ursprünglich hatte es Goethe anders geplant. Es gibt einen Vierzeiler, 1815 in „Sprichwörtlich" veröffentlicht, der eigentlich nur dann verständlich ist, wenn er als Antwort auf den Mystiker gelesen wird. (Goethe hat oft Späne der Faust- und Divan-Schöpfung in seine Spruchsammlungen gesteckt.) An seine Stelle trat dann unser Suleika-Gedicht. Obwohl es nicht methodisch einwandfrei ist, überholte Frühstufen als eine Grundlage für die Interpretation des Textes zu nehmen, sei hier dieser Schritt gewagt und der Leser zunächst gebeten, die folgenden beiden Vierzeiler, Klage und Antwort, genau Zeile für Zeile zu vergleichen.

Dschelal-Eddin Rumi spricht

Verweilst du in der Welt, sie flieht als Traum;	Verweile nicht und sei dir selbst ein Traum,
Du reisest, ein Geschick bestimmt den Raum;	Und wie du reisest, danke jedem Raum,
Nicht Hitze, Kälte nicht vermagst du festzuhalten,	Bequeme dich dem Heißen wie dem Kalten;
Und was dir blüht, sogleich wird es dir veralten.	Dir wird die Welt, du wirst ihr nie veralten.

An die Stelle dieser ersten Antwort, die hier rechts gedruckt ist, ist dann im fertigen Divan, wie gesagt, das Gedicht „Suleika spricht" getreten, das natürlich ebenso genaue Antwort auf den Perser ist, und dabei größer und überzeugender. (Immerhin wurde das ausgeschiedene Gedicht einer sofortigen Veröffentlichung gewürdigt.) Zunächst war also ein Formspiel, bei höchstem Gewicht des Inhalts, gespielt worden, wie es dem Geist des Divan und vielleicht auch dem Abschluß des Buchs der Betrachtungen wohl angestanden hat. Es ist eine Art Verbal-Kontrafaktur, wie sie in der Barockzeit ungemein häufig gewesen ist, gerade auch als Antwort auf Vergänglichkeitsklage. Aber welch völlig anderen Sinn hat sie hier. Der Meinung des Persers wird eine neue Meinung, die man wohl als die Auffassung des Dichters ansprechen darf, als die wahrere entgegengestellt. Vergiß dich; sei dir selbst ein Traum, nicht aber sei dir die Welt, das Leben ein Traum, wie es „Dschelal-Eddin" barock ausgedrückt hat. Lebe ganz im Objekt, hingegeben seinem Rhythmus, mitgehend mit den Dingen und dem gottverhängten Geschick. „Islam" heißt übersetzt „Ergebung in Gottes Willen", oftmals wird darauf im „Divan" angespielt. Gib dich der führenden Hand geschmeidig hin. („Bequeme dich . . ."). Beharre nicht: „Verweile nicht"! Du „reisest" ja geführt. Zwar scheitern deine Pläne, denn „Ein Geschick bestimmt den Raum", d. h. verschlägt dich wie Odysseus. Doch der „Raum", an den dich das Geschick verschlagen hat, beschenkt dich plötzlich mit einer unerwarteten Gabe. Goethe hat gerade dieses oft dargestellt, am schönsten vielleicht in dem hochbedeutsamen autobiographischen Aufsatz „Allgemeine fromme Betrachtungen" (1821 veröffentlicht) oder etwa in den „Ankündigungen", in denen er davon spricht, wie die Irrfahrten auch eines höchst unruhigen Lebens wohl niemals eine führende Hand vermissen lassen.

Ein autobiographisches Detail aus dem erstgenannten Aufsatz: Ein plötzlicher Regen zwingt ihn auf einer Wanderung unter das nächste schützende Dach. Es wird ihm später klar, daß der ärgerlich aufgenommene Regen eine Veranstaltung des Geschickes war, um ihn in einen Raum zu führen, wo eine tröstliche und aufstimmende Begegnung, eine ihm offenbar ganz unvergeßliche Begegnung beschieden war. Hier geschah es wörtlich: „Du reisest. Ein Geschick bestimmt den Raum." „Und wie du reisest, danke jedem Raum!" Vermutlich sind wir durch unser „Verweilen", Beharren auf unseren Plänen nicht recht frei und sehfähig, um die Angebote des Geschicks überhaupt nur zu gewahren. Im rechten Verhalten liegt ein legitimer

Zirkel: Haben wir sehen gelernt, so werden wir danken. Haben wir danken gelernt, so ist uns der Star gestochen. Wir stehen uns gewöhnlich selbst im Wege, wie es die persische Fabel von jenem Hund erzählt, der dürstend zum Wasserspiegel läuft, dort aber vor dem eigenen Bild zurückprallt und erst, als er durch einen Sprung ins Wasser den von seinem eigenen Ich herrührenden Widerstand zerstört hat, zur Erquickung und zur Rettung findet. Im hingegebenen Danken sind wir uns entronnen, entselbstet, um Goethes Vokabel zu gebrauchen; wir sind uns selbst „ein Traum". Vielleicht ist es so, daß wir im Danken die Augen des Glaubens aufschlagen. Vielleicht steht Hölderlins großartig verdichtete Formulierung nicht allzu ferne: „Ihn kennt / Der Dank" (in „Dichterberuf"). Nur der Dank, nichts anderes sonst, gewahrt ihn. Höchster Ausdruck des staunenden Dankes sind im Divan solche Verse wie „Ist's möglich, daß ich, Liebchen, dich kose . . . / Unmöglich scheint immer die Rose, / Unbegreiflich die Nachtigall". Oder „Ist es möglich! Stern der Sterne..." Die Erschütterung dieser Verse ist offenkundig. Von hier aus sollte man eigentlich verstehen, was Goethe mit „danken" meint. Daß es sehfähig mache für das höchste Wesen, sagt die Marienbader Elegie: Dankbarkeit sei die innere Quelle, aus der jenes freiwillige Sichhingeben ströme, welches uns den ewig Geheimnisvollen ahnend gewahren lasse, ihn zum Teil enthülle, enträtsele: „enträtselnd uns den ewig Ungenannten". Vorstufe: „Nur wenn das Herz erschlossen, / Dann ist die Erde schön. / Du standest so verdrossen / Und wußtet nicht zu sehn."

Nun können wir die zweite Antwort besser verstehen, die Goethe gedichtet hat (ob vorher oder nachher, ist noch nicht festgestellt), und die dann die erste Antwort verdrängt hat, als er anfing, den Divan zusammenzustellen. Auch diese zweite Antwort ist genau in Form und Inhalt auf den Vierzeiler des Persers bezogen. Aber dem Perser tritt, plötzlich auftretend, ein leibhaftiger Partner entgegen: „Suleika spricht".

„Zu altern", „Geschick", „ ich bin schön" – das sind alles genaue Bezugspunkte auf den Vierzeiler. Selbst jener Vers, der sehr überraschend des Rätsels Lösung einleitet, ist nicht ohne Bezug: „ewig stehn" entspricht genau konträr dem „sogleich . . . veralten". Bezug noch im letzten Wort: „Augenblick". Denn der Perser hatte gesagt, es sei doch nur ein Augenblick, in dem das Schöne blühe. Hier wird eigentlich geantwortet: „Ein Augenblick, in dem die Ewigkeit ist", um Goethes bekannten Vers zu variieren. Die vorletzte Zeile bedarf noch einer Erläuterung (der sie zur Goethezeit nicht bedurft hat, da der Gebildete bibelfest und der Christenlehre kundig gewesen ist). Es handelt sich um einen bekannten, Bibelstellen frei nachgebildeten Topos des 17. und 18. Jahrhunderts. So heißt es z. B. in Martin Hankes (1633-1709) Gedicht „Von der letzten Zeit": „Die Zeiten bleiben stets vor Gottes Auge stehn". Das Auge Gottes gewahrt keinen Fluß der Zeit, das Wort Vergehen hat für ihn keinen Sinn. Das Vergangene und das Gegenwärtige steht unbewegt gegenwärtig vor ihm. Gewiß nur in einem geringfügigen Ausmaß kann hier der Mensch dem Schöpfer ähnlich werden, aber immerhin ähnlich. Er kann nämlich „in Gott" sein, wie der traditionsvollste und vieldeutigste Ausdruck heißt, den Goethe soeben im Buch der Betrachtungen gebraucht hat, wenige Seiten von unserer Stelle, in einem der tiefsten Betrachtungsgedichte des „Divan": „Märkte reizen dich . . .", dort heißt es:

> Soll das Rechte zu dir ein,
> Fühl in Gott was Rechts zu sein:
> Wer von reiner Lieb entbrannt,
> Wird vom lieben Gott erkannt.

Ein Gedicht aus Johanneischem Geist, wie Rychner und Beutler in ihren Kommentaren näher belegen. Wen Gott in diesem Sinne angenommen und aufgenommen hat, so daß er fühlt, „in Gott was Rechts zu sein", der hat bis zu einem gewissen Grad an jenem Zustand teil, daß ihm die Dinge, die den gewöhnlichen Menschenblicken hinwegzuschwanken scheinen, vor seinem dankenden Auge stehen bleiben. Zeit ist dann keine Zeit, wie es oft bei Goethe heißt. Daß die guten Dinge überhaupt sind, ist außerdem ein so dankenswertes Wunder, daß jede Vergänglichkeitsklage ein Verstoß gegen die Dankbarkeit wäre. Denn des Menschen Geist ist ja darin Gott ähnlich, daß er in der rechten „Erinnerung" das Schöne bewahren und damit im „Augenblick" bleiben kann. Es ist ein vom alten Goethe oft berührtes Thema, im „Divan" auch spielerisch angewandt, z. B. „Im Gegenwärtigen Vergangenes", später großartig in „Der Bräutigam"[3]. Zum letzten Vers, den Suleika — mit dem edlen Stolz und Selbstbewußtsein der schönen Frau und doch in einem Tonfall der Wärme

---

[3] Auch im letzten Brief an Auguste von Stolberg: „Alles dieses Vorübergehende lassen wir uns gefallen; bleibt uns nur das Ewige jeden Augenblick gegenwärtig, so leiden wir nicht an der vergänglichen Zeit." Zum Fragenkomplex vgl. Emil Staiger, Die Zeit als Einbildungskraft des Dichters.

und pietas – spricht, ist wohl noch das Divan-Fragment heranzuziehen:

> Sollt' ich nicht ein Gleichnis brauchen,
> Wie es mir beliebt?
> Da mir Gott in Liebchens Augen
> Sich im Gleichnis gibt.

Dazu das benachbarte Fragment, dessen erste beide Zeilen mit den
soeben zitierten identisch sind und das dann fortfährt: „Da uns Gott
des Lebens Gleichnis / In der Mücke gibt" (vielleicht ist hier, in
spezieller Anspielung, an jene Mücke gedacht, die sich in die Flamme
stürzt).

Dank geht bei Goethe immer auch auf den *eigentlichen* Geber, zielt
oft über den Raum des Überblickbaren hinaus. Er sieht in den Dingen, im Geschick, in den guten Fügungen jeweils den lebendigen Geber. Goethe würde gesagt haben, daß ein polytheistisches Element in
ihm lebe, das sich gewiß zum Monotheistischen läutern könne (wobei es
sich leider auch oft abschwäche). – Nun lebt auch in jeder Liebe ein
Element des Dankes. Sie erspürt deshalb – „Ihn kennt ihr Dank" –
durch den Abglanz, den das Hiesige trägt, wenn es schön ist, hindurch
den Urglanz. Nach Ausführungen in den Noten und Abhandlungen
ist wenigstens die Dichter-Seele so angelegt, daß sie nach diesem
Höchsten drängt. Es heißt dort in einer allgemeinen Betrachtung, die
dem Kapitel über Dschelal-Eddin Rumi eingefügt ist:

> „Hierbei ist so viel zu bemerken: daß der eigentliche Dichter die
> Herrlichkeit der Welt in sich aufzunehmen berufen ist und deshalb
> immer eher zu loben als zu tadeln geneigt sein wird. Daraus folgt,
> daß er den würdigsten Gegenstand aufzufinden sucht, und, wenn er
> alles durchgegangen, endlich sein Talent am liebsten zu Preis und
> Verherrlichung Gottes anwendet. Besonders aber liegt dieses Be-
> dürfnis dem Orientalen am nächsten, weil er immer dem Über-
> schwenglichen zustrebt und solches bei Betrachtung der Gottheit
> in größter Fülle gewahr zu werden glaubt ... Schon der soge-
> nannte mahometanische Rosenkranz, wodurch der Name Allah mit
> neunundneunzig Eigenschaften verherrlicht wird, ist eine solche
> Lob- und Preis-Litanei. Bejahende, verneinende Eigenschaften be-
> zeichnen das unbegreiflichste Wesen; der Anbeter staunt, ergibt
> und beruhigt sich."

Das, was Suleika am Ende des vierten Buches fordert, ist am Ende des
achten Buches, das nach ihr benannt ist, erfüllt. Das große Gedicht

dieses Endes liest sich wie eine genaue Verwirklichung, eine genaue Befolgung ihres Wortes: „In mir liebt Ihn". Diese „Lob- und Preislitanei", wie man mit dem soeben gehörten Ausdruck das Schlußgedicht mit Recht bezeichnet hat, stellt zugleich die höchste Erfüllung des Dichterbedürfnisses dar, von dem hier Goethe gesprochen hat; und selbst die Nuance des „Überschwenglichen" fehlt nicht. Eine Anspielung auf Allahs neunundneunzig Eigenschaften und hundert Namen wird uns gleichfalls in diesem Gedicht begegnen. Der Gang des Gedichtes ist mit den soeben gehörten genau so bedeutungsschweren wie unscheinbaren Worten bezeichnet: „der Anbeter staunt, ergibt und beruhigt sich". Es ist Natur- und Liebesgedicht in einem und spricht den Satz Suleikas auch in der Umkehrung aus: In Ihm liebt mich — (was eine völlig Goethesche Formulierung wäre).

Wird man bei Barocklyrik unwillkürlich an barocke Musik erinnert, so gemahnt die vorliegende „Lob- und Preis-Litanei" in Liedform, trotz des alten Aufzählungsschemas, an die Kunst Mozarts und Beethovens. Kantable, herzlich beseelte Melodieführung allenthalben[4] während im Barockgedicht selbst der Klang der Menschenstimme oft etwas vom Erklingen eines Instrumentes, das eine kundige Hand lenkt, an sich hatte. — Man wird an eine Folge kurzteiliger Variationen erinnert, die sich in echter „Folge" aufbaun und steigern. Dabei ist nur ein Teil der variierten Melodie variabel. Bei allen Zeilen mit gerader Zahl (also 2, 4 etc.) sind die invariablen Bestandteile beträchtlich; ein ewiges Wiederkehren des Gleichen; betörend ist besonders die fast stets identische Schlußkadenz, was dazu geführt hat, das Lied, das starke Capo-Elemente hat (Günther Müller), fälschlich als eine Art Ghasel zu bezeichnen. Solche wiederholungsreich schwelgende Musik gestaltet jenes Orientalisch-Überschwengliche, von dem wir soeben gehört haben. „Dein Lied ist drehend wie das Sterngewölbe, / Anfang und Ende immerfort dasselbe."

Doch keine Rede von offener Form! Jede Einzelheit „sitzt" unwiderruflich im Zuge der Steigerung und Abrundung. Die Beschwörung des Drehend-Gleichen wird keineswegs durch die oftmalige Wiederholung allein bewirkt; sie gründet vor allem in der sicheren Tektonik, mit der sich die Lebenskurve des Gedichtes wölbt und schließt, einer wohlgebauten Satzperiode vergleichbar (wobei dieser Vergleich ebenso hinkt wie der erste, der musikalische; doch beide zusammen können der künstlerischen Wirklichkeit des Gedichtes etwas näher

---

[4] „Kantilene: die Fülle der Liebe und jedes leidenschaftlichen Glücks verewigend." (Maximen und Reflexionen).

kommen). Das Gedicht hieß zuerst „Allgegenwärtige"; später fiel die Überschrift. Wohin sich auch der Blick wende, überall die Zeichen ihres Wesens, ihres schönen Wuchses, ihrer Anmut, ihrer Heiterkeit usw.; umringt, umkreist von ihr findet sich der berauschte Blick. Diese Grunderfahrung könnte niemals durch die sogenannte offene Form (die immer ein Stück Unform in sich schließt) hinlänglich gestaltet werden. Es bedarf einer vollkommenen Tektonik. Etwas Ungewisses oder etwas Tändelndes könnte allenfalls in sogenannter offener Form verwirklicht werden. So wie ich einen vollen Gedanken überhaupt nicht aussprechen kann ohne Syntax, d. h. Baukunst der Satz-Wölbung, so kann auch eine genaue Aussage in der Kunst nie erscheinen ohne Architektonik des Werkes.

Jede Einzelheit kommt kontrasthaft an ihrem Nachbarn zum Klingen, so wie etwa in einem Gemälde ein Rot an einem Grün Leben und Wesen gewinnt. „An der Zypresse reinstem, jungem Streben": diese Zeile stünde nicht in so überraschender Blankheit vor uns, wenn nicht die weicheren und anschauungsloseren Verse der ersten Strophe (in der sogar winzige Spuren des Tändelnden: „verstecken, / Doch, Allerliebste, gleich erkenn ich ... / Mit Zauberschleiern dich bedecken" sich mit dem Feierlichen, das un poco maestoso klingt – „in tausend Formen" – verbinden) vorausgegangen wären. So im ganzen Gedicht. Der Aufbau stellt sich so dar: Die erste und die letzte Strophe sind Rahmenstrophen mit ruhiger Gangart. Eingebettet in sie sind vier Strophen, von denen immer die eine Bilder der Nähe, die andere mehr Bilder der Ferne enthält. Innerhalb jeder Strophe ebenfalls kontrasthafte Gegenüberstellung. Zum Beispiel: „Des Kanales . . . Wellenleben" wäre uns nicht so anschaulich vors Auge gerückt, wenn es nicht vollkommen kontrastiert wäre mit den eben angedeuteten Versen von der Zypresse. Hier tritt das anorganische Element mit dem Zauber des Durchsichtigen, Kühlen, Reinen, Allanschmiegsamen, Lichtspielenden, stets Veränderlichen gegen das Organische, das höchst selbständig entelechisch nach oben sich Drängende und Entfaltende. Das eine sucht das unten, das andere das oben. Dabei wechselt die Blickrichtung des Beschauers ständig. Durch die Zypresse wird der Blick nach oben geführt; um das Wasser zu gewahren, muß er sich nach unten richten; in der nächsten Zeile (die steigende Fontäne) wird er wieder ein wenig in die Höhe gelenkt (eine gewisse Entfernung ist vorausgesetzt), um sich dann völlig ans Höchste zu heften: die Wolken. Von diesen obersten und unbestimmt wechselvollen Bereichen geht es in der nächsten Strophe sofort zum Nächsten und

Bestimmtesten, zum rein Horizontalen: „geblümten . . . Wiesenteppich". Und so könnte man noch lange fortfahren, dieses kunstvolle Kontrastspiel zu beschreiben. Nur einiges noch: Der Gegensatz von „Spiel" und Ernst ist unvergeßlich in der Strophe, die die Fontäne mit dem etwas dunkleren Gewölk, das in einem Umformungsvorgang begriffen ist, kontrastiert. Dabei ist dasselbe Element in drei verschiedenen Erscheinungsweisen vor Augen geführt. Man wird nicht zweifeln, daß eine vollendete und unüberbietbare Steigerung mit der letzten dieser Binnenstrophen, die Morgen und Himmel begrüßt, erreicht ist; darnach kann eine Steigerung nur noch darin bestehen, daß das Gedicht ganz plötzlich zur ruhigen Gangart der Rahmenstrophen zurücksinkt und zu seiner gedanklichen Quintessenz findet. Dieses ebenso plötzliche als organische Herabsinken zur letzten Strophe gehört zum Kostbarsten des an Kostbarkeiten reichen Gedichts. Eine Beethovensche Aufstauung, Erwartung hatte mit dem längsten und emotional erfülltesten Wort des Gedichts eingesetzt, fast mit Synkopen: „Allherzerweiternde, dann atm' ich dich". *Dann* die Beethovensche Pause. *Dann* das Wiedereinsetzen des allerallerersten ruhigen Rhythmus. Es ergreift uns die Mächtigkeit, mit der dieser Geist sich zurückholen kann zu sich selbst, mit der er jedes Espressio wieder in die objektive Geisteswelt hereinnimmt, und so „Form" in jedem Sinne schafft.

Blicken wir auf die vorletzte Strophe noch einmal zurück. Schwellend scheint sie für einen Augenblick das Formgefüge zum Erzittern zu bringen. Die wohlvertraute Kadenz ist in dieser Strophe plötzlich gestört. Statt des ständigen „ . . . kenn ich dich" heißt es „begrüß ich dich" und in der Reimzeile „atm' ich dich". Solch eine Formverschiebung – auch im doppelten, verschiedenen „dann . . ." – ist für den künstlerischen Hörer alarmierend, da das Gedicht bisher überreich an symmetrischen wohllautenden An- und Gleichklängen in einem festen Wiederholungsschema gewesen ist (noch in dieser Strophe selbst bezaubert die Alliteration „rein sich ründet"). Der plötzliche Ausfall kann dem Sensorium nur dadurch verständlich werden, daß es etwas besonders Wichtiges vermutet, das ihn verursacht. Was ist dies? „Dank" und „Liebe"; „begrüß ich" ist Dank; „atm' ich dich" ist Liebe. Nicht wie bisher wird das Draußen nur aufgenommen, erkannt, gespiegelt – deshalb bisher stets „erkenn ich" –, sondern das Subjekt antwortet ihm jetzt mit einem Stück seines Herzens. Dies kann in dem Wort „begrüßen" deshalb liegen, weil auf den kunstvollen Störungsaugenblick alle musische Kraft gesammelt ist. Dadurch wird das

Wort so vernommen, als erklänge es zum ersten Mal. Es tritt ein tieferer Sinn aus ihm hervor als der gewöhnliche. Es ließe sich allerdings auch zeigen, daß das Wort „begrüßen" vom alten Goethe mitunter auch sonst in einem solch tieferen Sinne als Dankesausdruck ausgesprochen wird, so in dem Gedicht „Der Bräutigam": „Begrüßten wir den letzten Segensblick" (der Sonne). – „Atm' ich dich" drückt die liebende, hingegebene Verschmelzung aus. Der Atem ist der innigste Austausch mit der Welt, und nicht zufällig knüpfen sich auch andere höchste Vorstellungen an ihn.

Ohne den Gesamtbau der Melodie hätte es niemals so plastisch werden können, daß hier Dank und Liebe zu Wort kommen, mehr, als es durch die Worte selbst geschehen könnte. Zu jenem Kunstgriff der Störung, gewiß halb unbewußt angewendet, treten weitere Kunstgriffe solcher Art. So die genannte Aufstauung und das Abbrechen in der Pause; es ist ein Abbrechen, als sei das höchste Maß des der menschlichen Natur Faßbaren erreicht. Das ganze Melodiengefüge des Gedichtes könnte nicht diesen bewegenden Wohllaut gewinnen, wenn es nicht getragen und geführt wäre von einer gedanklich-emotionalen Konzeption ohnegleichen. Die hörbare Melodie wird erst zu ihrer schönsten Möglichkeit gebracht, wenn sie von innen her geistig erleuchtet ist. Ebenso wie umgekehrt der Gehalt des Herzens erst durch solche Melodie zu seiner höchsten „Erscheinung" kommt. Doch gilt es auch zu sehen, daß das Gedicht *mehr* als Ausdruck ist. Es ist auch ein selbstgenügsam schwebendes Gebilde, wie der Kosmos selbst, höher als menschliches Denken und Fühlen. Mit Recht sagt man, daß dies ohne die vis formae nicht möglich wäre. Doch auch nicht ohne das Was, den Gehalt. Inhalt und Form sind eins. Wir müssen schließlich verzagen, sie noch scheiden zu können, damit es uns nicht wie denen ergehe, von denen Oscar Wilde scherzt: „Leute, die allzu genau zwischen Leib und Seele unterscheiden können, stehen in Gefahr, keines von beiden zu haben."

Eine gedankliche Voraussetzung des Gedichtes bedarf am Schluß noch einer Erörterung. Ein uraltes Thema des Liebesliedes ist: Du bist mir nicht genommen, ich finde dich überall, du schaust mich an in der Blume, du umwehst mich mit der Luft usw. (Als ein spätes Beispiel ist Matthissons „Adelaide" geläufig, ein spätes und traurig entleertes Produkt.) Keine Frage, daß das vorliegende Gedicht an diesen Typus sich anschließt. Doch auf überraschende Weise. Neben der verlebendigenden Wirkung der musischen, der musikalischen Kräfte insbesondere, die sogar aus Papierblumen, aus dichterischen Konventionen, lebende duftende Blumen machen könnten, wirkt hier noch eine bestimmte Naturanschauung, eine von Goethe besonders geliebte und ausgestaltete Sicht. Jedes der aufgerufenen Naturphänomene enthält ein Stück der Geliebten: die Zypresse das Schöngewachsene, das Wellenleben ihr Schmeichelhaftes, zugleich Klares, die Fontäne ihr Spielerisches, und so geht es weiter. Es sind durchgehende „Charaktere" (im Ausdruck jener Zeit), die sich in diesem menschlichen Wesen ebenso kundtun wie in der Natur. Sie tun sich am intensivsten, am schönsten im Menschen hervor als dem Gipfel der Natur. Die Wortzusammensetzungen mit „All . . ." weisen einmal darauf hin, daß hier die höchste „Steigerung" lebt, und sie bringen ferner zum Ausdruck, daß die durchgehende Einheit dieser Charaktere ungemein dicht ist: Das Präfix „All . . .", ursprünglich natürlich dem bekannten religiösen Wortschatz entnommen, aber schon im 18. Jahrhundert legitim säkularisiert, bezeichnet dann auch die Anwesenheit der Geliebten in den Naturphänomenen; sie ist gewissermaßen die überall Anwesende. „Allgegenwärtige" hieß das Gedicht. Diese Naturanschauung Goethes könnte vor allem auch an Phänomenen, die hier nicht berührt sind, verdeutlicht werden, z. B. an seiner Temperatur-, Wolken- und Farbenlehre gezeigt werden. Das Kühle und Warme ist nicht nur in den materiellen Stoffen, sondern auch in den Farben (blau ist kühl, rot ist warm), in den Temperamenten der Menschen, in den künstlerischen Redeformen, im Reich der Intervalle und Tonarten, ja schließlich wohl auch im Reich der Geister und Dämonen − solche durchgehenden Charaktere werden z. B. bei den Andeutungen der sinnlich-sittlichen Wirkungen der Farben skizziert. Oder: in der einen Wolke ist etwas von Helena, in der anderen von Gretchen. Selbst ein Phänomen wie Hingabe an das Höchste, es kann sich, wie in dem bekannten Wolkengedicht, in dem himmlischen Sichauflösen der Wölkchen spiegeln.

Auf der Grundlage solcher Naturauffassung kann jenes Hindurchgehen der Liebe[5] bis zu dem „würdigsten Gegenstand", um auf den skizzierten Gedankengang zurückzugreifen, zur Darstellung gebracht werden. Von hier kommt man naturphilosophisch bis zu einem ge-

---

[5] Das Lieben bis auf den Grund des Du, das „Hindurchgehen" der Liebe bis dorthin bedeutet zwar kein Hintersichlassen des Partners; dennoch beginnt der Partner sich leise aufzulösen: das Buch endet fast fragmentarisch und offen. Den vollen Partner, allerdings „verklärt", bringt erst wieder das Buch des Paradieses. Auf der andern Seite deutet jenes Fragmentarisch-Offene auch ein Verstummen der Ehrfurcht, der „dankenden" Ehrfurcht an, auch ein Verstummen in Trennungsschmerz. Unser Gedicht ist seltsam vorbereitet;

wissen Grad an jenes Phänomen heran, das Goethe mit den beiden sich ergänzenden Formulierungen gefaßt hat: „*In* Gott zu fühlen...“ und „In mir liebt Ihn“. Auf dieser Höhe scheint es kein Verlieren mehr zu geben, ähnlich wie das Ende des „Bräutigam“ das Vergehen besiegt hat.

Rückblick: Vom Barock zu Goethe

Die Sprechweise des Barock ist *logozentrisch*. Eine völlig unträumerische Wachheit – aber nicht nüchtern, vielmehr begeisterungs- und spielfreudig – ist sich ständig über die sittlichen und körperlichen Schwächen des Ichs, über alle Hinfälligkeit und den Tod klar. Die Schrecken des Vergehens und Verwesens können sogar in Liebes- und Scherzsonette einfließen. So selbstverständlich sind sie, so wenig sind sie verdrängt – und so auch wieder weniger erschreckend. Diese Wachheit ist sich auch über Gericht und Fortleben klar. So sehr, daß auch mit diesen Tatsachen gespielt werden darf. (So wie ja auch das Mittelalter in seinen Parodien selbst mit dem Heiligsten gespielt hat.) Alle Phänomene, die die Dichtung aufruft, sind feste Größen, etwa auch das carpe diem, das keine leichte oder rauschhafte Entpflichtung bedeutet, vielmehr Erfüllung einer bestimmten Lebensstunde oder Lebenslage. Alles hat seinen Platz im theatrum mundi, dessen Grundlinien zwar Gott gezogen, deren Ausfüllung er aber, mit großem freiem Spiel-Raum, dem Menschen überlassen hat. Die gegebenen Formen sollte man neu und geistreich ausfüllen, ohne sie zu verletzen. So im Leben wie in der Kunst. Kunst wächst aus Handwerk. Das Individuelle, zumal das individuelle Gefühl, hat in der Kunst kaum Platz und Aussprecherecht. So fest die Formen sind, es fehlt jeder Rigorismus. Der Schmerz über das Vergehen: er ist eine „natürliche Regung“ und lebt sich ebenso elementar aus, wie an seinem Ort der Zorn oder die Schäfer-Abgeschiedenheit oder die Wollust oder die Ermattung. Sie sollen alle in ihren Wesensfarben glühen

ihm geht als erklärendes Präludium voraus: „ . . . Ich sehe heut’ durchs Augenglas der Liebe“, worauf es ohne Überschrift folgt. Also ein hochgestimmter Moment. Gewiß wahr, aber, wie das halbironische „Augenglas“ sagt, doch auch ein mannigfach bedingter, zerbrechlicher Augenblick. Unzerbrechlich wird ihn erst das Buch des Paradieses zeigen, das die eigentliche Antwort auf all dies Fragmentarisch-Offene darstellt, besonders auch für das Problem des „heute“ („ich sehe heut’“), das Problem der lebendigen Zeit, und das deshalb für die weitere Interpretation heranzuziehen wäre.

(welche doch zusammen harmonieren). Aber nichts soll aus der Rolle fallen.

Die Vorstellung des theatrum mundi verblaßte. Nur manche recht theatralischen oder moralistisch rationalistischen Konventionen bleiben übrig. Nun war die Stunde gekommen, die schließlich zur Unwahrheit erstarrten Hülsen (z. B. die sonderbaren „Rollen" der Anakreontik) zu zerschlagen. Den „Befreier" der deutschen Dichtung hat sich Goethe im Alter genannt. Es mag sein, daß damals überhaupt die Stunde des Individuums in unserer Geschichte gekommen war. Auf individueller, um nicht zu sagen subjektiver Ebene wird nun der religiöse Schatz neu formuliert, neu durchfühlt und erweitert.

Der Denk- und Sprechstil bei Goethe könnte als *kardiozentrisch* bezeichnet werden: das „erschlossene" Herz – nehmen wir alles in diesen Ausdruck herein – verbindet Geist und Sinne. Die Vergänglichkeitsklage wird keineswegs verdrängt (vgl. „Pandora"). Sie wird aber durch Einbeziehung in die neu durchspürte religiöse Wirklichkeit „aufgehoben" im Doppelsinn des Wortes. – Dieses Verfahren könnte als nur-individuell angesehen werden; es könnte aber auch als musterhaft (im goetheschen Sinne) gelten, mustergebend für einen Kreis höchst mündiger, sicherer und zugleich ehrfurchtsvoll-konservativ dem Alten Wahren zugewandter Individuen. Goethe sah vielleicht das Unsichere in der Anwendbarkeit seines Lebens- und Kunstwagnisses für andere. Im Alter: „Ich hab's gewagt. So ging' es allenfalls. / Mach's einer nach, und brech' sich nicht den Hals."

So viele Register das barocke Sprechen auch hatte, einer Orgel gleich, – die wirkliche Vox humana – Herzenslaut, Seelenhauch, Geistesatem – ist erst jetzt entdeckt. Desgleichen das hüllenlose Herz des Dichters. Es braucht in keine Rolle mehr zu strömen, keinen Filter des Logos mehr zu passieren. Wir hören es jubeln, klagen, stocken, neu beginnen. Es spricht schutzlos, formlos, und nur dadurch formschaffend, daß es *so* natürlich ist, daß die Natur selbst in ihm schaffend zu werden scheint. Das war neu, das war erst in der zweiten Hälfte des achtzehnten Jahrhunderts begonnen worden.

Eine Unterscheidung: Dies Herz ist nicht das Herz, mit dem der Autor in seinem Privatleben liebt, zürnt, weint. Es ist das Dichterherz, es ist eigentlich ein (bei Goethe besonders tätiger) Teil des kreativen Organs in ihm. Sein Ausdruck sind Kunstwirklichkeiten, während der Ausdruck jenes Herzens Zorn, Liebe, Trauer in ihrer kunstfernen Wirklichkeit sind. Gewiß besteht ein Zusammenhang zwischen Herz und Herz. Gewiß besteht sogar das Band einer gewissen Wahrheitsforderung. Aber der große Humorist mit dem traurigen Herzen und der große Tragiker mit dem freudig-starken Herzen sind sehr verständliche Erscheinungen. Natürlich und legitim ist auch die Scham und Diskretion, die uns (und nicht minder dem Dichter) den Mund schließt über das Innerste. Nennen wir Goethes Sprache mit Recht kardiographisch, so dürfen wir doch auch an den verständnisvollen Künstlerscherz Thomas Manns denken: „Wes das Herz leer ist, des geht der Mund über".

Die weitere Entwicklung war nicht ganz ohne Folgerichtigkeit. In Liliencrons bekanntem „Heimgang in der Frühe" ist die „allgegenwärtige" Geliebte (das uralte „Thema") zu einem Traum, zu einer Halluzination der glückbetäubten Sinne und Nerven geworden, der Stil n e r - v o z e n t r i s c h, um es mit dieser unbekümmerten Analogiebildung zu sagen (auch hier sind es natürlich die „Nerven" des kreativen Organs). — Wann immer man von einem Barockgedicht zu einem Gedicht der Goethezeit (und schließlich zu einem des subjektiven deutschen Impressionismus) weitergehen wird, werden sich ähnliche Wandlungen unseren Blicken darbieten.

Paul Stöcklein

Johann Christian Günther:
An Gott um Hülfe

So ist's, bedrängtes Herz, aufs eußerste gekommen;
Das Elend hat den Lenz des Alters mitgenommen,
Schmach, Armuth, Schmerz und Müh gebiehrt noch keine Ruh,
Mein Erbtheil ist verraucht, die Gönner sind verblichen,
Der Eltern Herz verstockt, der beste Freund gewichen,
Und wo mein Jammer klopft, da schlägt die Thüre zu.

Der Pöbel ärgert sich an diesem leichten Kleide;
Kein Armer ist so schlecht, er hat noch eine Freude,
Nur mich erquickt und stärckt kein Augenblick voll Lust.
Ich habe keinen Ort, wohin mein Haupt sich lege,
Bin nirgends angenehm und überall im Wege
Und finde, wo ich fall, kein Mitleid treuer Brust.

Zehl jemand, wo er kan, den Grieß am Oderstrande,
Die Schuppen in der See, die Gräser auf dem Lande,
So hat er gleich das Maas der Seufzer meiner Pein,
Der Seufzer, die es stets so treu und redlich meinen,
Der Jugend Schwachheitsschuld erkennen und beweinen
Und doch so lang umsonst nach Trost und Hülfe schreyn.

Wie wenig, liebster Gott, bedürft ich, mich zu retten,
Wenn Argwohn, List und Wahn an mir kein Greuel hätten
Und Glimpf und Billigkeit bey einem Richter wär!
So aber wütet man mit Donner, Bliz und Flammen,
Verstößt mich ungehört und macht mir durch Verdammen
Den Weg zur Beßerung auf allen Seiten schwer.

Man misbraucht Gottes Wort, um mich nur recht zu quälen,
Man sucht mir das Vertrauen auf dessen Huld zu stehlen,
Der auch den ärgsten Mensch mit Lieb und Trost bekehrt:
Da schreyt die Heucheley den Gönnern in die Ohren,
Ich als verworfnes Kind sey würklich schon verloren
Und folglich keiner Gunst noch Hülfe weiter werth.

Mein Vater und mein Schuz, du Brunnquell reiner Liebe,
In deßen Wahrheit ich Verstand und Sinnen übe,
Ach sprich doch auch in mir: Es werde wieder Licht!
Dich kennen ist allein die Weißheit, so ich suche;
Ich seh sie in der Welt, in diesem großen Buche,
Worinnen jeder Punct von deiner Größe spricht.

So deutlich und so wahr ich jetzt mich selbst empfinde,
So fest versprech ich mir Vergebung meiner Sünde,
Und so gewis du bist, so starck ist mein Vertraun.
Du hast mich längst erwehlt, ach hilf mich jetzt bekehren,
Damit ich würdig sey, die Mittel zu begehren,
Die inn- und eußerlich mein Glücke fester baun.

Ach hilf mir wider mich, wenn Fleisch und Regung irren,
Damit sie die Vernunft durch keinen Dunst verwirren,
Las Leben, Leib und Kraft noch etwas stehn und blühn,
Und dieses nur darum, dein Lob einmal zu preisen
Und endlich auch der Welt die Pflichten zu erweisen,
Worzu mir die Natur ein gutes Pfund verliehn.

Schon das äußere Bild vieler Wörter zeigt an, daß Günthers Gedicht
vor mindestens zweihundert Jahren entstanden ist. Wie kommt es, daß
dieser Hilferuf eines längst Verstorbenen uns heute noch so ans Herz
greift? Das Motiv — ein Notleidender findet in Gott seine letzte Zuflucht — ist keineswegs ungewöhnlich. Die Form des Gedichtes aber
kommt dem Geschmack unserer eiligen Zeit schon gar nicht entgegen.
Der einfache Gedanke wird vorgebracht in acht (im Original zwölf)
Strophen zu je sechs Alexandrinern. Wenn uns die Verse immer noch
so tief berühren, so kann das nur durch die unmittelbare Kraft des
Dichters selbst geschehen, von dem Goethe im siebten Buch von
„Dichtung und Wahrheit" gesagt hat: „Er besaß alles, was dazu gehört, im Leben ein zweites Leben durch Poesie hervorzubringen, und
zwar in dem gemeinen wirklichen Leben."
Was erfahren wir aus dem Gedicht von dem „gemeinen wirklichen
Leben" Günthers? Der schlesische Dichter muß am Ende seiner Ju-
gendzeit erkennen, daß sein bisheriges Leben in der Kälte der Welt
gescheitert ist. Er bekennt offen, daß er in jugendlicher Schwachheit
oft gefallen ist; doch er war auch immer von dem guten Willen beseelt, sich reuevoll wieder zu erheben. Aber Neid und Argwohn der
Mitmenschen stehen wider ihn, Gönner und Freunde hat er verloren,

auch seine Allernächsten, die Eltern, haben ihn verstoßen. Doch nicht genug damit, die Menschen wollen ihm auch noch seinen letzten Halt rauben, seinen Glauben an einen gütigen Gott. So sieht er sich in äußerste Verlassenheit geworfen, und vor der Verzweiflung rettet ihn nur das sichere Wissen, daß er in Gott geborgen ist. In dieser Zuversicht findet er auch wieder die Kraft, an seine Begabung und an seine Sendung zu glauben.

Das Gedicht ist also in gedrängtester Form ein Bekenntnis des Dichters. Nehmen wir noch einige Daten über seinen Lebensgang hinzu, einige Angaben über Orte, in denen der Umgetriebene Erfolg und Heimstatt gesucht hat, über Menschen, die ein Stück Weges mit ihm gegangen sind, dann haben wir alles, was in einer Literaturgeschichte über ihn ausgesagt werden kann. Zum Kunstwerk wird das Bekenntnis allerdings erst durch die Sprache, durch die Form, durch die lebendige Ergriffenheit, die hinter dem äußeren Geschehen leuchtet.

Der Alexandriner hat einen langen Atem. Er gibt dem Dichter Raum, von seiner grenzenlosen Verlassenheit, aber auch von seiner unbegrenzten Sicherheit in Gott zu sprechen. Er bietet ihm die Möglichkeit, in einer Häufung von starken Wörtern einen Begriff in seine Besonderheiten zu zerlegen und dadurch zu weiten und zu steigern: „Schmach, Armuth, Schmerz und Müh", „Argwohn, List und Wahn", „Donner, Bliz und Flammen", „Leben, Leib und Kraft", „Glimpf (Rücksicht, Verständnis) und Billigkeit", „Verstand und Sinnen", „Trost und Hülfe", „Lieb und Trost", „Gunst und Hülfe", „erquickt und stärckt", „stehn und blühn", „treu und redlich", „so deutlich und so wahr". – In immer neuen Wendungen und Bildern kann der ganz Einsame klagen: „Und wo mein Jammer klopft, da schlägt die Thüre zu", „bin nirgends angenehm und überall im Wege und finde, wo ich fall, kein Mitleid treuer Brust". Die große Zahl seiner Notrufe kann er in volkstümlich bildhafter Form ausführen: „Zehl jemand, wo er kan, den Grieß am Oderstrande, die Schuppen in der See, die Gräser auf dem Lande, so hat er gleich das Maas der Seufzer meiner Pein".

Der Dichter versteht sein Handwerk. Es ist erstaunlich, wie er den oft als seelenlos, einförmig und langweilig verschrienen Alexandriner meistert. Über die Pause in der Mitte jeder Verszeile tragen seine Gedanken leicht und frei hinweg. Die Cäsur wirkt dafür umso stärker, wo sinngemäß nach der 3. Hebung der Einschnitt erforderlich ist (etwa in I/4, 5, 6; II/4, 5; III/1, 2).

Das Reimschema ist aabccb; aa und cc haben klingenden, bb stumpfen Ausgang. An keiner Stelle aber bilden aa oder cc eine in sich bestehende Einheit. Ein abschließendes Satzzeichen steht immer nur nach der dritten oder sechsten Verszeile. Der Bogen dehnt sich also immer zunächst bis zum ersten starken Zeilenausklang, und von hier weiter über cc, bis sich die Spannung dann am Ende der sechsten Zeile im männlichen Reim wieder löst

Nun könnte immer noch eingewendet werden, das alles kann auch wortreiche Übersteigerung, Spiel mit einer Form sein, also bewußte Kunstübung, wie sie zu Günthers Lebzeiten in gebildeten Kreisen zum guten Ton gehörte, muß also nicht Herzenssache sein. Hat Günther in diesem Gedicht wirklich „im Leben ein zweites Leben" hervorgebracht? Es beginnt mit den Worten: „So ist's, bedrängtes Herz, aufs eußerste gekommen". Die tiefmenschliche Qual, die den Dichter an den Rand des Lebens drängt, wird offenbar im ersten Teil des Gedichtes, in Strophe eins mit fünf (im Original eins mit neun).

Schon äußerlich verstärkt sich die Sprache von Stufe zu Stufe. In der ersten Strophe verwendet der Dichter die Verba „mitnehmen, verbrauchen, verbleichen, verstocken, weichen". Dann klingt sogar noch mildernd die Sprache der Bibel auf (II, 4): „Ich habe keinen Ort, wohin mein Haupt ich lege." In der vierten und fünften Strophe aber treffen uns harte Wörter: „Argwohn, List, Wahn, Greuel, Heuchelei, wüten, verstoßen, mißbrauchen, quälen, stehlen".

Die eigentliche Verdichtung aber erreicht Günther durch eine innere Steigerung. Immer einsamer wird es um den Menschen, immer beängstigender schwillt die Not um ihn an. Nur ein einziges Mal, in IV/1, taucht in dieser Hoffnungslosigkeit eine Anrufung Gottes auf, aber nicht sicher, tröstlich, eher nur halbbewußt, mehr im Sinne der volkstümlichen Redensart: „Ach Gott!" oder „Du lieber Gott!".

Dann aber ändern sich im zweiten Teile des Gedichts, in den letzten drei Strophen Inhalt und Sprache plötzlich vollkommen. Der Notvolle läßt sich getrost in die Arme des barmherzigen Gottes fallen mit Worten und Bitten, die er in der Kindheit gläubig aufgenommen und seitdem durch alle Drangsal im Herzen bewahrt hat: „Mein Vater und mein Schuz, du Brunnquell reiner Liebe", „ach sprich doch auch zu mir: Es werde wieder Licht!", „dich kennen ist allein die Weißheit", „so fest versprech ich mir Vergebung meiner Sünden", „so stark ist mein Vertraun", „du hast mich längst erwählt". In diesem Verströmen in Gott findet das gequälte Herz Ruhe.

Die letzten Strophen sind aber durchaus nicht Zeugnis einer Abkehr von der Welt. Die für einen jungen Mann gewiß bescheidene Bitte an Gott: „Las Leben, Leib und Kraft noch etwas stehn und blühn" mündet ein in den von neuem Selbstbewußtsein getragenen Wunsch, „– endlich auch der Welt die Pflichten zu erweisen, worzu mir die Natur ein gutes Pfund verliehn". Das Ineinanderschwanken von Sinnlichem und Übersinnlichem, von Weltfreude und mystischer Versenkung, von Weltschmerz, Gottsuche und Lebenslust ist besonders bezeichnend für den Schlesier Günther und sein Werk. Finden wir nicht auch die gleiche Erscheinung häufig in den Gestalten des Schlesiers Gerhart Hauptmann?

In dem Bändchen „Gipfelblick" folgt auf Günthers Gedicht sicher nicht zufällig eine Dichtung mit dem gleichen Motiv: „Aus tieffer Not schrey ich zu dyr", der sechste Bußpsalm in der Übertragung Luthers. Aber der Psalm steht von vornherein so sehr für das allgemeine Empfinden, daß wir an Stelle des Ich ohne weiteres ein Wir einsetzen könnten. Daher ist er auch zum vielgesungenen Kirchenlied geworden. Günthers Lebensüberschau könnte nie zum Volkslied werden; dazu ist sie zu sehr Ausdruck seiner Persönlichkeit, seines nur ihm eigenen Wesens. Und doch gilt auch Günthers Ruf an Gott für uns alle. Auch für uns wäre es schwer, nicht zu verzagen, wenn wir in unseren ganz einsamen Stunden, in denen uns kein Mensch die Hand zur Hilfe reichen kann, nur im Irdischen beschränkt blieben. Wenn wir ganz allein sind mit unserem Herzen, ist es für uns gut, mit Günther zu wissen, daß uns aus dem Drüben, aus dem Reich der Liebe, Kraft zuströmen wird.

Ludwig Wagner

KLOPSTOCK:
DER ZÜRCHERSEE

VII/50–52

Schön ist, Mutter Natur, deiner Erfindung Pracht,
Auf die Fluren verstreut, schöner ein froh Gesicht,
Das den großen Gedanken
Deiner Schöpfung noch Einmal denkt.

Von des schimmernden Sees Traubengestaden her,
Oder, flohest du schon wieder zum Himmel auf,
Komm in rötendem Strahle
Auf den Flügeln der Abendluft,

Komm und lehre mein Lied jugendlich heiter sein,
Süße Freude, wie du, gleich dem beseelteren
Schnellen Jauchzen des Jünglings,
Sanft, der fühlenden Fanny gleich.

Schon lag hinter uns weit Uto, an dessen Fuß
Zürch in ruhigem Tal freie Bewohner nährt;
Schon war manches Gebirge
Voll von Reben vorbeigeflohn.

Jetzt entwölkte sich fern silberner Alpen Höh',
Und der Jünglinge Herz schlug schon empfindender,
Schon verriet es beredter
Sich der schönen Begleiterin.

„Hallers Doris", die sang, selber des Liedes wert,
Hirzels Daphne, den Kleist innig wie Gleimen liebt;
Und wir Jünglinge sangen
Und empfanden wie Hagedorn.

Jetzo nahm uns die Au in die beschattenden
Kühlen Arme des Walds, welcher die Insel krönt;
Da, da kamest du, Freude,
Volles Maßes auf uns herab!

Göttin Freude, du selbst! dich, wir empfanden dich!
Ja, du warest es selbst, Schwester der Menschlichkeit,
Deiner Unschuld Gespielin,
Die sich über uns ganz ergoß!

Süß ist, fröhlicher Lenz, deiner Begeistrung Hauch,
Wenn die Flur dich gebiert, wenn sich dein Odem sanft
In der Jünglinge Herzen
Und die Herzen der Mädchen gießt.

Ach, du machst das Gefühl siegend, es steigt durch dich
Jede blühende Brust schöner und bebender,
Lauter redet der Liebe
Nun entzauberter Mund durch dich!

Lieblich winket der Wein, wenn er Empfindungen,
Beßre sanftere Lust, wenn er Gedanken winkt,
Im sokratischen Becher
Von der tauenden Ros umkränzt;

Wenn er dringt bis ins Herz und zu Entschließungen,
Die der Säufer verkennt, jeden Gedanken weckt,
Wenn er lehret verachten,
Was nicht würdig des Weisen ist.

Reizvoll klinget des Ruhms lockender Silberton
In das schlagende Herz, und die Unsterblichkeit
Ist ein großer Gedanke,
Ist des Schweißes der Edlen wert!

Durch der Lieder Gewalt bei der Urenkelin
Sohn und Tochter noch sein, mit der Entzückung Ton
Oft beim Namen genennet,
Oft gerufen vom Grabe her,

Dann ihr sanfteres Herz bilden und, Liebe, dich,
Fromme Tugend, dich auch gießen ins sanfte Herz,
Ist, beim Himmel, nicht ewig,
Ist des Schweißes der Edlen wert!

Aber süßer ist noch, schöner und reizender,
In dem Arme des Freunds wissend ein Freund zu sein!
So das Leben genießen,
Nicht unwürdig der Ewigkeit!

Treuer Zärtlichkeit voll, in den Umschattungen,
In den Lüften des Walds und mit gesenktem Blick
Auf die silberne Welle
Tat ich schweigend den frommen Wunsch:

Wäret ihr auch bei uns, die ihr mich ferne liebt,
In des Vaterlands Schoß einsam von mir verstreut,
Die in seligen Stunden
Meine suchende Seele fand;

O, so bauten wir hier Hütten der Freundschaft uns!
Ewig wohnten wir hier, ewig! Der Schattenwald
Wandelt' uns sich in Tempe,
Jenes Tal in Elysium!

Es ist uns seit langem geläufig, einen Dichter zu ehren, indem wir ihn schöpferisch nennen und damit zugestehen, er habe neue Möglichkeiten der Sprache, der Einbildungskraft erschlossen. Oft verläuft die Geistesgeschichte freilich in zarten Übergängen und hält es schwer zu sagen, wo das Neue beginne. Manchmal aber erscheint ein Genius, der jäh mit der Überlieferung bricht und, selbst erstaunt und zum Erstaunen der Welt, das Unerhörte vollbringt. Ein solches Ereignis müssen wir im lyrischen Schaffen des jungen Klopstock anerkennen. Mit seinen frühen Oden beginnt, unerklärlich, beispiellos, die Geschichte der neueren deutschen Lyrik . . .[1]
Wenn wir den „Zürchersee" aufschlagen, so finden wir unter der Überschrift, wie bei den meisten Oden Klopstocks, das metrische Schema aufgezeichnet. Die Formel entspricht der dritten asklepiadeischen Strophe, wie sie uns etwa bei Horaz, carm. III, 13, begegnet:

„O fons Bandusiae splendidior vitro,
Dulci digne mero non sine floribus,
Cras donaberis haedo,
Cui frons turgida cornibus . . ."

[1] Gekürzter Abdruck aus: Emil Staiger „Die Kunst der Interpretation". Studien zur deutschen Literaturgeschichte. Atlantis Verlag Zürich und Freiburg im Breisgau. S. 50-76, mit freundlicher Genehmigung. Gekürzt S. 53/54

Antiker Länge entspricht eine Hebung, antiker Kürze eine Senkung. Außerdem hat Klopstock – und darauf tat er sich etwas zugute – die „unbetonte" Länge durch eine Senkung wiedergegeben, also jeden Vers mit einem Trochaeus statt mit einem Spondeus begonnen. Über den Irrtum in der Deutung antiker und deutscher Metrik, der ihm hier unterlief, sei nicht gerechtet. Genug, er gewann eine deutsche Strophe von einprägsamer Eigenart:

> „Schön ist, Mutter Natur, deiner Erfindung Pracht,
> Auf die Fluren verstreut, schöner ein froh Gesicht,
> Das den großen Gedanken
> Deiner Schöpfung noch Einmal denkt."

Der Inhalt dieser Verse beschäftigt uns jetzt noch nicht. Indem der Dichter nämlich, bevor er zu sprechen beginnt, das metrische Schema mitteilt, gibt er uns zu verstehen, daß ihm der Takt an sich schon wesentlich sei. Die Striche und Haken wenden sich gegen das gleichmäßige Auf und Ab, das in der Lyrik der ersten Jahrhunderthälfte von den meisten Dichtern als natürlichste Bewegung der deutschen Sprache angesehen wurde. Wir haben heute die Jamben und Trochäen Goethes und der Romantik im Ohr und begreifen kaum mehr ganz, warum der junge Klopstock fast mit Ekel von diesen Maßen abrückt. Die alternierenden Verse der Klassik und Romantik aber haben die rhythmische Revolution der deutschen Sprache schon hinter sich und tönen geschmeidig und wechselreich beseelt, während in Versen Hagedorns, Gleims oder Gellerts Hebung und Senkung wie zwischen zwei Parallelen eingelegt sind und mit ihrer vollkommenen Präzision an eine tickende Uhr erinnern:

> „Uns lockt die Morgenröte
> In Busch und Wald,
> Wo schon der Hirten Flöte
> Ins Land erschallt.
> Die Lerche steigt und schwirret,
> Von Lust erregt;
> Die Taube lacht und girret,
> Die Wachtel schlägt."   (Hagedorn)

Hier kann man sagen, der Dichter habe Verse *über* den Morgen gemacht, in seiner stillen, hellen Stube, nachdem das Entzücken sich wieder verloren und keine Bewegung mehr den Geist in seiner künstlerischen Sorgfalt stört. Hagedorn handelt im Sinne Gottscheds, der lyrische Poesie als Nachahmung fremder Gefühle beschrieben hat und, da der Begriff der Nachahmung für seine Poetik grundlegend ist, eigene Gefühle nur ausnahmsweise zuläßt und immer nur mit der Bedingung, daß „der Affect schon ziemlich gestillet" sei, wenn man „die Feder zur Hand" nimmt.

Dagegen lehnt sich Klopstock auf. Er will nicht wohlgesetzte Verse über seine Bewegung verfertigen, sondern er will, daß seine Bewegung selbst in den Versen vernehmlich werde. Noch aber findet er nicht die Freiheit des jungen Goethe, der sich unbedenklich der Sprache anvertraut und seine neuen Strophen und Verse der Gunst des Augenblicks überläßt. Er huldigt der seltsamen Überzeugung, daß jeder Seelenlage ein besonderes metrisches Schema entspreche und also der Dichter nur die richtige Strophe finden oder erfinden müsse, um den richtigen Ton von Anfang bis Ende zu wahren. Daß er damit Rhythmus und Prosodie auf Metrik reduziere, ist ihm niemals klar geworden. Zum Glück! Denn einzig diesem Irrtum haben wir seine metrische Erfindungslust und damit die Reform des deutschen Verses zu danken . . .[2]

In der Ode „Der Zürchersee" glauben wir zwar der Anleitung nicht zu bedürfen, sei es, weil die Worte sich natürlicher in das Schema fügen, sei es, weil uns die dritte asklepiadeische Strophe aus Hölderlins Odendichtung vertraut ist. Um 1750 aber dürfte sie den Lesern kaum geringere Schwierigkeiten bereitet haben als uns die Strophe der „Sommernacht". Sie mußten sich, nicht anders als der Dichter selbst, um die Maße bemühen. Daran erkennen wir, was für die historische wie die ästhetische Würdigung wesentlich ist, daß der Rhythmus nicht trägt, das Gemüt nicht unwiderstehlich fortreißt, sondern hervorgebracht wird nach dem Willen, den das Schema kundgibt. Mehr oder weniger liegt dies freilich im Wesen der Ode an sich. Ein Lied Brentanos mag sich von selber in seinen Vers einwiegen. Doch kein Gemüt bewegt sich unwillkürlich nach alkäischen oder asklepiadeischen Systemen. Auch innerhalb der Ode bestehen indes beträchtliche Unterschiede. Die zweite Strophe von Hölderlins „Abbitte", gleichfalls eine dritte asklepiadeische, lautet:

> „O vergiß es, vergieb! gleich dem Gewölke dort
> Vor dem friedlichen Mond, geh' ich dahin, und du
> Ruhst und glänzest in deiner
> Schöne wieder, du süßes Licht!"

[2] gekürzt S. 56-58.

Keine Strophe Klopstocks, selbst keine des „Zürchersees", der natürlichsten seiner Oden, klingt so. Mindestens die letzte Zeile scheint
unwillkürlich gesprochen zu sein; die beiden ersten fügen sich bewußter dem vorbestimmten Gesetz. Diese immer wieder neue und
wieder gelöste Spannung von Kunst und Natur bewirkt den unver-
gleichlichen Reiz der Verse Hölderlins aus der mittleren Zeit. Bei
Klopstock kann von einer solchen gelösten oder auch nur entste-
henden Spannung keine Rede sein. Die Art der Bewegung, die er sich
vornimmt, führt er überall willentlich durch. Er muß so handeln, und
keinen Augenblick darf er sich gehen lassen; denn mit jedem Schritt
betritt er Neuland, das Neuland einer beseelteren Rhythmik, das
späteren Dichtern erst dank ihm zur Heimat wird und, als zur Heimat,
zum Angeborenen, zur „Natur". So aber, wenn ihm gleich die intimere
lyrische Berührung noch versagt ist, gewinnt er die fast liturgische
Strenge, die Zucht, die beherrschten Gebärden, die sich einzig ziemen
im heiligen Raum!

„Odi profanum volgus et arceo."

Klopstock hat Horaz auch darin nachzuleben versucht und, wieder
ohne Vermuten, eine ganz neue Ethik des Dichterischen begründet.
Wenn nämlich Horaz das gemeine Volk abweist, um sich den Dank
eines kleinen Kreises von Kennern zu verdienen, also aus ästhetischen
Gründen dem Pöbelgeschmack nicht huldigen will, hat Klopstocks
esoterische Haltung einen religiösen Nimbus. Ihm ist der Begriff des
„vates" in einem Sinn ehrwürdig, zu dem sich kein Römer der klassischen Zeit aufrichtig bekennt, der auch der deutschen Dichtung
längst abhanden gekommen und später erst von dem jungen Goethe
und dann von Hölderlin wiederbelebt worden ist. Gerade die deutsche
Literatur, die Klopstock vorfand, erstrebte mit größtem Eifer Gemeinverständlichkeit. Die wahren Gedanken zu ersinnen, waren die Philosophen berufen. Den Dichtern fiel die Aufgabe zu, die Weisheit unter
die Leute zu bringen,

„dem, der nicht viel Verstand besitzt,
die Wahrheit, durch ein Bild, zu sagen" (Gellert)

oder, nach dem horazischen „prodesse et delectare", für liebenswür-
dige Unterhaltung zu sorgen. Im Dienst an der bürgerlichen Gesellschaft bildet sich der Stil des deutschen Rokoko. Klopstock aber ist
bemüht, sich von dieser Gesellschaft zu unterscheiden. Wie er als
Mensch, bei aller Weltläufigkeit und herzlichen Frische, jeden bürgerlichen Beruf verschmäht und den Deutschen als erster die Existenz

des zu Höherem erkorenen Geistes vorlebt, so sichert er auch die poetische Sprache vor jeder Berührung mit der des Tages.

Die Strophe aus Hagedorns „Morgen" ist ein Muster sachlicher Präzision. Auch schwierigere Dinge so säuberlich und scheinbar mühelos vorzutragen, gereicht den Rokokodichtern zur Ehre. Wie höflich, der Fassungskraft jedes Hörers angemessen und doch liebenswürdig, drückt sich Gellert aus in der Strophe:

> „Nicht jede Besserung ist Tugend,
> Oft ist sie nur das Werk der Zeit.
> Die wilde Hitze roher Jugend
> Wird mit den Jahren Sittsamkeit;
> Und was Natur und Zeit getan,
> Sieht unser Stolz für Tugend an."

Im Geist der Kritik, die Gellert selbst an seinen Gedichten geübt hat, könnte man hier bemängeln, daß der Anteil der Zeit an der Besserung zweimal erwähnt sei, was dem Grundsatz des ökonomischen Kraftaufwandes zuwiderläuft. Doch davon abgesehen entsprechen die Verse ziemlich vollkommen dem Maßstab, den die belehrungsbedürftige, auf Anmut erpichte Leserschaft handhabt.

Klopstock verbittet sich dieses Maß. Gemeinverständlichkeit dünkt ihn gemein, und „klar" ist soviel wie „geheimnislos". Ganz anders sind seine Sätze gebaut:

> „Treuer Zärtlichkeit voll, in den Umschattungen,
> In den Lüften des Walds, und mit gesenktem Blick
> Auf die silberne Welle,
> Tat ich schweigend den frommen Wunsch:
>
> Wäret ihr auch bei uns, die ihr mich ferne liebt,
> In des Vaterlands Schoß einsam von mir verstreut,
> Die in seligen Stunden
> Meine suchende Seele fand;
>
> O so bauten wir hier Hütten der Freundschaft uns!" . . .[3]

Mitten in der Helle der Aufklärung versucht er so, das verlorene Geheimnis des Dichterischen zurückzugewinnen. Möglich ist dies freilich

---

[3] gekürzt S. 61—62.

nur, wenn ein solches dichterisches Geheimnis in seiner Seele verborgen ruht. Es ruht in ihr. Seine ganze Würde und Hoheit gründet in diesem Buwußtsein. Nun setzt er es mit gewaltiger Anstrengung gegen den Zeitgeist durch. Wo andere glatt und leichthin sprechen, türmt er Schwierigkeiten auf, um seinem vom Unerhörten ergriffenen Geist ein Tummelgelände zu schaffen. Er schöpft tief Atem für einen Satz, der einen großen Bogen beschreibt; das Ende der grammatischen Spannung schiebt er mit kühner Gebärde hinaus. Dann schließt er ab und steht als Herr da, noch von den himmlischen Schauern umwittert, in denen sein Wagnis sich vollzogen.

Wie so der Satz aus einem starren logischen Gefüge zum seelischen Ereignis wird, stört Klopstock auch die Teile des Satzes aus ihrer Ruhe auf und teilt noch den Wörtern seine Erregung mit. Damit rückt er nun unzweideutig von seinem römischen Vorbild ab. In den „Materialien zur Geschichte der Farbenlehre" hat Goethe das Griechische vom Latein unterschieden:

„Das Griechische ist durchaus naiver, zu einem natürlichen, heitern, geistreichen ästhetischen Vortrag glücklicher Naturansichten viel geschickter. Die Art, durch Verba, besonders durch Infinitiven und Partizipien zu sprechen, macht jeden Ausdruck läßlich; es wird eigentlich durch das Wort nichts bestimmt, bepfählt und festgesetzt, es ist nur eine Andeutung, um den Gegenstand in der Einbildungskraft hervorzurufen.

Die lateinische Sprache dagegen wird durch den Gebrauch der Substantiven entscheidend und befehlshaberisch. Der Begriff ist im Wort fertig aufgestellt, im Worte erstarrt, mit welchem nun als einem wirklichen Wesen verfahren wird." (Goethes sämtliche Werke, Artemis-Ausg. XVI, 387)

Es wäre zwar gewagt zu behaupten, Klopstocks Sprache nähere sich in diesem Sinne der griechischen an. Unverkennbar aber vermeidet er es, einen Gegenstand zu „bepfählen" und „im Worte erstarren" zu lassen. Das Adjektiv, das dem Substantiv eine feste Eigenschaft zuweist, das Horaz im Geist der lateinischen Sprache mit besonderer Sorgfalt pflegt, ersetzt er, wo es irgend angeht, durch ein Participium praesentis: „Schimmernder See", „rötender Strahl", „fühlende Fanny", „beschattende Kühle", „blühende Brust", „tauende Rose", „schlagendes Herz". Denselben Fluß, dieselbe Bewegung erzielt er durch eine besonders auffällige sprachliche Manier, den absoluten Komparativ, der keinen Vergleich enthält, der nur die Eigenschaft als im Wachsen, im Schwung zu höheren Graden begriffen vorstellt: „gleich dem beseelteren . . . Jauchzen", „schon verriet es beredter", „dann ihr sanfteres Herz bilden" . . .[4]

Endlich versteht es Klopstock, selbst die Starre des Substantivs zu brechen, indem er, was sich niemand außerhalb dieses stilistischen Rahmens gestatten dürfte, Wörter auf -ung bevorzugt. Im „Entschluß" ist der Schwankende schon gefestigt; in „Entschließungen" festigt er sich erst. „Entzücken" bezeichnet eine schon zur Vollendung gediehene Lust; in „Entzückungen" hebt das Entzücken erst an. Der „Schatten des Walds" würde einen dem Licht entrückten Raum bedeuten; in der „Umschattung" wirkt sich das Schattige aus und umgreift uns mit mächtigen kühlenden Armen. Wo aber keines von diesen Mitteln zur Verfügung steht, da sorgt das Ausrufungszeichen für Schwung und Auftrieb. Es steht am Ende von zehn Versen, nicht selten auch innerhalb der Zeilen. Der Wille zur Bewegung ist hier, wie im metrischen Schema, graphisch vermerkt.

„Bewegung" ist aber ein weiter Begriff; „bewegt" ist alle lyrische Sprache. Wir haben einstweilen nichts weiter gesagt, als daß mit Klopstock das Lyrische, wie der Ausdruck heute gebräuchlich ist, einsetzt, so machtvoll und energisch betont, daß man versucht sein könnte, einen Einschlag von Rhetorik zu buchen, der sich erübrigen würde bei dem heiteren Anlaß des Gedichtes. Es gilt jedoch, mit Vorsicht Klopstocks eigentümlichen Ton zu bestimmen.

Die Bewegung des metrischen Schemas, wenn wir es an und für sich betrachten, ist leer. Sie hat noch keinen Inhalt; sie nimmt nichts Irdisches mit. Die Striche und Haken bedeuten einen rhythmischen Wechsel, der auch mit Tönen, Solfeggien oder dergleichen ausgeführt werden könnte. Gerade in dieser Leere aber scheint sich Klopstock zu gefallen, in seinen metrischen Studien, in seinen Schriften über die Sprache, die Orthographie und die Grammatik, die sich um keinen Inhalt kümmern und einzig die Organe des Empfangens und Bewältigens prüfen. Ein Geist, der über den Wassern schwebt, der erst behutsam die Möglichkeiten der Inkarnation erwägt: so scheint sein Bild sich abzuklären, je länger der Blick darauf verweilt. Wir hätten diesen Eindruck schon bei den Wörtern auf -ung gewinnen können. Denn diese Wörter sind nicht nur aktiver und bewegter, sie sind zugleich abstrakter als die Bildungen, die ein späterer Geschmack vorzöge. Zwanglos reihen sie sich den Lieblingsvorstellungen an, von denen der „Messias" überschwillt: Gott, Geist, Seraph, Engel, Jenseits, Un-

[4] gekürzt S. 63—64.

112

endlichkeit, Ewigkeit. Die all dem gemeinsame Unsinnlichkeit hat
schon Goethe an Klopstocks Dichtung bemerkt (Zu Eckermann 9. 11.
1824). Aber sogar die Landschaft der Zürcher Ode ist damit charakterisiert. Wir rufen uns Goethes demselben See gewidmeten Verse ins
Gedächtnis:

> „Auf der Schwelle blinken
> Tausend schwebende Sterne,
> Weiche Nebel trinken
> Rings die türmende Ferne;
> Morgenwind umflügelt
> Die beschattete Bucht,
> Und im See bespiegelt
> Sich die reifende Frucht."

Dagegen Klopstock! Obwohl sein Gedicht um ein Mehrfaches länger
ist als das Goethes, scheint seine Landschaft — was kein Werturteil
bedeutet — minder sichtbar und fühlbar zu sein. Die Traubengestade
des schimmernden Sees, die Höhen der silbernen Alpen, die Au, der
Wald, der die Insel krönt, werden in den ersten Strophen erwähnt. Im
ganzen Mittelstück ist von der Umgebung überhaupt nicht die Rede.
Erst gegen Schluß nennt Klopstock noch die Lüfte des Walds und die
silberne Welle. Das ist nicht viel; und wendet man ein, die Zahl der
Motive gebe doch kaum den Ausschlag, so drängt sich eine andere,
wesentliche Beobachtung auf: die Farben fehlen in diesem Gemälde.
Der schimmernde See ist nicht blau, sondern hell; „grünlich hell"
nennt ihn ein Brief an Schmidt vom 1. August 1750. Der schattende
Wald ist dunkel, nicht grün. Sogar die Rose heißt „tauend"; den silbernen Tau zieht Klopstock der Röte vor. Er scheint auf seiner
Palette nur über Schwarz, Silber und Weiß zu verfügen, am Rande
dann doch über einige Töne, die wenigstens leise farbig behaucht
sind. Dahin gehört der „rötende" Strahl, der zu dem „rötlichen" Mai
in der Ode „Die frühen Gräber" hinüberweist, was weiterhin an die
„grünliche" Dämmerung in der „Friedensburg" und einige weitere
ebenso zarte Andeutungen von Farben erinnert. Wie anders ist dies
als das tiefe und satte Grün von Eichendorffs Wald oder als der Frühling, der in der ersten Fassung von Goethes „Ganymed" den Knaben
im Morgenrot anglüht. Diese späteren Lyriker gehen mehr oder weniger in der Landschaft auf. Die Fühlung ist so innig, daß sich ihr Gemüt im Gegenstand, der Gegenstand im Gemüt auflöst. Klopstock ist
nicht innig; er ist erhaben; sein Geist schwebt *über* der Landschaft

und wird nur leise von ihrer festlichheiteren Stimmung angetönt. Ihr Anblick weckt die Seele vielleicht. Doch was er weckt, die hohe Heiterkeit geht weit über den Anlaß hinaus und läßt den irdischen Stoff alsbald bis auf wenige Reste hinter sich.

> „Von des schimmernden Sees Traubengestaden her,
> Oder, flohest du schon wieder zum Himmel auf,
> Komm in rötendem Strahle
> Auf dem Flügel der Abendlust,
>
> Komm und lehre mein Lied jugendlich heiter sein . . .“

Die Freude wohnt an sich im Himmel. Über die Brücken der Landschaft zieht sie in das Herz des Dichters ein und lehrt ihn ein jugendlich heiteres Lied. Doch ihrer würdig ist das Lied erst dann, wenn es gelingt, das reine Gefühl zu feiern, das nicht an die Landschaft gebunden bleibt. Mit fast beängstigendem Ungestüm macht Klopstock sich daran, die sinnlichen Elemente auszuscheiden. In der fünften Strophe findet sich bereits die abstrakte Wendung:
„Und der Jünglinge Herz schlug schon empfindender . . .“
Die sechste preist die Poesie, indem sie Namen von Dichtern aufzählt, von Menschen, die dieselbe Woge einer erhabenen Stimmung durchflutet. Dann meldet sich noch einmal die Landschaft. Kühlung und Umschattung aber erinnern bei Klopstock an die geheimnisvollen Schauer des Grabes:

> „Wenn der Schimmer von dem Monde nun herab
> In die Wälder sich ergießt, und Gerüche
> Mit den Düften von der Linde
> In den Kühlungen wehn;
>
> So umschatten mich Gedanken an das Grab . . .“

an das Grab, das weniger Stätte des Vermoderns als dunkle Pforte des Jenseits ist. So fühlt er sich auch hier vom Geheimnis des Überirdischen angeweht. Und nun vermag er die himmlische selbst, die Freude an sich in Worte zu fassen:

> „Da, da kamest du, Freude!
> Volles Maßes auf uns herab!
> Göttin Freude, du selbst! dich, wir empfangen dich!

Ja, du warest es selbst, Schwester der Menschlichkeit,
Deiner Unschuld Gespielin,
Die sich über uns ganz ergoß."

Wir Heutige werden diese Verse schwerlich als Gipfel der Ode verehren. Eher sind wir versucht, sie „leer" im bedenklichen Sinne zu
finden. Doch Klopstock ist wohl überzeugt, er habe hier die Höhe er-
klommen. Gehäufte Ausrufungszeichen verkünden die Einkehr der
Göttin, einer unsichtbaren Göttin der Innerlichkeit . . .[5]
Seit langem, haben wir eingangs bemerkt, sei der Ausdruck „schöpferisch" uns geläufig. Sehen wir genauer hin, so dürfte Klopstock der
erste deutsche Dichter sein, auf den er zutrifft, da er als erster nicht
mehr im Namen der schon bestehenden Gesellschaft, der allgemeingültigen Vernunft, des allgemeinherrschenden Glaubens, sondern im
Namen seiner Seele sprach und ein Geschlecht zu bannen wußte. Er
selber ist denn auch der erste, der, wenigstens ahnungsweise, von der
Schöpferkraft des Dichters zeugt. . . .[6]
Der Schöpfergeist reinigt den Menschen zum Tempel. Der Sterbliche
seinerseits reinigt das Herz. Sein Gedicht erhebt sich zum Schöpfergeist. Wenn dies gelungen ist, steht er als Dichter nicht mehr der
Natur gegenüber, denkend, betrachtend und nachahmend; dann gären
die Kräfte der Natur wie vor den Schöpfungstagen in ihm und sind
bereit, zu einer neuen Schöpfung, im Kunstwerk, zusammenzuwirken.
Vom schon Geschaffenen – und das heißt: von der Natur, wie sie
überliefert und ausgelegt ist – loszukommen und diese uranfänglichen
Schwingungen göttlicher Kräfte in sich zu verspüren, das ist es, worum
sich Klopstock bemüht, in seiner Metrik, in seiner spannungsreichen
emotionalen Syntax, in seinem ganzen, damals so neuartigen prie-
sterlichen Gebaren. Das ist nun endlich auch der Sinn der vielberufe-
nen ersten Strophe:

„Schön ist, Mutter Natur, deiner Erfindung Pracht,
Auf die Fluren verstreut, schöner ein froh Gesicht,
Das den großen Gedanken
Deiner Schöpfung noch Einmal denkt."

„Denkt" ist nicht rational gemeint. Es hat schon hier die Bedeutung,
die später die Ode „Dem Unendlichen" abklärt:

[5] gekürzt S. 68—69.
[6] gekürzt S. 69—70.

115

„Wie erhebt sich das Herz, wenn es dich,
Unendlicher, denkt! . . ."

„Denken" bedeutet ein Erfassen mit ganzer Seele und ganzem Gemüt.
Den Gedanken der Schöpfung noch einmal denken, besagt, den Schöp-
fungsakt mit all seinen Wundern im eigenen Herzen erneuern.
Aber die erste Phase dieses Geschehens, die Rückkehr der Schöpfung
in das rhythmische Schüttern des Urbeginns, vollzieht sich entschiedener als die zweite, in der eine neue unerhörte, oder die alte bekannte
Welt in neuem, aus der Seele des Dichters quellendem Glanz erstehen
sollte. Es ist, als fürchte Klopstock, in die Nachachmung des Geschaffenen zurückzufallen. Nachdem er sich zur Feier der reinen
Freude aufgeschwungen, verwandelt ihr Geist die Erde nicht; er
feiert weiter das ganz abstrakte Gefühl; der „Begeisterung Hauch",
„Empfindungen" und „Entschließungen", „bessere, sanftere Lust",
„Gedanken", „Liebe", das „schlagende Herz". Und einzig indem er
Gefühle verschiedener Grade zum Vergleich herbeizieht und in gewaltiger Steigerung vordringt vom Odem des Lenzes zur Lust des
„sokratischen" Besuchers — des kleinen, den der maßvolle Sokrates
bei Xenophon anrät —, von da zur Wonne des Ruhmes und endlich
wieder zum Höchsten, zur Süße der Freundschaft, bewahrt er sich
und uns vor jener Monotonie, die den „Messias" und viele seiner Oden
gefährdet, und ist er imstande, den Preis der Göttin, ohne immer nur
„Freude!" zu sagen, so zu verstärken und auszudehnen, daß die Dauer
seiner Ergriffenheit einigermaßen zu ihrem Recht kommt. Wer ge-
nötigt würde anzugeben, was der Dichter mit seiner pompösen Ab-
schweifung eigentlich meine, der wüßte wohl keine andere Antwort
als diese: „Heil mir! Ich empfinde, ich fühle gefühltestes Gefühl!"
Denn alle Einzelheiten sind Requisiten der deutschen Anakreontik.
Vom Lenz, vom Wein und von der Liebe, von Tempe und Elysium
haben auch Haller und Hagedorn, Gleim und Ewald von Kleist gesungen. Nur so nicht, aus der Tiefe der unverwechselbar eigenen
Leidenschaft! Und einzig um diese geht es hier. Um ihretwillen verwendet Klopstock die Muster des Meißener Porzellans, die als Scha-
blonen verfügbar sind, damit, wo nichts zu sagen ist, doch Verse entstehen und erregte Sätze gebildet werden können. Wer das große
Mittelstück in einer einzigen Spannung aushält, wer nach der ersten
Kulmination mit „Süß ist, fröhlicher Lenz" zu einem Crescendo auf
weiteste Sicht ansetzt, Atem schöpft, wenn die Strophe vom Wein, und
wieder, wenn sie vom Ruhm beginnt, um dann mit „Aber süßer ist

noch" in einem letzten steilen Aufstieg den Gipfel abermals zu erreichen, der faßt noch immer nichts Bestimmtes, den aber streift doch eine Ahnung von der überströmenden Seele des herrlichen Jünglings, der da singt.

Und ähnlich ergeht es uns wieder am Schluß. Klopstock gedenkt der fernen Freunde, die heute nicht teilnehmen können, Schmidts, Gisekes, Gellerts, Cramers, und wen er sonst in seinen ersten Oden mit Namen nennt und ehrt. Er wünscht, sie möchten hier sein; dann würden sie „Hütten der Freundschaft" bauen, wie Petrus (Matth. XVII, 4) auf dem Berg, wo „gut sein ist", für die Propheten Hütten bauen will. Ein unerfüllbarer, unmöglicher Wunsch, der höchstens geeignet wäre, das überschwengliche Entzücken ein wenig zu dämpfen und die Wehmut beizumischen, deren die Lust bedarf, wenn sie den Augenblick überdauern soll. Klopstock aber tut den Wunsch mit auf die Welle gesenktem Blick, fromm, schweigend, wie ein Gelübde, mit einem unverhältnismäßigen Aufwand von Mimik und Zeremoniell. Doch einzig dieser Aufwand ist seiner Gemütsbewegung gemäß. Den Anlaß läßt sie auch hier als fast unwesentlich hinter sich zurück.

Drei Strophen sind dem Ruhm gewidmet. Zumal die mittlere gibt uns noch zu einer letzten Betrachtung Anlaß.

> „Durch der Lieder Gewalt bei der Urenkelin
> Sohn und Tochter noch sein; mit der Entzückung Ton
> Oft beim Namen genennet,
> Oft gerufen vom Grabe her . . ."

Klopstock denkt hier vor in ein Dasein, das sich eröffnet nach dem Tod. Er hat sich über die Landschaft erhoben; jetzt erhebt sein Geist sich über alles gegenwärtige Leben. In einer früheren Ode besingt er seine künftige Geliebte:

> „Die du künftig mich liebst (wenn anders zu meinen Tränen
> Einst das Schicksal erweicht eine Geliebte mir gibt!)
> Die du künftig mich liebst, o du aus allen erkoren,
> Sag, wo dein fliehender Fuß ohne mich einsam jetzt irrt?"

Die Ode „An Ebert" geht noch weiter. Einst werden seine Freunde, wird die künftige Geliebte tot sein:

> „Stirbt dann auch einer von uns, und bleibt nur einer noch übrig;
> Bin der eine dann ich;
> Hat mich dann auch die schon geliebt, die künftig mich liebet.
> Ruht auch sie in der Gruft . . ."

Hat je ein Dichter deutscher Sprache so das Futurum exactum gebraucht? „Wenn ich dereinst geliebt worden bin!" In dieser Zeitform gründet schließlich die ganze Gewalt der Ode „An Fanny". Klarer könnte nirgends werden, daß diesem Dichter ein weltlicher Inhalt seiner Gefühle erst bevorsteht, daß ihm noch kaum beschieden ist, sich zu erinnern, zu versenken und sich im Irdischen zu fühlen als in der Heimat seiner Seele. Doch von erhabener Stätte weist er prophetisch in dieses gelobte Land.

Emil Staiger

VIER GEDICHTE VON GOETHE

Vorbemerkung

Die folgenden Skizzen interpretatorischer Art bedürfen heute der erklärenden Einführung. Sie sind vor Jahren aus einem ganz bestimmten Zusammenhang erwachsen, innerhalb dessen sie als illustrierende Beispiele gelten wollten. Jener Zusammenhang liegt jedoch dem Sinn dieser Sammlung nicht ferne: es galt damals mit einer weit größeren Dringlichkeit als heute, das Betrachten von Gedichten zurückzurufen von der sofortigen und ausschließlichen Zuwendung zu Literatur- und Geistesgeschichte und zur Biographie. Vor allem die lediglich biographische Deutung von Gedichten Goethes, die in der Schule zur einen und kanonischen Methode geworden war, mußte auf die verhängnisvolle Nachwirkung solcher Pseudo-Interpretation hingewiesen werden; rückte sie doch vor das Gedicht selbst Abstraktionen und Indiskretionen. Der junge Mensch, außerstande das Eigentümliche und Bedingte der Goethischen Selbstschau zu gewahren, wurde dergestalt zu der fatalen Gleichsetzung von Leben und Kunst, Erlebnis und Gedicht verleitet, an der bis zum heutigen Tag das Verhältnis der deutschen Gebildeten zu unserer klassischen Dichtung leidet. So war damals Anlaß, auf das Gedicht selbst hinzuführen. Die folgenden Skizzen schlossen sich an den Versuch an, seine Klang- und Sprachgestalt vom Vers und seiner Rhythmik her zu fassen. Hier ist nachzutragen, was dort den Beispielen voranging: die metrische Untersuchung und ihre Hilfsmittel sind in jedem Fall ein Notbehelf, aber ein unerläßlicher. Vers- und Wortbewegung, Klang und Melodie sind in Maßbegriffen so und anders nicht zu fassen, weder in den aus der antiken Verslehre übernommenen noch in denen von Heusler und seiner Schule entwickelten. Die überlieferten Schemata erweisen sich jedoch, trotz des (so fruchtbaren) Mißverständnisses, auf dem ihr Gebrauch in der deutschen Dichtung beruht, als handlicher. Auch leisten sie, was vernünftigerweise von ihnen erwartet werden darf: Hilfe, was die Darstellung und Mitteilbarkeit von Beobachtungen an der jeweiligen Versform angeht. Selbstverständlich bedeutet die Feststellung (eine solche ist im wörtlichen Sinne des Wortes gegenüber der Individualität des jeweiligen Gedichtes ja gar nicht möglich) von Taktschema und Strophenform keineswegs so viel wie Abriß der Form überhaupt. Der gradlinige Schluß vom metrischen Sachverhalt auf den Ausdruck und die Gestalt des Gedichtes, wäre also unsinnig. Der Zusammenhang, der in den folgenden Skizzen mehr abgetastet als nachgezeichnet wird, der Zusammenhang zwischen Versgestalt und dem Ganzen des Gedichtes ist nur einer unter anderen: jenes Ganze hängt ja vielfältig in sich zusammen. Eben deshalb müssen diese Versuche Skizzen genannt werden. Zu einer vollständigen Interpretation gehörten noch andere Gesichtspunkte, als die im Folgenden zu Grunde gelegten, die sich auf rhythmische Gestalt des Gedichtes und auf die Perspektive des Dichters beschränken. Grund und Bedingtheit solcher Konzentration sind bereits erklärt worden: die Isolierung der Gedichte hat nicht etwa programmatischen Sinn. Weil man wohl annehmen darf, daß die nur inhaltliche Exegese von Gedichten, sei sie nun mehr literaturhistorischer oder mehr pädagogisch-erbaulicher Art, keineswegs völlig aus dem Deutschunterricht verschwunden sein wird, kommt den Untersuchungen auch heute noch ein gewisser Gebrauchswert zu: möchte er sich im Sinne der Ermutigung auswirken.

Mailied

VI/64

Wie herrlich leuchtet
Mir die Natur!
Wie glänzt die Sonne!
Wie lacht die Flur!

Es dringen Blüten
Aus jedem Zweig
Und tausend Stimmen
Aus dem Gesträuch

Und Freud und Wonne
Aus jeder Brust.
O Erd', o Sonne,
O Glück, o Lust,

O Lieb', o Liebe,
So golden schön
Wie Morgenwolken
Auf jenen Höhn,

Du segnest herrlich
Das frische Feld –
Im Blütendampfe
Die volle Welt!

O Mädchen, Mädchen,
Wie lieb' ich dich!
Wie blinkt dein Auge,
Wie liebst du mich!

So liebt die Lerche
Gesang und Luft,
Und Morgenblumen
Den Himmelsduft,

Wie ich dich liebe
Mit warmem Blut,
Die du mir Jugend
Und Freud' und Mut

Zu neuen Liedern
Und Tänzen gibst.
Sei ewig glücklich,
Wie du mich liebst.

Das Eigentliche, man wird sagen dürfen, das Unvergeßliche an diesem
Lied ist Puls und Drang der Freude.
Zweierlei Verszeilen wechseln, beide sind aus nur zwei Takten gefügt, aber mit Senkungen nicht immer gleich gefüllt. Beiden wohnt
Schwung und Getragenheit zugleich inne: das liegt an der weder
symmetrischen noch gleichartigen Füllung der Takte. Beschwingte,
ebene Trochäen wiegen vor, doch werden auch raschere, heftigere
Metren hörbar, Daktylen und – gleich zu Beginn – ein Anapäst („die
Natur"). Die Spannung im ersten Vers drängt über seine beiden Takte
hinaus, das zeigt sich in den vielen Enjambements an: mit der nachfolgenden kürzeren Zeile bildet die längere eine rhythmische Einheit, die kürzere wirkt wie ein antwortendes Echo auf die voraus-
gehende. Deshalb entsteht im ganzen Lied so stark der Eindruck der
unaufhörlichen Reihung, der Häufung und der Fülle. Das Wiederholen, das zugleich steigert und das Ende nicht finden kann, ist dem
Gesang ganz nahe, der schließlich ohne Worte weitergeht, getragen
von einer beseligenden Melodie. Die Versform trägt also alle Zeichen
der Unmittelbarkeit, aber darüber darf ihre seltene und eigentümlich
geprägte Gestalt nicht übersehen werden: sie läßt sich trotz der innigen Herzlichkeit des Ausdrucks nicht an Lieder im Volkston anschließen, sondern sie steht der Ode näher. Nicht einmal die Strophe
kann solchem Strömen und Drängen Grenze sein: die ersten drei
Strophen binden sich, reihen sich dicht, wie in ihnen Satz an Satz sich
reiht, drängen ineinander wie ein Stück der prangenden Welt ins andere, bis schließlich die Sätze sich auflösen und einschießen in be-
drängt-gedrungene Ausrufe: „O Erd! o Sonne! o Glück! o Lust!"
Aber selbst solche Verzückung gibt der Ruhe und dem Verströmen
noch nicht Raum, neue Wonnen, neue Welten tun sich auf, aus den
Jubelrufen erzeugt sich alsbald ein neuer, äußerster – „O Lieb', o
Liebe": der Verzückte sieht von solchem Gipfel aus – man darf es
sagen – „den Himmel offen", über den Wolken erblickt er das göttliche Geheimnis, den Ursprung, hinter dem Vielen und Äußeren ein
Inneres, die Einheit.
Nun aber ist der Ring und Kreis aufgetan, in dem das Fernste schon
an das Nächste rührt, deshalb springt denn auch der einzige, klare

Strophenschluß („die volle Welt") hinüber in die nächste Strophe und verbindet, was flüchtigem Betrachten als neuer, zweiter Teil des Gedichtes erscheinen könnte, zur Einheit: von der großen, allgemeinen Liebe, die eine ganze „volle Welt segnet", ist die eine, menschliche des Dichters nur Teil und Abglanz. Wie Natur und Mensch, Äußeres und Inneres, All und Ich jetzt offenbar sind als Zusammenhang des Lebens, so weben sich auch die folgenden Strophen untrennbar zusammen und ineinander, jene beseligende Analogie vom kleinen Einzelnen und großen Allgemeinen einfassend. „So liebt die Lerche" . . . „wie ich dich liebe": erst der Liebeswunsch, der den Liebenden und die Geliebte innig und dicht umschlingt wie Umarmung, erschöpft den Atem und das Wort des Dichters.

Die Ausrufe sagen es uns, und viele andere Anzeichen noch weisen, wie wir andeuteten, dorthin: das Lied steigert sich zum Schrei, im Jubelruf klingt fast schon das Stöhnen des Erstickenden mit – die Schwelle, hinter der die Freude für menschliche Fassungskraft reißende Gewalt erlangt, liegt ganz nahe. So nah am Ursprung und Wesen des Lebens steht der Dichter, so innig mitten in Welt und Dasein. Nicht über der Erde schwebt er wie die Engel, deren Lobgesang aus Ferne und Überschau Ruhe und Maß gewinnen, ohne doch an Kraft zu verlieren: „Und alle deine hohen Werke / sind herrlich wie am ersten Tag." Im „Mailied" schwingt und klingt der Jubelsturm des „pleni sunt coeli", wie er in manchen Messen der Meister zu hören ist. Denn aus allem prüfenden oder klärenden Abstand hat eine jähe Woge, eine gewaltige Spannung den Dichter herausgerissen. Da ist nichts von Betrachtung, die in Schillers Lied „An die Freude" ordnet, weitet und verbindet. Da ist auch nichts von Bild und Vergleich (abgesehen von jener Analogie zwischen Ich und All): alles einzelne tritt in seiner einfachsten, alltäglichen Bezeichnung „Sonne", „Flur", „Feld", „Natur" dem Dichter und seinen Hörern geradewegs gegenüber. „Blütendampf", „Morgenblumen", „Himmelsduft" dürfen nicht als Stilisierung, die sich von der Sprache des Alltags absetzen will, verstanden werden: sie bezeichnen so geradezu, wie „Sonne" und „Feld" es tun, erlebte Wirklichkeit. Das Fehlen von Kunstmitteln und gewählter Prägung, die Sorglosigkeit gegenüber dem Reim, der einfache Strophenbau sind anderer Art, als sie es im Volkslied sind: etwas Äußerstes, nicht etwas Anfängliches wird dadurch bezeichnet.

Ganymed

Wie im Morgenrot
Du rings mich anglühst,
Frühling, Geliebter!
Mit tausendfacher Liebeswonne
Sich an mein Herz drängt
Deiner ewigen Wärme
Heilig Gefühl,
Unendliche Schöne!

Daß ich dich fassen möcht'
In diesem Arm!

Ach, an deinem Busen
Lieg' ich, schmachte,
Und deine Blumen, dein Gras
Drängen sich an mein Herz.
Du kühlst den brennenden
Durst meines Busens,
Lieblicher Morgenwind,
Ruft drein die Nachtigall
Liebend nach mir aus dem Nebeltal.

Ich komme! Ich komme!
Wohin? Ach, wohin?

Hinauf, hinauf strebt's.
Es schweben die Wolken
Abwärts, die Wolken
Neigen sich der sehnenden Liebe.
Mir, mir!
In eurem Schoße
Aufwärts,
Umfangend umfangen!
Aufwärts
An deinen Busen,
Alliebender Vater!

Steht die Form des Mailieds noch zwischen dem schlichten, beinahe volkstümlichen Lied und dem Hymnus, so verlangte diesmal die Eingebung nach größeren Maßen, freierem Ausschwingen und weiterem Spielraum. Die schmale Strophe des Mailieds wäre zu eng gewesen, ihre Wiederkehr zu rasch und zu dicht für die Gewalt dieses Seelenausbruchs, dem nur die weitgeschwungene, völlig asymmetrische Strophe von der Art Pindars, wie der junge Goethe und seine Zeitgenossen irrigerweise glaubten, gemäß sein konnte. Stürmisch setzt die Bewegung ein, alsbald zu Gipfeln und Ausrufen aufschießend („Frühling! Geliebter!"). Dann wiederholt sich der Anlauf wuchtiger noch („mit tausendfacher Liebeswonne") und schwingt erst in der vollen Kadenz („Unendliche Schöne") breit aus.

Abermals, mit der Mittelstrophe, springt die ausbrechende Kraft jäh an, in dem gepreßten Ruf: „Daß ich dich fassen möcht' / in diesem Arm!", um dann in strömender Klage und Sehnsucht, unaufhaltsam – trochäisch-daktylisch drängend – sich zu ergießen. Solchen Gegensatz von jäher Spannung und zielloser Auflösung wiederholt der Schluß dieser Strophe in dichtester Enge: „Ich komme, ich komme! (Spannung) / Wohin? Ach, wohin?" (Lösung).

Wieder ruckartig, zum letzten Mal, setzt die Bewegung an, nun aber spannt und steigert sie sich ohne jedes Ablassen, bald in fliegenden Kurzzeilen, bald durch scharfe Einschnitte, bald im steilen Stakkato der Ausrufe, hinauf bis zum freien Schweben: „Umfangend umfangen / Aufwärts an deinen Busen", hinauf bis zum Ziel: „Alliebender Vater".

Unmittelbar und rein, nicht mehr nach Takten und in Versfüßen stilisiert, stellt sich der rhythmische Verlauf dar: Ausholen einer heftigen Bewegung wie von Armen, die kein Ziel finden und darum ins Leere sinken, – immer schärfere Wiederholung solcher Vergeblichkeit –, bis endlich einer äußersten Anspannung, einem drängenden Ansteigen die Schwebe gelingt; in ihr befreit und löst sich alle bewegende Kraft. Gebundener, regelmäßiger Versgestalt wird es nie möglich sein, so wesenhaft und unmittelbar das Gedicht selbst schon zu enthalten. Die rhythmische Gestalt wird zum Symbol, sie ist das bereits, was ausgesprochen werden soll – Drang zur Schwebe und Schwerelosigkeit. Es handelt sich also nicht um das Mittelbare, ruhend Vorwändige eines Bildes, nicht um Schilderung, nein, ein Vorgang – und er ist das Eigentliche und Innerste des Gedichts – vollzieht sich wirklich in Wort und Vers. Deshalb bleibt nichts mehr da von Ruhendem und von bildhaft Äußerem, von Sichtbarem überhaupt:

der Frühling hat sich verdichtet zur Gestalt (nicht aber zu einer mythologischen Figur!), zum „Du". Nicht mehr, wie im Mailied, genügt darum die Entsprechung von umfassender Liebe dort und irdischer Liebe hier; es geht um die letzte, höchste Vereinigung, um die Erlösung vom drängenden, sehnsüchtigen Ich im All des Vatergottes.

Es liegt nicht nur an der Prägung der letzten Zeile („Alliebender Vater"), daß das Gedicht als religiöses zu bezeichnen ist. Das Eigentliche wird auch dadurch nicht berührt, daß man es „pantheistisch" nennt .Das Wesentliche liegt in eben jenem Vorgang, der durch den Verweis auf die Gestalt des Ganymed angedeutet wird: „Himmelfahrt" könnten wir ihn nennen. Mit ihm verbindet sich der leidenschaftliche Wunsch, die Trennung von innen und außen, von Ich und Welt aufzuheben, und so schlägt denn die Hinwendung zur Natur um in Abkehr von der äußeren Welt. Das Ziel ist wahrhaftig die *unio mystica* von Person und All. Das Gedicht steht also ganz und gar in der Atmosphäre des „Werther": Der Brief vom 10. Mai 1771 liest sich wie eine Parallelfassung der Hymne. (Vgl. dazu meine Interpretation des „Werther" in „Goethe-Vigilien", Stuttgart 1953 S. 31 ff.).

Ein Gleiches (Wanderers Nachtlied)

> Über allen Gipfeln
> Ist Ruh,
> In allen Wipfeln
> Spürest du
> Kaum einen Hauch;
> Die Vöglein schweigen im Walde.
> Warte nur, balde
> Ruhest du auch.

Die Bewegung, in den drei Trochäen der ersten Zeile zage spielend wie leiser Wind, verebbt im Abgesang der zweiten, fast spondeischen („Ist Ruh"). Solches Heben und Senken bildet sich zugleich im Reim als Hell und Dunkel ab, in dem Wechsel von I, dem höchsten, zärtlichsten Vokal, und U, dem tiefsten und wesenlosen. Es ist die paarweise Wiederholung von Auf und Ab, von Bewegung und Stillstand in den ersten vier Verszeilen, wodurch der Atemzug spürbar wird, der in „kaum einen Hauch" leise und dunkel erlischt. — Nun breitet sich

Stillstand aus. Mit der längeren Zeile „die Vöglein schweigen im Walde" setzen Gedicht und Bewegung neu ein, leicht und daktylisch sich regend, aber im weichen Nachschlag („Walde") fallen sie schon wieder zur Ruhe. Noch einmal hebt der Daktylus „Warte nur" an, doch alle Bewegung — ein wenig verzögert durch das gliederlösende „balde", ausgehalten im dunkellautigen Daktylus „ruhest du" — strömt nun ein in den einen Takt, hinab zur abschließenden Hebung des „auch". Auf ihr, die so merklich sich absetzt, auf dem einen Wörtlein „auch" ruht nun das ganze Gedicht.

In diesem Fall pflegt man einmal zu Recht auf die reine, innere Notwendigkeit der Vokalfolge zu verweisen, die sonst häufig in dichterische Texte hineinbuchstabiert wird. Ihr Ausdruckswert ist deshalb so stark, weil sie so völlig mit der Symbolik der Versbewegung zusammentrifft, nicht nur im einzelnen, sondern auch im ganzen: das Atemhafte der Versbewegung wird von der Lautgestalt, ja schließlich von der Aussage des Wortes „Hauch" bezeichnet, dem Stillstand im Rhythmus entspricht der Wortgehalt „Ruh". Wie im rhythmischen Verlauf des „Ganymed" das Innerste des Gedichtes wirklich wird als Vorgang, so völlig ist hier Wortklang und Gehalt, Rhythmus und Sinn, Vers und Aussage eine nicht mehr zu sondernde Einheit. Die Form ist durchsichtig geworden bis zu ihrer Auflösung, der Gehalt wurde eingeschmolzen in die Form bis zu seinem Verschwinden.

Atem und Sein des Sprechenden ist eingegangen in den Atem der abendlich verdämmernden Welt, der schon tief und beruhigt ist vom nahen Schlaf. Der Abstand des Ichs von der Welt scheint aufgehoben zu sein. Nicht umsonst ist für „ich" das „du" eingetreten, das in der Mundart, nicht anders als im Latein, das „man" ersetzt. Aber nicht drängender Pein hat sich jene Zweiheit ergeben, sondern der völligen Lockerung. Im „Ganymed" wird alles Äußere nach innen zum Ich gezogen, ja in dieses gerafft; in diesem Lied erscheint nur das Äußere, nur Welt und Kreatur: darin hat sich jetzt das Ich und alles Innere aufgelöst. Im Naturlaut des leisen Windhauchs ist Stimme, Atem, Seelenhauch des Dichters enthalten, in der Naturwelt seine Person. Goethe überschreibt das Gedicht „ein Gleiches". Das *könnte* so viel bedeuten wie „Gleichnis" — und die bedeutsame Fermate des „auch" vollzieht es ausdrücklich —, wenn die Überschrift sich nicht einfach verstehen müßte als Wiederholung des vorhergehenden „Wanderers Nachtlied". Sieht der Dichter im „Mailied" und im „Ganymed" in Welt und Natur hinein, bis endlich sein Zustand sich in der äußeren Welt spiegelt, so scheint er in diesem Gedicht aus Welt und Natur, dahinter kaum sichtbar, herauszublicken, so gelassen, so abgründig, wie uns eine abendliche Landschaft irgend entgegenzuschauen vermag.

Auf dem See

Und frische Nahrung, neues Blut
Saug’ ich aus freier Welt;
Wie ist Natur so hold und gut,
Die mich am Busen hält!
Die Welle wieget unsern Kahn
Im Rudertakt hinauf,
Und Berge, wolkig himmelan,
Begegnen unserm Lauf.

Aug’ mein Aug’, was sinkst du nieder?
Goldne Träume, kommt ihr wieder?
Weg, du Traum, so gold du bist:
Hier auch Lieb’ und Leben ist.

Auf der Welle blinken
Tausend schwebende Sterne,
Weiche Nebel trinken
Rings die türmende Ferne;
Morgenwind umflügelt
Die beschattete Bucht,
Und im See bespiegelt
Sich die reifende Frucht.

Überraschend kräftig stößt gleich das erste Wort die Bewegung an: mit plötzlicher, starker Gebärde beginnt das „Und“. Der rhythmische Vorhalt dieses „Und“-Taktes scheint den Sprung zu bezeichnen, in dem der Dichter aus einem langen Selbstgespräch heraus, in die äußere Welt hineinspringt und neue Zuversicht ergreift. Der Zusammenstoß der Hebungen („Und / frische“) wirkt denn wie grüßender Jubelruf. Solcher Schwung setzt sich fort im plötzlichen, federnden Übergang von den Trochäen des Beginns zum Daktylus, dem ein Trochäus (und diesem ein akatalektischer [unvollständiger] Trochäus) folgt: „Saúg’ ich aus / fréier / Wélt“. In den folgenden Versen hat die erste Hebung (in „Wélle", „Rúdertakt", „Bérge") mehr Kraft als die Binnenhebungen; dem starken Beginn entsprechen die Versschlüsse auf der Hebung („Blut", „Welt", „gut" und so weiter): so entsteht eine geschwungene, immer wieder kräftig ausholende Bewegung. Der viertaktigen Anfangszeile (erste, dritte, fünfte Zeile und so weiter) folgt die dreitaktige (zweite, vierte, sechste Zeile), die wie Auslauf und Gleiten dem vorigen Ausholen entspricht. Die vorletzte Zeile („und Berge") nimmt wieder den wuchtenden Vorschlag des Beginns auf: der Jubelruf erhebt sich angesichts der Berge noch einmal.

Die Mittelstrophe dämpft und verlangsamt, vor allem durch die zahlreichen, freilich leichten Zäsuren („Goldene Träume / kommt ihr", „Weg du Traum / so gold"). Die Hebungen auf der weichen, dunklen Lautgruppe „Aug" erzeugen zwei schleppende Takte, die Zäsuren bewirken Zweiteilung der vier Verse: der ersten, dunkleren und schleppenden Halbzeile gibt die zweite, hellere und leichtere (viermal wiederholtes I, weich fallende Kadenz des weiblichen Reimes „nieder" / „wieder") zärtliche Antwort.

Die letzte Strophe, fließender in der Bewegung als die Mittelstrophe, leichter als die erste, vermittelt ein sanftes Schweben und Spielen. Wieder wechseln die Verszeilen paarweise; dem flüssigen Gleichmaß der drei Trochäen im ersten Vers „Auf der Welle blinken" fügt sich der zweite „Tausend schwebende Sterne" – vom Daktylus in der Mitte leicht angehoben, gelockert und aufgelöst – an wie das leise Klatschen und Zerrinnen der Uferwellen. Der Eindruck des Gleitenden und Zerfließenden wird noch verstärkt durch die weiche Kadenz gehäufter, weiblicher Reime auf verschwimmende, körperlose Lautgruppen („blinken", „Sterne", „flügelt"). – Um so schärfer hebt sich von so schwerelosem Gleiten, vom Verwischen der Konturen („Weiche Nebel trinken rings die türmende Ferne"), der eine männliche Reim („Bucht" – „Frucht"), durch eine besonders gewichtige Hebung noch beschwert, ab: das einsilbige Wort „Frucht", allein einen Takt füllend, klar geprägt durch die kräftige, dunkle Körperlichkeit seines Klanges, trägt den leichten Nachdruck des Ausklangs.

Drei Strebungen stehen sich also in den drei Strophen gegenüber: jubelnder, kraftvoller Schwung, beschwertes Verweilen, lösendes, schwereloses Fließen.

Der Dichter wendet sich entschieden von sich weg ins Gegenwärtige hinein und zur Natur hin. Die Berge ruhen festgegründet, klar abgeschieden vom Menschen: deshalb allein kann der Schwankende seine Augen aufheben zu ihnen, von denen ihm Hilfe kommt. Wasser und

Lüfte spielen frei und heiter, der Nachen gleitet leicht und zieht die Seele in raschere Bewegung hinein. Das alles ist und ist deshalb so gut und so wirksam, weil es deutlich vom Menschenwesen sich absetzt, als das Beständigere und als das Heile (So urteilt der Dichter und zwar ausdrücklich im Aufsatz über den Granit).

Zwar schiebt sich die eigene Welt, dem Dichter näher, schmerzlich vertrauter, immer wieder vor jene größere da draußen. Aber schließlich erweist sich die weite, sichtbare Runde doch als stärker: sie glänzt nicht allein in unberührter Herrlichkeit, sie lockt zugleich zum Vertrauen, zu „Lieb' und Leben". Was in der Nähe groß und sicher begrenzt aufragt oder entgegensteht, löst sich in der Ferne auf und fließt ineinander. Aus dem wohligen Verschwimmen von Wasser, Himmel und Ferne tritt es aber schließlich doch klar und gewiß: „die reifende Frucht". Was zuerst körperliche Erquickung war, Luft, Flut, Weite und Freiheit – heilend durch Urtümlichkeit und Reinheit – wird zur Verheißung. Der frische Morgen, der früchteschwere Zweig deuten darauf hin, daß auch der Mensch und der Zeitlauf seiner Hoffnung und Vergeblichkeit, eingeschlossen seien in den großen Lauf der Jahreszeiten, dessen Sinn die Frucht ist.

Die Welt bleibt jetzt deutlicher in sich ruhend und außen, deshalb gibt das Gedicht so viel an Wahrnehmung: die letzte Strophe malt in Lichtern und Lasuren wahrhaftig ein Seestück. Auch die Beziehung des Dichters zum Draußen verläuft hier so einheitlich, so eindeutig nicht wie in den vorigen Gedichten; deshalb ist ihm reichere Gliederung, verschiedenerlei Strebung zu eigen. Der Blick führt zur Natur hin, auf das Eigene zurück als auf einen Gegensatz, dann wieder zur Natur, um dann beide Pole, Welt und Ich zusammen zu sehen im Spiegelbild der Frucht. Äußere Wirklichkeit wiederholend und allgemeinen Sinn darbietend, wird jenes Spiegelbild zum Sinnbild. Aber – dieser Umstand erscheint nicht ganz unwesentlich – erst am äußersten Ende des Gedichtes erscheint das Sinnbild: wie es nicht *unmittelbar* erscheint, sondern nur in der Spiegelung des Wassers, so deutet es nur eben an, weist aus einer gewissen Entfernung leise hin, während in den vorigen Stücken schon im Verlauf und im Vorgang des Gedichtes unmittelbar ein völliges Gleichsein enthalten war.

Gerhard Storz

Goethe:
Harzreise im Winter

In Goethes ersten Weimarer Jahren klärt sich die Titanenhaltung der großen Frankfurter Hymnen zu kraftvoller Männlichkeit. Davon zeugt die Hymne „Seefahrt":

> „Doch er stehet männlich an dem Steuer,
> Mit dem Schiffe spielen Wind und Wellen,
> Wind und Wellen nicht mit seinem Herzen.
> Herrschend blickt er auf die grimme Tiefe
> Und vertrauet, scheiternd oder landend,
> Seinen Göttern."

Nicht mehr prometheischer Trotz oder ganymedische Selbsthingabe kennzeichnen diese Haltung, sondern Vertrauen zu sich und den „Göttern". Wie aus diesem Vertrauen ein neues Verhältnis zu den anderen Menschen möglich wird, wie das Ich der Anderen in Mitleid, Liebe und Freundschaft gedenkt, davon zeugt die letzte große Hymne aus diesen Jahren, die Hymne „Harzreise im Winter".

VIII/32

Dem Geier gleich,
Der auf schweren Morgenwolken
Mit sanftem Fittig ruhend
Nach Beute schaut,
Schwebe mein Lied.

Denn ein Gott hat
Jedem seine Bahn
Vorgezeichnet,
Die der Glückliche
Rasch zum freudigen
Ziele rennt;
Wem aber Unglück
Das Herz zusammenzog,
Er sträubt vergebens
Sich gegen die Schranken
Des ehernen Fadens,
Den die doch bittre Schere
Nur einmal löst.

In Dickichtsschauer
Drängt sich das rauhe Wild,
Und mit den Sperlingen
Haben längst die Reichen
In ihre Sümpfe sich gesenkt.

Leicht ist's, folgen dem Wagen,
Den Fortuna führt,
Wie der gemächliche Troß
Auf gebesserten Wegen
Hinter des Fürsten Einzug.

Aber abseits, wer ist's?
Ins Gebüsch verliert sich sein Pfad,
Hinter ihm schlagen
Die Sträuche zusammen,
Das Gras steht wieder auf,
Die Öde verschlingt ihn.

Ach, wer heilet die Schmerzen
Des, dem Balsam zu Gift ward?
Der sich Menschenhaß
Aus der Fülle der Liebe trank.
Erst verachtet, nun ein Verächter,
Zehrt er heimlich auf
Seinen eigenen Wert
In ungenügender Selbstsucht.

Ist auf deinem Psalter,
Vater der Liebe, ein Ton
Seinem Ohre vernehmlich,
So erquicke sein Herz!
Öffne den umwölkten Blick
Über die tausend Quellen
Neben dem Durstenden
In der Wüste!

Der du der Freuden viel schaffst,
Jedem ein überfließend Maß,
Segne die Brüder der Jagd
Auf der Fährte des Wilds
Mit jugendlichem Übermut
Fröhlicher Mordsucht,
Späte Rächer des Unbills,
Dem schon Jahre vergeblich
Wehrt mit Knütteln der Bauer.

Aber den Einsamen hüll'
In deine Goldwolken!

Umgib mit Wintergrün,
Bis die Rose wieder heranreift,
Die feuchten Haare,
O Liebe, deines Dichters!

Mit der dämmernden Fackel
Leuchtest du ihm
Durch die Furten bei Nacht,
Über grundlose Wege
Auf öden Gefilden,
Mit dem tausendfarbigen Morgen
Lachst du ins Herz ihm;
Mit dem beizenden Sturm
Trägst du ihn hoch empor.
Winterströme stürzen vom Felsen
In seine Psalmen,
Und Altar des lieblichsten Danks
Wird ihm des gefürchteten Gipfels
Schneebehangener Scheitel,
Den mit Geisterreihen
Kränzten ahnende Völker.

Du stehst mit unerforschtem Busen
Geheimnisvoll-offenbar
Über der erstaunten Welt
Und schaust aus Wolken
Auf ihre Reiche und Herrlichkeit,
Die du aus den Adern deiner Brüder
Neben dir wässerst.

Diese Hymne entstand in der Zeit vom 1.–10. Dezember 1777. Im Jahre 1820 hat sie Goethe selbst erläutert. Über ihren biographischen Hintergrund berichten ferner Goethes Briefe, die er während der Reise an Charlotte von Stein schrieb, sein Tagebuch aus dieser Zeit und ein Abschnitt in seiner Schrift „Kampagne in Frankreich". In diesem Abschnitt heißt es:
„Da ward nun zu Ende Novembers eine Jagdpartie auf wilde Schweine, notgedrungen auf das häufige Klagen des Landvolks, im Eisenachischen unternommen, der ich, als damaliger Gast, auch beizuwohnen

hatte; ich erbat mir jedoch die Erlaubnis, nach einem kleinen Umweg mich anschließen zu dürfen . . . Indem sich nun die Jagdlustigen nach einer andern Seite hin begaben, ritt ich ganz allein dem Ettersberge zu und begann jene Ode, die unter dem Titel „Harzreise im Winter" so lange als Rätsel unter meinen kleineren Gedichten Platz gefunden. Im düstern und von Norden her sich heranwälzenden Schneegewölk schwebte hoch ein Geier über mir . . ." Der einsame Ritt geht über Sondershausen, Nordhausen, Ilfeld nach Wernigerode. Dort besucht Goethe einen jungen Menschen namens Plessing, der sich schon zweimal schriftlich an ihn gewandt hat, um durch den Rat und die Freundschaft Goethes von seinen selbstquälerischen Stimmungen, die an die „Leiden des jungen Werthers" erinnern, geheilt zu werden. Goethe reitet dann in grimmigem Stöberwetter am Nordosthang des Harzes weiter nach Goslar und besteigt am 10. Dezember den verschneiten Brocken, eine für die damalige Zeit mutige Tat.

Über den Blick vom Gipfel berichtet Goethe in dem Kommentar zu seinem Gedicht: „Ich stand wirklich . . . in der Mittagsstunde, grenzenlosen Schnee überschauend, auf dem Gipfel des Brocken, zwischen jenen ahnungsvollen Granitklippen, über mir den vollkommen klarsten Himmel, von welchem herab die Sonne gewaltsam brannte, so daß in der Wolle des Überrocks der bekannte branstige Geruch erregt ward. Unter mir sah ich ein unbewegliches Wogenmeer nach allen Seiten die Gegend überdecken und nur durch höhere und tiefere Lage der Wolkenschichten die darunter befindlichen Berge und Täler andeuten."

Über den Abstieg vom Brocken berichtet eine sprachlich schöne Stelle in Goethes „Farbenlehre":

„Auf einer Harzreise im Winter stieg ich gegen Abend vom Brocken herunter, die weiten Flächen auf- und abwärts waren beschneit, die Heide von Schnee bedeckt, alle zerstreut stehenden Bäume und vorragenden Klippen, auch alle Baum- und Felsenmassen völlig bereift, die Sonne senkte sich eben gegen die Oderteiche hinunter.

Waren den Tag über, bei dem gelblichen Ton des Schnees, schon leise violette Schatten bemerklich gewesen, so mußte man sie nun für hochblau ansprechen, als ein gesteigertes Gelb von den beleuchteten Teilen widerschien.

Als aber die Sonne sich endlich ihrem Niedergang näherte und ihr durch die stärkeren Dünste höchst gemäßigter Strahl die ganze, mich umgebende Welt mit der schönsten Purpurfarbe überzog, da verwandelte sich die Schattenfarbe in ein Grün, das nach seiner Klarheit einem Meergrün, nach seiner Schönheit einem Smaragdgrün verglichen werden konnte. Die Erscheinung ward immer lebhafter, man glaubte sich in einer Feenwelt zu befinden, denn alles hatte sich in die zwei lebhaften und so schön übereinstimmenden Farben gekleidet, bis endlich mit dem Sonnenuntergang die Prachterscheinung sich in eine graue Dämmerung und nach und nach in eine mond- und sternhelle Nacht verlor."

Hierher gehört auch, was Goethe noch am gleichen Abend an Charlotte von Stein schreibt: „ . . . Nun, Liebste, tret ich vor die Türe hinaus, da liegt der Brocken im hohen herrlichen Mondschein über den Fichten vor mir und ich war oben heut und habe auf dem Teufelsaltar meinem Gott den liebsten Dank geopfert . . ."

In all diesen Stellen spüren wir, wie sich das Poetische entfalten will, aber der Dichter denkt darüber hinaus an die Aufgabe des Tagebuchs, an seine „Farbenlehre" oder an die Frau, der er täglich schreibt. Rein bewahrt und gestaltet ist das Poetische, das sich aus dem Erlebnis der Brockenbesteigung hebt, in dem Gedicht „Harzreise im Winter".

Wie in den Frankfurter Hymnen geht es auch in dieser Hymne um das einsam-große Ich, das nur das Göttliche in der Welt als echtes Du erkennt, aber schon das Bild der einleitenden Verse verrät die von den vorausgehenden Hymnen verschiedene Gestimmtheit. Zwar holt das Bild des Geiers noch einmal zu einer großen Raumgebärde aus, aber die Bewegung ist von Anfang an verhalten, ausgeglichen, leidenschaftslos:

„Mit sanftem Fittich ruhend . . . Schwebe mein Lied."

Aus dieser Haltung ist jene Reflexion möglich, die nicht das Ich in den Vordergrund stellt, sondern das bestimmende Gesetz, von dem später die Gedichte „Das Göttliche" und „Urworte. Orphisch" in aller Deutlichkeit sprechen werden. Daß es nach diesem Gesetz den Glücklichen u n d den Unglücklichen gibt, wird zu einem Grundmotiv der Hymne, das sich in den folgenden Versen an konkreten Bildern entfaltet.

Die Bilder des winterlichen Rittes von dem Wild und den Sperlingsschwärmen erinnern an all jene, denen „Fortuna" hold ist: an die Reichen und den „gemächlichen Troß" der Fürsten. Nicht besonders tief scheint dieses Glück in der Geselligkeit dem einsamen Reiter zu sein, aber es ist ein Glück, verglichen mit dem Los des Einsamen, der sich abseits vom Weg spurlos verliert. Goethes Kommentare verweisen auf Plessing, aber diese Verse meinen jeden,

„Der sich Menschenhaß
Aus der Fülle der Liebe trank",

d. h. aus einem Bedürfnis nach Liebe, die unerwidert bleiben muß, weil er in „ungenügender", d. h. nicht zu befriedigender „Selbstsucht" in der Liebe nicht den andern, sondern sich selbst sucht.

Nun aber ereignet sich in Goethes Lyrik etwas Neues: für diesen Unglücklichen, den es unter den Menschen nun einmal gibt, betet das Ich dieses Gedichtes zu Gott, von dem alles, was Liebe ist, ausgeht. Dem Unglücklichen ist ja nur der Blick umwölkt, in Wirklichkeit sprudeln „tausend Quellen", ist jedem an Freuden „ein überfließend Maß" bereitet. Damit klingt das Motiv des Glücks wieder an, das mit dem der Geselligkeit verbunden bleibt; aber dieses Glück wird nicht mehr wie vorher leicht ironisch gesehen, sondern in der ernsten Haltung des Gebets gedenkt das Ich jener Glücklichen:

„Segne die Brüder der Jagd."

Wieder wechselt das Gedicht auf die andere Seite des Motivs: die Brüder der Jagd erinnern an das eigene einsame Ich, das sich von ihnen abgesondert hat. Dieses Ich ist einsam wie der Unglückliche, aber glücklich wie die Geselligen; denn es ist in der *Liebe*. „O Liebe" heißt es nun, nicht mehr „Vater der Liebe", der kosmische Anruf verinnerlicht sich zur Zwiesprache mit dem, was durch die eigene Seele zieht, was wandelt „durch das Labyrinth der Brust" (An den Mond). Aber dies bleibt eingebettet in den Zusammenhang mit der ganzen Natur, selbst auf dem Weg zum tief verschneiten Brocken, der von goldenen und grünen Lichtern umspielt ist, herrlich gestaltet in den vokalischen Werten von „Goldwolken" und „Wintergrün".

Das Motiv der Liebe, das die Gegensätze von Glück und Unglück, Einsamkeit und Geselligkeit überwindet, verstummt nun nicht mehr. An den vorüberziehenden Bildern beim Aufstieg entzündet sich ein rhapsodischer Preisgesang auf die Liebe. Die gleiche Natur scheint entfesselt, die den Einsamen verschlungen hat: Furten, grundlose Wege, öde Gefilde, Sturm und Winterströme und schließlich der gefürchtete Scheitel des Blocksbergs, auf dem sich in der Walpurgisnacht die Hexen versammeln, aber im Lichtsymbol der aufgehenden Sonne (dämmernde Fackel, tausendfarbiger Morgen) verwandelt sich die Welt durch die Liebe, der selbst die Stürme dienen, die Winterströme huldigen und schließlich der sagenumwobene Gipfel zum Dankaltar wird.

Noch ist eine weitere Steigerung möglich. Das „Du" bezieht sich entsprechend den vorausgehenden Versen auf die „Liebe", aber auch gemäß dem neuen Bild auf den Gipfel, der – wie der Geier am Anfang der Hymne – über der „erstaunten Welt" steht. Der Gipfel selbst wird zum Symbol der Liebe, die über der Welt steht, wie er „geheimnisvoll" und „offenbar" zugleich, je nachdem man den Aufstieg fürchtet oder wagt. Wie von ihm gehen auch von der Liebe die Adern aus, welche die „Reiche und Herrlichkeit" dieser Welt speisen.

Kaum ein Vergleich ist für die innere Wandlung im Werk und Leben Goethes so fruchtbar wie der zwischen der Hymne „Harzreise im Winter" und den früheren Hymnen. Auch diese Hymne ist noch Aussprache eines einmaligen Ich, ist noch, wie es am Anfang heißt, „mein Lied", aber in diese Einmaligkeit verwebt sich süß und wehmütig die Stimmung der Einsamkeit und zur gleichen Zeit dämmern die Umrisse neuer Bilder und Mächte: der andere Mensch, die Natur, Gott. Das Ich nimmt diese Mächte nicht mehr in sich auf, sondern erkennt sie an, indem es zu ihnen sich öffnet: es gedenkt der andern Menschen, es schaut in der Natur das Gleichnis der Liebe, der Gipfel wird ihm zum Dankaltar für Gott, der die Liebe selber ist. Überall knüpfen sich Fäden an, alles verbindet sich mit allem, denn alles ist in der Liebe. Das Ich wendet sich zum Du, titanische Selbstaussprache wird zum Gebet, mythisch übersteigertes Bild wird zum Symbol einer innerweltlich objektiven Göttlichkeit. So ist die Hymne „Harzreise im Winter" nicht nur als Gedicht ein ergreifendes Werk, sondern wird zum Zeugnis für eine der tiefsten Wandlungen im Leben Goethes und für den ewig wiederkehrenden Übergang von verstürmender Jugend zu reifer Männlichkeit.

Michael Scherer

GOETHE:
GRENZEN DER MENSCHHEIT

Wenn der uralte
Heilige Vater
Mit gelassener Hand
Aus rollenden Wolken
Segnende Blitze
Über die Erde sät,
Küss' ich den letzten
Saum seines Kleides,
Kindliche Schauer
Treu in der Brust.

Denn mit Göttern
Soll sich nicht messen
Irgend ein Mensch.
Hebt er sich aufwärts
Und berührt
Mit dem Scheitel die Sterne.
Nirgends haften dann
Die unsichern Sohlen,
Und mit ihm spielen
Wolken und Winde.

Steht er mit festen,
Markigen Knochen
Auf der wohlgegründeten
Dauernden Erde,
Reicht er nicht auf,
Nur mit der Eiche
Oder der Rebe
Sich zu vergleichen.

Was unterscheidet
Götter von Menschen?
Daß viele Wellen
Vor jenen wandeln,
Ein ewiger Strom:
Uns hebt die Welle,
Verschlingt die Welle,
Und wir versinken.

Ein kleiner Ring
Begrenzt unser Leben,
Und viele Geschlechter
Reihen sie dauernd
An ihres Daseins
Unendliche Kette.

Im Dreitakt baut sich das durch immer kürzere Strophen steigernde
Gedicht auf: ein Gebot, das für alle gilt, ein Gesetz —

> *„Denn* mit Göttern
> *Soll* sich nicht messen
> Irgend ein Mensch."

und eine Frage —

> „Was unterscheidet
> Götter von Menschen?"

gliedern syntaktisch Auftakt und Schluß ab. Die Gedankenführung,
der Satz, entscheidet über den Strophenbau, nicht Metrum oder Reim.

Kreist die Dichtung um eine philosophische Frage? Da ist nichts von Gedankenschwere; alles ist zur Schwebe gebracht, in Bild und Klang erlöst. So wenig wie Klang und Sinn lassen sich Bild und Aussage trennen.

Die zweihebigen reimlosen Rhythmen schwingen locker im Vers, unmittelbar wirkt das Wort, nirgends nur Ornament, nirgends gelehrt. Einfache Substantiva umreißen mit sicherem Strich den Raum, den einfache Verben beleben. Doch trägt sich die Eindeutigkeit fast wie verhüllt. Attribute mildern, verfeinern, nehmen dem Ton jede Härte. Der Laut gibt die Urphänomene als Urmelodie: wuchtige Klänge am Anfang, Spiel von W und V bei den „wandelnden Wellen".

Die Bilder selbst sind der Inhalt. Am Eingang steht als Bild schon da, was am Schluß wiederum bildhaft gefolgert wird. Erst wirkt die Erscheinung,

> „Wenn der uralte
> Heilige Vater . . ."

den Vatergott, der in einer Weise in der Natur enthalten ist und durch sie handelt, sich in vielen Formen göttlich kundgibt, daß später übergangslos das Wort „Götter" steht. Jener Gott hat das Wesen des Olympiers, jupiterhafte Gelassenheit. Donner und Blitz stehen als Zeichen des Segens zu Gebote. Seine Blitze segnen. Wie paradox für den Menschen, der die göttliche Gelassenheit als Aufruhr der Elemente erlebt. Den Rand des Göttlichen, „den letzten Saum seines Kleides", darf er gerade noch berühren und auch das nur in tiefer, dauernder, unbedingt gläubiger Verehrung: „küss' ich, kindliche Schauer, treu." Vater und Kind – das Bild stellt es dar: Götter und Menschen sind unterschiedene Welten, eine Aussage, die auch der Satzbau in Satz und Gegen-Satz mitvollzieht.

Es ist nur folgerecht, daß die betonte Mahnung, eingeleitet mit „denn", die rechte Haltung aufruft: der Mensch „soll" sich mit Göttern nicht messen, um sich nicht zu ver-messen. Der Mensch harrt dabei im Widerspruch. Erhebung, Sternflug, ihm eingeboren, müssen ihn als Spielball der Elemente scheitern lassen wie der Versuch reiner Diesseitigkeit; hingewendet zur Erde, die dauernd ist, wird er noch von „Eichen" und „Reben" gedemütigt. Der Mensch ist auch da noch begrenzt, wo er sein Dasein bis an die Grenzen ausmessen könnte, weil immer eines nur durch Verzicht auf das andere, beides zugleich niemals möglich ist.

Des Menschen Unzulänglichkeit – im Wortsinne – erlaubt am Ende nur die neue Feststellung des schmerzenden Gegensatzes von göttlichem und menschlichem Sein. Von den Göttern gehen die Bewegungen der Welt aus wie von einem Quell. Strahlungen, „Wellen" – der Klang wiederholt es dreimal an der gleichen, entscheidenden Stelle – laufen ihnen voraus, unerschöpflich aus ihrer Allmacht fließend. Ihr Strömen ist „ewig", ihr Dasein „dauernd" und „unendlich", eine „Kette", die niemals abreißt, die sich fort und fort kettet, indem sich immer neue Göttergeschlechter anverwandeln, zu ewiger Jugend und Dauer.

Der Mensch dagegen hat keine Dauer. Hält er auch das unzulängliche Ausmessen des ihm zugeteilten Raumes, das Aufwärts-Heben und Auf-der-Erde-Stehen, für eignes Handeln, so erweist der Vergleich mit der Götter Wirken, daß nur jene handeln, daß es ihre Kräfte sind, die ihn „heben" und „verschlingen".

> „Und wir versinken",

ist die letzte Aussage über den Menschen. Zwischen Oben und Unten kann er von sich aus die Spanne nicht überwinden, aber er kann seine Schranken erkennen und anerkennen.

> „Ein kleiner Ring
> Begrenzt unser Leben."

Der Ring, der die entgegengesetzten Richtungen zusammenhält und verbindet, ist eine vollkommene Figur. Vollendung ist möglich, wenn sich das Wollen nicht vermißt.

Das Wesen des Ringes vollzieht das Gedicht: Form und Inhalt kehren verwandelt in den Ausgang zurück, darin selbst wieder Phase eines weiteren Zyklos „Prometheus" *und* „Ganymed", „Das Göttliche" *und* „Grenzen der Menschheit", in dem Goethe sich selbst darlebt. Die Spannung beider Takte, der Diastole und der Systole, trägt und Ehrfurcht durchwaltet das Gedicht.

Albrecht Weber

GOETHE:
DAS GÖTTLICHE

VIII/26

Edel sei der Mensch,
Hilfreich und gut!
Denn das allein
Unterscheidet ihn
Von allen Wesen,
Die wir kennen.

Heil den unbekannten
Höhern Wesen,
Die wir ahnen!
Ihnen gleiche der Mensch!
Sein Beispiel lehr' uns
Jene glauben.

Denn unfühlend
Ist die Natur:
Es leuchtet die Sonne
Über Bös' und Gute,
Und dem Verbrecher
Glänzen wie dem Besten
Der Mond und die Sterne.

Wind und Ströme,
Donner und Hagel
Rauschen ihren Weg
Und ergreifen
Vorübereilend
Einen um den andern.

Auch so das Glück
Tappt unter die Menge,
Faßt bald des Knaben
Lockige Unschuld,
Bald auch den kahlen
Schuldigen Scheitel.

Nach ewigen, ehrnen,
Großen Gesetzen
Müssen wir alle
Unseres Daseins
Kreise vollenden.

Nur allein der Mensch
Vermag das Unmögliche:
Er unterscheidet,
Wählet und richtet;
Er kann dem Augenblick
Dauer verleihen.

Er allein darf
Den Guten lohnen,
Den Bösen strafen,
Heilen und retten,
Alles Irrende, Schweifende
Nützlich verbinden.

Und wir verehren
Die Unsterblichen,
Als wären sie Menschen.
Täten im großen,
Was der Beste im kleinen
Tut oder möchte.

Der edle Mensch
Sei hilfreich und
Unermüdet schaff' er
Das Nützliche, Rechte,
Sei uns ein Vorbild
Jener geahnten Wesen!

139

I.

Das 1782 geschriebene Gedicht steht im Zusammenhang vieler Erlebnisse, die für Goethe die Kraft der Verwandlung hatten. Es gehört in den Gedanken- und Stimmungskreis der Gedichte „Harzreise im Winter" und „Grenzen der Menschheit", in denen der Dichter das neue Erlebnis des Verhältnisses von Gott und Mensch zu gestalten suchte. Während in „Prometheus" das Bewußtsein menschlicher Kraft, in „Ganymed" die Erfahrung kosmischer Fülle zum Ausdruck kommt, ist der Dichter nun beseelt von der Problematik menschlicher Daseinsweite, der Spannung zwischen Sein und Sollen und der Verpflichtung, sich unter den Augen einer höheren Gesetzgebung Zwang aufzuerlegen, um erst auf solche Weise zur eigenen Verwirklichung zu gelangen. Das ehemals maßlose Ich ordnet sich objektiven Vorschriften unter und sucht sein Heil in objektiven Bindungen. Diese Abkehr von seinem Natur- und Freiheitskult und die Einkehr in sein tieferes Selbst stand unter dem Einfluß einer neuen Liebe; Charlotte von Stein führte den Stürmischen in die Zucht von Maß und Gesetz; ihre Gestalt steht im Hintergrunde auch dieses Gedichtes. Zur gleichen Zeit befand sich Goethe in den Auseinandersetzungen der Naturwissenschaft. Die Lehre der Umwelt und seine eigenen Studien vermittelten ihm die Überzeugung, daß die ganze Lebenswelt unter einem einzigen, alle Ordnungen erfassenden Gesetz stehe. Auch der Mensch ist von ihm mitbestimmt. Aber das Eigentliche des Menschen ist dadurch nicht getroffen; er hat seine eigene Würde, da er den Zwang der Natur übersteigt und mit seinen wesentlichen Kräften einem überirdischen Bereich zugehört. Der Dichter möchte menschliches Sein und Tun begreifen; er ist auf der Suche nach der „Humanität".

II.

Das Gedicht setzt ein mit einem ebenso bestimmten wie milden Grundklang; die erste Zeile wird zum Motiv des ganzen poetischen Zusammenhanges. Das Wort „Edel" an der Spitze des Gedichtes trägt einen deutlichen, schweren Akzent, dieser teilt sich zunächst der ersten Zeile mit, aber er findet seinen Widerhall im ganzen Gefüge des Gedichtes. In der marmornen, strengen Schönheit der ersten Strophe ist alsdann das Programm eingefangen. Die Aufforderung zu adligem Tun, zu Hilfsbereitschaft und Güte wird aus dem Sein des Menschen begründet; in der Fähigkeit zu sittlichem Leben liege die Unterscheidung gegenüber allen Wesen, „die wir kennen".

„Die wir kennen"! Der letzte Vers der ersten Strophe ruft den Gedanken der zweiten hervor: die „unbekannten, höheren Wesen" werden angerufen. Die Begegnung mit ihnen erfolgt in der Weise religiöser Annäherung, der Gruß gilt der überirdischen Majestät, der gegenüber eine andere Haltung als verehrende Unterwerfung nicht möglich ist. Sie sind uns unbekannt und doch geahnt: in der irdischen Wirklichkeit nicht beheimatet, Sinnen und Verstand nicht zugänglich, offenbaren sie sich doch den tieferen Kräften des Menschen und werden ihm gewiß jenseits von Erfahrung und Schlußfolgerung, in der Mitte seines Wesens. „Ahnen" bedeutet bei Goethe häufig soviel wie das Innewerden eines inneren Lichtes. Die unbekannte Majestät also teilt sich uns mit und stellt sich uns vor als höchstes Maß des Lebens, Richtschnur unseres Tuns, Aufforderung zu höherer Entwicklung. Der Dichter wendet sich dann sogleich wieder dem Menschen zu, indem er ihm die Pflicht zum höchsten Dasein entgegenhält; er soll die göttliche Unendlichkeit in das Maß seiner Endlichkeit hinüberführen und auf solche Weise die Gottlosen zur Anerkennung des höheren Wesens und seiner Kraft veranlassen.

Dem Blick nach oben folgt der Blick nach unten. Der Bindung an das Göttliche steht die Bindung an das Naturhafte gegenüber. Das begründende „Denn" schließt sich dem vorhergehenden Zusammenhang an; nur die Zuordnung zum Göttlichen vermag den Menschen emporzuheben. Die Ordnungen der Natur sind so beschaffen, daß sie den Blick auf das Göttliche eher verdunkeln als erhellen; in ihnen wirkt eine blinde Kausalität, die von anderen Welten her keinen Eindruck empfängt. Das Erschrecken vor der Fremdheit der Natur wird gebändigt durch eine klare, sachliche Charakteristik. „Unfühlend" meint das Unansprechbare in jedem Sinne: die Natur sieht nicht, hört nicht und antwortet auf kein Gefühl. Sie ist dem Menschen gegenüber gleichgültig, sie vernichtet seine Werke, sie gibt ihre Geschenke allen, ohne einen Unterschied zu machen. Sonne, Mond und Sterne sind für alle da. Der ruhigen Größe der Himmelskörper steht die wilde Bewegung der Elemente gegenüber — in Rücksicht auf den Menschen hat alles gleiche Bedeutung. Die Bilder der Natur werden in zwei Strophen erfaßt; die Verben verdeutlichen die Macht des Zufalls und das Fehlen des Sinns. Die Schutzlosigkeit des Menschen und seine Zuordnung zu den determinierenden Mächten erweist sich jedoch nicht nur im Bereich der Natur, sondern auch auf der Fortuna-Ebene: das Glück ist unzuverlässig und blind, im „Tappen" liegt der Schritt, im „Fassen" der Zugriff des Blinden.

So kommt der Dichter in der nächsten Strophe zu einer machtvollen, die große Gesetzmäßigkeit unseres Lebens aussprechenden Versfolge; es ist wie eine Bewegung der Ewigkeit, eine Enthüllung von Tafeln, ein Hallen durch die Räume der Welt. In den Worten „ewig", „ehern", „Gesetz", „müssen" und „Kreise vollenden" liegt die Andeutung schicksalhafter Endgültigkeit. Der „Kreis" ruft die Vorstellung einer in sich geschlossenen Figur, der Unausweichlichkeit eines Verhängnisses hervor.

Um so stärker ist der neue Ansatz, der den Durchbruch des Menschen in die freie Welt des Geistes verdeutlicht. Der Dichter beginnt seine Aussage über die Unterscheidung des Menschlichen mit kraftvollem Nachdruck; „nur allein" klingt wie ein Pleonasmus, „Unmögliches vermögen" gewinnt seine sprachliche Macht durch dieselbe Wurzel. Die außerordentliche Kraft des Menschen zeigt sich in der vierfachen Begabung des Geistes: im erkennenden Unterscheiden, im Wählen des Willens angesichts der Rangordnung der Werte, im Richten der Taten anderer, in der Stiftung der geschichtlichen Welt, die sich nach den Ereignissen der Menschen mißt. Die folgende Strophe richtet den Blick noch einmal auf die Größe dieses Tuns. Der Mensch „darf" Richter, Retter, Heilender sein; es ist ihm erlaubt, an den Unterscheidungen wie an den Heilstaten des Göttlichen teilzunehmen – in Stellvertretung und im Auftrag eines Höheren. So kann er selbst die in einem tiefen Sinne Irrenden (sowohl des Erkennens wie des Tuns) und die Schweifenden (der heillosen Lebensabenteuer) „nützlich verbinden", in einen heilbringenden Bund mit den obersten Mächten der Welt zurückzuführen.

So wird der Gedankengang des Gedichtes wieder langsam seinem Ausgangspunkt zugeführt. Die „Unsterblichen" kündigen sich bereits in der drittletzten Strophe an. Dann stehen sie mitten unter uns, immer noch unbekannt und nur geahnt, jedoch für uns begreiflich mit den Mitteln menschlicher Vorstellung. Aber der damit für einen Augenblick verringerte Abstand wird sofort wieder vergrößert und vertieft, ja, die Kluft war nur scheinbar überbrückt. Nicht nur das „Als ob" trennt. Das Bild verrät die unendliche Entfernung: sie vollführen im großen, was der Beste unter den Menschen im kleinen tut oder sogar nur tun möchte.

Die letzte Strophe verbindet sich mit der ersten, das Leitmotiv wird wieder aufgegriffen und zu Ende geführt, es erscheint im Sinne des Abschlusses umstilisiert. Dem Menschen wird gesagt, worin sein Adel besteht; er kann ihn nur gewinnen durch die sittliche Tat. An seine

Unermüdlichkeit wird appelliert angesichts der Widerstände der Umwelt und der eigenen sinnlichen Natur. So aber kann er ein Vor-Bild werden jener geahnten Wesen, ein Bild, das vor der Unendlichkeit liegt und ein Zeichen ist für die ewigen Mächte.

III.

Überschaut man nun das Gedicht als Ganzes, so vermittelt es den Eindruck einer strengen, nach klassischen Maßen komponierten Bauform. Schon daß die letzte Strophe sich so bewußt und genau an die erste anschließt, zeigt den Willen des Dichters zur Komposition. Die Ringförmigkeit der Anlage wird verstärkt durch die zweite und die zweitletzte Strophe; der Mensch steht in der unmittelbaren Nachbarschaft der „höhern Wesen"; von ihnen her gewinnt er selbst seine Erklärung und seinen Sinn. Die kleine Variante zwischen beiden ist bemerkenswert; zu Anfang finden wir die Bewegung von Gott zu den Menschen; beim zweiten Mal steigt der Mensch empor zu Gott. Die zwischen ihnen liegenden sechs Strophen behandeln das Problem des Menschen, in dem sie ihn zunächst auf den Hintergrund der Natur (3-4) und der Fortuna (5) stellen, um ihn dann im Zusammenhang der allumfassenden Notwendigkeit zu sehen (6). Dann sprengt er den eisernen Ring und betritt die Welt des Geistes (7-8). Das Reich des Göttlichen unter den Menschen kann nicht anders begründet werden als dadurch, daß man den Kräften des Göttlichen Eingang in diese Welt bereitet. Indem er sie verwirklicht, erreicht der Mensch sein Bestes; er stiftet das Reich der Humanität. Freilich bleibt der Abgrund; an eine andere Weise der Offenbarung wird nicht gedacht. Vom Gebet ist nicht die Rede; es ist, als sollte es die Unsterblichen nicht erreichen.

Seiner Gattung nach ist das Gedicht sowohl hymnisch wie lehrhaft; hymnisch, weil es sich der gehobenen, feierlichen, erhabenen Aussageform bedient, lehrhaft, weil es Lebenslehren verkündet und sich imperativisch an den Menschen wendet. Verse und Strophen gehen einher in der großartigen Gemessenheit, die der Ausdruck inneren Gebändigtseins ist. An die Stelle des Sturmes von ehedem ist das ruhige Schreiten getreten, das Ausdruck der Sammlung, der Herrschaft über Gefühle und Gedanken ist.

Wilhelm Grenzmann

GOETHE:
AUF DEN AUEN WANDELN WIR

Auf den Auen wandeln wir
Und bleiben glücklich ohne Gedanken,
Am Hügel schwebt des Abschieds Laut
Es bringt der West den Fluß herab
Ein leises Lebewohl.
Und der Schmerz ergreift die Brust,
Und der Geist schwankt hin und her,
Und sinkt und steigt und sinkt.
Von weitem winkt die Wiederkehr
Und sagt der Seele Freude zu!
Ist es so? Ja! Zweifle nicht.

Auf einer Wanderung durch die Fülle der Gedichte Goethes bin ich
auf dieses gestoßen. Es ist an die Gräfin Christine von Brühl gerichtet und stammt aus der Zeit vor der italienischen Reise. Es hat mich
seltsam berührt, und so oft ich es lese, übt es immer neu seinen leisen
Zauber. Mir scheint, dieses Gedicht ist wunderbar verschieden von
den übrigen. Die derbe Dichtigkeit der Knittelverse, das künstliche
Gefüge der Stanzen, die klingende Fülle der Lieder, das freie Strömen
und Steigen der Oden und Hymnen, die klar gemessenen Gestalten
der Distichen und Hexameter, tändelnde gesellschaftliche Belang-
losigkeiten und aufgeklärte Gravität, mancherlei Plattes und Häß-
liches und wieder köstlich glaubwürdige Weisheit – in all dem viel-
fältigen Wesen steht dies Gedicht einsam für sich. Zwischen den
meisten anderen und uns liegt bereits eine fein sich betonende Ferne.
Dieses ist seltsam nahe. Jene rühren an das Herz; dieses ist schon
darin. Die Sicherheit, die andere Gedichte Goethes haben, die ihrer
selbst gewisse Prägung hat sich aufgelöst. Es hat sich aufgemacht, ist
unterwegs, nach anderem Lande. Es ist zart, und preisgegeben heimatlos, und doch vielleicht kühner und vom Sinne her stärker, als
die Geschwister. So, wie es ja zuweilen geschieht, daß mitten unter
den deutlich aus Ort und Blut bestimmten Kindern eins steht, vor
dem man sich fragt: wo kommt das her? Es schwingt von einem aus
unwissender Hoffnung kommenden Glück.

Romano Guardini

Aus: „In Spiegel und Gleichnis" (Mainz 1948), S. 27/28 mit freundlicher Genehmigung des Verfassers.

FRIEDRICH VON SCHILLER:
„DAS GLÜCK"

VII/72

Selig, welchen die Götter, die gnädigen, vor der Geburt schon
  Liebten, welchen als Kind Venus im Arme gewiegt,
Welchem Phöbus die Augen, die Lippen Hermes gelöset
  Und das Siegel der Macht Zeus auf die Stirne gedrückt!
Ein erhabenes Los, ein göttliches, ist ihm gefallen,
  Schon vor des Kampfes Beginn sind ihm die Schläfe bekränzt.
Ihm ist, eh' er es lebte, das volle Leben gerechnet,
  Eh' er die Mühe bestand, hat er die Charis erlangt.
Groß zwar nenn' ich den Mann, der sein eigner Bildner und Schöpfer
  Durch der Tugend Gewalt selber die Parze bezwingt;
Aber nicht erzwingt er das Glück, und was ihm die Charis
  Neidisch geweigert, erringt nimmer der strebende Mut.
Vor Unwürdigem kann dich der Wille, der ernste, bewahren,
  Alles Höchste, es kommt frei von den Göttern herab.
Wie die Geliebte dich liebt, so kommen die himmlischen Gaben,
  Oben in Jupiters Reich herrscht, wie in Amors, die Gunst.
Neigungen haben die Götter, sie lieben der grünenden Jugend
  Lockigte Scheitel, es zieht Freude die Fröhlichen an.
Nicht der Sehende wird von ihrer Erscheinung beseligt,
  Ihrer Herrlichkeit Glanz hat nur der Blinde geschaut;
Gern erwählen sie sich der Einfalt kindliche Seele,
  In das bescheidne Gefäß schließen sie Göttliches ein.
Ungehofft sind sie da und täuschen die stolze Erwartung,
  Keines Bannes Gewalt zwinget die Freien herab.
Wem er geneigt, dem sendet der Vater der Menschen und Götter
  Seinen Adler herab, trägt ihn zu himmlischen Höhn.
Unter die Menge greift er mit Eigenwillen, und welches
  Haupt ihm gefället, um das flicht er mit liebender Hand
Jetzt den Lorbeer und jetzt die herrschaftgebende Binde,
  Krönte doch selber den Gott nur das gewogene Glück.
Vor dem Glücklichen her tritt Phöbus, der pythische Sieger,
  Und der die Herzen bezwingt, Amor, der lächelnde Gott.
Vor ihm ebnet Poseidon das Meer, sanft gleitet des Schiffes
  Kiel, das den Cäsar führt und sein allmächtiges Glück.

Ihm zu Füßen legt sich der Leu, das brausende Delphin
  Steigt aus den Tiefen, und fromm beut es den Rücken ihm an.
Zürne dem Glücklichen nicht, daß den leichten Sieg ihm die Götter
  Schenken, daß aus der Schlacht Venus den Liebling entrückt;
Ihn, den die Lächelnde rettet, den Göttergeliebten beneid ich,
  Jenen nicht, dem sie mit Nacht deckt den verdunkelten Blick.
War er weniger herrlich, Achilles, weil ihm Hephästos
  Selbst geschmiedet den Schild und das verderbliche Schwert,
Weil um den sterblichen Mann der große Olymp sich beweget?
  Das verherrlicht ihn, daß ihn die Götter geliebt,
Daß sie sein Zürnen geehrt und, Ruhm dem Liebling zu geben,
  Hellas' bestes Geschlecht stürzten zum Orkus hinab.
Zürne der Schönheit nicht, daß sie schön ist, daß sie verdienstlos,
  Wie der Lilie Kelch, prangt durch der Venus Geschenk;
Laß sie die Glückliche sein – du schaust sie, du bist der Beglückte,
  Wie sie ohne Verdienst glänzt, so entzücket sie dich.
Freue dich, daß die Gabe des Lieds vom Himmel herabkommt,
  Daß der Sänger dir singt, was ihn die Muse gelehrt:
Weil der Gott ihn beseelt, so wird er dem Hörer zum Gotte,
  Weil er der Glückliche ist, kannst du der Selige sein.
Auf dem geschäftigen Markt, da führe Themis die Waage,
  Und es messe der Lohn streng an der Mühe sich ab.
Aber die Freude ruft nur ein Gott auf sterbliche Wangen,
  Wo kein Wunder geschieht, ist kein Beglückter zu sehn.
Alles Menschliche muß erst werden und wachen und reifen,
  Und von Gestalt zu Gestalt führt es die bildende Zeit;
Aber das Glückliche siehest du nicht, das Schöne nicht werden,
  Fertig von Ewigkeit her, steht es vollendet vor Dir.
Jede irdische Venus ersteht, wie die erste des Himmels,
  Eine dunkle Geburt aus dem unendlichen Meer;
Wie die erste Minerva, so tritt, mit der Ägis gerüstet,
  Aus des Donnerers Haupt jeder Gedanke des Lichts.

Zu Schillers Gedicht „Das Glück" kann das Gedicht in Distichen „Der
Genius" (1795) als eine Art Vorstufe gewertet werden, da in ihm einzelne Gedanken bis zur wörtlichen Übereinstimmung vorweggenommen sind. Aber es bleibt als erster Distichen-Versuch nach den Ju-
gendarbeiten noch ohne den vollen Glanz, der dem Gedicht „Das
Glück" von Schiller gegeben wurde. Eher gehört „Das Glück" in die
Nähe der „Nänie", wenn auch die Vorstellung abzulehnen ist, daß

beide Gedichte „Fragmente" eines größeren Werkes seien. (Box-
berger, Säkularausgabe von Schillers Werken, I, S. 316). Die Gedichte gehören zeitlich, inhaltlich und formal zusammen und bestimmen einen menschlichen und dichterischen Höhepunkt im Leben Schillers. „Das Glück" bedeutet den Gipfel aller Huldigungen, die Schiller
dem Genius Goethes entgegengebracht hat. Haßliebe ist der Ehrfurcht
gewichen. Damit ehrt sich Schiller. Der günstigste Augenblick – im
Sinne des „Kairos" – für eine gemeinsame Tätigkeit im Hinblick auf
Selbstvollendung und Menschheitserziehung ist erreicht. Die „Nänie"
– ein Jahr nach dem „Glück" im Jahre 1800 erschienen – fügt sich
dem fast hymnischen Preis des naiven Genies in seinem verdienst-
losen „Glück" deswegen so eng an, weil für beide der gleiche hohe
Schönheitsbegriff poetisch wirksam erscheint und die äußere Form des
Distichons der Zeitlosigkeit entspricht.
Während der letzten Phase der Begegnungen Schillers mit Goethe
hatte sich eine neue Vorstellung vom Künstler und besonders vom
Dichter in Schiller gebildet. Goethe stellte für ihn die endgültige Überwindung des menschlichen Dualismus von Geist und Materie dar, zugleich aber auch die sinnvolle Steigerung der Schaffenskraft des
Künstlers – im ganzen gesehen: die glückliche Entfaltung des Genies.
Am meisten trug dazu der Abschluß der Abhandlung über „Naive
und sentimentalische Dichtung" bei, die seit 1795 in den „Horen"
erschien. In unserem Zusammenhang können nur wenige Sätze ausgewählt werden, die alle auf den Begriff der „Natur" zielen. Erst in
der Begegnung mit Goethe (seit 1794) war das Naturverstehen Schillers soweit entwickelt, daß er Natur als das „Bestehen der Dinge
durch sich selbst", als das „freiwillige Dasein", als die Existenz nach
eigenen unabänderlichen Gesetzen erkannte (XII, S. 161). Den Zusammenhang mit Goethe begreifen wir nicht nur aus der Ähnlichkeit
der Formulierung, sondern weit intensiver aus Goethes Gestaltbegriff,
wie er ihn in der „Metamorphose der Pflanzen" poetisch vollkommen
in den Zeilen niedergelegt hatte:

> „Alle Glieder bilden sich aus nach ew'gen Gesetzen
> Und die seltenste Form bewahrt im geheimen das Urbild . . ."
> „Diese Grenzen erweitert kein Gott, es ehrt die Natur sie:
> Denn nur also beschränkt war je das Vollkommene möglich."

Für Goethe war aus der „Erfahrung" der Naturgesetzlichkeit im einzelnen (Pflanze – Knochenbau – Mineralogie) die Urbildlichkeit zum
Gestaltgesetz geworden. Schiller setzte dieser „Erfahrung", dem be-

obachtenden Vergleich bei Goethe seinerseits die „Idee" entgegen. Er wich von dieser Vorstellung nicht ab, zumal er in seinen Gesprächen mit Goethe immer deutlicher die Übereinstimmung im Ziel der Erkenntnis, wenn auch auf anderen Wegen, aufleuchten sah. Darum heißt es bei Schiller in der Anwendung des Gedankens vom „Bestehen aus sich selbst" auf die Dichtung: „Es sind nicht diese Gegenstände, es ist eine *durch sie dargestellte Idee,* was wir an ihnen lieben. Wir lieben in ihnen das stille schaffende Leben, das mutige Wirken aus sich selbst, das Dasein nach eigenen Gesetzen, die innere Notwendigkeit, die ewige Einheit mit sich selbst" (XII, 162/163). Die Natur bietet Schiller eine Idee von der *„Vollkommenheit in sich selbst".* Auf die Dichtung angewendet, vermag er jetzt den Begriff des „Naiven" klar zu fassen, besonders in dem Augenblick, in dem er die Person des Künstlers, des Dichters in seiner Gebundenheit an die Natur zum Maßstab wählt. So kann er schließlich den Satz niederschreiben: *„Naiv muß jedes wahre Genie sein, oder es ist keines"* (XII, 173). Wer sich diese Eigenart der unzerstörten Nähe zur Natur bewahren konnte, trägt die Vollkommenheit in sich selbst, doch bemerkt Schiller zu dieser Art des naiven Genies: „Ihre Vollkommenheit ist nicht ihr Verdienst, weil sie nicht das Werk ihrer Wahl ist" (XII, 163). Hier liegt der Ansatz zum Verständnis des Gedichtes „Das Glück". Zur vollen Erschließung der Zusammenhänge zwischen ihm und der Schrift: „Über naive und sentimentalische Dichtung" gehört noch die Charakteristik des dichterischen Genies, das noch „Natur ist" und nicht – wie der sentimentalische Dichter – verlorene Natur sucht. Schiller verbindet dabei sehr deutlich den Begriff naiv mit der ihm jetzt deutlich gewordenen Vorstellung vom Genie, die er im Gedicht dann durch Symbole und mythische Bilder poetisiert, ohne im Grunde etwas anderes auszudrücken als in der Definition des naiven Genies: *„Unbekannt mit den Regeln* bloß von der Natur oder dem Instinkt, *seinem schützenden Engel geleitet,* geht es ruhig und sicher durch alle Schlingen des falschen Geschmacks . . ., in welchen das Nichtgenie unausweichlich verstrickt wird. Nur dem Genie ist es gegeben, außerhalb des Bekannten noch *immer zu Hause zu sein,* und die Natur zu erweitern, ohne über sie hinauszugehen." (S. 173/74). Schiller fährt dann fort, die Eigenart des „Genies" zu charakterisieren. „Simplicität und Leichtigkeit *gehören zu seinen Anlagen.* Es verfährt nicht nach erkannten Prinzipien, sondern nach Einfällen und Gefühlen; aber seine Einfälle sind *Eingebungen eines Gottes* (alles, was die gesunde Natur tut, ist göttlich), *seine Gefühle sind Gesetze* *für alle Zeiten und für alle Geschlechter der Menschen"* (XII, S. 174).

Halten wir nur fest, daß Schiller die Charakteristik des sentimentalischen Dichters mit der *Beziehung seiner Reflexion auf das ..sein sollende Ideal"* verknüpft und daß Schiller niemals unter „naiv" und „sentimentalisch" Gegensätze im Typus des Dichters und der Dichtung aufstellt, sondern das Nebeneinander beider und die gegenseitige Weiterentwicklung als möglich darstellt. Er erhofft daraus eine Poesie der „dritten Epoche", die Versöhnung von Ideal und Wirklichkeit, den Übertritt des Menschen in das Göttliche, die vollkommene Kunstform: die „Idylle".

Bei der Anwendung dieses Begriffes darf nicht an die Idylle im Sinne J. H. Voß' oder an die Kleinform der Erzählung gedacht werden, sondern an jene höchste Vorstellung der Poesie überhaupt, von der Schiller die letzte Blüte *sentimentalischer* Dichtungsform erwartete. Im Jahre 1795 hat Schiller diese Form dichterischer Gestaltung Wilhelm von Humboldt gegenüber mit dem sehr treffenden Wort gezeichnet, sie solle den *„Übertritt des Menschen in den Gott"* darstellen. Herkules erscheint ihm als mythische Gestalt, die allein diesen poetischen Vorgang mit dem Eintritt in den Götterhimmel anschaulich machen könne. Aber Schiller gibt zu, daß bei aller „Unrast der Wirklichkeit" vorerst dieses hohe Ziel nicht verwirklicht werden könne. Er hat das „Letzte" sich und uns nicht zu erfüllen vermocht. Es wäre der Höhepunkt, der „Höchste aller Genüsse" für ihn gewesen. In dem Gedicht „Das Glück" ist er diesem Ziel sehr nahe gekommen, als er das Dichtertum des naiven Genies darstellt.

Die „Verdienstlosigkeit", die „Vollkommenheit in sich selbst", das „Dasein nach eigenen Gesetzen", das von „seinem schützenden Engel" (der Natur) Geleitetsein, alle diese Merkmale des naiven Genies bedeuten als Motive nur die Abgrenzung des poetischen Raumes, in dem Schiller dieses Thema beheimatet. Ähnliche Gedanken erfüllten bereits das 1795 in den „Horen" veröffentlichte Gedicht „Der Genius". Auch dort ist der Dichter, dem ein Gott die Rede bestimmt, schon der Glückliche benannt (I, S. 125, Z. 37), aber in den hymnischen Distichen des „Glücks" wird der von den Göttern Erwählte noch weiter und höher aus der Welt des Irdischen herausgehoben. Der Übertritt des Göttlichen ins Menschliche in der Geburtsstunde des Genies bleibt das in einer Vollendung ohnegleichen variierte Thema, dem das Urbild des naiven Dichters die ungewöhnlichen Dimensionen leiht.

Griechischen Geist atmet das ganze Gedicht, und doch zielt jedes mythische Bild auf Goethe, dessen Name ungenannt bleibt. Von der Geistesgewalt, die dem Dichter von den Göttern verliehen sein kann, spricht jede Zeile und jede Zeile kündet damit von Goethe. Ein Jahr, nachdem das „Glück" veröffentlicht war, haben wir von Schillers Feder in Prosa gesetzt (Brief vom 23. 11. 1800) an die Gräfin Schimmelmann die bekannte Charakteristik Goethes, die die Voraussetzungen für das „wohltätigste Ereignis seines ganzen Lebens", für die Freundschaft mit Goethe enthält und die zugleich das Ungewöhnliche Goethischer Genialität mit der gleichen Neidlosigkeit anerkennt wie im Gedicht „Das Glück". Schiller spricht davon, daß er seine Entwicklung den rechtzeitigen Begegnungen mit Menschen verdanke, daß aber Goethe ihm am meisten gegeben habe. Dann heißt es wörtlich: „Nach meiner innigsten Überzeugung kommt kein anderer Dichter ihm an Tiefe der Empfindung und an Zartheit derselben, an *Natur* und Wahrheit und zugleich an hohem Kunstverdienste auch nur von weitem bei. Die *Natur* hat ihn reicher ausgestattet als irgendeinen, der nach Shakespeare aufgestanden ist.... Aber diese hohen Vorzüge seines Geistes sind es nicht, die mich an ihn binden, wenn er nicht als Mensch für mich den größten Wert von allen hätte, die ich persönlich habe kennen lernen, so würde ich sein Genie nur von ferne bewundern. Ich darf wohl sagen, daß ich in den sechs Jahren, die ich mit ihm zusammen lebte, auch nicht einen Augenblick an seinem Charakter irre geworden bin." Zweimal erscheint in dieser Charakteristik der Begriff „Natur". Einmal als *schenkende,* ein anderes Mal als *bewahrende* Kraft. Das Genie wird als Gabe des Himmels, als Geschenk der Götter an einen Erwählten aufgefaßt, dem das „Glück" lächelte in der Stunde seiner Geburt und der nun als der „Selige" erscheint, in dem der Übertritt des Göttlichen in den Menschen so erfolgt ist, daß von ihm und von seinem Wort wieder Göttliches auf die Menschen ausgeht. „Eudämonie" ist ihm verliehen: „Glückseligkeit", die Ausgeglichenheit aller Kräfte, die von einem „Daimonion" bewegt werden, die das Gute wirken. Von diesem „Glück", das dem einen Erwählten unter den Menschen als *Anlage* geschenkt wurde, handelt das Gedicht.

Aus dem Griechenmythos steigt die Schilderung des von solchem „Glück" Begnadeten langsam empor. Das Bild des Halbgottes, der von Geburt an den Göttern zugehört, bestimmt die Wahl der Bilder. Eine Seligpreisung beginnt, in der sich *Griechisches* in der Vorstellung, *Christliches* in der Wortwahl ausprägt. Im Sinne der Entelechie ist

hier bei Schiller Griechisches und Christliches in das Wort „selig" zusammengefaßt, ein Beiwort, das ganz von dem Titelwort „Glück"
überstrahlt ist und das im Hören noch den Wortgehalt des zusammen-
gesetzten „glückselig" aufzunehmen erlaubt. Beiworte wie „selig",
„gnädig", „erhaben", „göttlich" reihen sich aneinander und rücken das
Bild des vom Glück Erwählten in den Glanz olympischer Göttlichkeit.
Venus, Phoebus Apollo, Hermes und der Göttervater selbst haben
ihn als Liebling der Himmlischen mit ihren Gaben bedacht und ihm
das Zeichen des Sieges auf die Stirne gedrückt.

> „Ihm ist, eh' er es lebte, das volle Leben gerechnet,
> Eh' er die Mühe bestand, hat er die Charis erlangt."

Das „Höchste", das Glück, das frei von den Göttern herabkommt,
hat ihm die *Vollkommenheit des Genies* als Wesenszug seines Seins
beschert, so ist er der Glückliche, der, in die Liebe der Götter hinein-
gestellt, die freiwillige Bewunderung der Menschen auf sich lenkt.
Solche Gaben sind wie die „Schönheit" „himmlische Gaben" (vgl. die
„Nänie"), selbst wenn sie einmal im Tode dahin sinken. Sie schenken
die *„Freude"*, sie heben den so Begnadeten aus der Menge der Men-
schen heraus. Die Sterblichen erblicken in ihm die Vollkommenheit
des gottbegnadeten Künstlers: „das verherrlichet ihn, daß ihn die
Götter geliebt".
Die Gedanken bleiben getragen von der neugewonnenen Ehrfurcht
Schillers vor dem andersgearteten Genius, dem naiven Dichter. Des-
sen „Glück" scheint „verdienstlos", aber es verbindet mit solcher
Verdienstlosigkeit die Schönheit der Vollkommenheit. Klassisches
Maß ist hier an die Gestalt eines Irdischen gelegt und im Geist der
Reinheit zur höchsten Anerkennung gebracht. Diese Vollkommen-
heit gewährt dem, der sie schaut, höchste Beglückung.
Solches Entzücken zu spenden, ist die Bestimmung des „Glücklichen"
in der Welt, und in der Beseligung dessen, der die Schönheit im Kunstwerk empfängt, erfüllt sich der Sinn der Kunst. Die „Tochter aus
Elysium", die Freude mit ihrer belebenden Kraft, erscheint als Er-
löserin aus der Unvollkommenheit des Daseins.
Schiller hat das „Wunder des göttlichen Ursprungs" in der Gestalt
Goethes erkannt und die Wirkung seines Genius auf sich selbst ver-
spürt. Es ehrt ihn, daß er neidlos seine „sentimentalische" Art von der
„naiven" Goethes zu trennen weiß. Erst aus dieser Gegenüberstellung
wird der Betrachter des Gedichtes dem Kunstwerk Schillers ganz ge-

recht. Wie im Drama arbeitet Schiller auch hier mit Antithesen, und dem einheitlichen Bild Goethes steht die Schillersche Eigenart kontrastreich, gleichberechtigt und gleichgroß gegenüber. So wie Schiller beiden Arten der Dichtung, der naiven wie der sentimentalischen, den gleichen Rang einräumt, nur durch das Ehrfurchtsgefühl vor dem Gottbegnadeten unterschieden, so stellt er dem Bild des verdienstlos Glücklichen das des verdienstvoll Großen gegenüber.

> „Groß zwar nenn ich den Mann, der sein eigner Bildner und Schöpfer
> Durch der Tugend Gewalt selber die Parze bezwingt;
> Aber nicht erzwingt er das Glück, und was ihm die Charis
> Neidisch geweigert, erringt nimmer der strebende Mut.
> Vor Unwürdigem kann dich der Wille, der ernste, bewahren,
> Alles Höchste, es kommt frei von den Göttern herab."

Menschliche Größe spricht aus jeder dieser Zeilen, die die Anerkennung solcher Erwähltheit, solcher künstlerischen Vollkommenheit enthalten. Darum die großartigen Wiederholungen des Ausrufes an die Gleichaltrigen: „Zürne dem Glücklichen nicht . . . Zürne der Schönheit nicht . . .!"

> „Freue dich, daß die Gabe des Lieds vom Himmel herabkommt,
> Daß der Sänger dir singt, was ihn die Muse gelehrt,
> Weil der Gott ihn beseelt, so wird er dem Hörer zum Gotte,
> Weil er der Glückliche ist, kannst du der Selige sein."

Nur durch die Kunst wird die starre Rechtlichkeit des Alltags durchbrochen, nur durch sie dringt die Freude zu den mühebeladenen Menschen und verändert sie. Die Freude allein, die von vollkommener Kunst ausgeht, bewirkt das Wunder, daß Menschen sich der Schönheit öffnen und die Klarheit des Geistes auf sich wirken lassen.

> „Auf dem geschäftigen Markt, da führe Themis die Waage,
> Und es messe der Lohn streng an der Mühe sich ab.
> Aber die Freude ruft nur ein Gott auf sterbliche Wangen,
> Wo kein Wunder geschieht, ist kein Beglückter zu sehn.
> Alles Menschliche muß erst werden und wachsen und reifen,
> Und von Gestalt zu Gestalt führt es die bildende Zeit;
> Aber das Glückliche siehest du nicht, das Schöne nicht werden,
> Fertig von Ewigkeit her, steht es vollendet vor Dir.

Jede irdische Venus ersteht, wie die erste des Himmels,
Eine dunkle Geburt aus dem unendlichen Meer;
Wie die erste Minerva, so tritt, mit der Aegis gerüstet,
Aus des Donnerers Haupt jeder Gedanke des Lichts."

Friedrich Wilhelm Wentzlaff-Eggebert

Anmerkung: Für Einzelheiten darf ich auf meine Arbeit „Schillers Weg zu Goethe", Tübingen 1949, besonders S. 246 ff. verweisen, in der ich der Interpretation des Gedicht-Wortlautes fast einen ganzen Bogen gewidmet habe. Im Anhang sind dort die genauen Quellen vermerkt, die ich nur durch die Hinweise auf zwei der neuesten Veröffentlichungen erweitere: 1) Eduard *Spranger:* Kommentar und Text zu Schillers Schrift „Über naive und sentimentalische Dichtung", Turmhahn Bücherei des Schiller-Nationalmuseums in Marbach, 1955, Bd. 15—17. 2) Thomas *Mann,* Versuch über Schiller, Berlin und Frankfurt 1955, S. 83.

FRIEDRICH VON SCHILLER:
„NÄNIE"

VII/82

Auch das Schöne muß sterben! das Menschen und Götter bezwinget,
  Nicht die eherne Brust rührt es des stygischen Zeus.
Einmal nur erweichte die Liebe den Schattenbeherrscher,
  Und an der Schwelle noch, streng, rief er zurück sein Geschenk.
Nicht stillt Aphrodite dem schönen Knaben die Wunde,
  Die in den zierlichen Leib grausam der Eber geritzt.
Nicht errettet den göttlichen Held die unsterbliche Mutter,
  Wann er, am skäischen Tor fallend, sein Schicksal erfüllt.
Aber sie steigt aus dem Meer mit allen Töchtern des Nereus,
  Und die Klage hebt an um den verherrlichten Sohn.
Siehe, da weinen die Götter, es weinen die Göttinnen alle,
  Daß das Schöne vergeht, daß das Vollkommene stirbt.
Auch ein Klaglied zu sein im Mund der Geliebten, ist herrlich,
  Denn das Gemeine geht klanglos zum Orkus hinab.

Das Gedicht hebt mit einem bedrängenden Ausruf an: „Auch das
Schöne muß sterben!" Ein unerbittliches Gesetz fordert den Tribut
des Todes. Das mahnende „Auch" — das erste Wort — zeigt die Un-
abwendbarkeit des Vergehens: denn selbst das Schöne, dem wir vor
allem Bestand verleihen möchten, das Schöne, das sogar der Götter
Herz rührt (in hoffnungsvollen Schwingungen klingt die erste Zeile
aus: „das Menschen und Götter bezwinget") — es hat keine Dauer im
Angesicht des Todes. Der zweite Vers zeigt das in aller Deutlichkeit:
ein starres „Nicht" — markant an den Anfang der Zeile gerückt —
bricht in das Sinn- und Tongefüge ein; jedem Versuch, der Vergänglichkeit zu entgehen, ist der Weg verriegelt:

  „Nicht die eherne Brust rührt es des stygischen Zeus."

In dem festumrissenen Verspaar — mit dem in breiter Entfaltung
machtvoll ansteigenden Hexameter und dem in sinkender Bewegung
zurückrollenden Pentameter (der durch die scharfe Zäsur, die in der
Mitte einen Spondäus schafft und so den fünfaktigen Vers in zwei drei-
hebige Hälften teilt, besonders plastisch wirkt) — ist wie so oft in klassischer Dichtung als Leitmotiv ein allgemein gültiges Lebensgesetz
angeschlagen. In gewaltigen Wortblöcken steht das Thema vor uns.

Die Bilder und Symbole sind antiker Mythologie entnommen. Tod und Vergänglichkeit werden verkörpert im „stygischen Zeus", dem Gott der Unterwelt, dessen Reich durch den Fluß Styx vom Reich der Lebenden abgegrenzt ist. Die majestätische Härte seiner Gebote ist offensichtlich: an seiner „ehernen Brust" zerschellt, „was Menschen und Götter bezwinget".

Und doch scheint es möglich, das Gesetz der Vergänglichkeit zu durchbrechen, das Herz des Schattenbeherrschers zu rühren. Die leichten Fügungen des dritten Verses, die milden Ei- und I-Laute lassen Hoffnung aufkommen: „Einmal nur erweichte die Liebe den Schattenbeherrscher." Doch am „Nur" verdichtet sich bereits die Befürchtung, daß keine Milde zu erwarten ist, und schon in der folgenden Zeile zerbricht das Hoffen an einem rhythmisch und syntaktisch klar abgesetzten „Streng", das sich mit den zwei vorausgegangenen bedeutungsschweren Worten „Auch" und „Nicht" zu einem Dreiklang der Unerbittlichkeit zusammenschließt:

„Und an der Schwelle noch, streng, rief er zurück sein Geschenk."

Einmal war Pluton bereit, eine Schattengestalt dem Leben zurückzugeben: als er — gerührt durch Orpheus' sehnsuchtsvoll-leidenschaftlichen Gesang — Eurydike mit dem Geliebten ziehen lassen wollte; doch im letzten Augenblick verweigerte er die Gunst. Eurydike mußte im Reich des Todes bleiben.

In zwei Variationen wird das Leitmotiv „Auch das Schöne muß sterben" abgewandelt. Sie sind durch ein jeweils am Beginn stehendes, hervorstechendes „Nicht" zusammengehalten. Der Dichter zeigt an antiken Gestalten auf, wie gerade das Schöne frühzeitig sterben und untergehen muß: Adonis verblutet, Achilles fällt vor Troja — und selbst die Götter sind machtlos vor dem allmächtigen Gebot des Todes; Aphrodite, die Adonis liebt, Thetis, die unsterbliche Mutter des Achilles — sie können nicht helfen, nicht dem Wüten des Todes Einhalt gebieten:

„Nicht stillt Aphrodite dem schönen Knaben die Wunde,
Die in den zierlichen Leib grausam der Eber geritzt.
Nicht errettet den göttlichen Held die unsterbliche Mutter,
Wann er, am skäischen Tor fallend, sein Schicksal erfüllt."

Wir spüren, wie hier antikes Bildungsgut nicht als leeres Klischee benützt, sondern persönlich durchglüht wird. Die mythologischen Bilder dienen dem Dichter dazu, übermächtiges Schmerzempfinden in fernes Gleichnis zu bannen, es so zu bändigen und Distanz zu bedrängendem Leid zu gewinnen.

Mit der achten Zeile wendet sich das Gedicht. Hatte der erste Vers angehoben mit der Verkündigung eines unerbittlichen Gesetzes, dem zu entrinnen die Hammerschläge eines mehrmaligen „Nicht" das Tor verriegeln, war das Gedicht — wenn auch in gezügelter Form — „nenia" (Totenklage) gewesen, der zweite Teil setzt dem nun ein „Aber" kontrapunktisch entgegen. Aus antiker Vorstellung — Thetis (die Gemahlin des Meergottes Nereus, die Mutter des Achill) steigt mit ihren Töchtern aus dem Meer, um den gefallenen Sohn zu beweinen — erwächst in der zehnten Zeile die allgemein gültige Aussage, daß der Tote in der Klage nicht nur beweint, sondern vor allem geehrt, daß er in der Trauer gewürdigt und verherrlicht werde:

„Aber sie steigt aus dem Meer mit allen Töchtern des Nereus,
Und die Klage hebt an um den verherrlichten Sohn."

Erhaben beginnt der Abgesang: „Siehe"; das I-gipfelige Wort weist Weg und Ausweg. Zwar dringt noch einmal Leid und Trauer übermächtig herein — „da weinen die Götter, es weinen die Göttinnen alle" —; auch wird nochmals retardierend das Leitmotiv angeschlagen: „daß das Schöne vergeht, daß das Vollkommene stirbt". Doch es schwingt nun auch die ganze Erhebung mit, die in der Klage dem Menschen, der dem Vollkommenen gedient, zuteil wird — auch wenn das Schicksal ihn schließlich zerschmettert. Tod und Vergänglichkeit sind der Schrecken genommen, da der Mensch sie zu überwinden vermag: lebt er doch weiter im Gedenken der andern, im Klagelied der Geliebten. Die Apotheose hebt an mit einem hochgestimmten „Auch"; und während der Dichter das gleiche Wort in der einleitenden Zeile als dunkle Mahnung gibt, ist es hier Verkündigung beseligenden Glaubens:

„Auch ein Klagelied zu sein im Mund der Geliebten, ist herrlich,
Denn das Gemeine geht klanglos zum Orkus hinab."

Wort greift in Wort, Satz in Satz — nichts, was anders gestellt, anders gefügt werden könnte; die einzelnen Elemente, die sprachlichen wie die bildlichen, sind zuchtvoll zusammengeschlossen. — Zwar waltet ein metrisch-syntaktischer Zwang; auch die Bilder — in mythologische Ferne entrückt — gehen uns zunächst nicht nahe. Und doch wird in uns kein Gefühl von lebloser Kälte und Starre aufkommen. Vielmehr verspüren wir die aus innerstem Herzen aufsteigende, leidenschaftlich durchglühte Bezwingung von Trauer und Klage. Leid und Schmerz können so überzeugend überwunden, und die Stürme der Erregung zu Harmonie geglättet werden. Selten, daß im dichterischen Werk Wort und Wesen, Gestalt und Gehalt zu solch makelloser Reinheit und Einheit zusammenfließen.

*

Für Schiller ist das Schöne Brücke zwischen dem Irdischen und dem Überirdischen, Bindeglied zwischen dem Ideal und dem Leben. Das Schöne entflieht als vergeistigte Form irdischer Schwerkraft; es schwingt sich auf zu idealer Höhe:

> „Nur der Körper eignet jenen Mächten,
> die das dunkle Schicksal flechten;
> aber frei von jeder Zeitgewalt,
> die Gespielin seliger Naturen,
> wandelt oben in des Lichte Fluren
> göttlich unter Göttern die Gestalt."

So heißt es in „Das Ideal und das Leben". Und in der Abhandlung „Über die ästhetische Erziehung des Menschen" finden wir die Worte: „Wir treten mit der Schönheit in die Welt der Ideen, aber, was wohl zu bemerken ist, ohne darum die sinnliche Welt zu verlassen." Das Schöne behält bei aller Idealität seine Körperhaftigkeit; es enthebt uns so der bangen Wahl zwischen „Sinnenglück und Seelenfrieden", da es beides in sich vereint und uns damit in einen „mittleren Zustand" versetzt:

> „Durch die Schönheit wird der sinnliche Mensch zur Form und zum Denken geleitet; durch die Schönheit wird der geistige Mensch zur Materie zurückgeführt und der Sinnenwelt wieder gegeben." („Über die ästhetische Erziehung des Menschen.")

Die Schönheit stiftet menschliche Einheit zwischen Sinnlichkeit und Sittlichkeit, schenkt Versöhnung unserer niederen mit unserer höheren Natur.
In „Nänie" jedoch tritt die Unterwerfung der Schönheit durch den Tod zwingend hervor; der „mittlere Zustand" ist zerstört: die Körperhaftigkeit des Schönen wird zum Fluch, da sie Untergang und Vergänglichkeit bedeutet: „Auch das Schöne muß sterben!" Es ist eine Zerstörung der Schönheit durch Gewalt.

Ein Grundton persönlicher Tragik durchzieht das Gedicht. Schiller hat unermüdlich und mit der ganzen geistig-seelischen Reinheit seines Genius um Schönheit und Freiheit im dichterischen Werk gerungen, die Schönheit als die einzig mögliche Harmonie im Irdischen und als letzte Verklärung des Irdischen erkannt; im Angesicht des Todes endet sein Bemühen. Des Dichters Auftrag, der Dichtung Bestimmung scheinen vergeblich. Aber gerade in dieser Tragik zeigt sich Schillers Männlichkeit. Selbst das Ende ist ihm nicht Ende, es bleibt noch eines – es bleibt die tröstliche Gewißheit: wer im Leben das Mögliche erfüllt, dem Hohen gedient und das Gemeine verachtet, der Schönheit (als „schöne Seele") gelebt, lebt weiter, auch wenn er stirbt.

Gilt das nicht gerade für Schiller selbst? Goethe sagte später vom Freund:

> „Denn hinter ihm in wesenlosem Scheine
> lag, was uns alle bändigt, das Gemeine."

Schiller konnte mit Recht von sich bekennen: „Wenn ich denke, daß vielleicht in hundert und mehr Jahren man mein Andenken segnet und mir noch im Grab Tränen und Bewunderung zollt, dann freue ich mich meines Dichterberufs und versöhne mich mit Gott und meinem oft harten Verhängnis." Ruhmessüchtigkeit liegt nicht in diesen Worten; wohl aber die selige Gewißheit, daß die Stunde der Klage zur Sternstunde werden kann – leuchtend und erleuchtend: „Auch ein Klaglied zu sein im Mund der Geliebten, ist herrlich." Denn die Klage um die Vergänglichkeit wird überwunden, wenn das Lied gerade dieser Klage Dauer verleiht.

Hermann Glaser

HÖLDERLIN:
DER GEFESSELTE STROM

VI/84

Was schläfst und träumst du, Jüngling, gehüllt in dich,
Und säumst am kalten Ufer, Geduldiger,
Und achtest nicht des Ursprungs, du, des
Ozeans Sohn, des Titanenfreundes!

Die Liebesboten, welche der Vater schickt,
Kennst du die lebenatmenden Lüfte nicht?
Und trifft das Wort dich nicht, das hell von
Oben der wachende Gott dir sendet?

Schon tönt, schon tönt es ihm in der Brust, es quillt,
Wie, da er noch im Schoße der Felsen spielt',
Ihm auf, und nun gedenkt er seiner
Kraft, der Gewaltige, nun, nun eilt er,

Der Zauderer, er spottet der Fesseln nun,
Und nimmt und bricht und wirft die Zerbrochenen
Im Zorne, spielend, da und dort zum
Schallenden Ufer und an der Stimme

Des Göttersohns erwachen die Berge rings,
Es regen sich die Wälder, es hört die Kluft
Den Herold fern und schaudernd regt im
Busen der Erde sich Freude wieder.

Der Frühling kommt; es dämmert das neue Grün;
Er aber wandelt hin zu Unsterblichen;
Denn nirgends darf er bleiben, als wo
Ihn in die Arme der Vater aufnimmt.

Ein Vorentwurf der Ode trug den Titel „Der Eisgang". Die vorliegende
Hauptfassung ist wohl im Frühjahr 1801 in Hauptwyl in der Schweiz entstanden, wo das unmittelbare Erleben der Gebirgsnatur dem Gedicht seinen endgültigen Charakter gab. Eine Weiterbildung stellt — sozusagen als dritte
Fassung — eine von Hölderlins späten Oden mit dem Titel „Ganymed" dar

(etwa 1802 entstanden und unter den im „Taschenbuch für das Jahr 1805"
erschienen „Nachtgesängen" veröffentlicht). W. Michel sieht in dieser Genesis
den auch sonst für Hölderlin charakteristischen „Dreischritt" vom Natur-
erleben über die Naturmythe zur „tastbaren, plastisch-mythischen Gestalt"
(Hölderlins Ode „Ganymed" 1924).

Daß der „schlafende Jüngling" Metapher des *Stromes* ist, noch nahe
seinem „Ursprung", kann erst – wäre die Überschrift nicht – beim
Überdenken des Ganzen gefunden werden. Denn auch die Paraphrase
„des Ozeans Sohn, des Titanenfreundes" ist noch nicht eindeutig genug, wenngleich nach antiker Vorstellung die Ströme als „Söhne des
Okeanos" bezeichnet werden (Hesiod, theog. 368). Hölderlins Lyrik
will eben stets als Ganzheit verstanden werden; der vorgeformte Gedanke wird im Gedicht nicht von außen her entwickelt, sondern von
innen heraus gleichsam abgetastet und durchmessen. Erst von hier aus
fügen sich die verstreuten Andeutungen zum Bild, so in unserer Ode
die wiederholte Nennung des „Ufers", die des „Ursprungs", „da er noch
im Schoße der Felsen spielt'", und endlich der Mündung, „wo ihn (den
Sohn) in die Arme der Vater aufnimmt". Nur hingewiesen sei darauf,
daß auch in der Ode „Heidelberg" der Strom als „Jüngling" bezeichnet wird.
Ein gleiches gilt vom Naturbild des „Eisgangs", den die Überschrift
des Vorentwurfs nennt. Der junge Strom „schläft", „träumt" und
„säumt" „am *kalten* Ufer", „in sich gehüllt", bis er die „Fesseln"
sprengt und die „Zerbrochenen" „zum schallenden Ufer" „im Zorne
spielend" wirft – die zerbrochenen Eisschollen, unter deren Decke das
lebendige Wasser den langen Winter hindurch gefesselt lag, bis „der
Frühling kommt".
Da weckt den schlafenden Sohn der Vater Ozean durch seine „lebenatmenden Liebesboten", die milden Meerwinde, die das Verhärtete
lösen sollen, und durch seinen Anruf, sein „helles Wort", der „wachende Gott" „von oben", unter dem man nach allgemeiner Vorstellung Hölderlins den „Vater Äther" verstehen mag, wahrschein-
licher aber hier die wiedererstarkende erwachende „Sonne", wie es
noch im Vorentwurf heißt. Optische („hell") und akustische Eindrücke
(„Wort") fließen dabei ineinander.
Die folgenden drei Strophen bauen nun in großartigem Crescendo
das Ereignis des „Eisgangs" vor uns auf: Der Strom hört den Ruf, der
ihm aus der Brust, dort empfangen, widertönt, sein lebendiges Wasser
„quillt" „aus dem Schoß der Felsen" „ihm auf"; das Eis birst mit
Getöse, des Stromes Stimme gibt den Ruf des Lebens, dem er folgt, an

die umgebende Natur weiter, überall „Freude" und den „Frühling" weckend. Noch zagend – wie die Helle allmählich aus dem „dämmernden" Morgen – sprießt ringsum „das neue Grün". *Aber* die volle Entfaltung des neuen Lebens kann der Strom nicht erwarten; ihn führt sein Schicksal („nirgends *darf* er bleiben") indessen weiter ins Meer, „in die Arme des Vaters".

Im Bilde des „Jünglings", selbst Bild des Stromes, ist eine göttliche Wirklichkeit gemeint. Denn Hölderlins Ströme sind göttlich, nicht „Götter" von ewiger Beharrung, wie der Vater Äther, die Mutter Erde, der Ozean, die Sonne; auch nicht nur „Boten der Götter" wie Winde, Wolken, Regen, Donner oder Blitz; sondern „Göttersöhne", Halbgötter, wie in antiker Mythologie die Titanen als Söhne des Himmels (Uranos) und der Erde (Gaia). Sie sind „Reinentsprungene", die ihren Ursprung bei den Göttern haben, wie der Rhein der Rheinhymne als Sohn der „Donnerers" und „der Mutter Erde", wie der Strom hier als „des Ozeans Sohn". (An sich ist Okeanos bei *Hesiod* (theog. 133) selbst ein Titan, nicht nur „Titanenfreund"; doch ist er nach der *Ilias* (14, 201; 302) auch „Ursprung der Götter" (θεῶν γένεσις), wie noch für *Thales* das Wasser „erster und geradezu einziger Urstoff" ist (Diels, Vorsokrr. B 4. Vgl. auch Goethe, Faust II, 8260 „Im weiten Meere mußt du anbeginnen".)
Haben die Ströme so in Gott ihren Ursprung und in Gott ihr Ende, so ist ihnen zwischen Ursprung und Mündung als Halbgöttern doch auch ein irdisches, begrenztes Schicksal gesetzt, dessen Erfüllung darin besteht, daß sie wieder heimfinden zum göttlichen Ursprung: „Er aber wandelt hin zu Unsterblichen". Auf dem Weg zu diesem Ziel aber leitet sie ihr Schicksal durch die Bedrängnisse und Begrenztheiten ihrer irdischen Existenz.
Die Ströme unterscheiden sich voneinander dadurch, *wie* sie ihre vorgezeichnete Bahn zu Ende gehen, so der *„Main"* in frommer Ergebenheit:

> „O ruhig mit den Sternen, du Glücklicher!
> Wallst du von deinem Morgen zum Abend fort,
> Dem Bruder zu, dem Rhein; und dann mit
> Ihm in den Ozean freudig nieder!" (Der Main 37-40);

so der *„Rhein"*, zunächst ungebärdig über den Widerstand mit dem Schicksal hadernd, da „ungeduldig ihn / Nach Asia trieb die königliche Seele", der dann aber „gehemmt von heiligen Alpen" schließlich

„Stillwandelnd sich im deutschen Lande
Begnüget und das Sehnen stillt
Im guten Geschäfte . . ." (Der Rhein 85-87)
Der Strom hier aber ist in Gefahr, seine Sendung zu *vergessen;* es bedarf des neuen Anrufs aus der Höhe, ihn zu neuem Lauf zu ermuntern, der ihn zum Ziel, „zu Unsterblichen", führen soll. Er zaudert, weil er seiner Kraft noch nicht − oder nicht mehr bewußt ist.

Ein *Vergleich* wird das Eigentümliche dieser „Strommythologie" Hölderlins noch deutlicher zeigen:

Auch in *Goethes „Mahomets-Gesang"* wird ein Stromschicksal geschildert. Auch dieser Strom kommt vom Göttlichen her, wo „gute Geister" über Wolken seine Jugend nährten; auch er findet sein Ziel in der Umarmung des Vaters, „des erwartenden Erzeugers"; auch er läßt Blumen im Tal wachsen, „und die Wiese lebt von seinem Hauch", wie Hölderlins Strom Freude, Frühling und neues Grün erweckt; oder wie Hölderlins Rhein „das Sehnen stillt / Im guten Geschäfte, wenn er das Land baut, . . . und liebe Kinder nährt / In Städten, die er gegründet", so läßt auch Goethes Strom „Marmorhäuser, eine Schöpfung seiner Fülle" entstehen.

Aber die Beziehung zum göttlichen Ursprung ist bei Hölderlin viel inniger und entschiedener gestaltet, und Goethes Strom steht nicht so *unter* dem Zwange des Schicksals, er schafft sich vielmehr *selbst* autonom sein Schicksal und erfüllt es in belebender, helfender und schöpferischer *Tätigkeit* für andere. Diese Beziehung zum Anderen, zum Du tritt bei Hölderlin durchaus zurück: der „Gefesselte Strom" weckt neues Leben, aber es ist nicht eigentlich seine Absicht und nicht sein Wunsch; der „Rhein" stillt das Sehnen im guten Geschäfte, aber es ist ihm auferlegt, er geht daran vorüber, er ist letztlich wie „Ganymed" ein „Fremdling" und „wandelt hin zu Unsterblichen".

Schließlich: Goethes Stromschicksal ist nur *Bild* und *Gleichnis* für den schöpferischen Menschen, den „Genius". Ein solcher Bezug ist bei Hölderlin nicht angedeutet und auch nicht beabsichtigt. Wohl hat auch bei Hölderlin der Genius ein ähnliches Schicksal: auch die „Königlichen", die heroisierten Griechen der Antike sind „des Ursprungs in tönender Brust gedenk" („Diotima"), auch die Dichter erinnern sich ihres (göttlichen) „Ursprungs" („Dichterberuf") und gehen ihren Weg „unter Gottes Gewittern" („Wie wenn am Feiertage"). Aber trotzdem ist Hölderlins Strom mehr als nur ein Bild für ein anderes: er ist selbst mythische Wirklichkeit. Strom und Genius sind hier *Parallelfälle.* Nur insoferne vermag uns der Strom freilich *auch* ein Zeichen, eine Mahnung, ein Hinweis auf das Göttliche zu sein, das Strom und Genius verbindet, als eben alles Göttliche untereinander in Wechselbeziehung steht. So ist die Vermenschlichung des Stromes in Hölderlins Gedicht wesentlich mehr als eine dichterische Metapher, mehr auch als nur eine Beseelung des Materiellen: denn der Strom ist selber mehr als Materie, ist selber etwas Lebendiges und Beseeltes.

Die *Ode* ist die Form der antiken Lyrik. Wir finden sie zuerst in der griechischen, äolischen Lyrik bei Sappho und Alkaios um 600 v. Chr.; durch die vier Odenbücher des Horaz, der sich rühmt, princeps Aeolium carmen ad Italos deduxisse modos, der erste gewesen zu sein, der „Roms Sange äolischer Lyra Klänge verliehn" (c. III 30, 13), ist diese Form späteren Jahrhunderten vertraut geblieben. In Strophen (in der Regel) zu vier Zeilen gegliedert, dient die Ode zum Ausdruck eines in sich geschlossenen lyrischen Gedankens. Ihr statischer Charakter ließ sie Hölderlin zum Ausdruck seiner Gedankenwelt besonders geeignet erscheinen.

Aus der Fülle der antiken Odenmaße wählt Hölderlin bevorzugt die gemessene sogenannte „alkäische Strophe" (auch bei Horaz die beliebteste Odenform; vgl. c. III 1, 1 Odi profanum volgus et arceo); seltener erscheint die lebendigere sogenannte „asklepiadeisch-glykoneische Strophe".

Der Bau der *alkäischen Strophe* bei Hölderlin ist streng und genau der antiken Form nachgebildet, nur daß er in souveräner Sprachbeherrschung das „quantitierende Prinzip" der Antike durch das „exspiratorisch-akzentuierende" ersetzt, d. h. die gesetzmäßige Alternation von Längen und Kürzen in der antiken Ode durch die betonter und unbetonter Silben ersetzt, wie das dem Charakter der deutschen Sprache entspricht.

Die vorliegende alkäische Strophe läßt auf zwei gleichgebaute Elfsilbler einen Neun- und einen Zehnsilbler folgen. Das Schema der Strophe ist:

$$\cup\ \stackrel{\_}{}\ \cup\ \stackrel{\_}{}\ \stackrel{\_}{}\ |\ \stackrel{\_}{}\ \cup\ \cup\ \stackrel{\_}{}\ \cup\ \stackrel{\_}{\cup}\quad (11)$$
$$\cup\ \stackrel{\_}{}\ \cup\ \stackrel{\_}{}\ \stackrel{\_}{}\ |\ \stackrel{\_}{}\ \cup\ \cup\ \stackrel{\_}{}\ \cup\ \stackrel{\_}{\cup}\quad (11)$$
$$\cup\ \stackrel{\_}{}\ \cup\ \stackrel{\_}{}\ \stackrel{\_}{}\ |\ \stackrel{\_}{}\ \cup\ \stackrel{\_}{}\ \cup\quad\quad\ (9)$$
$$\stackrel{\_}{}\ \cup\ \cup\ \stackrel{\_}{}\ |\ \cup\ \cup\ \stackrel{\_}{}\ \cup\ \stackrel{\_}{}\ \cup\quad (10)$$

Die letzte Silbe jeden Verses gilt in der Antike als „anceps", d. h. sie kann lang oder kurz sein. Bei Hölderlin liegt in den beiden ersten

Zeilen auf der letzten Silbe in der Regel ein Nebenton, in den Zeilen drei und vier ist die Silbe meistens unbetont. Abweichungen sind nur selten: 2: Gedúldiger 14: Zerbróchenen 22: Unstérblichen. Umgekehrt trägt in der letzten Zeile die letzte Silbe sicher nicht unbeabsichtigt gegen die Regel einen entschiedenen Nebenton: aúfnìmmt. Das beruhigte Heimkehren zum Ursprung findet so seinen Ausdruck.

Sonst finden sich im Innern der Verse kaum Abweichungen; auffällig – und auch hier wieder nicht ohne Absicht – ist nur: der Zaúderér, wo die letzte Silbe den Hauptton verlangt. Daß „er áber" und „dárf er" betont werden muß, entspricht sinngemäßer Lesung.

Gemessen setzt die Ode mit der ersten Strophe ein. Das selbstvergessene *Beharren des Stromes* wird durch ein Polysyndeton sinnverwandter Verben unterstrichen, von denen zwei (träumst; säumst) außerdem durch Assonanz aneinander gebunden sind. Das Verhalten des Stromes kommt erst in positiver, dann in negativer Weise zum Ausdruck („achtest nicht"); die Frageform weist auf die zweite Strophe voraus.

Auch der *Anruf des Lebens* in der zweiten Strophe durch „Liebesboten" und „Wort von oben" ist auf je zwei Verse verteilt, das erste Paar ist durch die flüssigen L-Laute (Liebe, Leben, Lüfte), das zweite durch die W-Alliteration (Wort, wachend) charakterisiert.

Sind die beiden ersten Strophen jeweils in sich abgeschlossen, so sind die folgenden drei durch auffälliges Enjambement zu einer Einheit verknüpft, wie eben das Ereignis des *Eisgangs* in Vorbereitung, Vollzug und Wirkung als Antwort des Stromes auf den Anruf inhaltlich eine Einheit bildet.

Die sprachliche Kunst erreicht hier einen Höhepunkt: wie eine Fanfare klingt gleich das gedoppelte „schon tönt", die Sperrung „es quillt – ihm auf" vervielfacht die Wirkung des einfachen Verbs, das dreifache „nun" bereitet den Vollzug vor, der durch das Polysyndeton der drei, außerdem durch den schneidenden I-Laut in sich verbundenen Verben „und nimmt und bricht und wirft", durch den dreifachen Stabreim (Zauderer, Zerbrochenen, Zorn), durch die Wiederaufnahme des Verbs „bricht" im Partizip des folgenden Gliedes „Zerbrochenen" (in Übernahme einer antiken Fügung: urbem cepit captamque delevit) und durch die Weiterführung des Polysyndetons (da und dort, und an der Stimme) sinnfällig zum Ausdruck kommt.

Ausklang und belebende Wirkung des Geschehens schildert die fünfte Strophe zunächst in kurzen parataktischen Sätzen, als ob der lange

Atem sich erschöpft hätte, bis in den letzten beiden Zeilen das atemberaubende Geschehen sich zur „Freude" klärt.

Das Bild des „Frühlings" in der sechsten Strophe, das im Wort zudem den Anlaut von „Freude" wiederaufnimmt, führt zunächst noch das Geschehen der fünften Strophe weiter; dann jedoch ist der Ausklang der Strophe und der Ode in äußerster Knappheit und Schlichtheit des Ausdrucks gestaltet: das betonte „aber" führt zum Schicksal des Stromes zurück, das in den Armen des Vaters seine Erfüllung findet.

Nur mit einigen Hinweisen kann hier auf die Weiterbildung des Motivs in der Ode „Ganymed" eingegangen werden
Inhaltlich wird hier das Naturmotiv verlassen; denn der „Bergsohn" ist kaum mehr der Strom, sondern eben *„Ganymed".* der Königssohn aus Troja und Hirte vom Idagebirge, den Zeus zu sich emporholt, damit er ihm „an den Tischen" der „Himmlischen" aufwarte. Oder sollte man eher sagen, daß in der geradezu gedoppelten Metapher „Ganymeds" für den „Jüngling" das Stromschicksal in dieser Gestalt seinen antiken Mythos findet? Die „Lüfte" als Boten des Vaters, doch nicht mehr des Ozeans sind geblieben, das „Wort von oben" aber ist die Stimme des Dichters — „voll alten Geists ein gewanderter Mann" — geworden. Der „Eisgang" erscheint jetzt als Befreiung von „Schlacken", als innerseelischer Vorgang der Reinigung, der freilich zu dem „schauenden Ufer" nicht mehr recht passen will. Die Stimme des also Gereinigten, nunmehr eines „Fremdlings" auf Erden, weckt Wälder und Ströme, doch auch den „Geist im Nabel der Erde", deren mütterlicher Grund am Gang des begnadeten Sohnes zum Vater „schaudernd" (= staunend und sich regend) Anteil nimmt. Denn der „geht irr nun" auf seiner besonderen Bahn zum Vatergott, wo ihn „himmlisch Gespräch" im Einssein mit Gott erwartet.

Dem vergeistigten und so unanschaulich gewordenen äußeren Geschehen entspricht die dunklere, gewichtigere und gedrängtere *Sprache;* sie ist „schärfer im Profil, karger im Umriß, härter im Stoff, reicher und verdichteter in der Substanz geworden" (W. Michel).

Von dem hymnischen Aufschwung in *Goethes* „Ganymed" ist bei Hölderlin nicht mehr viel zu spüren; Hölderlins Ode wirkt eher karg und nüchtern: denn *nicht mehr im Rausch des Gefühls* wird hier das Einswerden mit dem Allgott erlebt, sondern *im Geist* läutert sich der Begnadete zum Vatergott.

Ludwig Voit

Friedrich Hölderlin:
Heimkunft

IX/130-133

An die Verwandten

1

Drinn in den Alpen ists noch helle Nacht und die Wolke,
    Freudiges dichtend, sie deckt drinnen das gähnende Tal.
Dahin, dorthin toset und stürzt die scherzende Bergluft,
    Schroff durch Tannen herab glänzet und schwindet ein Strahl.
Langsam eilt und kämpft das freudigschauernde Chaos,
    Jung an Gestalt, doch stark, feiert es liebenden Streit
Unter den Felsen, es fährt und wankt in den ewigen Schranken,
    Denn bacchantischer zieht drinnen der Morgen herauf.
Denn es wächst unendlicher dort das Jahr und die heilgen
    Stunden, die Tage, sie sind kühner geordnet, gemischt.
Dennoch merket die Zeit der Gewittervogel und zwischen
    Bergen hoch in der Luft weilt er und rufet den Tag.
Jetzt auch wachet und schaut in der Tiefe drinnen das Dörflein
    Furchtlos, Hohem vertraut, unter den Gipfeln hinauf.
Wachstum ahnend, denn schon, wie Blitze fallen die alten
    Wasserquellen, der Grund unter den Stürzenden dampft,
Echo tönet umher, und die unermeßliche Werkstatt
    Reget bei Tag und Nacht, Gaben versendend, den Arm.

2

Ruhig glänzen indes die silbernen Höhen darüber,
    Voll mit Rosen ist schon droben der leuchtende Schnee.
Und noch höher hinauf wohnt über dem Lichte der reine
    Selige Gott vom Spiel heiliger Strahlen erfreut.
Stille wohnt er allein und hell erscheinet sein Antlitz,
    Der ätherische scheint Leben zu geben geneigt,
Freude zu schaffen, mit uns, wie oft, wenn, kundig des Maßes,
    Kundig der Atmenden auch zögernd und schonend der Gott
Wohlgediegenes Glück den Städten und Häusern milde
    Regen, zu öffnen das Land, brütende Wolken, und euch,
Trauteste Lüfte dann, euch, sanfte Frühlinge sendet,
    Und mit langsamer Hand Traurige wieder erfreut,

Wenn er die Zeit erneut, der Schöpferische, die stillen
  Herzen der alternden Menschen erfrischt und ergreift,
Und hinab in die Tiefe wirkt, und öffnet und aufhellt,
  Wie ers liebet, und jetzt wieder ein Leben beginnt,
Anmut blühet, wie einst, und gegenwärtiger Geist kömmt,
  Und ein freudiger Mut wieder die Fittiche schwellt.

3

Vieles sprach ich zu ihm, denn, was auch Dichtende sinnen
  Oder singen, es gilt meistens den Engeln und ihm;
Vieles bat ich, zu lieb dem Vaterlande, damit nicht
  Ungebeten uns einst plötzlich befiele der Geist;
Vieles für euch auch, die im Vaterlande besorgt sind,
  Denen der heilige Dank lächelnd die Flüchtlinge bringt,
Landesleute! für euch, indessen wiegte der See mich,
  Und der Ruderer saß ruhig und lobte die Fahrt.
Weit in des Sees Ebene wars ein freudiges Wallen
  Unter den Segeln und jetzt blühet und hellet die Stadt
Dort in der Frühe sich auf, wohl her von schattigen Alpen
  Kommt geleitet und ruht nun in dem Hafen das Schiff.
Warm ist das Ufer hier und freundlich offene Tale,
  Schön von Pfaden erhellt, grünen und schimmern mich an.
Gärten stehen gesellt und die glänzende Knospe beginnt schon,
  Und des Vogels Gesang ladet den Wanderer ein.
Alles scheinet vertraut, der vorübereilende Gruß auch
  Scheint von Freunden, es scheint jegliche Miene verwandt.

4

Freilich wohl! das Geburtsland ists, der Boden der Heimat,
  Was du suchest, es ist nahe, begegnet dir schon.
Und umsonst nicht steht, wie ein Sohn, am wellenumrauschten
  Tor' und siehet und sucht liebende Namen für dich,
Mit Gesang ein wandernder Mann, glückseliges Lindau!
  Eine der gastlichen Pforten des Landes ist dies,
Reizend hinauszugehn in die vielversprechende Ferne,
  Dort, wo die Wunder sind, dort, wo das göttliche Wild
Hoch in die Ebnen herab, der Rhein, die verwegne Bahn bricht,
  Und aus Felsen hervor ziehet das jauchzende Tal,
Dort hinein, durchs helle Gebirg, nach Komo zu wandern,
  Oder hinab, wie der Tag wandelt, den offenen See;

Aber reizender mir bist du, geweihete Pforte!
Heimzugehn, wo bekannt blühende Wege mir sind,
Dort zu besuchen das Land und die schönen Tale des Neckars,
Und die Wälder, das Grün heiliger Bäume, wo gern
Sich die Eiche gesellt mit stillen Birken und Buchen,
Und in Bergen ein Ort freundlich gefangen mich nimmt.

5

Dort empfangen sie mich. O Stimme der Stadt, der Mutter!
O du triffest, du regst Langegelerntes mir auf!
Dennoch sind sie es noch! noch blühet die Sonn' und die Freud' euch,
O ihr Liebsten! und fast heller im Auge, wie sonst.
Ja! das Alte noch ists! Es gedeihet und reifet, doch keines
Was da lebet und liebt, lässet die Treue zurück.
Aber das Beste, der Fund, der unter des heiligen Friedens
Bogen lieget, er ist Jungen und Alten gespart.
Törig red ich. Es ist die Freude. Doch morgen und künftig
Wenn wir gehen und schaun draußen das lebende Feld
Unter den Blüten des Baums, in den Feiertagen des Frühlings
Red' und hoff' ich mit euch vieles, ihr Lieben! davon.
Vieles hab ich gehört vom großen Vater und habe
Lange geschwiegen von ihm, welcher die wandernde Zeit
Droben in Höhen erfrischt, und waltet über Gebirgen
Der gewähret uns bald himmlische Gaben und ruft
Hellern Gesang und schickt viel gute Geister. O säumt nicht,
Kommt, Erhaltenden ihr! Engel des Jahres! und ihr,

6

Engel des Hauses, kommt! in die Adern alle des Lebens,
Alle freuend zugleich, teile das Himmlische sich!
Adle! verjünge! damit nichts Menschlichgutes, damit nicht
Eine Stunde des Tags ohne die Frohen und auch
Solche Freude, wie jetzt, wenn Liebende wieder sich finden,
Wie es gehört für sie, schicklich geheiliget sei.
Wenn wir segnen das Mahl, wen darf ich nennen und wenn wir
Ruhn vom Leben des Tags, saget, wie bring' ich den Dank?
Nenn' ich den Hohen dabei? Unschickliches liebet ein Gott nicht,
Ihn zu fassen, ist fast unsere Freude zu klein.
Schweigen müssen wir oft; es fehlen heilige Namen,
Herzen schlagen und doch bleibet die Rede zurück?

Aber ein Saitenspiel leiht jeder Stunde die Töne,
Und erfreuet vielleicht Himmlische, welche sich nahn.
Das bereitet und so ist auch beinahe die Sorge
Schon befriediget, die unter das Freudige kam.
Sorgen, wie diese, muß, gern oder nicht, in der Seele
Tragen ein Sänger und oft, aber die anderen nicht.

„Es ist mir sehr lieb, daß ich voriges Jahr doch einige Zeit in eurer
Näh gelebt habe; ich war so fremde geworden unter den Menschen
und hab es unter euch erst wieder und vielleicht zum erstenmale ganz
gefühlt, wie unter euch mein Leben lang eine Zuflucht für mein Herz
bleibt", schreibt Hölderlin an die Mutter am 24. 1. 1801 aus der
Schweiz. Staunend vor den Alpen erlebt er einen neuen Frühling.
„Dies ist seit drei Jahren der erste Frühling, den ich mit freier Seele
und frischen Sinnen genieße . . ." (An Landauer). Aber bald darauf
heißt es: „Überhaupt ists seit ein paar Wochen ein wenig bunt in
meinem Kopfe . . . ists Segen oder Fluch, dies Einsamsein?" (An
Landauer). Wenig später kehrt Hölderlin heim.

∗

Wehmut stimmt den elegischen Ton an. Seit der Antike empfindet
man das Distichon in seinem sechsfüßigen Aufsteigen und dem fünf-
füßigen Zurückschwingen als das Maß, das dem Wesen der Elegie
entspricht. So atmet denn auch hier der Rhythmus ein und aus, wie
Ebbe und Flut, verhaltener oder stürmischer, aber immer in großer
Gebärde.
Die Betrachtung schaut in Bildern, aber sich selbst doch so bewußt,
daß sie in entschiedenem Willen zur Form das schwierige Maß (sechs
Strophen zu je neun Distichen) ergreift und beherrscht, daß sich Gedanke und Satz frei in ihm bewegen. Sie decken sich mit dem Vers,
wo das Bild in sich ruht. Sie überlaufen oder zerbrechen ihn syntaktisch, wo der Andrang des Sagens übergroß wird: in der Nennung
des seligen Gottes; in dem Rückwärts und Vorwärts vor dem Tor
der Heimat; vor dem heim-suchenden Erlöser und der Berufung des
Dichters.
Das Wort folgt diesem Verweilen und Drängen: Präsenspartizipien
und Komparative am Anfang, dann reiche Adjektiva und schließlich, bedeutend, das fast nackte, nüchterne Substantiv. Im Grunde aber
tragen die Verben – mit Ausnahme einer halben Strophe der Rück-

schau durchweg im Präsens – Ausdruck und Sinn, häufig gesteigert noch durch alliterierende Doppelung, während der Hang zur Substantivierung im Neutrum ein Durchscheinen des Gedanklichen durch das Bild verrät. Aus kühnen Entgegensetzungen holt das Wort seine Spannung (z. B. „freudigschauerndes Chaos feiert liebenden Streit") und fügt sich nur unbequem in das Metrum, die Daktylen an sinnschweren Stellen durch Trochäen und sogar Spondäen verdrängend.

In diesen Elementen liegt das innerliche Ringen bloß. Der wunde Gedanke sticht durch die Bildwand, rüttelt am Vers und zittert im Klang: ein höchst erregter und bewegter Geist, der, im Versuch zu ordnen, dem Fließen der Dinge die feste Form entgegensetzt, eigen und eigenwillig die Sprache, gebändigt und noch gehalten zwar, aber aus dieser Form hinausdrängend.

I

Im Gedicht überquert der Wanderer den Bodensee vom Rheintal her nach Lindau und blickt zurück auf die hohe Welt der Alpen, über der noch „helle Nacht" liegt. Freundlich-verheißend, den Menschen geheime Wohltat wirkend – „Freudiges dichtend" – hüllt eine Wolke das erfüllungsharrende, erwachende, das „gähnende" Tal. Die Wolke ist ein verhüllendes Dazwischen, himmel- und erdwärts gewandt, des „Freudigen" gewiß, weil sie schon ins Strahlende schaut. Die Luft wird bewegt, „toset und stürzt", doch nur wie Spiel, „scherzend", ist ihr Reigen mit den Nebeln, bis jäh ein Strahl, der erste, „schroff durch die Tannen" herabdringt, dann aber wieder verhängt wird von den wallenden Schleiern. Ein Chaos, ein Werden aus dem Dunkel wie am Schöpfungstage, „freudigschauernd, jung, stark", „eilt, kämpft, gärt, wankt", findet und trennt sich in „liebendem Streit", – im Wort ringen die Gegensätze – bis das Licht siegt.

„Denn bacchantischer zieht drinnen der Morgen herauf."

Die Fluten des Lichts, die Entschleierung der großen Formen: es ist ein Fest des Dionysos, des Bacchus – ein Bacchanal.

Denn das Enthüllte ist größer (die Komparative wiederholen!) dort in den Alpen, das „Jahr unendlicher" und die Tage „kühner", „heilige Stunden" der Natur. Alles ist gewaltiger. Das Jahr ist dort gewachsen wie das Gebirg. „Die große Natur in diesen Gegenden erhebt und befriedigt meine Seele wunderbar. Ich kann nur dastehen wie ein Kind und staunen", schreibt Hölderlin (23. 2. 1801). „Vor den Alpen stehe ich noch immer betroffen, ich habe wirklich einen solchen Eindruck noch nie erfahren, sie sind wie eine wunderbare Sage aus der Heldenjugend unserer Mutter Erde." Auch später nennt er die Alpen immer wieder als Bild eines Gewaltigen („Die Wanderung"), spricht von „Gipfeln der Zeit" („Patmos") und „die Zeiten der Schaffenden sind wie Gebirg" („Der Mutter Erde").

Der „Gewittervogel", der Adler, „ruft den Tag". Der Majestät der Natur entspricht die Hoheit des Tieres. Der Großheit unter ihm verwandt, doch über dem Werden, nimmt der Adler aus der Höhe des Fluges zuerst die Veränderung wahr, den Schritt der Zeit, den unaufhaltsamen Vollzug. Der Ruf des Geschöpfs gilt dem Lebendigen. Er wird gehört. Das Dörflein, in die Tiefe geschmiegt, erwacht und blickt ohne Furcht auf zu den vertrauten Gipfeln. „Drinnen" wird ein viertes Mal wiederholt: die ganz eigene, in sich ruhende und geschlossene Welt der Alpen erwacht.

Wie hier das Verbum, aufsteigend zu immer beseelterer Wahrnehmung, das Erwachen verwirklicht! „Deckt, toset und stürzt, glänzet und schwindet, feiert, fährt und wankt — zieht herauf, wächst — merket, weilt, rufet, wachet und schaut." Das Schauen bereitet das feinste Mitschwingen, das „Ahnen" eines Größerwerdens, das aus dem Element der Fruchtbarkeit quillt: „Wachstum" und „Wasser", durch Voranstellung und Klang aufeinander bezogen.

> „*W*achstum ahnend, denn schon, wie Blitze fallen die alten
> *W*asserquellen . . ."

Das Geheimnis des Wassers ist berührt: Element seit der Schöpfung, das von oben kommt, reinigt, befruchtet und geht, um wieder aufzusteigen. Das „alte", später („Die Hälfte des Lebens") sagt Hölderlin „das heilig-nüchterne Wasser". Aber auch Quelle ist gesagt, das Hervorbrechen, In-die-Welt-treten, die immer neue Geburt, der die erwachende Menschheit entgegennaht. Das Bild wird ganz: Aufschau und Fall, Steigen und Neigen — zeugende Blitze und Ursprung in der Zone der Berührung. Dort entspringt Leben, das sich einfügt in den größeren Kreislauf, das hinauswirkt — „Gaben versendend". Mit dem Morgen ist das Gebirge — welch kraftvolle Klänge! — eine „unermeßliche Werkstatt" geworden.

2

Unberührt ruhen „die silbernen Höhen darüber", sie „glänzen". In „Patmos" heißt es: „ . . . aber im Lichte / blüht hoch der silberne Schnee." Ein bräutliches Bild steigt auf:

„Voll mit Rosen ist schon droben der leuchtende Schnee." Es sind ein Bild und ein Sprachraum erreicht, die sich nicht mehr steigern lassen. Anderswo heißt es: „Am Abendhimmel blühet ein Frühling auf" („Abendphantasie"). Wir rühren an das eigentlich Dichterische, das in solcher Sprachkraft Wirklichkeit schafft.

Die Region der Berge empfindet der Dichter als rein, besonders das „Alpengebirg, / das mir das Göttlicherbaute / die Burg der Himmlischen heißt" („Der Rhein"). Es ist die Wohnstatt der Götter und Ort der Verkündigung göttlicher Normen. „Es lehren die Berge heilge Gesetze dich" („Unter den Alpen gesungen"). Nimmer verlassen den Dichter die Namen der geheiligten Häupter: Olymp, Athos, Ätna, Kaukasus.

„Und noch höher hinauf wohnt über dem Lichte der reine / Selige Gott." Nun, da er ihn genannt, den Reinen, Seligen, Einsamen, Hellen, den Ätherischen und Schöpferischen, um den ein „Spiel herrlicher Strahlen" blüht, bricht die gewaltige Genüge des Göttlichen in sein Wort. Da ist kein Verweilen gegönnt. Über vierzehn Zeilen spannt ein einziger Satz, in sich aber wieder stockend und erregt:
„Freude zu schaffen, mit uns, wie oft, wenn, kundig des Maßes." Der Gott „scheint Leben zu geben und Freude zu schaffen geneigt". Bei aller Beglückung zögert das Wort: „scheint . . . geneigt". Der Gott aber kennt das Maß und die Ordnungen; er kennt die „Atmenden", die Menschen. Darum zögert er und sendet schonend nur wirkliches „wohlgediegenes Glück": „milde Regen", „trauteste Lüfte", „sanfte Frühlinge". Er schont mit seinem Übermaß. Er schafft das Klima, das den Menschen leben läßt, die Freude. Behutsam, wie er die Natur erneuert, erfreut er Menschen, „Traurige". Gleich dem Naturvorgang bringt er den Frühling der Seele wieder. In sanftem Wandeln bildet er „die Zeit" neu – Tage, Jahreszeiten, Jahre, vielleicht auch Kulturen – er, der „die Göttersprache, das Wechseln und Werden spricht" („Archipelagus").

Der Schöpferische erneuert von innen her die Zeiten, indem er „die stillen Herzen der alternden Menschen erfrischt und ergreift". Stille Herzen sind reif und bereit. Und die Stillen hellt sein Hauch in ihrer Tiefe auf. Die Milde „öffnet" die Wartenden wie die „milden Regen" das vertrocknete Land zu neuer Fruchtbarkeit. „Wie ers liebt": denn er liebt den hellen, freudigen Menschen. Dann mag das Leben neu anheben, auf Flügeln, in Anmut, Geist und Freude.

„Wie einst!": was einst wirklich war unter der griechischen Sonne, der schöne Mensch, jetzt ersteht er neu und der Geist wandert von

Hellas nach Hesperien und wird wieder Gestalt. „Es werde von Grund
auf anders! Aus der Wurzel der Menschheit sprosse die neue Welt!"
(Hyperion).
„Anmut blühet, wie einst, und gegenwärtiger Geist kömmt,
    Und ein freudiger Mut wieder die Fittiche schwellt."
Wer aber verheißt das? Es ist der reine, selige Gott, der die Elemente
lenkt, die Menschen kennt, die Zeiten schafft, das All durchseelt.
Darum wohnt er auch höher, noch „über dem Lichte"; denn selbst
das herrliche Licht ist sein Werk und faßt ihn nicht. So wohnt er denn
„stille allein" – diese göttliche Stille ist darum auch der Stille der
Menschen zugewandt – wir wissen ihn nicht, aber „hell e r s c h e i n t
uns sein Antlitz".

3

Noch blickt der Wanderer rückwärts. Er gewinnt Abstand von der
„unermeßlichen Werkstatt" und dem „reinen seligen Gott", daß er
nun, seine Gespräche als Vergangenes empfindet.
                „Vieles sprach ich zu ihm."
Eine Fülle ist in dem „Dichtenden", die er aussprechen, oder genauer:
„sinnen oder singen" muß. Es sind die beiden Takte des Dichtens, Sinn
finden und künden im Gesang. Der große Sinn, den der vates aus-
spricht, ist fast immer bezogen auf das reine Wesen der Dinge, auf die
„Engel" und auf Gott. Jene Ordnungen zu künden, ist der Dichter da.
Er lebt aus ihnen und steht ihnen deswegen näher. Deshalb darf er der
Bittende sein.
Es geht um viel; dreimal das Wort „vieles", jedesmal betont an der
Spitze des Distichons.
                „Vieles bat ich zu lieb dem Vaterlande."
Der Dichter bittet für das Vaterland. Die Heimat, das Geburtsland, das
nahe liegt, kommt in den Sinn. „Vaterland" aber ist größer, ein
geistiger Raum.

        „O heilig Herz der Völker, o Vaterland!"
        „Du Land des hohen, ernsten Genius!
        Du Land der Liebe!"   („Gesang des Deutschen")

Aber die Wirklichkeit stimmt mit dem Ideale nicht überein. „Ich kann
kein Volk mir finden, das zerrissener wäre als die Deutschen . . . Es ist
nichts Heiliges, was nicht entheiligt ist bei diesem Volk . . . Sie leben
in der Welt wie Fremdlinge im eigenen Hause . . ." („Hyperion").
Hölderlin weiß, das Vaterland ist nicht bereit, wenn der Geist kommt,

der verheißen ist. Denn „wie der Frühling wandelt der Genius von Land zu Land" („Gesang des Deutschen"). Wehe, wenn er das Vaterland so fände, wie es jetzt ist — zerrissen, ohne Einklang im Geist. Hölderlin lebt in dem Gefühl des Anbruchs. „Daß unsere Zeit nahe ist", schreibt er an den Bruder (1800), „daß der Egoismus in allen seinen Gestalten sich beugen wird unter die heilige Herrschaft der Liebe und Güte, daß Gemeingeist über alles in allem gehe." Dieser Gestimmtheit verbindet sich das Wissen um die einmalige Möglichkeit des rechten Augenblicks. „Denn wiederkommen sollt er zu rechter Zeit" („Patmos"). Dann ist kein Zögern mehr. „Und hie ist kein Bedenken mehr, es ruft der Gott" (Empedokles auf dem Ätna, I, 1). Das verpflichtet zur Bereitschaft vor dem Kommenden.

Die Deutschen sind nicht bereit. „Aber die Besten unter den Deutschen meinen noch immer, wenn nur erst die Welt hübsch symmetrisch wäre, so wäre alles geschehen. O Griechenland, mit deiner Genialität und Frömmigkeit, wo bist du hingekommen?" (An den Bruder, 24. 12. 1798). Er fürchtet das Nahen des Geistes. „Und wehe dem Fremdling, der aus Liebe wandert und zu solchem Volk kömmt" („Hyperion"). Die großen Zeiten kindlicher Genialität sind vorbei. „Aber Freunde, wir kommen zu spät" („Brot und Wein").

Die Deutschen sind nicht bereit. Schmerzlich weiß das der Dichter, ein grundlegendes Wissen. Es ist die Sorge dessen, der den Geist nahen fühlt. Darum bittet der Wanderer den Herrn der Zeit zu zögern, damit der Geist schonend sich nahe, damit er nicht „ungebeten" und „plötzlich" hereinbräche und uns nicht bereit fände. Kraft seines Bezugs „zu den Engeln und ihm" waltet der Dichter hier als Mittler und Fürsprech von Vaterland und Landsleuten.

In solchem Gefühle sucht er die Heimat und in ihr jenen kleinen Kreis, der um ihn „besorgt" ist, die Verwandten. Er sucht den Ort der Geborgenheit, wohin alle, die aus der Fremde als „Flüchtlinge", als Zuflucht Suchende, wandern, mit frohem Antlitz, „lächelnd" wiederkehren dürfen, von „heiligem Dank" zurückgebracht. Denn reine Dankbarkeit ist geheiligt und macht froh.

Mit dem Bild und den Lauten der Heimat weitet sich der Kreis — „Landesleute! für euch auch" — auf alle, die im Vaterlande Sorge tragen um einen in der Fremde und die den Unsteten Zuflucht sind. —

Drängt das Sagen des Bevorstehenden in einem Satz über acht Verse, so beruhigt sich die Erregung an dem ausgeglichenen Bilde der Natur, schwingt aus, zuerst noch zwei, dann immer nur ein Distichon im Satz überspannend. Das Tempus der Vergangenheit, das sämtliche

Erfahrungen und Bemühungen in der Rückschau zum Wissen zusammenfaßt, weicht dem Präsens, das Erleben wird wieder ganz
gegenwärtig.
Der See wiegt den Wanderer noch: „wallende Segel", die Stadt „blühet und hellet auf", das Schiff legt an. Und der ruhige Fährmann,
Sinnbild des Übergangs von Ufer zu Ufer, „lobte die Fahrt".
Der Wanderer löst sich vom großen Bild und wendet sich der Heimat
zu, die offen und lieblich, heiter und leuchtend einlädt. Dort ist der
Hauch knospenden und gedeihenden Lebens, dort die „heitere Witterung, in der die Blumen des Herzens gedeihen" („Hyperion"). Dort
ist „das Freudige". Das Antlitz der Heimat ist dem Heimkehrer vertraut und verwandt.

4

„Was du suchst, es ist nahe." Das unaussprechliche Gefühl der Heimat läßt ihn, den „wandernden Mann", keine Namen finden, die seine
Liebe auszusprechen vermöchten. Er steht, wie ein verlorener Sohn,
am Tor.
                      „ . . . glückseliges Lindau!
      Eine der gastlichen Pforten des Landes ist dies . . ."
Das Bemühen, den Boden der Heimat abzugreifen — „ . . . deine Kinder, die Städte am weithindämmernden See, an Neckars Weiden, am
Rheine . . ." („Wanderung") — weist auf die Ode „Heidelberg". Auch
dort, an der anderen „Pforte", sucht der Dichter nach Namen; er
sagt: „Mutter!" Hier aber darf er dies Wort nicht vorwegnehmen. So
preist er denn Lindau glückselig. Dort, an der Pforte Heidelberg, ziehen die Wasser des Stromes hinaus, verbinden sich der Ferne, hier
ruhen und wiegen die Wasser des Sees, mehr Grenze, doch weniger
trennend wie die nahen Gipfel. Dort die Brücke, hier das Tor. In beiden Bildern sind die Dimensionen ausgeschritten.
Von dem trennenden Tore schweift noch einmal ein Blick zurück
über den See in die „vielversprechende Ferne, dort, wo die Wunder
sind", wo der Rhein, „das göttliche Wild", ins Felsental jauchzt,
schweift bis nach Komo hinunter, das von Italien und Griechenland
träumt, oder schweift, „wie der Tag wandelt", nach Westen.
Das Tor drängt das Erleben zusammen. Mit Ausnahme der beiden
einleitenden Distichen wird die Strophe von einer einzigen Periode
(13 Verse) überspannt, vom Strichpunkt gegliedert in Satz (7) und Gegensatz (6). Und die Lobpreisung „Glückseliges Lindau!" erhebt sich
(Komparativ!) unter der Gnade der Heimkehr zum Ausdruck der

Weihe für diese Pforte. Geheiligt ist das Land dahinter, das aus den Landschaften des Tales, der Wälder und der Berge leuchtend gebaut ist, wo zur Einkehr laden „heilige Bäume", stammend aus uralten Mythen wie Wasser und Quell.

> „Reizend hinauszugehn in die vielversprechende Ferne . . .
> Aber reizender mir bist du, geweihete Pforte!
> Heimzugehn . . ."

Die friedlose Fremde, die viel versprach, versinkt vor der Weihe der Heimkunft. „Man lernt sehr, sehr viel in der Fremde. Man lernt seine Heimat achten", schrieb Hölderlin schon 1795 an die Mutter. Wieder gibt sich der Flüchtling der Heimat hin. Immer wieder spricht Hölderlin das Glück der Heimkehr aus: „Nimm und segne du mein Leben, o Himmel der Heimat, wieder" („Rückkehr in die Heimat"). „Treu auch bist du von je, treu dem Flüchtlinge blieben, / Freundlich nimmst du wie einst, Himmel der Heimat, mich auf" („Der Wanderer"). Es ist das Land der Herkunft. „Glückliches Suevien, meine Mutter . . ." („Wanderung"). Unendliches Glücksgefühl verdichtet sich gegenwärtig im Tor, das die Heimat aufschließt.

Im Bilde der Pforte sammelt sich aller Ausgang und Eingang, Ferne und Nähe, Fremde und Heimat, Vergangenheit und Zukunft, sinnvoll, weil in ihr alle Ausfahrt auch Heimkunft werden kann. „Besteht ja das Leben der Welt im Wechsel des Entfaltens und Verschließens, in Ausflug und in Rückkehr zu sich selbst" (Hyperion). Es ist das große, zentrale Bild der Elegie, das Bild der Trennung und Wiedervereinigung, das Symbol allen Durchgangs und Übergangs. Die Heimkehr aber ist das Größere. „Was du suchst, es ist nahe."

5 und 6

Das Wiedersehen wirkt lebendig voraus. Die „Stimmen der Stadt und der Mutter" empfangen den Flüchtling, dem seine Kindheit wieder vertraut wird. „Du regest Langegelerntes mir auf." Im Auge der Lieben „blühet" die Freude des Wiedersehens. „Ja! das Alte noch ists!" Gereift, doch in sich unverändert − „treu"; denn Liebe hat dies Leben gesegnet, das nahe dem Heimischen wohnt.

Doch was das Beste ist, das unter diesem „heiligen Frieden" liegt, „Junge und Alte", sie wissen nicht davon; es ist „gespart", ausgespart.

„Der Fund, das Beste", „liegt unter dem Bogen des heiligen Friedens". Bogen als Teil eines Kreises greift vieles zusammen und alles, was ihm innewohnt, ist dahin gerichtet, das Vielseitige und Vielgerichtete zum Kreis zu runden. Der Kreis aber ist die Figur, die begrenzt und zugleich in sich unendlich ist, die nimmer endet und immer zum Anfang kommt. So schlägt der Friede einen Bogen, der zusammenhält, nie endet und stets neu anfängt. Er bleibt immer unvollendet und ist immer aufgegeben. Der Bogen hütet und hegt. In seiner Mitte aber liegt der „Fund". Vermöchten wir den vollen Kreis des geheiligten Friedens je auszuschreiten, die verborgene Mitte würde offenbar. Auch das Bemühen der Lieben daheim ist Teilstück wie der Bogen. Sie übersehen das volle Glück, die Heiligkeit ihres Friedens nicht. Der Fund, „das Beste", ist ihnen „gespart".

„Heiliger Friede": ein Friede, der aus der Vollkommenheit göttlicher Stille fließt. Hölderlin sagt hier Ziel und Weg, „Gebot und Erfüllung" („Hyperion").

Mit der Heimkehr aber ist der Kreis des Lebens ausgeschritten. Die Ferne hat ihre vielen Versprechen als bittere Erfahrungen eingelöst. Der Schritt zum Ursprung zeigt dem Wanderer die Vollkommenheit des heimatlichen Friedens. Weil er mehr kennt, erkennt er mehr als die, die nahe am Ursprung sitzen. Er ist erfahren und sehend für sein Wesen. Diesen Fund tun zu dürfen, ist Geheimnis und Weihe der Heimkunft. Der Wanderer erlebt und erfährt den Kern seines Ursprungs, die Tiefe seiner Herkunft, die Quelle seines Wesens. Im Wissen um den eigenen Grund liegt der Fund. Fremde, Sehnsucht und Leid führen zu ihm.

Und beinahe spricht der von Freude Überwältigte, dessen Rede in kurzen Sätzen und in Ausrufen dahinstürmt, sein Geheimnis aus, das doch nur erlebt und erlauscht und erlitten werden kann. Da faßt er sich. „Törig red ich."

„Es ist die Freude." Der Augenblick ist übermächtig und erlaubt nicht zu sprechen. Es wird die Zeit – „morgen und künftig" – und die blühende Natur – denn Frühlingstage sind Feiertage – das Widerfahrene auch sagbar machen.

Mit dem Fund des Ursprünglichen bricht ein letztes Fragen auf. Immer dringender wird die bergende Antwort. „Ich hatte unter Leiden gerungen, die nach allem zu schließen, überwältigender sind als alles andere, was der Mensch mit eherner Kraft auszuhalten imstande ist. Ich hatte gerungen bis zur tödlichen Ermattung, um das höhere Leben im Glauben und Schauen festzuhalten . . . da das Herz zerrissen

war ... da mußt' ich auch in Gedanken mich in jene bösen Zweifel verwickeln, nämlich, was mehr gelte, das Lebendigst-ewige oder das Zeitliche" (An den Bruder, März 1801).
Gott ist so nahe, wie groß das Bedürfnis nach ihm ist.

> „Vieles hab ich gehört vom großen Vater und habe
> Lange geschwiegen von ihm ..."

Mit der Heimkunft in die Nähe des Ursprungs drängt der Verhüllte hervor. Ein Rausch des Anbruchs erfüllt den Heimkehrenden. Heimkehr ist immer Anbruch. Wie schon in der Elegie „Stuttgart" („Engel des Landes") und in der Ode „Dichterberuf" („Engel des Tags") ruft er die Engel, jene schützenden Gestalten aus der Welt des wesentlichen Dazwischen, denen nach „Ihm" meist das Gedichtete gilt.

> „ ... O säumt nicht,
> Kommt, Erhaltenden, ihr, Engel des Jahres! und ihr
> Engel des Hauses, kommt!"

Wesen aus beiden Sphären, Schutzgeister, mögen sie Zeit und Ort, das Jahr fruchtbar und das Haus sicher erhalten und bewahren. Auch sie sind Mittler wie der priesterliche Dichter, den sie berühren, aber von höherer Natur und von oben gesandt. Mit ihnen möge „das Himmlische" kommen „in die Adern alle des Lebens", daß es verzweige und das Leben durchpulse. „Es muß sich alles verjüngen, es muß von Grund auf anders sein; voll Ernstes die Lust und heiter die Arbeit! Nichts, auch das Kleinste, das Alltägliche nicht, ohne den Geist und die Götter" („Hyperion"). Alles soll neu werden. Liebende werden sich jetzt wieder finden, „wie es gehört für sie"; denn Liebe ist Geist von göttlichem Geiste. Liebende, Langegetrennte, kehren jetzt zueinander; das geschieht im Medium des Frohen, der reinen Freude, die deshalb „schicklich geheiligt" sein muß. Das Heilige nur kann die Heimkunft vollenden.
Mit der Heimkehr ist ein Größeres, ein Größerer, lange Verschwiegener gerufen. So muß sich das Wiedersehen im Gefühl höherer Freude und im Zeichen des Höheren, in seinem Namen vollziehen.

> „Wenn wir segnen das Mahl, wen darf ich nennen und wenn wir
> Ruhn vom Leben des Tags, saget, wie bring ich den Dank?
> Nenn ich den Hohen dabei? Unschickliches liebet ein Gott nicht,
> Ihn zu fassen ist fast unsere Freude zu klein.
> Schweigen müssen wir oft; es fehlen heilige Namen,
> Herzen schlagen und doch bleibet die Rede zurück?"

Welches ist dieser bedrängende und so bestürzende Name?

Immer ringt Hölderlin um das Nennen. „Und es scheut sich der Mensch, kaum weiß zu sagen ein Halbgott, / Wer mit Namen sie sind" („Brot und Wein"). „Verderblicher denn Schwert und Feuer ist / Der Menschengeist, der Götterähnliche, / Wenn er nicht schweigen kann und sein Geheimnis / Unaufgedeckt bewahren" („Tod des Empedokles").

Es geht um ein Nennen, das Dasein stiftet. Deswegen solche Bange des Nennenden vor der fortzeugenden Wirkung des Worts; denn Sprache ist „verderblicher denn Schwert und Feuer", ist „der Güter Gefährlichstes".

„Wen darf ich nennen?"

Die Gefahr des Selbstverlustes durch Festlegen auf ein einziges geringes Wort, dies Gefühl der Bedrohung des Wesens durch Aussprechen erfährt der Dichter. „Es ist immer auch ein Tod für unsere stille Seligkeit, wenn sie zur Sprache werden muß" (An Neuffer, 16. 2. 1797). Er muß sich versagen, so berstend voll auch das Herz ist.

„Schweigen müssen wir oft."

Eine Welt, aufgerufen durch Schweigen, eine Welt lebendigen, göttlichen Geheimnisses wird wach. Ihr können wir nicht anders begegnen als „im Glauben und Schauen". Das Wesen Gottes als das Wunder des Lebens ist nicht sagbar, nicht mitteilbar. Es ist größeres Wissen, den Grund der Dinge auf sich beruhen zu lassen.

„Schweigen müssen wir oft."

Allein der Zwang des „Sinnens oder Singens", in dem der Dichtende steht, die Pflicht aufgetragener Verkündigung, heischt Vollzug. „Was sind die Götter und ihr Geist, / Wenn ich sie nicht verkündige" („Tod des Empedolkes").

E i n e Ordnung muß verletzt werden. Das ist die Not des Dichters. Das Nennen-müssen mit dem Nicht-nennen-dürfen durch das Opfer seiner selbst zu versöhnen, ist sein Schicksal. „Denn wenn es aus ist und der Tag erloschen, / Wohl triffts den Priester erst" („Germanien"). Die Bereitschaft zum Opfer macht den Dichter des Nennens fähig und würdig.

„Nur einen Sommer gönnt, ihr Gewaltigen!
Und einen Herbst zu reifem Gesange mir,
Daß w i l l i g e r mein Herz, vom süßen
Spiele gesättiget, dann mir sterbe."

("An die Parzen")

Und dennoch zögert er vor dem Nennen?

„Nenn ich d e n H o h e n dabei?"

Kurze Fragesätze zeigen die Unruhe und der Klang wird höchst erregt. Wer ist der Hohe, den auch unsere Freude nicht mehr faßt? Sprach nicht der Wanderer vom „reinen seligen Gott über dem Lichte?" N a n n t e e r n i c h t den großen Vater des Alls? Was hält ihn nun zurück, gerade da er ins „Freudige" kam, „Ihn", dem Gesang und Gedanke gilt, wiederum auszusprechen? Es ist nicht mehr der Genannte, der unpersönliche Gott oder – die Göttlichkeit des Alls. Die Heiligung der Welt (Tag, Baum, Wasser) tritt zurück. Ruhe und Mahl, Dank und Gebet der Verwandten, der Heimat, geschehen wie je im Zeichen des Christlichen. Christus ist da, auch für ihn, will Gestalt und Zeichen werden, und da spürt der Wanderer die Not, weil er sich lange von ihm gewandt. Er steht außerhalb der Gemeinschaft in Christo. Ist die Heimkehr auch Heimkunft zum Glauben der Jugend, zum Ursprung? Noch zagt und zögert der Heim-Gesuchte vor dem Wort. Doch schon die nächsten Hymnen sprechen es aus:

„Und nennen, was vor Augen dir ist,
Nicht länger darf Geheimnis mehr
Das Unausgesprochene bleiben,
Nachdem es lange verhüllt ist" („Germanien").

„Versöhnender, der Du nimmergeglaubt,
nun da bist . . ."
„Denn noch lebt C h r i s t u s" („Patmos").

Die Enthüllung geschieht nicht. Der Flüchtling kommt nicht zu Christus heim. Noch ist Hölderlin mehr Dichter, lebt jenem idealistischen Jugendprogramm, das Schönheit über die Wahrheit stellt, seinem Beruf und der Form verpflichtet. Er überwindet noch einmal die Erschütterung, indem er ein „Saitenspiel" – Lied o h n e n e n n e n d e s W o r t – jeder, auch dieser Stunde gewachsen glaubt, weil er hofft, daß das Schöne dem Wahren „schicklich" und gemäß sei und recht geübt, die nahe gekommenen Himmlischen erfreue. Er ist sich dessen nicht sicher – „vielleicht", „beinahe". Er weiß nicht, doch er hofft, der

Sorge um das Bekennen des Höchsten, die mit der Heimkunft neu aufbrach, zu genügen, wenn er sein Lied „bereite" in der Höhe seines Gott gewidmeten Amtes. „Denn es gilt ein anderes, / Zu Sorg und Dienst den Dichtern anvertraut! / Der Höchste ists, dem wir geeignet sind" („Dichterberuf"). „Denn sind nur reinen Herzens, / Wie Kinder, wir, sind schuldlos unsere Hände" („Wie wenn am Feiertage"). Die letzte, metaphysische Sorge, die in das Freudige der Erde einbrach, die Sorge um den Höchsten soll von der Sorge um das Lied, um die Kunst „beinah" gestillt werden. Unsicher, durchzittert, zerbrochen wird der Vers. Hier, ganz zuletzt, wird große Kunst Vorwand und Verführung. „Beinahe": das Letzte bleibt offen.

„Sorgen, wie diese, muß, gern oder nicht, in der Seele
Tragen ein Sänger und oft, aber die anderen nicht."

„Sorgen, wie diese", um letztes Nennen und letzte Schönheit und beider schicklichen Bezug, sind die Sorgen des Sängers, notwendig, „gern oder nicht". Der Dichter darf, ob er will oder nicht, nur seiner Kunst und ihrem höchsten Gehalt, nur diesen Sorgen und keinen anderen leben. Und er muß sie immer wieder, „oft", bis ins Innerste durchsorgen, muß sie „in der Seele tragen". So glaubt er sich und sein notvolles Dasein gerechtfertigt.

✳

Die Heimkehr, aus Vergangenem durch das Tor der Gegenwart in Zukunft, die zugleich Herkunft ist, die Heimkunft, die den Fund des Ursprungs getan hat, verhält vor seinem letzten Grund. Sprachlos und noch ohne Namen zittert der Dichter vor dem Hohen, dann sucht er sich zu bewahren in der Form seines Gott zugeeigneten, gesteigerten Amtes. Er ist sich solcher Bewahrung, die vor der Wahrheit Entzug wird, nicht mehr gewiß. An Form und Inhalt wird spürbar, daß der Dichter dem Andrang kaum noch gewachsen ist, der hier ansetzt und bald über ihn hinweg sprechen wird. Ganz Elegie in der Schwermut innerster Verweigerung wird das Gedicht durch die Heim-Suchung eines Höheren auch in einem letzten, erschütternden Sinne – Heimkunft.

Albrecht Weber

Friedrich Hölderlin:
„Wie wenn am Feiertage . . ."

Wie wenn am Feiertage, das Feld zu sehn
Ein Landmann geht, des Morgens, wenn
Aus heißer Nacht die kühlenden Blitze fielen,
Die ganze Zeit und fern noch tönet der Donner,
In sein Gestade wieder tritt der Strom,
Und frisch der Boden grünt
Und von des Himmels erfreuendem Regen
Der Weinstock trauft und glänzend
In stiller Sonne stehn die Bäume des Haines:

So stehn sie unter günstiger Witterung,
Sie, die kein Meister allein, die wunderbar
Allgegenwärtig erzieht in leichtem Umfangen
Die mächtige, die göttlichschöne Natur.
Drum wenn zu schlafen sie scheint zu Zeiten des Jahrs
Am Himmel oder unter den Pflanzen oder den Völkern,
So trauert der Dichter Angesicht auch,
Sie scheinen allein zu sein, doch ahnen sie immer.
Denn ahnend ruhet sie selbst auch.

Jetzt aber tagts! Ich harrt' und sah es kommen,
Und was ich sah, das Heilige sei mein Wort.
Denn sie, sie selbst, die älter denn die Zeiten
Und über die Götter des Abends und Orients ist,
Die Natur ist jetzt mit Waffenklang erwacht,
Und hoch vom Äther bis zum Abgrund nieder
Nach festem Gesetze, wie einst, aus heiligem Chaos gezeugt,
Fühlt neu die Begeisterung sich,
Die allerschaffende wieder.

Und wie im Aug' ein Feuer dem Manne glänzt,
Wenn Hohes er entwarf; so ist
Von neuem an den Zeichen, den Taten der Welt, jetzt
Ein Feuer angezündet in Seelen der Dichter.

Und was zuvor geschah, doch kaum gefühlt,
Ist offenbar erst jetzt,
Und die uns lächelnd den Acker gebauet,
In Knechtsgestalt, sie sind erkannt,
Die Allebendigen, die Kräfte der Götter.

Erfrägst du sie? im Liede wehet ihr Geist,
Wenn es der Sonne des Tags und warmer Erd'
Entwächst und Wettern, die in Luft, und andern,
Die vorbereiteter in Tiefen der Zeit,
Und deutungsvoller, und vernehmlicher uns
Hinwandeln zwischen Himmel und Erd' und unter den Völkern.
Des gemeinsamen Geistes Gedanken sind,
Still endend in der Seele des Dichters,

Daß schnellbetroffen sie, Unendlichem
Bekannt seit langer Zeit, von Erinnerung
Erbebt, und ihr, von heilgem Strahl entzündet,
Die Frucht in Liebe geboren, der Götter und Menschen Werk,
Der Gesang, damit er beiden zeuge, glückt.
So fiel, wie Dichter sagen, da sie sichtbar
Den Gott zu sehen begehrte, sein Blitz auf Semeles Haus
Und die göttlichgetroffene gebar,
Die Frucht des Gewitters, den heiligen Bacchus.

Und daher trinken himmlisches Feuer jetzt
Die Erdensöhne ohne Gefahr.
Doch uns gebührt es, unter Gottes Gewittern,
Ihr Dichter! mit entblößtem Haupte zu stehen,
Des Vaters Strahl, ihn selbst, mit eigner Hand
Zu fassen und dem Volk ins Lied
Gehüllt die himmlische Gabe zu reichen.
Denn sind nur reinen Herzens,
Wie Kinder, wir, sind schuldlos unsere Hände,

Des Vaters Strahl, der reine, versengt es nicht,
Und tieferschüttert, die Leiden des Stärkeren
Mitleidend, bleibt in den hochherstürzenden Stürmen
Des Gottes, wenn er nahet, das Herz doch fest.
Doch weh mir! wenn von
Weh mir!

Und sag ich gleich,

Ich sei genaht, die Himmlischen zu schauen,
Sie selbst, sie werfen mich tief unter die Lebenden,
Den falschen Priester, ins Dunkel, daß ich
Das warnende Lied den Gelehrigen singe.
Dort

Hölderlins Werk ist getragen von dem Glauben, in seiner Zeit einen
Mythos stiften zu können, der das Ganze trägt. Das bedeutet eine
besondere Art der Seinserfahrung und des Verhaltens zum Göttlichen. Für Hölderlin liegen darin Wirken, Wesen und Würde des
Dichters beschlossen. Dem Thema seines ganzen Lebens vermählt
sich das andere: das Wesen der Dichtung und des Dichters selbst zu
dichten.

Sehen wir zunächst von den Bruchstücken des Schlusses ab, dann zerfällt die um 1800 entstandene Hymne in sieben fast gleiche Strophen,
von denen das erste und dritte Paar überwiegend vom Schicksal des
Dichters, das zweite Paar von dem der Natur handeln. Die siebte
Strophe bildet eine Art Abgesang. Metrisch betrachtet, ergibt sich
– wohl aus der damaligen Beschäftigung Hölderlins mit Pindar und
der griechischen Chorlyrik – eine triadische Gliederung, nach der die
Strophen 1, 4, 7 / 2, 5, (8) / 3, 6, (9) metrisch korrespondieren sollten.
Hölderlin ändert dabei die Strophenresponsion, indem er nicht wie
Pindar auf die metrisch gleiche Strophe und Gegenstrophe eine abwei-
chende Epode (a, a, b; a, a, b) folgen läßt, sondern jeweils drei Strophen mit leicht verschiedenem Metrum zusammenfaßt (a, b, c; a, b, c).
Die beiden ersten Strophen verklammert ein großer Vergleich. In fast
homerisch breitem Gleichnis zaubert der Dichter ein ländliches Bild
vor uns hin. In feiertäglich-beschaulicher Ruhe und Gelassenheit, aufgefangen im gleichmäßigen Fluß und Rhythmus der Jamben, des Satz-
tones und der Mittellage der Melodie, geht ein Landmann durch seine
Felder und findet sein Besitztum nicht nur verschont von dem Un-
wetter der heißen Nacht, sondern frischer und prächtiger denn je. Ein
großer Satzbogen mit parataktischen Gliedern umspannt eine Bilder-
folge, die Stück für Stück aus dem Erleben des Landmannes vor uns
abrollt. Es war ein schweres Gewitter, denn der Strom trat über und
die Donner rollen jetzt noch fernab nach, aber es wurde kein Un-
wetter, vielmehr eine Wohltat für die ganze Natur. Die Blitze kühl-
ten die unerträglich heiße Schwüle der Nacht, und im Bild des edlen
Weinstockes wird der Regen als erquickende Spende des Himmels ge-

feiert. Die Sonne steht still – nicht mehr sengend-heiß – über den Bäumen des Hains. Wortwahl und Vorstellungsgehalt malen treffend das angenehme Erfrischtsein der Natur, die insgesamt den Charakter des Haines, der Kulturlandschaft, trägt.

Und wie die Erde – mit der zweiten Strophe beginnt der zweite Teil des Vergleiches – so erfreuen sich auch die Dichter (das Wort fällt freilich erst später und baut so einen neuen Spannungsbogen hin zum Ende der Strophe) der Gunst der Witterung. Auch sie sind den Wettern ausgesetzt wie der Strom, der Boden und der Weinstock. Und das ist die Besonderheit ihres Daseins, daß sie der Natur nicht nur aufs engste verbunden bleiben, sondern von ihr selbst erzogen werden. Durch die Schlußstellung mit unübersehbarem Akzent versehen, schafft dieser Begriff, vorbereitet durch die Adjektiva „allgegenwärtig", „mächtig" und „göttlichschön", einen ersten Einschnitt. „In leichtem Umfangen" vollzieht sie ihr Erzieheramt, ständig, überall und ohne einseitigen Zwang, nicht bloß lehrend. Hölderlin bekennt sich auch an vielen anderen Stellen zu seiner göttlichen Erzieherin, die ihn von Jugend auf, ganz im Sinne des Göttlich-Schönen, berückte und entrückte: „Mich erzog der Wohllaut / des säuselnden Hains / und lieben lernt ich / unter den Blumen, / im Arm der Götter wuchs ich groß." – Freilich, manchmal scheint es, als sei sie nicht mehr anwesend, weder am Himmel noch im Wachstum der Erde noch in der Geschichte der Völker. Dann härmt sich scheinbar auch der Dichter. Doch beider Tun ist nur stille Sammlung und planend vorausdenkende Vorbereitung („ahnend ruhet"). Die innige Verbundenheit beider auch in diesem Stadium spricht aus dem stilistischen Begriffswechsel, bei dem die Naturgebärde des Trauerns dem Menschen und die menschliche Gebärde des Ahnens der Natur zugewiesen wird.

In hellerer Tonlage, mit glänzendem Fanfaren-A und freudig aufsteigendem Rhythmus, setzt die dritte Strophe ein. Abwesenheit der Natur und Trauer der Dichter sind wie die Nacht, die in ihrem Ruhen eine Ahnung des jungen Tages darstellt. Mit ihm kommt die Natur zu sich und der Dichter zu Wort. Indem er („ich" heißt es hier bezeichnenderweise!) dieses Erwachen in Worte bringt, drückt er ihr Wesen aus. Sie enthüllt sich ihm als ein Werden, ein Sich-Öffnen (im Sinne von φύσις), das älter ist als alle menschliche Zeit und darin auch die Götter übertrifft. So reicht sie vom Äther – ein für Hölderlin bedeutsamer Begriff – bis zum gähnenden Abgrund ($\chi \acute{\alpha} o \varsigma$), aus dem alles Geschaffene entstand, und der ob des Entsetzens, das er erregt, gerade jene Begeisterung ent-setzt, die Vorbedingung alles Schaffens ist. Das Erwachen bedeutet eine Erschütterung des Alls („mit Waffenklang"); jetzt ist es an der Zeit, daß Göttliches und Menschliches auf einander zukommen. Ihr Treffpunkt aber ist die Seele des Dichters, von dessen Augen die Begeisterung ablesbar wird.

In Gleichnisform leitet dieser Gedanke die vierte Strophe ein, die damit auch in stilistischer Responsion zur metrisch gleichgebauten ersten Strophe steht. Das Kommen des Heiligen ist ein Lichtwerden, und es leuchtet wider als Feuer in der Seele des Dichters. An ihm gewinnt alles erst Umriß und Maß – auch die Geschehnisse der Welt (Französische Revolution und Napoleon). Sie aber sind nicht das eigentliche Anliegen des Dichters, sondern nur Anstoß zu seiner Begeisterung, die an sich stets geistig bezogen bleibt und ihm Ältestes offenbart. In solche Enthüllung sind auch die „Kräfte der Götter" mit einbezogen. Sie bleiben im Dienst der Menschen allebendig, wie es einst Apollo bewies, als er zur Sühne für die Erschlagung des Drachen Python, des Besitzers von Delphi, bei Admetos in Thessalien den Acker baute. Indem gleichzeitig das Pauluswort „ . . . sondern entäußerte sich selbst und nahm Knechtsgestalt an" (Phil. 2, 7) anklingt, wird an dieser Stelle spürbar, wie wenig das mythologische Element bei Hölderlin eine bloß ornamentale Funktion ausübt, sondern eine liebend erfahrene Wirklichkeit bedeutet, die ihm immer gegenwärtig und vertraut ist, so daß er selbst Christus als ihren Boten, ja als Bruder der antiken Götter grüßte. Zu ihnen gesellt sich der Dichter, dieser verfinsterten Welt ein Licht des Göttlichen zu bewahren und lebendig zu erhalten.

Die Strophen fünf und sechs wenden sich nun ganz der Erfahrensweise dieses Heiligen zu. Im Lied wird ihr Geist offenbar, im geformten Gesang, nicht im eigenen Sinnen; denn das Lied stammt aus dem Erwachen der Natur (vgl. Thema der zweiten Strophe!). In lange vorbereiteten Wettern wird dem Dichter das Heilige vernehmber, das Himmel und Erde umfaßt, und in seinem Gesang verwirklicht sich der Geist, der das All durchstößt. An ihm hat der Dichter teil; denn: „Des gemeinsamen Geistes Gedanken sind, / Still endend in der Seele des Dichters." Das Partizip Praesens, betont durch das vorangehende Komma, drückt das Immerwährende der Verbindung aus. Hier in der Seele des Dichters endet die Erschütterung, hört aber nicht auf, sondern wird als Begeisterung bewahrt, hier findet das Heilige sein Ziel. Das Fehlen der neunten Verszeile nur in dieser Strophe unterstreicht mit feiner Fermatenwirkung dieses Ausklingen. Zu solch beseelter Einheit von Gehalt und Gestalt tritt eine neue tektonische Spannung, indem der hier angehaltene Hauptsatz über die Fermate hinweg zum folgenden Konjunktionalsatz hinüberschwingt. Das ist eine Eigenart des Verklammerns und Stauens bei Hölderlin, die noch öfter im Gedicht (etwa im Weiterschwingen der rhythmischen Bewegung über die vielen Kolagrenzen hinaus) spürbar ist.

Die in der Seele des Dichters verwahrte Glut bedarf nur noch des zündenden Strahles, um hellauf zu lodern in der Flamme des Gesanges. Auch hier werden Gedanken aus der Parallelstrophe 3 aufgenommen und fortgeführt zur Frucht des Umfangenseins. Dazu klingt das entscheidende Motiv des heiligen Strahles wieder auf, emporgehoben zu gehaltvollem Symbolwert, nachdem es in der ersten Strophe im Wort „Blitz" vorbereitet und in der dritten und vierten als Variante „Waffenklang" und „Feuer" eine Fortführung und Steigerung erfahren hat. Als Zeichen des höchsten Gottes wird es zum Symbol der zeugenden Kraft des Göttlichen, dem der Dichter geöffnet bleibt. In dieser Funktion ist es Leitbegriff auch für die folgenden Strophen. Schließlich ist gerade diese Stelle wieder aufschlußreich für die Sprache Hölderlins. In sorgfältig abgewogener Unter- und Nebenordnung der Sätze rückt das entscheidende Wort „glückt" wieder an den Schluß, wobei ständig Rückbezüge durch Pronomina nötig werden, damit die gedankliche Klarheit gewahrt bleibt. Zwischen Vers- und Satzzwang entsteht ein neues Spannungsverhältnis. Es ist – und in den späten Hymnen wird das noch deutlicher –, als ob der Dichter sich der irdischen Fesseln des Logischen und Materiellen der Sprache entkleiden wolle, um zu reiner, schlackenloser, unmittelbarer Aussage des Geoffenbarten zu kommen. Es geht um eine Entstofflichung des Mediums der Sprache, bei der Wort und Ton, Satz und Figur, Metrum und Rhythmus nur noch Chiffren der Transzendenz bedeuten und so ein Wunder aufgeben, das gedeutet sein will. Vielleicht mag ein Hinweis auf Rilkes „Sonette an Orpheus" oder die letzten Streichquartette Beethovens verdeutlichen, was gemeint ist.

Mit Hilfe der Bacchussage veranschaulicht Hölderlin das Zueinanderkommen des Göttlichen und Menschlichen nach langer Trennung. Wie Semele setzen dich die Dichter der Gefahr aus, vom Göttlichen getroffen zu werden, und ihrer empfängnisbereiten Preisgabe entspringt die süße Frucht des Weines und des Liedes. Sie ist nichts Irdisches, sondern das Ergebnis der gegenseitigen Zuneigung.

Die siebente Strophe bringt die Folgerungen daraus. Nur durch das Opfer der Semele wird den Irdischen der Genuß des Weines, des himmlischen Feuers, ohne Gefahr möglich. Nur durch das Ausharren der Dichter in der gefährlichen Bedrohung kommen die Menschen in den Besitz des kündenden Gesanges. Beides verschmilzt in der Darstellung zu *einem* Bild, ein Vorgang, der Hölderlins Gestaltungskraft anschaulich macht. Um das Moment der Gefahr aber kreisen die letzten Zeilen dieser Strophe. An entscheidender Stelle klingt erneut der wichtige Begriff des väterlichen Strahles auf. In Demut und Andacht, entblößten Hauptes und stehend, empfangen die Dichter das Göttliche, fassen es mit eigener Hand und geben es ins Lied gekleidet den Sterblichen weiter. Sollen sie aber bei der Berührung mit dem Göttlichen nicht in Flammen aufgehen, dann müssen ihre Herzen rein und ihre Hände schuldlos sein. „Rein" kann hier nicht sittlich-moralisch verstanden werden, sondern meint die kindliche Einfalt („wie Kinder"), die Nähe zum Ursprünglichen, die göttliche Anlage im Dichter. Nur so ertragen sie das Göttliche. Freilich auch das Schuldlose der Hände wird bedeutsam. Der Dichter darf an dem ihm aufgetragenen Werk nicht schuldig werden, indem er etwa seinem Auftrag auswiche, das Warten nicht ertrüge oder gar Gott herausforderte und sich ihm zur Unzeit näherte, wie es Semele getan. Hölderlin stellt diese entscheidende Frage nach dem rechten Augenblick des Gesangs in seiner Ode „Dichterberuf": der Gesang steht nicht in der Willkür des einzelnen, sondern ist ein ihm Auferlegtes, das er geduldig und furchtlos austragen muß. Das Einbezogensein ins Göttliche behandeln noch einmal die vier Zeilen der nicht zu Ende geführten achten Strophe. Nicht die Weltzugewandtheit, das Durcheilen irdischer Höhen und Tiefen, bestimmt Wesen und Schaffen des Dichters, sondern das Mit-Erleiden der Leiden des Gottes. Nur so wankt er nicht, wenn das Göttliche sich in Stürmen auf ihn stürzt. Ob mit den „Leiden des Gottes" auf Dionys, den leidenden Gott, Bezug genommen ist? Oder auf die Leiden des göttlichen Liebhabers am Geschick Semeles? Sicher läßt Hölderlin von den Erschütterungen der Natur auch die Götter betroffen sein; das Festbleiben des Herzens deutet auf das feste Gesetz zurück, das alles Leben und Sein durchwaltet.

Der Torso des Schlusses vertieft das Geheimnis einer doppelten Wehklage. Ob im Gegensatz zu den lichten Augenblicken des geglückten Gesanges ein dunkles Gegenbild des Unglückes geplant war? Ob – entsprechend Semeles Geschick – von der Strafe der Götter über den ungehorsamen, schwachgewordenen oder vermessenen Dichter, den falschen Priester, die Rede sein sollte? Oder ob das Verstummen des von Apoll geschlagenen Dichters gemeint war, also der Zusammenbruch unter dem Übermaß des Göttlichen? Wir müssen es bei diesen Andeutungen belassen. Auch Vergleiche mit dem Gedicht „Hälfte des Lebens" führen kaum weiter.

So bleibt uns lediglich, das Amt der Dichtung, wie es Hölderlin feiert, noch einmal zu zeigen. Der Dichter wird zum irdischen Boten des Göttlichen, der den Menschen das Gesetz ihres Daseins verkündet. Hölderlins Wort: „Voll Verdienst, doch dichterisch wohnet der Mensch auf dieser Erde", bezeichnet das dichterische Stehen zur Welt als das eigentlich menschliche Sein. Dichterisch wohnen heißt: als Mensch in der Gegenwart des Göttlichen stehen. Hierin liegt die tragische Spannung beschlossen, die in der Gestalt seines Empedokles aufbricht zwischen Sendung und qualvoller Verhaftung an das bloß Irdische. Die im Auserwähltsein erfahrene geistige Wirklichkeit aber ins Wort zu bannen, ist die Sendung des Dichters, die Dichtung sein priesterliches Werk. Nun gibt es aber Dichtung nur durch Sprache; Sprache hinwiederum ist das Vorrecht des Menschen überhaupt. Wir alle können im Wort das natürlich Gegebene ins Geistige heben, die Welt deuten. Den Dichter hingegen benützt das Göttliche zu seiner Verendlichung, nach der er verlangt, weil Menschen und Götter ursprünglich eins waren. Deswegen bleibt der Dichter dem Lärm des bloß Zeitlichen entrückt und wird in „himmlischer Gefangenschaft" („Patmos") gehalten. In ihr muß er ausharren in kindlicher Reine, dem Ursprünglichen nahe und unlösbar mit ihm verbunden, bis der Gott im Gewitter zu ihm spricht. Und weil der Dichter beider Sprachen mächtig ist, der himmlischen und irdischen, deshalb kann er das Empfangene den Menschen weitergeben. In solcher Mittlerschaft liegt das Doppelgründige seines Wesens. In der Dichtung stiftet er die Versöhnung, das verlorene Einssein mit dem All: „Da feiern das Brautfest Menschen und Götter, / es feiern die Lebenden all, / und ausgeglichen / ist eine Weile das Schicksal." Ins Werk gesetzt wird diese Versöhnung durch das Wunder der Sprache, ihr Wort entstammt dem Geist und der Liebe, dem Logos und Eros. In seinem Dienst liegen Amt und Würde des Dichters beschlossen.

Freilich als schwaches Gefäß für das Göttliche ist der Dichter ständig in Gefahr zu zerbrechen: „Es muß / bei Zeiten weg, durch wen der Geist geredet", heißt es schon im „Empedokles", und zwei Briefstellen kurz vor und nach dem Ausbruch des Wahnsinns kennzeichnen das Wissen Hölderlins um diese Gefahr:

„. . . Sonst konnt ich jauchzen über eine neue Wahrheit, über eine bessere Ansicht dess', das über uns und um uns ist, jetzt fürcht ich, daß es mir nicht geh am Ende, wie dem alten Tantalus, dem mehr von den Göttern ward, als er verdauen konnte."

„Das gewaltige Element, das Feuer des Himmels und die Stille der Menschen, ihr Leben in der Natur, und ihre Eingeschränktheit und Zufriedenheit, hat mich beständig ergriffen, und wie man Helden nachspricht, kann ich wohl sagen, daß mich Apollo geschlagen."

Daß Hölderlin dann wirklich diesen dunklen Weg als Geschlagener bis zum Ende gegangen ist, gibt seinen hohen Anforderungen an den Dichter ein besonderes Gewicht. Ja, dem Dichter des Dichtens gelingt eine Neustiftung dieses hohen Amtes, die umso gültiger vor uns steht, als er sich in gottloser Zeit „ohne Genossen" und sein Werk als einzigen Sinn seines Daseins sah. Nur vor solcher Größe des Opfers sind seine stolzesten Worte über den Dichter zu verstehen:

„Was bleibet aber, stiften die Dichter."

Jakob Lehmann

NOVALIS:
HYMNEN AN DIE NACHT

Einst,
Da ich bittre Tränen vergoß –
Da in Schmerz
Aufgelöst meine Hoffnung zerrann,
Und ich einsam stand
An dem dürren Hügel,
Der in engen, dunkeln Raum
Die Gestalt meines Lebens begrub,
Einsam,
Wie noch kein Einsamer war,
Von unsäglicher Angst getrieben,
Kraftlos,
Nur ein Gedanken des Elends noch, –
Wie ich da nach Hilfe
Umherschaute,
Vorwärts nicht konnte
Und rückwärts nicht –
Und am fliehenden verlöschten Leben
Mit unendlicher Sehnsucht hing –
Da kam aus blauen Fernen,
Von den Höhen meiner alten Seligkeit
Ein Dämmerungsschauer –
Und mit einem Male
Riß das Band der Geburt,
Des Lichtes Fessel –
Hin floh die irdische Herrlichkeit
Und meine Trauer
Mit ihr.
Zusammen floß die Wehmut
In e i n e neue, unergründliche Welt –
Du Nachtbegeisterung,
Schlummer des Himmels
Kamst über mich.
Die Gegend hob sich sacht empor –

Über der Gegend
Schwebte
Mein entbundner neugeborner Geist.
Zur Staubwolke wurde der Hügel
Und durch die Wolke sah ich
Die verklärten Züge der Geliebten.
In ihren Augen
Ruhte die Ewigkeit –
Ich faßte ihre Hände,
Und die Tränen wurden ein funkelndes,
Unzerreißliches Band.
Jahrtausende zogen abwärts in die Ferne,
Wie Ungewitter. –
An ihrem Halse weint' ich
Dem neuen Leben
Entzückende Tränen.
Das war der e r s t e
Traum in dir.
Er zog vorüber,
Aber sein Abglanz blieb
Der ewige unerschütterliche
Glauben an den Nachthimmel
Und seine Sonne,
Die Geliebte.

Noch weckst du
Muntres Licht,
Den Müden zur Arbeit –
Flößest fröhliches Leben mir ein.
Aber du lockst mich
Von der Erinnerung
Moosigem Denkmal nicht.
Gern will ich
Die fleißigen Hände rühren
Überall umschaun
Wo du mich brauchst,
Rühmen deines Glanzes
Volle Pracht

Unverdrossen verfolgen
Den schönen Zusammenhang
Deines künstlichen Werks
Gern betrachten
Den sinnvollen Gang
Deiner gewaltigen
Leuchtenden Uhr,
Ergründen der Kräfte
Ebenmaß
Und die Regeln
Des Wunderspiels
Unzähliger Räume
Und ihrer Zeiten.

Aber getreu der Nacht
Bleibt mein geheimes Herz
Und ihrer Tochter
Der schaffenden Liebe.
Kannst du mir zeigen
Ein ewig treues Herz?
Hat deine Sonne
Freundliche Augen
Die mich erkennen?
Fassen deine Sterne
Meine verlangende Hand?
Geben mir wieder
Den zärtlichen Druck?
Hast du mit Farben
Und leichtem Umriß
Sie geschmückt?
Oder war sie es
Die deinem Schmuck
Höhere, liebere Bedeutung gab?
Welche Wollust,
Welchen Genuß,
Bietet dein Leben,
Die aufwögen
Des Todes Entzückungen.
Trägt nicht alles
Was uns begeistert
Die Farbe der Nacht —
Sie trägt dich mütterlich
Und ihr verdanktst du
All deine Herrlichkeit.
Du verflögst
In dir selbst
In dem endlosen Raum
Zergingst du,
Wenn sie dich nicht hielte —
Dich nicht bände
Daß du warm würdest
Und flammend
Die Welt zeugtest.
Wahrlich ich war, eh du warst.

Mit meinem Geschlecht
Schickte die Mutter mich
Zu bewohnen deine Welt
Und zu heiligen sie
Mit Liebe.
Und zu geben
Menschlichen Sinn
Deinen Schöpfungen.
Noch reiften sie nicht
Diese göttlichen Gedanken.
Noch sind der Spuren
Unsrer Gegenwart
Wenig.
Einst zeigt deine Uhr
Das Ende der Zeit
Wenn du wirst
Wie unsereiner
Und voll Sehnsucht
Auslöschest und stirbst.
In mir fühl ich
Der Geschäftigkeit Ende
Himmlische Freiheit
Selige Rückkehr.
In wilden Schmerzen
Erkenn ich deine Entfernung
Von unserer Heimat
Deinen Widerstand
Gegen den alten,
Herrlichen Himmel.
Umsonst ist deine Wut
Dein Toben.
Unverbrennlich
Steht das Kreuz,
Eine Siegesfahne
Unsres Geschlechts.
Hinüber wall ich
Und jede Pein
Wird einst ein Stachel
Der Wollust sein.
Noch wenig Zeiten

So bin ich los
Und liege trunken
Der Lieb im Schoß.
Unendliches Leben
Kommt über mich
Ich sehe von oben
Herunter auf dich.
An jenem Hügel
Verlischt dein Glanz
Ein Schatten bringet

Den kühlen Kranz.
O! sauge Geliebter
Gewaltig mich an
Daß ich bald ewig
Entschlummern kann.
Ich fühle des Todes
Verjüngende Flut
Und harr in den Stürmen
Des Lebens voll Mut.

Eine Erscheinung wie die des Novalis könnte nie am Anfang einer Entwicklung auftreten. Er setzt eine dichterische Kultur, und dazu eine große, ebenfalls durch eine Reihe starker Intelligenzen fortgepflanzte, philosophische Bewegung voraus. Nur so kann er Dichterisches philosophisch, Philosophisches dichterisch behandeln, schon in der Form seines Gedichtes, das in einer entschieden rhythmischen und in einer mehr der Prosa genäherten späteren Fassung vorliegt, die unruhige Vielfalt der Anlage verratend. Wir finden hier nicht nur Zeilen, die auch dem Ausdruck nach Prosa sind, mit großen rhythmischen Perioden, diese mit choralartigen Reimversen und gar mit streng gebauten Stanzen vermischt; wir finden auch die zugehörigen Stile nebeneinander vertreten und vor allem zwei Verfahren des Geistes: ein reflektierendes und ein mythologisierendes, als deren Ergebnisse einerseits eine fertige Geschichte des menschlichen Geistes und andererseits ein sich freiwillig bindendes, gewollt kindliches Bekennen aus dem Gedicht hervorgeht. Er kommt mit den Errungenschaften dieser vor ihm begründeten Kulturen zur Welt, und zwar so, daß das Errungene ihm nicht nur Besitz, sondern Organ und Virtuosität des Organs geworden ist. Es bedarf für ihn wenigen Erlebens, wenigen Lernens. Er resümiert und antizipiert in seinem Geist Entwicklungen, ohne das Jugendliche zu verleugnen: Gedanke wird Welt, Welt wird Gedanke, beweglich und handsam, ohne die spezifische Schwere der Wirklichkeit. Unbeschreiblich helläugig geht er durch die Menschen, und das, was wir „sehen" nennen, die Schärfe des Gewahrwerdens steigert sich in ihm so, daß sie umschlägt und zur Witterung wird, so daß eine große Vernunftkultur sich in ihm selbst aufzuheben, sich durch ihren Gegensatz: eine Geheimwelt und einen

Geheimsinn, zu ergänzen scheint. Klassische Dichtung und kritische Philosophie gehen ihm dahin zusammen, daß beide mit der menschlichen Natur rechnen, soweit sie feststeht, und sich an ein Bewußtsein wenden, das in jedem vorhanden ist. Kaum hat er Beides gelernt, so scheint er es mit einem Lächeln abzutun, indem er Beidem die Grenze nachweist, und wenn es die dichterische Kraft seiner Hymnen ist, eine Kultur zu individualisieren, als Reich, als Gebilde, als Einheit zu sehen, so lauscht er der kritischen Philosophie den Zusammenhang zwischen Vorstellung und vorstellendem Organ ab: das Neue seiner Hymnen an die Nacht ist, daß ein Weltbild, ein Begreifen des Seins in seinem ganzen Umfang durch ein zusammenhängendes Gedicht ausgesprochen wird; aber dies geschieht so, daß eine Fähigkeit der Seele oder ein Organ, das solchen Begreifens mächtig ist, zugleich mit diesem Weltbild erschlossen wird, und zwar ein neues Organ! Zwei Einweihungswege werden in diesem Gedicht geschildert; sie teilen das Gedicht in zwei Hälften. Der eine Weg ist die Einweihung des Dichters in das Verständnis der Nacht, durch die tote Geliebte als Mystagogen; der andere die Einweihung der Menschheit in den Tod durch Christus als Mystagogen: die symbolische Stätte der Einweihung ist beide Male – und dies wird bedeutend hervorgehoben – das Grab. Beide Male wird der überwundene Zustand des Ungeweihten mit seiner traurigen Grenze geschildert, doch so, daß er sich zuerst als eine eigene, als die eigentliche Welt behauptet und dann eines verräterischen Mangels überführt wird: Diese trügerische Welt eines Vorzustandes heißt im einen Fall „Tag", im anderen Fall „Antike", und wie im einen Fall ein Wendepunkt im Lebenslauf des Dichters, so wird im anderen Fall ein Wendepunkt der Menschheitsgeschichte als Dämmern der Einsicht beschrieben. Am Anfang steht das gemeine Begreifen, das den Tag liebt und feiert, ironischerweise, wie in einem zweiten Ansatz die antike Welt gefeiert wird. Der Mensch aber wird Fremdling genannt, zum Zeichen, daß er in einer anderen Ordnung beheimatet ist. Diesem Begreifen ist die Nacht voll Wehmut, ein Berauben und Vermissen. Bis ihr Mythos dem Menschen geboren wird, er ihr Herz entdeckt, ihr Gesicht sieht mit den „unendlichen Augen, die die Nacht in uns geöffnet". Nun sieht er die Sterne nur als ohnmächtige Versuche des Lichts, innerhalb der Nacht einen Stand zu behaupten; das Inwendige des Gemüts geht ihm auf als die einzige, seiner würdige Unendlichkeit. Und die Nacht bringt die tote Geliebte und die Vereinigung mit ihr, nicht als das gewohnte Fest der Liebesfreuden, sondern als eine Begehung, durch die der Lebendige ins

Leben der Toten eingelassen wird. Und wie es gemäß den beiden unterschiedenen Wissensarten eine gemeine und eine höhere Nacht gibt, so gibt es den gemeinen und den höheren Schlaf. Schlaf ist auch in den Dingen und wartet auf den Menschen: ein Zusinken des äußeren, ein Aufgehen des inneren Auges. Alle Wollust des Umfassens und des Verschmelzens gehört ihm, er bringt Gottesbotschaften und ist das allzeit offene Tor zum Tod. Es bleibt dem Dichter nur noch zu erzählen, wie ihm die Einsicht wurde, die sein Gedicht andern gibt: durch den Augenblick am Grab der Geliebten, der ihn für immer mit der Nachtbegeisterung, mit dem Schlummer des Himmels inspirierte.

Ist es nicht bewegend, daß ungefähr zu selben Zeit zwei voneinander ganz unabhängige Dichter das Reich der Nacht aufgeschlossen haben, mit demselben großen Gegensatz der Tageswelt, mit demselben Bekenntnis, daß die Nacht die dem neueren Menschen schicksalhaft zukommende Seinsform sei und daß der Anfang ihrer Geltung in Erscheinen und Tod Christi begründet liege? Ebenfalls um die Jahrhundertwende, etwa zwei Jahre nach Novalis, dichtet Hölderlin die Elegie „Brot und Wein", im Thema gleich, in allem andern ungleich. Der aber die Ablösung der alten Götter durch Christus und den Harm des neueren Menschen, der zum christlichen Gott und der wissenschaftlichen Natur verurteilt ist, in der Lyrik aufbrachte, war Schiller, und seine Götter Griechenlands sind es, die der zweite Teil der Hymnen des Novalis umkehrt. Schein und Sein, Vernunft und Sinnlichkeit fallen dem heutigen Menschen auseinander: das vertreibt die alten Götter aus der Welt in die Dichtung, die diese Einheit wiedergewinnt. Für Schiller sind die alten Götter Personifikationen, die der phantasierende Geist vornahm, ehe er zur Erkenntnis reifte. Für Novalis, in dem ein tieferes Verstehen des Mythos überhaupt beginnt, sind diese Götter echte Deutungen, und als solche wahr und wirklich. Die Welt ist jeweils die gedeutete Welt, und sie verändert sich durch ein anderes Deuten. Aber die Deutung der alten Welt ließ eine Lücke — sie war nicht total genug, um den Tod in ihr Verstehen mit einzubegreifen. Dies Enträtseln des Todes ist die Überlegenheit des Christus, der als ein stärkerer Wisser die griechischen Götter überwiegt. Novalis hat in seinen Hymnen eine Darstellung vom Leben Christi verflochten, die auf einzelne Begebenheiten der Heilsgeschichte Bezug nehmend ihr eine unerwartete Stimmung und Wendung gibt und schon als bloße Aufgabe der Dichtung neu ist. Nicht mit Klopstock, mit Novalis und Hölderlin hebt eine eigene Christologie an, die den Christus der Dichter dem Christus der religiösen und der wissenschaftlichen Überlieferung gegenüberstellt, einen nicht hingenommenen, einen aus dem Wandel der Zeit begriffenen, der kommt und kommen wird: was freilich nur möglich ist, indem Kirche und Dogma sowie die Christusworte selbst übergangen werden und der Dichter die Erscheinung von Christus, als wäre nichts über ihn ausgemacht, persönlich und aus eigener Vollmacht aufschließt.

Der Stein auf dem Grabe des Erlösers ist für Novalis ein Symbol doppelten Sinnes: Christus hebt ihn auf als Todesüberwinder, aber es heißt auch, daß er die Leiche der alten Welt, und zwar in seinem eigenen Leib, bestattet, und den Stein wieder für immer darauf gewälzt hat. Novalis mutet wie ein ferner geistiger Nachfahr dessen an, der das Johannesevangelium verfaßte; in dem Wunsche, der einzigen Begebenheit doch eine Stelle im fortreichenden Kulturbewußtsein zu geben, macht er sie zur Wende des antiken Denkens. Die Anbetung der Könige dient dazu, den Orient des Novalis – sein Sais, wo alle heilige Geschichte, ehe sie in die Zeit tritt und sich begibt, in Bildern uranfänglichen Wissens niedergelegt ist, als dritte Sphäre an die christliche und antike heranzubringen: so enträtselt sich vielleicht die erfundene Gestalt eines aus Hellas gebürtigen, den Christus grüßenden, und dann, das Herz voller neuer Liebe, nach Hindostan ziehenden Sängers, der daselbst durch seine Botschaft die alten Geheimnisse aufleben läßt. Vergebens wollte man diese Gestalt auf irgendein Überliefertes zurückführen. Sie ist Novalis selbst, ist innerhalb der durchaus symbolisierten Heilsgeschichte sein persönliches Symbol, denn sie vollzieht, was Novalis durch die Hymnen an die Nacht vollzieht. Mit einer Stanze, die jene Stanzen vom Tod, der an den Tisch der alten Götter trat, wieder aufnimmt, feiert sie Christus als den wahren, sein Leben offenbarenden Tod, den jenes ohnmächtig beschönigende Bild des fackelsenkenden Genius heimlich meinte. Sie sieht also Christus in dem von Novalis geahnten Zusammenhang, ist das in die Vision mit hineingezeichnete Bild des Sehers. Ist doch der Weg dieses Sängers von der Antike über Christus zum Orient die Kurve, die der Geist des Novalis selbst beschreibt und die er der Bewegung der älteren Romantik vorzeichnet. Wie wichtig ist dieser vielbefragte Sänger! Er hält die beiden Gedichthälften zusammen. Denn wenn jene Inspiration am Grabe Sophiens und die andere, der Menschheit am Grab des Erlösers zuteil gewordene, so nebeneinander bestehen, so gilt die hier vorgetragene Christologie doch nicht dem gewesenen Christus, sondern dem dichterischen Christus, der geheimnisvoll wörtlich mit der Geliebten gleichgesetzt wird, und die beiden

Initiationen hängen im Geist des Dichters zusammen durch das Dasein dieses Sängers.

In diesem Menschenkreis, wo man um die Wette Kulturabläufe wendete, Aufklärungen rückgängig machte, Überlieferungen zerbrach und Kirchen stiftete, ist hier wohl der Gipfel der verwegensten Freiheit erreicht. Aber der junge Dichter, der die Philosophie Fichtes zu diesem seinem magischen Vermögen fortentwickelte, ging weiter, er brach wirklich und persönlich auf nach dem Totenreich, zu dem ihm die seltsame Liebesfeier am Grab eines Kindes den Weg auftat, und setzte den Gedanken, der dieses Gedicht trägt, als Schicksal über sein rasches Leben. Wenn so die Gebärde eines vieldeutigen Spiels plötzlich beschwörend wird, so ahnten wohl auch schon die Zeitgenossen, daß die Widersprüche dieses zarten und schönen Menschen und die Befremdlichkeit dieses wohllautenden Lebens sich dadurch auflösten, daß hier einer mitten in der Menschenwelt nach Geisterweise verfuhr.

Max Kommerell

Aus Max Kommerell, † 1942, „Gedanken über Gedichte", S. 449—456, V. Klostermann, Frankfurt, 1943.

CLEMENS BRENTANO:
FRÜHLINGSSCHREI EINES KNECHTES AUS DER TIEFE

IX/85

Meister, ohne dein Erbarmen
Muß im Abgrund ich verzagen,
Willst du nicht mit starken Armen
Wieder mich zum Lichte tragen.

Jährlich greifet deine Güte
In die Erde, in die Herzen;
Jährlich weckest du die Blüte,
Weckst in mir die alten Schmerzen.

Einmal nur zum Licht geboren,
Aber tausendmal gestorben,
Bin ich ohne dich verloren,
Ohne dich in mir verdorben.

Wenn sich so die Erde reget,
Wenn die Luft so sonnig wehet,
Dann wird auch die Flut beweget,
Die in Todesbangen stehet.

Und in meinem Herzen schauert
Ein betrübter bittrer Bronnen;
Wenn der Frühling draußen lauert,
Kommt die Angstflut angeronnen.

Weh! durch giftge Erdenlagen,
Wie die Zeit sie angeschwemmet,
Habe ich den Schacht geschlagen,
Und er ist nur schwach verdämmet.

Wenn nun rings die Quellen schwellen,
Wenn der Grund gebärend ringet,
Brechen her die bittern Wellen,
Die kein Witz, kein Fluch mir zwinget.

Andern ruf ich: Schwimme! schwimme!
Mir kann dieser Ruf nicht taugen!
Denn in mir ja steigt die grimme
Sündflut, bricht aus meinen Augen.

Und dann scheinen bös Gezüchte
Mir die bunten Lämmer alle,
Die ich grüßte, süße Früchte,
Die mir reiften, bittre Galle.

Herr, erbarme du dich meiner,
Daß mein Herz neu blühend werde!
Mein erbarmte sich noch keiner
Von den Frühlingen der Erde.

Meister! wenn dir alle Hände
Nahn mit süß erfüllten Schalen,
Kann ich mit der bittern Spende
Meine Schuld dir nimmer zahlen.

Ach! wie ich auch tiefer wühle,
Wie ich schöpfe, wie ich weine,
Nimmer ich den Schwall erspüle
Zum Kristallgrund fest und reine.

Immer stürzen mir die Wände,
Jede Schicht hat mich belogen,
Und die arbeitblutgen Hände
Brennen in den bittern Wogen.

Weh! der Raum wird immer enger,
Wilder, wüster stets die Wogen,
Herr! o Herr! ich treibs nicht länger —
Schlage deinen Regenbogen.

Herr, ich mahne dich: Verschone!
Herr, ich hört in jungen Tagen:
Wunderbare Rettung wohne —
Ach! — in deinem Blute, sagen.

Und so muß ich zu dir schreien,
Schreien aus der bittern Tiefe,
Könntest du auch nie verzeihen,
Daß dein Knecht so kühnlich riefe.

Daß des Lichtes Quelle wieder
Rein und blutig in mir flute,
Träufle einen Tropfen nieder,
Jesus, mir vor deinem Blute!

Auf der Höhe des Mannesalters, mit etwa achtunddreißig Jahren, hat
Brentano dies Gedicht geschrieben. Es gehört mit einigen andern Wü-
sten- und Wassergedichten der gleichen Jahre zu den Gedichten der
Umkehr. Brentano hatte das, was er jetzt als die „Toilettesünden seiner Jugend“ bezeichnete, abgelegt und jenen Meister gefunden, den
die letzte Zeile unseres Gedichts mit Namen nennt. Welch ein Abgrund der Tiefe ist gemeint? Brentano spricht immer wieder, Strophe
für Strophe, in andern Wendungen und Bildern, vom Wasser. Er nennt
Flut, Bronnen, Quellen, Sündflut, Schwall, Wogen, bittere Wellen. Es
sind die Wasser der Tiefe aus den Psalmen, das uralte Bild für das
Element der Ertrinkenden, für den Trug der Sinne und der Welt. Dort
sieht er sich unter einem gleichfalls biblischen Bild, dem des Knechts
Gottes, der da unten rufend den Herrn um Gnade anfleht. Er erfleht
das Licht, das oben ist, oder auch den Kristallgrund, der fest und rein
am Grund der Flut liegt. In einem Brief jener Jahre heißt es: „Indem
ich, auf der Höhe des Lebens angelangt, fühle, daß der Abhang vor
mir ist, sitze ich wie ein armer, müder und kranker Wandersmann
unter einem Kreuze des Weges, ein wenig Wasser aus dem Quell zu
trinken . . .“ Unter dem Bild des Wanderers und Pilgers zu einem
himmlischen Jerusalem sieht Brentano sein Leben, und immer wieder
nennt er sich in Briefen und Gedichten den „Pilger“. Von der Höhe
des Lebens aus erscheinen ihm die bunten Lämmer seiner Dichtung
als ein bös Gezüchte.
Das andere Motiv des Gedichts ist der Frühling, die Periode der
wachstümlichen Natur. Jahr um Jahr wiederkehrend, läßt der Frühling alle Wasser steigen und dann schauert im Herzen des Dichters
ein betrübter bittrer Bronnen:

„Wenn der Frühling draußen lauert,
kommt die Angstflut angeronnen.“

Die drohenden Töne der Zeilen stehen im Gegensatz zur Naivität der früher so heiteren Naturdichtung Brentanos. Der Frühling „lauert" ihm auf, als sei er persönlich böse und wolle dem Dichter übel: mit einer zauberhaften Wendung wird die im Innern anrinnende Flut als das Gefühl der Angst verstanden. Es ist ein metaphysisches Gefühl des Menschen, die Angst der Kreatur in der Tiefe, nicht die modisch-feige Angst vor dem Sein überhaupt. Der Frühling ist die Figur der hoffnungslosen Wiederkehr des immer Gleichen. Die wachstümlich sprossende, blühende, unbeseelte Natur ist Gegenbild zum Menschen, dessen Tage genau gezählt sind, dessen Ziel unter dem Regenbogen, dem Zeichen der Vergebung, liegt. Dort wird endlich das Herz „neu blühend", während die Frühlinge der Erde für den Menschen kein Erbarmen kennen.

Brentano, der sein bisheriges Leben in funkelnden, witzigen, ironischen Dichtungen und Briefen versprüht hatte, läßt im „Frühlingsschrei" sein nacktes Herz sehen. Die Scham, die sehr zeitgemäße Scheu vor der Aussprache religiöser Geheimnisse, ist noch spürbar in den äußerst kunstvollen Verstecken der poetischen Form. Während Brentano sonst locker, fröhlich, fast verspielt dichtet, und es sich beinah zu leicht macht mit dem Aussprechen der Gefühle und Empfindungen, hat er in den Bekenntnisgedichten seiner Umkehr tiefe und fast rauhe Töne gefunden. Die enorme Spannung und Ausspannung der Bilder („und die arbeitblutgen Hände brennen in den bittern Wogen"), die notvollen Zeilensprünge („Denn in mir steigt ja die grimme / Sündflut, bricht aus meinen Augen") sind die äußeren Zeichen der Not. Er hat sich nur langsam beruhigen können, und zwar da, wo er das Kind verherrlichte und die schönsten Kindergedichte der deutschen Literatur schrieb. Das Kind wird ihm zum Bild der vertrauenden Kreatur, die der Meister zu sich gerufen hatte. Hier aber „schreit" er, das ganze Gedicht ist ein Schrei aus der Tiefe, und dieser Schrei-Charakter läßt es uns heute als besonders aktuell empfinden. Es ist kein Wunder, daß der Expressionismus den Dichter Brentano wieder entdeckte, jene Phase der deutschen Literatur, die zwischen Empörung und Gebet einen neuen Menschen suchte.

Curt Hohoff

✳

Clemens Brentano, dessen natürliche poetische Begabung ausgereicht hätte, zwei Dichterleben zu erfüllen, erfuhr in der Mitte seines Lebens eine Wandlung: der fahrende Sänger der Romantik legte die Laute beiseite und ergriff den Pilgerstab. Seine lyrische Kunst, seelenvoll, klangfroh und formgewandt, wurde auf dem Kreuzweg der Entscheidung Lobgesang, wurde Bekenntnis, wurde geistliches Lied. In dieser zweiten Phase, als Clemens Brentano nicht der Kunst, sondern nur mehr Gott dienen wollte, entstand der „Frühlingsschrei eines Knechtes aus der Tiefe".

Das Gedicht ist eine dramatisch-balladeske Seelentragödie in Versen. Als ein dramatisches Paradoxon erscheint bereits das erste, aus „Frühling" und „Schrei" zusammengesetzte Substantiv der Überschrift; es zeigt die schmerzlich geladene Atmosphäre an, die sich schon mit der ersten Strophe des Gedichts dem Leser antragen und ihn betreffen will. Ein schuldbeladener „Knecht aus der Tiefe" steht dem gütigen und dem richtenden Gott isoliert gegenüber. Die Teilnahme am Gnadenfest der Natur bleibt ihm versagt. Noch mehr: ihre unüberbietbare Schönheit macht den Gegensatz offenbar. Sie drängt den von Gewissensqualen und Ängsten Gemarterten in den Abgrund zurück. Verzweiflung öffnet seinen Mund. Er schreit, er fleht und beschwört.

Das Wort „Tiefe" verliert seine nur räumliche Bedeutung. Es wird zum negativen moralischen Begriff und ist hier gleichbedeutend mit Gnadenverlust, äußerster Gottesferne – dem ganzen Jammer, dem Höllensturz des Gewissens, wenn der Mensch seine Ebenbildschaft durch Versündigung, auch wider sein besseres Ich, eingebüßt hat. In solchen Augenblicken schenkt die Natur der von Gott abgefallenen Seele keinen Trost. Sie erhört, sie erlöst den Menschen nicht. „Mein erbarmte sich noch keiner" – heißt es in Strophe zehn – „von den Frühlingen der Erde."

Dem wahren Erlöser, den er „Meister", „Herr" und „Jesus" nennt, wendet der Knecht aus der Tiefe sich zu. Aber noch ist er verstrickt. Noch kann Gottes Güte nicht in sein Herz „greifen". Sünde wiegt schwer. Sie dringt nicht nur von außen heran. Sie kann den Menschen von innen her überfluten. Der Akt der Befreiung trägt Anzeichen von Gewaltsamkeit. Der „Knecht" erkennt seine Lage. Schonungslos führt er sie sich vor Augen und malt sie dem Herrn aus. Und obwohl er sich dem Herrn hinhält, vertrauensvoll sich ihm überlassen möchte, verstören zweiflerische Anwandlungen sein zerquältes Gemüt. Trauer und Angst hindern ihn daran, sich der Gnade zu öffnen. Ihm bleibt nichts als der Ruf. Je ferner einer sich Gott wähnt, desto lauter wird

er ihn rufen. Der Ruf wird zum Aufschrei und stürzt durch die Strophen – bis zum beschwörenden „Herr, ich mahne dich: Verschone!"
Mit erschütternder Dringlichkeit durchbricht Brentanos siebzehnstrophiges Gedicht die milde Zone lyrischer Stimmungsmalerei. Die romantisch schönen, die lieblichen Zeilen sind nicht Selbstzweck. Sie dienen als Gegenmotiv, vor und neben dessen Wohlklang die drastisch-realistische Selbstenthüllung des „Knechtes" sich umso härter und wirksamer abheben kann. Tatsächlich tragen von den siebzehn Vierzeilern Brentanos zwölf Strophen den Effekt eines starken Hell-Dunkel-Kontrastes in sich. Besonders deutlich kommt diese auf wenige Zeilen zusammengedrängte Spannung zwischen Seligkeit und Verdammnis in den Strophen sieben und elf zum Ausdruck.

In Strophe sieben sind der eigenen Bitternis, die „kein Witz" und „kein Fluch" zwingt, schwellende Quellen und der gebärende Grund – Symbole einer in sich beseligten, fruchtbaren Wiederbelebung – entgegengesetzt. In Strophe elf heißt das Gegenmotiv nicht Natur, – da sind es die anderen Menschen; all jene, die sich einst „mit süß erfüllten Schalen" dem Herrn nahen werden, während er, der im Abgrund Ringende, „mit der bittern Spende" seine Schuld nicht wird zahlen können.

Der Dichter oder, wie er sich selbst in der Sprache der Psalmen nennt, der „Knecht" mildert seinen schuldhaften Zustand weder, noch schwächt er ihn ab. Erstaunlicherweise sprengt die Kompromißlosigkeit seines Schmerzes den zerbrechlichen Rahmen, das Gefüge des Gedichtes nicht. Sprachgewalt und Kraft der Aussage haben sich verbündet. Die weiblichen Endreime fangen die geballte Wucht verzweifelter Klage und Selbstanklage weich auf: der Schmerz entlädt sich; er entströmt. Das Strophengefüge bleibt dynamisch. Es bricht nicht auseinander und erstarrt nicht in sich.

Der dramatischen Anhäufung von Bildern bringt das einfache Reimschema, abab, den Ausgleich. (Es ist der gekreuzte oder überschlagende Reim – die erkorene Lieblingsform der Minnesänger). Dieses anspruchslose Reimschema gibt dem Gedicht die notwendige rhythmisch-logische Konsequenz: Übersicht und Klarheit bleiben gewahrt. Daß die Einfachheit der Form hier nichts mit dichterischer Ohnmacht und Primitivität zu tun hat, bewiesen – stünde ein solcher Beweis noch aus – einige sehr schön und sinnvoll angebrachte Durchbrechungen der reimschematisch rhythmischen Gradlinigkeit.

Wir finden in Strophe acht, Vers drei: „Denn in mir ja steigt die grimme / Sündflut . . .", – ein Enjambement, hier besonders wirk-

sam und sinnfällig eingesetzt, da es das gallige Adjektiv vom in sich
bedeutsamen Hauptwort trennt: die ursprüngliche Zusammengehörigkeit der Begriffe wird aufgebrochen und durch Vereinzelung poten-
ziert.

In Strophe neun wird durch kluge Konklusion eine rhythmische Be-
schleunigung des Versgefälles hervorgebracht, die dem Aufschrei der
verzweifelten Seele in den folgenden Strophen („Herr", „Meister!",
„Ach!", Weh!") vorausgeht und sich wie eine fiebrische Beschleuni-
gung des Herzschlags vor großer Erregung dem Leser mitteilen will.
Die nur durch Komma angezeigte Cäsur in der dritten Zeile, zwischen „grüßte" und „süße" muß vom Leser erweitert werden. Ins
Prosaische aufgelöst, würde man dem nun folgenden Text einen Zusatz gönnen, etwa: „süße Früchte, / Die mir reiften – (erscheinen
mir dann wie) – bittre Galle" oder: scheinen mir bittre Galle zu
sein.

Strophe fünfzehn bringt eine etwas diffizile Inversion, die noch dadurch betont wird, daß der Ausruf „Ach!" sie hervorhebt. Aus dem
Satz- und Sinngefüge: „Herr, ich hört in jungen Tagen . . . sagen",
wird der prädikative Zusatz „sagen" weggebrochen und für den Schluß
der Strophe aufgespart. Dieser Umstellung entspricht ein noch ver-
stelltes Gefühl. Der Verzweifelte nährt seine Hoffnung indirekt. Er
wagt nicht zu sagen: wunderbare Rettung wohnt in deinem Blute,
denn ihm ist dieser Gnadenerweis ja nicht zuteil geworden; nicht wis-
sentlich und nicht in diesem Augenblick. Magie und Kraft der Erwartung dürfen nicht vorwitzig durchbrochen werden. Der Dichter
versagt es sich, den Gnadenerweis „wörtlich" vorwegzunehmen. Er
ruft eine rührende Jugenderinnerung herbei: „. . . ich hört in jungen
Tagen", einen festen Bestand an Hoffnung, der sich unverletzt, un-
genutzt bis zur Stunde in ihm aufbewahrt hat.

Im übrigen wird der anmaßliche erste Vers, das: „Herr, ich mahne
dich: Verschone!", von den letzten drei Versen wohltuend ergänzt.
Denn für sich genommen, wäre dieser Vers eine gröbliche Vermes-
senheit, die dem Sünder schlecht ansteht. Der Herr läßt sich nicht
drohen. Und als Drohung ist dieser flehentlich beschwörerische Ausruf auch gar nicht gemeint. Die folgenden Zeilen zeigen, daß der
„Knecht" den Herrn nur an sein eigenes Versprechen gemahnen will.
Diese Mahnung ist als eine durch Verzweiflung angetriebene, ver-
stärkte Bittform zu betrachten. Die, freilich geduldlose, Sehnsucht
nach Reinigung und Erlösung treibt ihn dazu an.

Dem Triebwerk der Sehnsucht entreißt sich dann auch sein lautester

Ruf: „Und so muß ich zu dir schreien"... In diesem Aufschrei steckt nicht nur sehnsüchtige Erwartung, – auch die entsetzenerregende Furcht der sündenbefleckten Seele vor ihrer (durchaus möglichen) Verdammnis gibt sich hier preis. Erst die letzte und siebzehnte Strophe bringt die Wendung zum Wunderbaren: in der von Furcht und Sehnsucht gereinigten, demütigen Bitte um „Lichtes Quelle" und einen Tropfen vom Blute Jesu klingt das Gedicht aus.

Die Schönheit des Gedichts ist sein Mangel an Abstraktion. Hier ist gelungen, was Lessing vom Schriftsteller forderte: die „sinnliche Rede"; die schmeckbare, spürbare Welt der Gnade und der Verklärung ist, wie die Welt des Schreckens, der Sünde und Furcht in diesem Gedicht Bild und Leib geworden. Clemens Brentano hat ihre „sinnlichsten" Korrelate gefunden. Seine Bilderschrift ist anschaulich, sie ist kräftig und ist bewegt. Sündhaftigkeit und Gnadenerweis werden nicht als feststehende Gegegebenheit hingenommen, sie treten in Aktion.

Das Gedicht ist reich an Verben, so wie es um der Schmackhaftigkeit willen reich an Adjektiven ist. Der Herr soll ihn zum Licht „tragen"; seine Güte „greifet" in die Herzen; die Angstflut kommt „angeronnen"; die Sündflut „steigt" ihn ihm; er „wühlt", „schöpft" und „weint"...

Von den Adjektiven ist am häufigsten das barocke Gegensatzpaar „süß" und „bitter" vertreten. Es sind fruchtige Vokabeln. Früchte schmecken süß oder bitter. Das gallig-grimmige Wort „bitter" drängt sich dem Dichter auf, drängt sich vor. In den trochäisch geführten Versen gibt es einen „bitteren Bronnen"; es gibt „bittere Wellen", „bittere Wogen" und die „bittere Tiefe". Zweimal treffen im Gedicht „süß" und „bitter" unmittelbar aufeinander. Strophe neun stellt „süße Früchte" gegen „bittre Galle"; in Strophe elf steht den „süß erfüllten Schalen" die „bittere Spende" gegenüber.

Die Symbole des Dichters für Reinheit und Erlösung, für Sünde, Verdammnis und Furcht sind dem organisch-natürlichen Lebensbereich entsprungen. Es sind vorwiegend solche Vokabeln, die von mystischer Erfahrung zeugen oder von ihr aufgefüllt sind. Das Licht, die Blüte, die Quelle, der Kristallgrund, der Regenbogen und das Blut Jesu stehen auf der „hellen" Seite; sie sind Zeichen der Tröstung, der Reinheit und der Verklärung. Auf seiten der Verfinsterung und der Sünde finden wir den Abgrund, die Angstflut und die Sündflut, finden wir „giftge Erdenlagen", stürzende Wände; wilde, wüste Wogen und „arbeitblutge Hände", die in den bitteren Wogen „brennen".

Ob aus Ehrfurcht, Demut oder Furcht – das Wort „Gott" kommt im „Frühlingsschrei" nicht vor. Dem „Herrn" und „Meister" steht der „Knecht" gegenüber. Er steht allein mit seiner Schuld. Deshalb sagt er nicht „wir", sondern „ich". Die Stimmung des Jüngsten Gerichts ist über den „Knecht" gekommen. Denn auch dort wird der Herr nicht ein Kollektiv, – er wird den Einzelnen, wird die Person freisprechen oder verdammen.

Mit seinem „Frühlingsschrei", dem Schrei „aus der bittern Tiefe", – mit der schroffen Gegenüberstellung: Meister, Herr und Knecht bleibt Clemens Brentano der kühnen, herb realistischen Sprache der Psalmen nahe. Mystik und geistliche Barocklyrik mögen ihn beeindruckt und beeinflußt haben, soweit er deren Elemente nicht in sich trug. Seine Nachfolge hat in Deutschland eine Frau angetreten: es ist Annette von Droste-Hülshoff mit ihrem „Geistlichen Jahr".

Dem persönlich privaten Schicksalsweg Clemens Brentanos nachzugehen, führte hier zu weit. Er war kein glücklicher Mensch. „Sprunghafte Unruhe, der rastlose innere Krieg mit sich selbst" (Eichendorff) brachten ihm Selbstentfremdung und Schmerz. Auch der Pilgernde wurde nicht frei davon. Wahre Demut seines Geistes und die Verführbarkeit seines Herzens, – feuersprühender Witz und aufopfernde Nächstenliebe, – die Weltlust seiner Sinne und der oft ins Maßlose gesteigerte Trieb, sich reuig zu zeigen und bis zur selbstquälerischen Erniedrigung mit sich ins Gericht zu gehen – lagen im ewigen Widerstreit. Man hat von Brentano gesagt, er sei „eine Beute seiner Begabung und sei eine Beute der Gnade" geworden. Richtig scheint uns das Urteil Joseph von Eichendorffs zu sein. Er sagt von Brentano: kein Unbefangener werde das eigentlich Wunderbare all seiner Wunderlichkeiten verkennen.

Anneliese de Haas

EICHENDORFF:
DER ALTE GARTEN

VI/94

Kaiserkron' und Päonien rot,
Die müssen verzaubert sein,
Denn Vater und Mutter sind lange tot,
Was blühn sie hier so allein?

Der Springbrunn plaudert noch immerfort
Von der alten schönen Zeit,
Eine Frau sitzt eingeschlafen dort,
Ihre Locken bedecken ihr Kleid.

Sie hat eine Laute in der Hand,
Als ob sie im Schlafe spricht,
Mir ist, als hätt' ich sie sonst gekannt –
Still, geh vorbei und weck sie nicht!

Und wenn es dunkelt das Tal entlang,
Streift sie die Saiten sacht,
Da gibt's einen wunderbaren Klang
Durch den Garten die ganze Nacht.

Die Interpretation muß erweisen, daß die Menschen unrecht haben, falls sie meinen, Lyrik und besonders dieses Gedicht gehöre nur in die stille, einsame Studierstube und werde in der Öffentlichkeit des innersten Reizes entblößt. Viele Schüler (und auch Lehrer) versprechen sich vom Gedichtvortrag zu wenig: Er sei nicht so wirksam wie ein Lied. Daher kommen sie auch beim „Alten Garten" mit dem Vorschlag, die Verse mit Musik zu untermalen. Ich lehne nicht von vornherein ab, denn das Melodrama ist eine Geschmacksfrage. Musik kann übrigens gerade bei Eichendorff zur Unterstreichung der klaren Leitmotive dienen.

Eines erkennen die Schüler leicht: Die große innere Musikalität dieses Gedichts widerstrebt dem Pathos.

Es ist viel weniger rhetorisch als z. B. das folgende Gedicht von Trakl (VI, 95) das doch auch unpathetisch wirkt. Dies macht Eichendorff der Jugend sympathisch; denn das Unpathetische ist heute jugend- und zeitnahe.

Mancher stellt Eichendorffs Gedicht sogleich in die Nähe des Volksliedes: „Kaiserkron'", „hätt'", „gibt's", vielleicht noch „sonst" in der alten Bedeutung von „ehedem". Die Motive des Gedichts und der Satzbau werden als volksliedhaft empfunden. Ein feinsinniger Schüler wendet vielleicht ein: Kaiserkronen und Päonien nebeneinander zu stellen, wirke klanglich lächerlich. Gerade die Vermeidung des tonschwachen und schleppenden E in „blühn", „Springbrunn" sei künstlerische Absicht, sei eher Kunstlied als Volkston. Der Streit entbrennt um „Gibt's". Es ist klanglich hart, erschwert den Vortrag, paßt nicht in die gehobene, melodische Sprache der letzten Strophe. Der einzige „Schönheitsfehler" im ganzen Gedicht, so lautet das Endergebnis der Diskussion.

Die Auseinandersetzung, ob „Kunstlied" oder „Volkslied", ist keine Spielerei, sondern betrifft die grundsätzliche Haltung beim Vortrag. Kenner werden einfach sagen: das ist der Eichendorffton, der echt und wahr ist, der Ton eines Kunstliedes, der aus der schlichten, geschlossenen Persönlichkeit des Dichters die Naivität des Volksliedes in Gehalt und Gestalt hat.

Damit kommen wir näher heran an das merkwürdig harmonische Nebeneinander von Satzbrüchen in der ersten Strophe und der geschmeidig schmeichelnden Sprache der letzten. Ein Schüler könnte herausfinden, daß in der ersten Strophe eigentlich die vierte Zeile zwischen der zweiten und dritten Zeile stehen müßte, findet einen Sprung in der dritten Strophe zwischen der ersten und zweiten Zeile, wo die Zwischengedanken „sie schlägt Laute — sie singt zur Laute" fehlen.

Darauf kann der Lehrer bauen: der gegensätzliche Eindruck der Anfangs- und Schlußstrophe wird durch die Klanggestalt verstärkt. Am Anfang herrscht das geschlossene O, das O, das uns durch „rot" und noch mehr durch „tot" ins Ohr dringt. Syntaktisch und klanglich wird so das Thema „Verlorene Heimat" unterstrichen. Wir hören in die Klänge genauer hinein, ohne fürchten zu müssen, daß das bloße Spielerei sei. In den betonten Silben gibt es fast kein E; und auch das U erscheint nur dreimal; davon zweimal in der letzten Strophe in dem Wechsel mit zweifachem A: „dunkelt Tal entlang"; „wunderbarer Klang".

Das ist Musik. Der bestimmende Vokal ist A: besonders deutlich in der schon erwähnten letzten Strophe; mit drei A (Garten ganze Nacht) klingt das Gedicht aus. In der ersten Strophe herrscht das geschlossene O, dann kommt es nie mehr vor. Das offene O, die Vielzahl der E und I zwingen den Mittelteil des Gedichts auf die Artikulationsbasis der hohen Vokale hin. Diesem wichtigen Hinweis auch für den Vortrag folge ein zweiter: unter den Konsonanten dominiert das stimmlose T: zwölfmal bildet es den Reimausklang! Der Vortrag ist also wertlos, wenn der Sprecher dieses T nicht deutlich artikuliert. Auch der Reim führt vom tiefen, geschlossenen O des Anfangs über das hohe EI und I des Mittelteils zum harmonisch bindenden A, das ausschließlich die Reime der vierten Strophe bestimmt.

Wechsel der Vokale macht in der Mitte des Gedichts die volle Schönheit aus. Freilich tat das der Dichter — das muß immer wieder gesagt werden — aus einem inneren, unbewußten Gesetz heraus. Ähnliche Reime finden sich auch in der Tanzstundenlyrik, die innere Musikalität aber nicht.

Es lassen sich nur einige wenige metrische Richtlinien aufstellen. Im allgemeinen ist das Versmaß steigend; die erste und dritte Zeile sind vierhebig; die zweite und vierte dreihebig. Jamben sind die Regel; in jedem Vers steht ein Anapäst (manchmal sind es zwei). Die erste Zeile, mit einer Hebung beginnend, endet mit fallendem Ton. Die letzte Zeile der dritten Strophe fällt doppelt aus dem Schema: sie beginnt mit einer Hebung und hat deren vier, oder man liest sie durchwegs steigend, liest entweder das bedeutsame „Still" als Senkung oder hilft sich mit schwebender Betonung. Diese Zeile fällt aus dem Rahmen. Hier findet sich das einzige Rufzeichen. An wen richtet der Dichter sein Wort? Er spricht also mit sich selbst. So gesehen, wird die Zeile Schlüssel des Gedichts! Der Dichter hat die beglückende Frau einst gekannt, er möchte des Glücks wieder teilhaft werden, doch das ist vorbei. Auch wenn er sie weckte, sie brächte ihm, dem Heimatlosen, keinen Frieden. Nur noch aus der Ferne, nur noch in der Erinnerung, klingt ihre Laute. Sein Verzicht glättet wieder die Gefühlswogen. Mit Recht ist also dieser Vers anders gebaut!

Da das Gedicht ein Selbstgespräch ist, können die einander jäh ablösenden, nicht aber bis zur sprachlichen Vollständigkeit ausgedrückten Gedanken, keine andere Form als die der Satzbrüche haben; erst als die versöhnliche, Zeit und Leid überdauernde, abschließende wunderbare Erinnerung die Voraussetzung für ein harmonisches Ausschwingen schafft, könnte es zu einem Satzgefüge kommen. Syntaktisch wird die letzte Strophe dadurch gekennzeichnet, daß sie erstens mit einem Nebensatz beginnt. Zweitens steht in der letzten Strophe das einzige „und" als satzverbindende Konjunktion. Sie deutet den Zeitraum an, der verstrichen ist zwischen der jähen Erkenntnis, daß alles vorbei ist, und dem glückhaften Sichfinden in der Erinnerung, deutet auch die Überbrückung der seelischen Kluft an.

Drei Motive, die sich bei Eichendorff oft finden, beherrschen das Gedicht: der schöne Garten, das Leid um die toten Eltern und um die verlorene Heimat, schließlich ein unaufdringlicher, unentschleierter Zauber.

Aber über eine Frage kommt es noch zu lebhaftem Meinungsaustausch: Wer ist die Frau? Die Deutungen stellen sich um drei Gesichtspunkte: Die Frau ist einfach eine Brunnenfigur aus einem Rokokogarten, dessen Kernstück und das Kernstück der Erinnerung des Dichters. Die Frau ist eine mythologische Figur der Antike, vielleicht die Venus (Erinnerung aus „Marmorbild"), vielleicht die antikisierende Personifizierung der Jugend des Dichters mit ihrer sorglosen Geborgenheit und ihren poetischen Träumen.

Entscheidend ist aber dies: etwas Mütterliches, ewig Weibliches macht mit das Schöne in diesem Gedicht aus: Wärme strahlt von der Frau aus. Da aber stoßen wir wieder an ein Geheimnis echter Kunst.

Otmar Bohusch

FRIEDRICH RÜCKERT
GHASEL

Wohl endet Tod des Lebens Not,
Doch schauert Leben vor dem Tod.
Das Leben sieht die dunkle Hand,
Den hellen Kelch nicht, den sie bot.
So schauert vor der Lieb' ein Herz,
Als wie vom Untergang bedroht.
Denn wo die Lieb' erwachet, stirbt
Das Ich, der dunkele Despot.
Du laß ihn sterben in der Nacht
Und atme frei im Morgenrot.

Langsam und besinnlich müssen diese wenigen Verszeilen gelesen werden, die Frucht langen, grübelnden Nachsinnens über Leben und Welt. Das Dunkel bedrückender Zweifel, eines unentschiedenen Abwägens weicht dem Lichte klarer Erkenntnis.

Die Begegnung mit östlicher Lebensweisheit war es, die im Dichter dieses Ringen um Erfassung wesentlicher Erfahrungen des Menschenlebens ausgelöst hat: Liebe und Tod. Und da ihm eine plötzliche, glückhafte Erleuchtung aus fremdem Geist den Zugang zu diesen Rätseln eröffnet hat, schenkt ihm das Vorbild fremder Dichtung auch die Vollendung der Form.

In sich verschlossen und spröde erscheint uns dieses Ghasel Rückerts. Etwas Abweisendes geht von ihm aus; immer werden wir gefühlsmäßig einen bestimmten Abstand bewahren. Aber gerade darin offenbart sich die künstlerische Vollendung dieser Gedankendichtung; denn der vom Gefühl eines Abstandes getragene erste Eindruck entspricht genau dem Standpunkt des Dichters, der das kleine eigene Ich weit hinter sich gelassen hat.

Wie die Verse durch den immer wiederholten, schweren Reim Gewicht erhalten, so ist ihre Aussage eine streng gegliederte Gedankenfolge, deren Höhepunkt und Wendung in einem klaren Schluß und zugleich einer Aufforderung erreicht wird. Dabei greift die Gedankenführung immer wieder die gleichen Themen auf: Leben und Tod, Liebe und Untergang, Nacht und Morgen. Das Gefühl jedoch, mit dem der Mensch auf diese Gegensätze antwortet, ist der Schauder, das Grauen vor ihrer Unversöhnbarkeit.

Schwere Gedanken sind es, die den Dichter heimsuchen und schwer ist deshalb der Fluß der Verse, die durchwegs männlichen Ausgang haben. Das Bewußtsein, daß im Tod des Lebens Unrast aufgehoben wird, ist nur ein schwacher Trost für den Menschen, den beim Gedanken an sein Sterben ein Gefühl tiefster Angst erfüllt. Wie gebannt ist sein Blick auf das dunkle Tor gerichtet, hinter dem unbekannte, unheimliche Mächte auf ihn lauern. Zweimal kehrt das Wort „Tod" in dem ersten Reimpaar wieder und der Klang des O erscheint nicht nur in dem „wohl" und „doch" noch einmal, sondern auch am Schluß des zweiten Verses. Zweimal setzt ihm der Dichter das Wort „Leben" entgegen, aber das hellere, freudigere E kann gegen den dunklen Klang nicht standhalten.

In den folgenden zwei Zeilen wird wiederum der Gegensatz des hellen E („Leben", „hell", „Kelch") zu dem O am Schluß des Verspaares für den Klangcharakter bestimmend. Dem Leben erscheint der Tod als „dunkle Hand"; es übersieht jedoch den „hellen Kelch", den die Hand des Todes gleichzeitig darreicht, die Helle, die der Tod ebenso ist oder sein kann.

Wie so der Dichter im Tod eine Flut der Angst und des Grauens auf sich zukommen fühlt, gedenkt er einer Stunde seines Lebens, da sein Herz, ebenso ergriffen, schmerzvoll zurückschauderte. Auch die Liebe offenbart sich dem Menschen als etwas Drohendes, als eine Macht, die seinen Untergang heraufbeschwört; denn sie fordert bedingungslose Aufgabe der Person. Das gilt für die Liebe zwischen Menschen, aber auch für die liebende Hingabe an Gott.

Diese überraschende Verwandtschaft von Tod und Liebe wird in den folgenden Versen noch näher umschrieben. In der Liebe muß der „Liebende" sich selbst hingeben, daß dadurch sein Ich erlischt. Der „Untergang" in der Liebe aber bedeutet keine Zerstörung, sondern das Überschreiten der Schwelle von vorläufigem in gültiges Leben.

Indem nun der Dichter versucht, das Wesen jenes Ich zu verstehen, erkennt er plötzlich, daß es ein grausamer Tyrann ist, eben jener „dunkele Despot", unter dessen erbarmungsloser Herrschaft die Freiheit des eigentlichen Lebens verlorengegangen ist. Der Mensch ist Sklave seines Ich, weil es ihn zwingt, immer in der Beschränkung auf sich selbst zu verbleiben. Darum schreckt er vor dem Tode und vor der Liebe als zwei Mächten der Bedrohung und des Untergangs zurück. Aus dem Wesen der Liebe aber kommt blitzhaft die Analogie:

wie durch die Selbstaufgabe in der Liebe erst der wahre Morgen des Lebens anbricht, so hebt auch mit dem Tod die Helle eines neuen, besseren Lebens an. Weil der Tod auch „hell" ist, kann der Mensch die Fesseln seines Tyrannen abwerfen und eine neue Freiheit sich selbst, dem Leben und dem Tode gegenüber gewinnen.

Die beiden letzten Verse bestätigen die innere Wende. Die Nacht des Zweifels hat ihr Ende, der Dichter hat überhaupt den quälenden Zustand des Rätselns und Grübelns überwunden. An ihre Stelle tritt der klar ausgesprochene Entschluß, der zugleich Aufruf für jedes „Du" ist. Die Tyrannei des falschen Ich soll in der Nacht banger Gedanken zurückbleiben, damit der Mensch befreit im Licht eines neuen Morgens aufatme.

Zweimal sprechen die letzten Verse vom Sterben, wie auch der Dichter zu Beginn vom Tode zweimal sprach. Jetzt aber ist das Grauen verschwunden.

Der Aufbau des Gedichts wird durch die Gesetze eines konsequent voranschreitenden Gedankenablaufs bestimmt. Die ersten vier Verszeilen enthalten des Dichters Sinnen über die unbegriffene Macht des Todes; in den folgenden vier Versen versucht er, sich über die Bedrohung und Lösung durch die Gewalt der Liebe klar zu werden; die letzten Zeilen aber führen hinaus aus dem zunächst ausweglos scheinenden Zirkel selbstquälerischer Gedanken und werden zu einer vorbehaltlosen Verkündung neuer Lebenszuversicht.

Es mag erkennbar sein, mit welcher Beherrschung aller künstlerischen Mittel gerade dieses Gedicht geformt wurde. Zu ihnen gehört der fehlerlose Gebrauch der vierhebigen, jambischen Verse mit männlichem Ausgang, die einen ausgeglichenen Bewegungsablauf gewährleisten. Es fällt darunter die Wiederholung sinntragender Worte (Leben, Tod und Liebe; schauern und sterben). Bewußt wird durch die Häufung bestimmter Vokale der Klangcharakter zusammengehöriger Verse verändert.

Entscheidend aber ist, daß der Dichter sich nicht nur von pantheistischen Gedanken des Ostens beeinflußt zeigt, sondern auch eine höchst kunstvolle Gedichtform aus dem Orient übernimmt. Seit Goethes „Westöstlichem Divan" lassen sich immer wieder deutsche Dichter vom Reichtum östlichen Denkens befruchten. Die Übernahme der uns zunächst so fremdartig anmutenden Form des Ghasels aber bedeutete zweifellos ein großes Wagnis. Rückert und Platen haben sie vor allem in der deutschen Dichtung eingeführt, wenn auch nicht heimisch gemacht. Das Ghasel, aus Persien stammend, ist wahrhaft ein „Ge-

spinst", – so lautet eigentlich sein Name, – denn es erfordert die
Bindung aller geraden Verse durch denselben Reim, der schon zu Beginn durch das erste Reimpaar gegeben wurde. Manches Ghasel aber
ist mißglückt, weil es gewaltige Mühe kostet, achtmal oder öfter den
gleichen Reim zu finden. Oft wirkt das Ghasel deshalb eintönig und
monoton.

In unserem Beispiel aber ist es dem Dichter wohl geglückt, für seine
Aussage auch die entsprechende künstlerische Form zu finden. Immer
wieder kreisen seine Gedanken um die gleichen Lebenserfahrungen.
Wir empfinden es nicht als Künstelei, wenn auch immer wieder der
gleiche Reim auftaucht. Und sind nicht wir Leser dazu aufgerufen,
nicht nur das hauchzarte „Ghasel" der Form, sondern auch das
„Ghasel" der Gedanken zu entwirren?

Friedrich Leiner

ANNETTE VON DROSTE-HÜLSHOFF:
AM TURME

Ich steh auf hohem Balkone am Turm,
Umstrichen vom schreienden Stare,
Und laß gleich einer Mänade den Sturm
Mir wühlen im flatternden Haare;
O wilder Geselle, o toller Fant,
Ich möchte dich kräftig umschlingen,
Und, Sehne an Sehne, zwei Schritte vom Rand
Auf Leben und Tod dann ringen!

Und drunten seh ich am Strand, so frisch
Wie spielende Doggen, die Wellen
Sich tummeln rings mit Geklaff und Gezisch
Und glänzende Flocken schnellen.
O, springen möcht ich hinein alsbald,
Recht in die tobende Meute,
Und jagen durch den korallenen Wald
Das Walroß, die lustige Beute!

Und drüben seh ich ein Wimpel wehn
So keck wie eine Standarte,
Seh auf und nieder den Kiel sich drehn
Von meiner luftigen Warte;
O, sitzen möcht ich im kämpfenden Schiff,
Das Steuerruder ergreifen
Und zischend über das brandende Riff
Wie eine Seemöve streifen.

Wär ich ein Jäger auf freier Flur,
Ein Stück nur von einem Soldaten,
Wär ich ein Mann doch mindestens nur,
So würde der Himmel mir raten;
Nun muß ich sitzen so fein und klar,
Gleich einem artigen Kinde,
Und darf nur heimlich lösen mein Haar
Und lassen es flattern im Winde!

Aus dem Umkreis Drostescher Lyrik werden die stürmisch bewegten Verse des „Turm"-Gedichtes dem jungen Menschen wohl am ehesten zugänglich sein. Es gehört, wie auch der „Mondesaufgang", zu jener Gruppe von Gedichten, die von einem ganz bestimmten, klaren Formprinzip geprägt sind – ganz im Gegensatz zu jenem anderen entscheidenden Bereich Drostescher Dichtung: der Welt der „Heidebilder", in der die abgründig elementaren Mächte so stark und unmittelbar erlebt werden, daß menschliche Ordnungskraft versagen muß und das Ich sich machtlos der „andringenden Wirklichkeit" ausgeliefert fühlt.

Das Turm-Gedicht gehört zu dem bei der Droste recht häufig vorkommenden einfachen Kreuzreimtypus, nutzt aber bestimmte Möglichkeiten dieser Struktur so vollendet und dem Gehalt entsprechend aus, daß es doch ein eigenes Gepräge gewinnt. Das metrische Schema, in dem außer dem Reim auch Versausgang und Hebungszahl gleichmäßig alternieren, zeigt, daß wir kein abgerundetes, sondern ein offenes Strophengebilde vor uns haben, das die Bewegung geradlinig hindurchströmen läßt. Eine Pausierung ist nur einmal, und zwar nach den ersten vier Zeilen angelegt, nachdem Reim, Hebungszahl und Kadenz den entsprechenden Partner gefunden haben. Der einzige Ruhepunkt dieser achtzeiligen Strophe liegt genau in der Strophenmitte, wodurch dieselbe einen leicht gegensätzlichen Charakter erhält (a b a b / c d c d), der sich für das Wesen dieses Gedichtes als bedeutsam erweist.

Diese metrische Struktur wird durch den Satzbau so eindeutig unterstrichen, daß sich eine vollkommene Einheit ergibt. Jede Strophe baut sich aus zwei Sätzen auf dergestalt, daß genau jede Strophenhälfte einen Satz umfaßt; die metrische Pause deckt sich mit der syntaktischen. Außer dieser einen Pause geht es zügig durch die Strophe hindurch, dem stürmischen Gang des Gedichtes entsprechend.

Nebensätze gibt es in den ersten drei Strophen nicht: im Drang der Bewegung bleibt keine Zeit, komplizierte Gefüge aufzubauen. Der klaren, symmetrischen Komposition der Einzelstrophe entspricht die regelmäßige korrelationsreiche Gliederung des Gedichtganzen. Das selbstbewußt herausfordernde „Ich steh auf hohem Balkone am Turm" der ersten Zeile gibt sofort Grundton und -haltung der folgenden Strophen an: Das „Ich" als Subjekt des Satzes bestimmend an den Anfang gerückt, als Subjekt des Gedichtes auf einem Platz zwischen Drinnen und Draußen „stehend", hält diese Position in sich immerfort steigerndem Bewegungsdrang bis zum entscheidenden einschränkenden Schluß inne. Der Standort „Balkon" gewinnt hier deshalb eine besondere Bedeutung, weil er gleichsam als Sprungbrett erscheint, von dem sie hinausspringen möchte ins Weite, heraus aus aller Beengung des Hauses hinter ihr, aber es doch nicht vermag. Durch die kennzeichnende Formulierung „auf *hohem* Balkone *am Turm"* (einem streit- und wehrhafter Lebensform gemäßen Bauwerk) wird vom Räumlichen her die Kampfansage vorbereitet, die sich anschließt und das Verlangen des Ich, seine Kräfte einzusetzen und mit anderen zu messen, in Worte faßt. Für diese Kräfte ein immer neues Feld zu finden, der Wunsch nach immer weiter ausgreifender Aktivität, ist das Bewegende. Dabei vermittelt das:

„Und drunten seh ich . . . O, springen möcht ich . . ."

der zweiten und das:

„Und drüben seh ich . . . O, sitzen möcht ich . . ."

der dritten Strophe einen sprunghaften Übergang in der Form, daß die zweite Strophe – die Dynamik der ersten steigernd – in einem „Satz" herabführt vom hohen Turm zu den schäumenden Wellen am nahen Ufer, die dritte aber in die Ferne weist, hinaus auf die weite See. Indem sich aber in beiden Fällen an entsprechender Stelle der Wunsch anschließt, selber dort sein zu können, wohin jetzt nur die Augen reichen, wird zwischen den Zeilen schon die Gebundenheit spürbar, die es nicht zuläßt, das Geschaute und Ersehnte wirklich zu erfassen. Damit wird beides: reales Tun („Ich sehe") und bloßes Wünschen („Ich möchte") in den beiden Strophenhälften einander gegenübergestellt und auseinandergehalten. Bisher erfüllte der ungestüme Drang, immer neue Ausdrucksmöglichkeiten des Tatwillens zu entdecken alles noch so sehr, daß die Beschränkung nicht empfunden wurde. Bis jetzt blieb das Ich das bestimmende Subjekt aller Sätze. Diese Vorrangstellung aber wird in der letzten Strophe als nicht wirklich enthüllt. Dort wird zwar zunächst noch einmal das Verlangen aller bisherigen Strophen nach einem unbeschränkten, selbsttätig wirkenden Dasein zusammengefaßt, aber das Ich erscheint nicht mehr als Subjekt des Hauptsatzes. Zugleich tritt erstmalig in den Wunschsätzen grammatisch der Optativ auf („Wär ich . . ."), der nicht nur der Sehnsucht Ausdruck verleiht, sondern damit das Wissen um die Unmöglichkeit des Begehrten verbindet, während die früheren Wunschsätze, in die Form des Indikativs gekleidet, weit mehr den Charakter fordernden, unbekümmerten Begehrens haben.

Nachdem aber auf diese Weise all das ungestüme Streben noch einmal Ausdruck gewonnen hat, stellt sich dem die zweite Strophen-

hälfte, betont zum Indikativ und damit zur beengenden Wirklichkeit
zurückkehrend, umso wirkungsvoller entgegen:
„Nun muß ich sitzen so fein und so klar . . .“!
Doch das ist nicht die einzige Antithese, von der diese auf jede der
anderen Strophen bezogene Schlußstrophe lebt, wenn sie, nicht nur
inhaltlich, sondern auch die Mittel metrischer Komposition ausnut-
zend, den Schlußstein setzt. Denn die letzten vier Zeilen dieser Strophe
antworten nicht nur auf die ersten vier, sondern zugleich auf die
zweite Hälfte aller übrigen Strophen, wobei das „Ich muß“ und „Ich
darf nur“ im zeilenmäßigen Aufbau genau an die Stelle des früheren
„Ich möchte“ tritt und es damit umso nachdrücklicher ersetzt und
erledigt. Darüber hinaus aber stellt die zweite Hälfte der Schlußstrophe noch eine genaue Antithese zur ersten Hälfte der Anfangsstrophe dar. Indem gewisse Motive wieder aufgegriffen werden, erfährt das Gedicht seine Abrundung: so kehrt die Bewegung am Schluß
in sich zurück, und die Art dieser Rückwendung wird wieder bestimmt durch die formale Grundeinheit: die Strophenhälfte. Zugleich
aber wird mit der Abwandlung der den ersten und letzten vier Zeilen gemeinsamen Bilder der Abstand zwischen Anfangs- und End-
situation verdeutlicht. Diese letzte Antithese bezieht sich einmal auf
die (nicht nur) äußere Haltung des Ich, („Ich *steh* auf hohem Balkone
am Turm“ / „Nun *muß* ich *sitzen* so fein und so klar“), dann auf
den dort gebrauchten Vergleich, („gleich einer Mänade“ / „gleich
einem artigen Kinde“) und schließlich auf das flatternde Haar.
Bei der Umformung dieses letzten Bildes verrät die Dichterin Meisterschaft. Mit der Abschwächung des Ausdrucks „Sturm“ zu „Wind“
klingen die Schlußzeilen gedämpfter. Während das Ich anfangs als
ein herrisch gewährendes auftritt, „Und laß . . . den Sturm mir wühlen im . . . Haare“, erscheint es am Ende selber als ein abhängiges:
„Und darf nur heimlich . . . lassen“. Ferner ist der Sturm als „wilder
Geselle“, der im Haar wühlen darf, eine nahe, fast greifbare Gestalt.
Das Neben- und Gegeneinander der wilden Mänade und des Sturm-
Gesellen wird als kühnes Bild sichtbar. Die völlig veränderte Schluß-
situation nun wird durch einen einfachen Eingriff in die grammati-
sche Struktur: eine Vertauschung von Akkusativobjekt und adver-
bialer Ortsbestimmung herbeigeführt; denn anstatt „den Sturm im
Haare wühlen“ heißt es jetzt „das Haar im Winde flattern“ lassen.
Alles verblaßt zum gewohnteren Bild, zur unauffälligeren Redewen-
dung. Darin aber zeigt sich wiederum die Rückkehr zur Konvention.
Wie sehr im „Turme“ alle Einzelheiten vom Gesamtcharakter her

bestimmt sind, wird noch an einer anderen Stelle deutlich. Annette, die
für die Naturwahrheit ihrer Bilder berühmt ist, bringt nämlich ein
offensichtlich naturwidriges Bild („ . . . jagen durch den korallenen
Wald / Das Walroß, die lustige Beute"); denn einen Korallenwald
gibt es nur im warmen südlichen, das Walroß dagegen nur im nördlichen Meer. Dies Bild aber ist nicht Bestandteil eines Aussagesatzes,
sondern gehört dem zweiten „Ich möchte"-Satz an. Der vergebliche
Wunsch, der das Gedicht beherrscht, der Wunsch, die Wirklichkeit zu
korrigieren, wird darin sichtbar, daß hier die Dinge so zusammen-
gefügt werden, wie sie in der Natur nicht zusammen bestehen. Indem
aber somit wieder das Unmögliche des Begehrens zum Ausdruck
kommt, erweist sich das naturwidrige Bild als ein sinnvolles und be-
rechtigtes.

Die Struktur des Gedichtes ist von einer seltenen Symmetrie, die
eindeutig vom Gesetz des inneren und äußeren Gegensatzes bestimmt
wird. Diese Strophen bringen einen entscheidenden Wesenszug der an
inneren Spannungen und Gegensätzen reichen Dichterin zum Ausdruck, umso mehr, als dieses Gedicht keine Jugendlyrik, sondern ein
Werk der reifen, 44-jährigen Annette darstellt. Es ist der Gegensatz
von leidvoll sich fügender Passivität und einem wilden, leidenschaftlichen Tatwillen, der, da er sich in ihrem Leben, dem Leben eines
streng an Sitte und Stand gebundenen, dazu früh kränklichen Frei-
fräuleins des konservativen westfälischen Adels, kaum zu verwirklichen vermochte, sich hier in Form dichterisch gestalteter Aussage
kraftvoll kundtut. — Wie es ihr dabei gelingt, ihrer Resignation und
unterdrückten Leidenschaft auf eine feine, unsentimentale Weise
Ausdruck zu verleihen, indem sie beide rein und ganz in Bild, Gebärde und Rhythmus aufgehen läßt, gehört zu dem Gültigen dieses
Gedichtes.

Marita Fischer

ANNETTE VON DROSTE-HÜLSHOFF:
DAS SPIEGELBILD

IX/110

Schaust du mich an aus dem Kristall
Mit deiner Augen Nebelball,
Kometen gleich, die im Verbleichen;
Mit Zügen, worin wunderlich
Zwei Seelen wie Spione sich
Umschleichen, ja, dann flüstre ich:
Phantom, du bist nicht meinesgleichen!

Bist nur entschlüpft der Träume Hut,
Zu eisen mir das warme Blut,
Die dunkle Locke mir zu blassen;
Und dennoch, dämmerndes Gesicht,
Drin seltsam spielt ein Doppellicht,
Trätest du vor, ich weiß es nicht,
Würd ich dich lieben oder hassen?

Zu deiner Stirne Herrscherthron,
Wo die Gedanken leisten Fron
Wie Knechte, würd ich schüchtern blicken;
Doch von des Auges kaltem Glast,
Voll toten Lichts, gebrochen fast,
Gespenstig, würd, ein scheuer Gast,
Weit, weit ich meinen Schemel rücken.

Und was den Mund umspielt so lind,
So weich und hilflos wie ein Kind,
Das möcht in treue Hut ich bergen;
Und wieder, wenn er höhnend spielt,
Wie von gespanntem Bogen zielt,
Wenn leis es durch die Züge wühlt,
Dann möcht ich fliehen wie vor Schergen.

Es ist gewiß, du bist nicht Ich,
Ein fremdes Dasein, dem ich mich

221

Wie Moses nahe, unbeschuhet,
Voll Kräfte, die mir nicht bewußt,
Voll fremden Leides, fremder Lust;
Gnade mir Gott, wenn in der Brust
Mir schlummernd deine Seele ruhet!

Und dennoch fühl ich, wie verwandt,
Zu deinen Schauern mich gebannt,
Und Liebe muß der Furcht sich einen.
Ja, trätest aus Kristalles Rund,
Phantom, du lebend auf den Grund,
Nur leise zittern würd ich, und
Mich dünkt — ich würde um dich weinen!

Die Selbstbegegnung im Spiegel ist ein Motiv, das in der Kunst — Malerei wie Dichtung — mehrfach und auf jeweils ganz verschiedene Art gestaltet und theoretisch ausgedeutet worden ist. Die Ausgangssituation, der Blick in den Spiegel, gehört zwar zu den alltäglichen Erscheinungen unseres Lebens, aber nur selten geschieht es, daß dieser zu einer wirklichen Begegnung und Auseinandersetzung mit dem geschauten Bilde führt. Überall jedoch, wo wir auf gültige Zeugnisse solcher Selbstschau treffen, bieten sich uns (auch geistesgeschichtlich) überaus wichtige Einblicke in das Selbstverständnis des Menschen. So ist denn auch das Spiegelgedicht der Droste unter all ihren Selbstzeugnissen menschlich und künstlerisch zentral und bedeutsam. Ihre Verhaltenheit weicht hier einer rückhaltlosen Offenheit, wie wir sie nur noch aus dem „Geistlichen Jahr" kennen. Desgleichen aber werden wir auch an keiner anderen Stelle von dem befremdlich Rätselhaften ihrer Gestalt stärker berührt als gerade hier. Einen Zugang zu diesen Versen findet man daher nicht leicht, weil ihr Wortlaut so ungeheuerlich ist.

L. Köhler weist darauf hin, daß das „Spiegelbild" als ein Werk der 45-jährigen Dichterin die vollkommenste und unverhüllteste Wortwerdung dessen sei, was ihr schon als junges Mädchen die Seele ängstigte: die Erfahrung und Begegnung mit widergeistigen oder rational irrelevanten, sinnlich-übersinnlichen Kräften, wie wir sie mehrfach im Werk der Droste bezeugt finden. Auch der Tagebuchbericht des Pastors Fr. Beneke, sowie einige Worte L. L. Schückings sind hier zu nennen. Schücking meint, als er auf das Widersprüchliche im Wesen der Droste zu sprechen kommt, daß „zutiefst auf dem Grunde ihrer

Natur von Haus aus Kräfte (leben), die etwas Dämonisches an sich haben . . . deren Bezwingung ihr Leben zu Zeiten in einen Zustand von Unruhe versetzt, der sie mit Zerrüttung, ja, fast mit Wahnsinn zu bedrohen scheint . . . In ihrer Jugend steht sie unter dem Einfluß von Antrieben, die manchmal geradezu ihren klaren Willen lähmen, spontanen Regungen, die aus einem ganz andern seelischen Grunde als dem ihrigen zu stammen scheinen".

Die Spiegelbegegnung im Zeichen der Selbstspaltung und -entfremdung kommt erst mit dem im 18. Jahrhundert sich anbahnenden Subjektivismus auf, der in besonderer Weise das Ich zum fragwürdigen Gegenstand erhob. In dieser geistigen Entwicklungsreihe steht auch das Gedicht der Droste. Die Besonderheit seiner Aussage freilich ist ganz durch die zwar reflektierende, aber unphilosophische Haltung der Dichterin und die Eigenart ihres westfälischen Raumes bestimmt, in dem sich bis zu ihrer Zeit noch Furcht und Glauben an elementar-magische Kräfte lebendig erhalten haben. (Allgemein lassen sich bei der Droste weit mehr Beziehungen zu jenen alten volkstümlichen Vorstellungen, wie sie einst in den magischen Kulturen des primitiven Menschen um Spiegelbild und Doppelgängertum entstanden, feststellen als zu irgendwelchen philosophisch-geistigen Spiegeldeutungen.)

Schon die erste Zeile läßt in ihrer sprachlichen Form die Besonderheit des ganzen Gedichtes erkennen. Da heißt es nicht, wie die natürliche Situation es wohl nahelegt „Schau *ich mich* an *in* dem Kristall", sondern umgekehrt „Schaust *du mich* an *aus* dem Kristall". Das eigentliche Subjekt ist hier das Spiegelbild, das somit von vornherein als ganz konkretes Gegenüber gefaßt wird, von dem sich das Ich auf unheimliche Weise ergriffen fühlt. Denn auch die folgende Beschreibung des Gesichtes ist nicht das Ergebnis ruhig betrachtender, objektiver Schau, sondern hier wird in der Art der Betrachtung zugleich die andringende Macht des Spiegelwesens spürbar. Auch die in der Literatur sich immer wieder erhebende Frage nach der Glaubwürdigkeit des Spiegelbildes, mithin das Bewußtsein von dem bloß Sekundären, Abgeleiteten der Spiegelerscheinung dem Urbild gegenüber, kann allein von der besonderen Art der Drosteschen Formulierung her gar nicht erst aufkommen. Das Spiegelgesicht ist hier das primäre Subjekt, dessen übermächtige Wirklichkeit Grauen einflößt.

Das Grauen vor der Selbstschau kann verschiedene Ursachen haben. Es kann ausgelöst werden durch eine Selbstentfremdung, eine Spaltung von Ich und Bild, die häufig zum Zweifel an der eigenen Exi-

stenz und zum Selbstverlust führen. Hier jedoch soll die bewußt voll-
zogene Trennung („Phantom, du bist nicht meinesgleichen!") das
Grauen bannen, soll das unheimliche Gegenüber abtun als ein anderes Wesen, das mit dem eigenen Ich nichts zu schaffen hat. Ja, sie
wehrt sich dagegen, diese Züge als menschliche überhaupt anzuerkennen („ . . bist nicht *meinesgleichen!*"). Die Erscheinung wird zum
bloßen „Phantom", zum nicht real vorhandenen Traumgebilde erklärt, aber das Gesicht gibt sie nicht frei. Mit dem ersten „Und dennoch . . . trätest du vor . . ." wird die Möglichkeit seiner wirklich
lebendigen Existenz wieder eingeräumt und damit die Notwendigkeit
einer Stellungnahme erhoben. Bejahung und Verneinung aber bedeuten ein Ja oder Nein zum eigenen Ich, das hier im Spiegel sein
ganzes Wesen, das vorder- und hintergründige, von dunklen unbekannten Kräften beherrschte, offenbart, dem sie nun so klarsichtig
und unausweichlich gegenübersteht wie kaum je zuvor und das sie
nun zur Entscheidung zwingt. Es geht um die Frage der Anerkennung
des eigenen, plötzlich in seiner ganzen Ungeheuerlichkeit empfunde-
nen Wesens, das im Medium des Spiegels sich ihr ungeschwächt
darstellt.

Diese entscheidende Frage der Anerkennung wird auch jetzt gestellt, sie bleibt jedoch — zunächst — offen. („ . . . ich weiß es nicht /
Würd ich dich lieben oder hassen!") Damit ist der Anstoß für die folgenden Strophen gegeben. Denn diese Alternative, dies Gegeneinander
von Hinwendung und Flucht führt innerhalb der nächsten beiden
Strophen zu einer immer größeren Spannung, wobei die Hinwendung
den ersten kürzeren, die Flucht aber den letzten umfangreicheren
Strophenabschnitt einnimmt: Die Furcht ist das Grundgefühl, gegen
das die bejahende Liebe nur mit äußerster Kraft sich durchzusetzen
vermag. Die Dynamik des Ganzen wird noch dadurch erhöht, daß
sich die geistig-seelischen Spannungen in körperlich-räumliche Bewegung umsetzen.

Das Erlebnis dieses Hin und Her ist die entschlossene Antwort: „Es
ist gewiß, du bist nicht ich." Daß diese klare Absage nicht morali-
scher, auch nicht christlich-moralischer Wertung und Unzufrieden-
heit mit sich selbst entspringt (wie z. B. im „Geistlichen Jahr"), sondern jenseits aller Begriffe von Schuld und Sünde darin begründet
liegt, daß sie dies „Dasein" als ein menschliche Maße zu sehr über-
steigendes, zu fremd erschreckendes empfindet, um es für das ihrige
halten zu können, das wird in dem nun folgenden unerhörten Vergleich deutlich: „ . . . Ein fremdes Dasein, dem ich mich / Wie Moses

nahe, unbeschuhet", ein kaum ausdeutbarer Vergleich, der die Spiegelvision in einen Bereich entrückt, der durch das lateinische „sacer" in seiner zwiefachen Bedeutung umschrieben werden könnte: sie naht sich jenem „Dasein", wie sich einst Moses dem brennenden Dornbusch genaht, als ihm daraus die Stimme Gottes geboten: „Tritt nicht herzu, ziehe deine Schuhe aus von deinen Füßen, denn der Ort, darauf du stehst, ist ein heiliges Land!" (2. Buch Mos. Kap. 3 V. 5). Dieser eine, einmalig kühne Vergleich allein hebt das ganze Gedicht weit über alles rein Psychologische hinaus.

Das „Es ist gewiß, du bist nicht ich" führt auf den Ausgangspunkt zurück, das jedoch nun, vor allem nach den letzten zwei erschütternden Versen: „Gnade mir Gott . . .!" unumstößlich erscheint. Doch der Schluß vermag die Kraft zu dem zweiten, endgültigen „Und dennoch" noch einmal aufzubringen. Sie knüpft damit an die zweite Strophe an, löst aber nicht wie diese eine neue Bewegung aus, sondern läßt dieselbe wirklich zur Ruhe kommen. Zwar bringt auch sie nicht die uneingeschränkte Hinwendung, das Grauen zittert bis zum Schluß hindurch, doch Abstoßung und Anziehung schließen einander nun nicht mehr aus („soll ich dich lieben *oder* hassen"), sondern wirken als unauflösliche Einheit: „Und Liebe muß der Furcht sich *einen*". Die Spannung aber, die die in dieser Einheit verbundenen Gegensätze hervorrufen, wird in den Schlußzeilen auf eine Weise gemäßigt und gemildert, daß sich alles, auch das bis dahin noch ungelöst Verbliebene zu lösen und das nicht mehr in Worten Mitzuteilende auszudrücken vermag. In jenen Tränen findet das ausweglose Hin und Her von Annäherung und Flucht seinen letzten Ausgleich, indem beides, das Ja und das Nein unaussprechlich darin aufgehen. Das ist keine rational faßbare Lösung; eine solche wäre diesem Gedicht wohl auch nicht angemessen.

Die Kraft, von der diese letzte Strophe getragen wird, prägt auch die syntaktische Form: sie ist die einzige, die das Ich als Subjekt eines unbedingten Hauptsatzes an den Anfang aller Zeiten stellt, unmittelbar hinter jenes entscheidende „Und dennoch", das die große Wendung bringt. Die Umkehrung wird ferner darin sichtbar, daß aus dem „Du . . . mich" der ersten Zeile in der letzten ein „Ich . . . dich" wird. Zwar bleibt der Zustand auch jetzt noch in der Schwebe. Der das ganze Gedicht bestimmende Konjunktiv — hier nicht wie in „Am Turme" Wunsch und Begehren, sondern erschreckende, die Wirklichkeit in Frage stellende Möglichkeit ausdrückend — herrscht bis zum Schluß. Jedoch zeigt sich in den drei kennzeichnenden Stufen: „Du

– mich" (I) „Würd ich dich?" (II) „Mich dünkt, ich würde dich!" (VI)
der Wandel des Ich vom abhängigen Objekt über das ratlose Subjekt
hin zu jenem Subjekt, das sich zwar nicht in kraftvoller Sicherheit
zu bestätigen, wohl aber doch die in der Spiegelbegegnung erlebte
Erschütterung zu ertragen vermag. Erst von hier aus läßt sich der
Sinn ihres späteren Bekenntnisses: „Vor allem aber halt das Kind
der Schmerzen, / Dein angefochtnes Selbst von Gott gegeben!" voll
ermessen.

Die nicht ablassende, sich ständig steigernde und erst im allerletzten
Wort ganz sich lösende Spannung, das ruhelos Drängende der Bewegung, die im Innern des Gedichtes keiner Sammlung Raum gibt,
sondern nur absetzt, um eine neue Gegenbewegung auszulösen, das
alles beruht nicht zuletzt auf der metrisch-syntaktischen Gliederung.
Die relativ komplizierte, asymmetrisch gebaute Einzelstrophe (a a b
c c c b, wobei b jeweils klingend endet) besitzt keine in sich abge-
rundeten Teilglieder, sondern stellt selbst die letzte formale Einheit
des Gedichtes dar. Ein wirkliches Atemholen ist erst nach Ablauf der
vollen Strophe möglich. Dabei wird die Lösung der auf diese Weise
sich aufbauenden Spannung rein metrisch (durch ein drittes, stumpfes c) hinausgezögert. Die Spannung erhöht sich weiterhin dadurch,
daß Vers und Satz sich vielfach überschneiden.

Eine große Rolle spielt im „Spiegelbild" der Vergleich, der nicht nur
einen Zuwachs an bildlicher Fülle bewirkt, sondern zur wesentlichen
Substanz des Gedichtes gehört. Wie aufschlußreich ist allein der Vergleich aus der ersten Strophe, der den durch Jahrhunderte hindurch
vertrauten und geläufigen Topos „Augen leuchtend wie Sterne" unheimlich treffend und dem Wesen dieses Gedichtes entsprechend um-
wandelt in das befremdliche Bild: „Mit deiner Augen Nebelball, /
Kometen gleich, die im Verbleichen"! Der außergewöhnlichen Erscheinung des Kometen haftet ja im Gegensatz zu den übrigen Sternen etwas Erschreckendes, Unheildrohendes an. Und eben diese Züge
sind es, die mit und durch jenen Vergleich die Atmosphäre des Gedichtes von vornherein bestimmen. Vorausdeutend auf das „gespenstig, tote Licht" der dritten Strophe kündigt sich überdies in „der
Augen Nebelball" das aller geistigen Klarheit und Freiheit wider-
streitende Prinzip an. Das Bild des Nebels als Zeichen einer Bedrohung und Überwältigung menschlicher Verstandeskräfte kehrt in der
Dichtung Annettes häufig wieder. Während die Stirne als Sitz dieser
Kräfte in unumschränkter Herrschaft sich zeigt und schüchterne Bewunderung erweckt, sprechen die Augen, jenes im Land der „Vor-

kieker" magischen Mächten verfallene Sinnesorgan, eine völlig andere, dunkle, irrationale Sprache. Etwas von der unangreifbaren, „gespenstigen" Wirklichkeit des „Nebelgesichtes" aus dem „Fräulein von Rodenschild" wird auch in den „Schauern" dieses Spiegelbildes lebendig, gegen das sich nur Furcht, nie aber Vorwurf und Anklage erheben.

So ist das „Spiegelbild" der Droste der unverhüllteste und zugleich doch geheimnisvollste Ausdruck dieser Dichterin, die sich des Magischen nicht nur als eines Symbols bediente, sondern es noch einmal als eine übermächtige Wirklichkeit außerhalb und innerhalb ihrer selbst erlebte.

Marita Fischer

VIER GEDICHTE VON LENAU

Schilflied (5)   VI/87

Auf dem Teich, dem regungslosen,
Weilt des Mondes holder Glanz,
Flechtend seine bleichen Rosen
In des Schilfes grünen Kranz.

Hirsche wandeln dort am Hügel,
Blicken in die Nacht empor;
Manchmal regt sich das Geflügel
Träumerisch im tiefen Rohr.

Weinend muß mein Blick sich senken;
Durch die tiefste Seele geht
Mir ein süßes Deingedenken,
Wie ein stilles Nachtgebet!

An eine zweistrophige Naturschilderung schließt sich ohne Übergang
in der dritten Strophe die Darstellung seelischen Erlebens. Das Naturbild ist greifbar gezeichnet: der See, im Mondenglanz, mit Schilf und
Geflügel, mit hügeligem Ufer, belebt vom Wilde. Der Mond, der, in
den Wellen sich spiegelnd, Wasserrosen hervorzaubert, das ruhige
Wandeln der Hirsche erwecken eine ganz eigene Stimmung, die durch
die Adjektive „regungslos" und „träumerisch" und „bleich" ans Senti-
mentale rührt; denn der stillruhende Teich, das fragende Aufblicken
des Wildes und das geheimnisvolle Rauschen des Schilfes bereiten eine
gewisse Wehmut vor, eine Gestimmtheit der Natur, die übergreift
auf das menschliche Herz, so daß sich der Blick weinend senken
muß. Diese Trauer verdichtet sich zur bestimmten Erinnerung an
entschwundenes Liebesglück. Das Naturerlebnis versetzt also den
Menschen in gleichgeschwingte Stimmung und hebt aus dem Unbewußten schmerzliches Empfinden über die Schwelle der Bewußtheit[1].

[1] Die behandelten Gedichte, entstanden Dez. 1831 und Jan. 1832 in Heidelberg, spiegeln Lenaus unglückliche Liebe zu Lotte Gmelin wider, einer
Nichte von Gustav Schwab; auch die Lektüre Spinozas in dieser Zeit blieb
nicht ohne Einfluß.

Die Eigenart wird am ehesten klar, wenn wir ein thematisch gleiches Gedicht danebenhalten, Goethes „Mailied": Auch in ihm fließen Naturgeschehen und Liebeserleben in eins zusammen; selbst der Aufbau, einsetzend mit der Naturschilderung und endend in die Darstellung des menschlichen Gefühles, ist gleich. Und doch bilden die beiden Gedichte Gegensätze. Denn bei Goethe ist das menschlich subjektive Erlebnis der Ansatz, wie schon das „mir" in der ersten Zeile verrät. Die Liebe ist es, warum die Natur so herrlich leuchtet, die überflutenden Gefühle des Ergriffenen lassen die umgebende Natur so erscheinen, daß Inneres und Äußeres gleichklingt. Darum ist bei Goethe auch die Natur durch allgemeine Symbole gezeichnet, Sonne und Flur und Blüte und Zweig, während Lenau ein festes, lokalisierbares Bild schaffen muß, von dem dann der seelische Gehalt seinen Ausgang nimmt; darum zerfällt Goethes Gedicht in zwei in sich geschlossene Teile, die durch den Mittelbegriff „Liebe" verklammert werden, während Lenau durch die unmittelbare Folge Natur und menschliches Empfinden zur Einheit werden läßt.

Denn Mensch und Natur sind für Lenau nicht zwei Gegebenheiten und das Menschliche wird nicht in die Natur hineingetragen; es ist schon in ihr. Naturbild und menschliche Empfindung, objektives Symbol und subjektives Erleben sind eins.

Zu dieser Auffassung von Naturlyrik bekennt sich der Dichter in einem Briefe an seinen Schwager Schurz[2]. Er tadelt darin das Herumspionieren, ob die Natur sich nicht eine Blöße gebe, wie ihr beizukommen sei. Bei dieser Manier lebe der Dichter zu sehr in der Außenwelt und lauere beständig auf Naturerscheinungen. Er müsse vielmehr seine Gebilde aus dem Inneren hervorschaffen und die äußere Natur dürfe ihm nur aus der Erinnerung gewisse Mittel „suppeditieren", die im Augenblick der dichterischen Tätigkeit zur fruchtbaren Anschauung würden. Die so zum Symbol gewandelte Naturerscheinung solle nie der Zweck, sondern nur Mittel sein zur Darstellung einer poetischen Idee.

Schilflied (4)   VI/87

> Sonnenuntergang;
> Schwarze Wolken ziehn,
> O wie schwül und bang
> Alle Winde fliehn!

[2] A. X. Schurz, Lenaus Leben, 1855, S. 165.

Durch den Himmel wild
Jagen Blitze bleich!
Ihr vergänglich Bild
Wandelt durch den Teich.

Wie gewitterklar
Mein ich dich zu sehn,
Und dein langes Haar
Frei im Sturme wehn!

Auch dieses Schilflied zeichnet „das Menschenleben als ein Bild der
Natur, wie es sich malt in den bewegten Wellen unserer Triebe"[3].
Aufbau und Gehalt sind in den beiden Gedichten völlig gleich. Während aber oben der ruhigen, beinahe melancholischen Stimmung der
vierfüßige trochäische Rhythmus und der Wechsel von klingenden
und stumpfen Reimen entsprach, ruft in diesem Lied die Folge von je
drei Trochäen, deren letzte abbricht und so eine Pause erfordert, eine
unheimliche, fast bedrohliche Grundstimmung hervor. Schwarze Wolken ballen sich zusammen, die Winde schweigen und die Schwüle erzeugt banges Erwarten. Dann zuckt ein bleicher Blitz vom Himmel
und erhellt für einen Augenblick die Landschaft zu klarer Sicht. Die
Adjektive „vergänglich" und „gewitterklar" stellen den Zusammenhang zwischen Naturstimmung und Menschenherz her. Wiederum
wird das unglückliche Liebeserleben unter dem Eindruck der Natur
ins Bewußtsein gehoben. Auch im Herzen entsteht blitzartig ein grelles, überdeutliches Bild der inneren Situation und der Orkan, der in
der Umwelt einsetzt, wird im menschlichen Gefühl voraus geahnt.
Vergänglich wie das Bild der Landschaft ist das kurze Glück, das der
Dichter in der Liebe gefunden hat.
Das statische Einssein von Natur und Mensch, das wir dem fünften
Schilflied entnahmen, ist im vierten ins Dynamische abgewandelt. Der
Grundgehalt ist der gleiche geblieben.

Winternacht   VI/76

Vor Kälte ist die Luft erstarrt,
Es kracht der Schnee von meinen Tritten,
Es dampft mein Hauch, es klirrt mein Bart;
Nur fort, nur immer fortgeschritten!

[3] Schurz, S. 70.

Wie feierlich die Gegend schweigt!
Der Mond bescheint die alten Fichten,
Die, sehnsuchtsvoll zum Tod geneigt,
Den Zweig zurück zur Erde richten.

Frost! friere mir ins Herz hinein,
Tief in das heißbewegte, wilde!
Daß einmal Ruh mag drinnen sein,
Wie hier im nächtlichen Gefilde!

Die Erkenntnis, daß die Natur eine unmittelbare Wirkung auf die Seele ausübt, greift in diesem Gedichte auf den Willensbereich über; dadurch steht es scheinbar zu den vorhergehenden im Gegensatz. Denn diesmal ist der Zusammenklang von außen und innen noch nicht vorhanden; er soll erst bewußt vollzogen werden. Die Natur ist im Frost erstarrt, das Herz aber von wilder Leidenschaft bewegt. Der Dichter sehnt sich, den Frieden des äußeren Geschehens auch in sein Inneres aufzunehmen, und müßte auch das Herz im Frost erstarren. Der Übergang von der Natur zur Seele wird dadurch vorbereitet, daß die letzten der die Außenwelt bezeichnenden Daten stimmungsmäßig den seelischen Zustand vorwegnehmen, den der Dichter anstrebt: die Fichten sind unter der Last des Eises zum Tode geneigt und der Zweig weist auf die Erde zurück. Aller Kreatur ist bestimmt, wieder Erde zu werden. Man kann aber von dem Gedicht nicht wie von den Schilfliedern behaupten, daß es sentimental sei. Denn die Todessehnsucht ist hier nicht ein weichliches Nachgeben, ein Sichfügen, sondern ein tapferes Aufsichnehmen eines einmal erkannten Geschickes. Dies wird angedeutet in der ersten Strophe. Die Wärme der häuslichen Sicherheit ist verlassen, die Luft in Kälte erstarrt und der Frost greift schon auf den Wanderer über. Er denkt nicht mehr an Rückkehr; was hinter ihm liegt, ist aufgegeben: „Nur fort, nur immer fortgeschritten!"

Bitte   VI/46

Weil auf mir, du dunkles Auge,
Übe deine ganze Macht,
Ernste, milde, träumerische,
Unergründlich süße Nacht!

Nimm mit deinem Zauberdunkel
Diese Welt von hinnen mir,
Daß du über meinem Leben
Einsam schwebest für und für.

Das kurze Lied zeigt das Ziel der Wanderung auf: die ewig unergründlich dunkle Nacht, die die Seele in süße und milde Ruhe bettet
und dem heißbewegten Herzen endlich die Erfüllung schenkt. Bezeichnend ist dabei, daß diesmal nicht wie in der bisherigen Naturlyrik Lenaus mit Sicherheit behauptet werden könnte, daß von einem
Naturbild ausgegangen wird; denn in dem Zauberdunkel der Nacht
ist Physisches und Metaphysisches, ist wirkliche Nacht und ewiger
Tod bereits in einen Begriff zusammengeflossen, und so werden
Mensch und Natur als irdische Erscheinungen mit dem Jenseitigen
zu einer Einheit, mit dem All, in das alles Erdgebundene verströmt.

Hans Färber

Eduard Mörike:
Gesang zu zweien in der Nacht

Sie Wie süß der Nachtwind nun die Wiese streift
Und klingend jetzt den jungen Hain durchläuft!
Da noch der freche Tag verstummt,
Hört man der Erdenkräfte flüsterndes Gedränge,
Das aufwärts in die zärtlichsten Gesänge
Der reingestimmten Lüfte summt.

Er Vernehm ich doch die wunderbarsten Stimmen,
Vom lauen Wind wollüstig hingeschleift,
Indes, mit ungewissem Licht gestreift,
Der Himmel selber scheinet hinzuschwimmen.

Sie Wie ein Gewebe zuckt die Luft manchmal,
Durchsichtiger und heller aufzuwehen;
Dazwischen hört man weiche Töne gehen
Von sel'gen Feen, die im blauen Saal
Zum Sphärenklang,
Und fleißig mit Gesang,
Silberne Spindeln hin und wieder drehen.

Er O holde Nacht, du gehst mit leisem Tritt
Auf schwarzem Samt, der nur am Tage grünet,
Und luftig schwirrender Musik bedienet
Sich nun dein Fuß zum leichten Schritt,
Womit du Stund um Stunde missest,
Dich lieblich in dir selbst vergissest —
Du schwärmst, es schwärmt der Schöpfung Seele mit!

Der Gesamteindruck, den das Gedicht, laut gelesen, erweckt, findet
eine erste Verdeutlichung in der Überschrift. Der Dichter nennt es
einen „Gesang". Das ist nicht dasselbe wie ein Lied. Wir haben ein
in Anschauung und Ton gesteigertes, getragen-feierliches Gebilde der
Lyrik vor uns, das die Formen des Liedes überschreitet. Obwohl diesem der Gestalt nach verwandt, ist der „Gesang" komplizierter, bewegter und schon dadurch auch formenreicher. Der Bau der vier Teile
des Gedichts zeigt bereits an, daß der ebenso einfache wie strenge

Strophenbau des Liedes zugunsten einer freien Gestaltung preisgegeben ist. Sowohl die Abschnitte in ihrer Ganzheit wie die Verse sind
unter sich verschieden lang und lassen damit erkennen, daß der „Gesang" gegenüber dem „Lied" etwas Neues ist.

Es ist ein Gesang „zu zweien in der Nacht". Eine weibliche Stimme
hebt an, und eine männliche antwortet, in zweifachem Wechselspiel.
Die Dunkelheit hüllt beide ein. Sie läßt so wenig eine Figur oder auch
nur einen Umriß erkennen, daß sich die beiden nicht einmal sehen
können. So sind sie auch füreinander nichts als Stimme. Aber es besteht zwischen ihnen eine vollendete Liebesharmonie; der Einklang
der Herzen wird hervorgerufen und genährt durch den Zauber der
nächtlichen Natur. Zwar hören wir ausdrücklich davon nicht ein einziges Mal. Doch können es nur Liebende sein, die von den offenbar
werdenden Geheimnissen der Nacht auf solche Weise zueinander
sprechen. Jenseits der Worte des Gedichts liegt noch ein Bereich des
Ungesagten.

Das Gedicht beginnt mit den Worten der Frau. Als die weiblich
Empfangende, die sinnlich Aufnehmende, die in tieferer Einheit mit
der Natur Lebende vernimmt sie als erste die aus den Räumen der
Nacht auf sie zukommenden Stimmen. Der Mann, mit ihr hellhörig
und durch sie sogar hellsichtig geworden, hebt das traumhaft schöne
Erlebnis ins Bewußtsein („Vernehm ich doch die wunderbarsten
Stimmen . . ."); er ist wacher, klarer, von intellektuellerer Art, ohne
daß er die Grundlagen des Erlebnisses störte. Auch stellen sich mit
dem höheren Grad des Bewußtseins die leichten Verwirrungen des
Gefühls ein. Sekundenhaft vermittelt das Auge eine schwimmende
Bewegung des Himmels. Die Frau, halb unbewußt den Worten des
Mannes und den Eindrücken der Natur hingegeben, knüpft mit den
folgenden Zeilen sowohl an das soeben Gehörte wie an das eigene
Erlebnis an. Sie verwandelt die Stimmen in Figuren, ihre Phantasie
verbindet die Melodien der Nacht mit überirdischen Gestalten, die
gleichwohl nur geahnt, undeutlich und ohne Umriß bleiben. Die Nähe
und die Ferne mythischer Personen spricht sich aus in der Vorstellung
vom Gehen weicher Töne. Jedoch steht vor den Augen der Seele der
blaue Saal des Märchens, wo sel'ge Feen

> „Zum Sphärenklang
> Und fleißig mit Gesang
> Silberne Spindeln hin und wieder drehen."

Die Worte des Mannes schließen den „Gesang" mit vollen Akkorden.
Die Nacht wird ins Mythische gehoben; sie ist eine unsichtbare, in die

eigene Dunkelheit gehüllte, doch holde Gestalt, die den schwarzen Samt des Bodens mit leichtem Fuß betritt, eine selige Tänzerin, die in schreitenden Figuren sich „luftig schwirrender Musik bedienet" und im eigenen schwärmenden Sich-selbst-vergessen das Glück der Schöpfung darstellt und miteinbegreift.

Das Geheimnis der Nacht — das ist nichts anderes als das Geheimnis der Schöpfung. Es beginnt offenbar zu werden in dem Augenblick, „da noch der freche Tag verstummt". Die einzige Zeile genügt, um das Wesen der Nacht auf einen Hintergrund zu stellen, von dem es sich abhebt, den „frechen", d. h. den lauten, den geheimnislosen Tag. Das Geheimnis der Schöpfung ist zwar immer da, aber es verbirgt sich tagsüber und wird erst spürbar, wenn die lärmenden Stimmen des Tages schweigen. Das Vergehende versinkt, das Bleibende wagt sich hervor. Es ist das in Wahrheit Mächtige und tritt seine Herrschaft an. Von welcher Art sind die verborgenen Dinge? Der Dichter gibt seine Antwort in den ersten Zeilen. Er spricht von zwei Elementen, der Luft und der Erde. Luft und Erde sind lebendige Kräfte. Wir spüren die Bewegungen: die Luft ist Wind, aus der Erde werden flüsternde Stimmen laut. Die Liebenden stehen in der Mitte zwischen unten und oben und werden Zeugen eines Liebesgesprächs. Die „zärtlichen Gesänge der reingestimmten Lüfte" haben zum Partner „der Erdenkräfte flüsterndes Gedränge". Der Dialog der beiden Liebenden hat also eine kosmische Entsprechung: Himmel und Erde feiern ihren Liebesbund. Die Nacht ist voller Leben. Es zeigt sich in der immerwährenden Bewegung, in den Tönen und im Gesang unsichtbarer Stimmen, im fahlen Schimmer eines schnell vorübergehenden Lichtes, das auch dem Auge etwas vom Geheimnis der Nacht mitteilt. So geht der Gesang der beiden Menschen ein in die große, alles umfassende Musik der Welt.

Zugleich gewinnt man den Eindruck unversehrter Reinheit. Die in der Nacht offenbar werdende Welt scheint noch etwas von der Fülle des Paradieses zu besitzen. Die Schöpfung hat sich nicht an das Böse verloren, sondern bewahrt das Gute als ihr Geheimnis wohlbehütet, jedoch in unserer Mitte und zu unserm Heil und unserer Freude. Der Reichtum reiner Töne ist das schönste Zeichen für die Größe ihres Gottgeheimnisses.

Die Musik der Welt als nächtliches Grunderlebnis wird durch die Kunst des Dichters ins Sprachliche verwandelt, die Vielstimmigkeit des Chores hörbar gemacht vor allem durch Vokale. Den hellen Tönen entsprechend überwiegt das I (in seiner gerundeten Form tritt es als Ü auf), ihm steht das feierlich klingende U gegenüber. Die übrigen, das A, das offene E, der Doppelvokal AI (EI), haben jeweils ihre Stelle im Vers.

Dem Verständnis des Gedichtes dient es nicht sonderlich, wenn man von seiner Geschichte in Mörikes Schaffen etwas weiß. Doch sei noch hinzugefügt, daß es mit den beiden Abschnitten, die in der Endfassung von der Frau gesungen werden, in dem dramatischen Jugendfragment „Spillner" enthalten ist (etwa 1827). In der Orplid-Dichtung erscheint das Gedicht erweitert um den ersten Gesang des Mannes. Erst danach erhält es mit dem letzten Abschnitt die großartig abrundende Form, wodurch es zum Wechselgesang zweier Liebenden wird.

Wilhelm Grenzmann

Eduard Mörike:
Peregrina

I

Der Spiegel dieser treuen, braunen Augen
Ist wie von innerm Gold ein Widerschein;
Tief aus dem Busen scheint ers anzusaugen,
Dort mag solch Gold in heil'gem Gram gedeihn.
In diese Nacht des Blickes mich zu tauchen,
Unwissend Kind, du selber lädst mich ein —
Willst, ich soll kecklich mich und dich entzünden,
Reichst lächelnd mir den Tod im Kelch der Sünden!

II

Aufgeschmückt ist der Freudensaal.
Lichterhell, bunt, in laulicher Sommernacht
Stehet das offene Gartengezelte.
Säulengleich steigen, gepaart,
Grün-umranket, eherne Schlangen,
Zwölf, mit verschlungenen Hälsen,
Tragend und stützend das
Leicht gegitterte Dach.

Aber die Braut noch wartet verborgen
In dem Kämmerlein ihres Hauses.
Endlich bewegt sich der Zug der Hochzeit,
Fackeln tragend,
Feierlich stumm.
Und in der Mitte,
Mich an der rechten Hand,
Schwarz gekleidet, geht einfach die Braut;
Schön gefaltet ein Scharlachtuch
Liegt um den zierlichen Kopf geschlagen.
Lächelnd geht sie dahin; das Mahl schon duftet.

Später im Lärmen des Fests
Stahlen wir seitwärts uns beide

Weg, nach den Schatten des Gartens wandelnd,
Wo im Gebüsche die Rosen brannten,
Wo der Mondstrahl um Lilien zuckte,
Wo die Weymouthsfichte mit schwarzem Haar
Den Spiegel des Teiches halb verhängt.

Auf seidnem Rasen dort, ach, Herz am Herzen,
Wie verschlangen, erstickten meine Küsse den scheueren Kuß!
Indes der Springquell, unteilnehmend
An überschwänglicher Liebe Geflüster,
Sich ewig des eigenen Plätscherns freute;
Uns aber neckten von fern und lockten
Freundliche Stimmen,
Flöten und Saiten umsonst.

Ermüdet lag, zu bald für mein Verlangen,
Das leichte, liebe Haupt auf meinem Schoß.
Spielender Weise mein Aug' auf ihres drückend,
Fühlt' ich ein Weilchen die langen Wimpern,
Bis der Schlaf sie stellte,
Wie Schmetterlingsgefieder auf und nieder gehn.

Eh' das Frührot schien,
Eh' das Lämpchen erlosch im Brautgemache,
Weckt ich die Schläferin,
Führte das seltsame Kind in mein Haus ein.

III

Ein Irrsal kam in die Mondscheingärten
Einer einst heiligen Liebe.
Schaudernd entdeckt' ich verjährten Betrug.
Und mit weinendem Blick, doch grausam,
Hieß ich das schlanke,
Zauberhafte Mädchen
Ferne gehen von mir.
Ach, ihre hohe Stirn
War gesenkt, denn sie liebte mich;
Aber sie zog mit Schweigen
Fort in die graue
Welt hinaus.

Krank seitdem,
Wund ist und wehe mein Herz.
Nimmer wird es genesen!

Als ginge, luftgesponnen, ein Zauberfaden
Von ihr zu mir, ein ängstig Band,
So zieht es, zieht es mich schmachtend ihr nach!
— Wie? wenn ich eines Tags auf meiner Schwelle
Sie sitzen fände, wie einst, im Morgenzwielicht,
Das Wanderbündel neben ihr,
Und ihr Auge, treuherzig zu mir aufschauend,
Sagte, da bin ich wieder
Hergekommen aus weiter Welt!

IV

Warum, Geliebte, denk' ich dein
Auf einmal nun mit tausend Tränen,
Und kann gar nicht zufrieden sein,
Und will die Brust in alle Weite dehnen?
Ach, gestern in den hellen Kindersaal,
Beim Flimmer zierlich aufgesteckter Kerzen,
Wo ich mein selbst vergaß in Lärm und Scherzen,
Tratst du, o Bildnis mitleid-schöner Qual;
Es war dein Geist, er setzte sich ans Mahl,
Fremd saßen wir mit stumm verhaltnen Schmerzen;
Zuletzt brach ich in lautes Schluchzen aus,
Und Hand in Hand verließen wir das Haus.

V

Die Liebe, sagt man, steht am Pfahl gebunden,
Geht endlich arm, zerrüttet, unbeschuht;
Dies edle Haupt hat nicht mehr, wo es ruht,
Mit Tränen netzet sie der Füße Wunden.

Ach, Peregrinen hab' ich so gefunden!
Schön war ihr Wahnsinn, ihrer Wange Glut,
Noch scherzend in der Frühlingstürme Wut,
Und wilde Kränze in das Haar gewunden.

War's möglich, solche Schönheit zu verlassen?
– So kehrt nur reizender das alte Glück!
O komm, in diese Arme mich zu fassen!

Doch weh! o weh! was soll mir dieser Blick?
Sie küßt mich zwischen Lieben noch und Hassen,
Sie kehrt sich ab und kehrt mir nie zurück.

In Mörikes Gedichten, von der ersten Auflage von 1838 an, findet sich
ein Zyklus von fünf Gedichten, der „Peregrina" überschrieben ist, mit
dem Zusatz: „Aus Maler Nolten". Er hat eine lange textliche Geschichte, die ganz erst mit der Ausgabe „letzter Hand" von 1867 abgeschlossen ist. Die Bemerkung „Aus Maler Nolten" bedarf in mehr-
facher Hinsicht der Erklärung. Im „Nolten" stehen von den fünfen
nur vier Gedichte; die Reihenfolge ist dort eine andere; die einzelnen
Gedichte tragen Überschriften, die später weggeblieben sind; auch
der Text ist an wichtigen Stellen ein anderer als in den Gedicht-
ausgaben. Aber weiter noch, es läßt sich erkennen, daß die Peregrina-
Gedichte nicht für den Nolten geschrieben worden sind. Sie sind unabhängig davon entstanden und haben sich nicht mehr bruchlos in den
Roman eingefügt. Eines aber verbindet sie eng mit ihm: das ist der
Name Peregrina. Die vier Gedichte werden dort von Nolten im Nachlaß des Schauspielers Larkens gefunden, als eine „mythische Komposition", in der Noltens Liebe zu Elisabeth, der Zigeunerin, „mit
einem magischen Firnis aufgehöht", von dem Freund dargestellt
worden war. Nolten erkennt in den Gedichten trotz aller „wunder-
lichen Amplifikation" sich und Elisabeth wieder und wird von ihnen
„sonderbar ergriffen". Die Zigeunerin Elisabeth wird in dem Roman
Peregrina genannt, und in dem fünften Vers des Schlußsonetts „Und
wieder" heißt es hier zum erstenmal „Peregrina" statt „die Liebe". Im
Nolten vollzieht sich die Nennung der Geliebten dieser Gedichte als
Peregrina und die Gleichsetzung der Liebe mit der Gestalt des
Mädchens, der Heimatlosen. Sonst aber hat der Inhalt dieser Gedichte
keinen tieferen Zusammenhang mit der Geschichte der Elisabeth im
„Nolten", außer dem, daß hinter der Peregrina der Gedichte und der
Elisabeth des Romans das gleiche Vorbild steht: das seltsame, schöne,
kranke Mädchen Maria Meyer, das Mörike 1823 kennen lernte, an
deren dunkles, leidenschaftliches Wesen er sich heillos verlor, und die
er 1824 von sich wies, als sie, die plötzlich verschwunden gewesen

war, die Verbindung mit ihm wieder suchte. In der Handschrift von 1831 aber, in der vier Peregrina-Gedichte stehen, erscheint in den Überschriften der Name Agnes, der Braut des Nolten also. Das weist doch wohl darauf hin, daß Mörike sich bis kurz vor Vollendung seines Romans unsicher darüber war, welchem Zusammenhang diese Gedichte eingeordnet werden sollten. Das bedeutet für uns, daß wir die Peregrina-Gedichte unabhängig vom „Maler Nolten" betrachten können, als ein dichterisches Gebilde, das auf seinem Wege einmal eine Verbindung mit der Gestalt der Zigeunerin Elisabeth im „Nolten" eingegangen ist, das aber als Ganzes unabhängig davon besteht, und sich unabhängig von dem Roman weiter entwickelt hat. Seine Geschichte ist mit der Einfügung in den „Nolten" nicht abgeschlossen. Die Deutung dieses Zyklus muß von der endgültigen Gestalt her geschehen, die er in der letzten von Mörike betreuten Auflage seiner Gedichte von 1867 gefunden hat. Erst auf dieser Stufe ist die lange Geschichte dieses in Mörikes Frühzeit zurückreichenden Liederkreises beendet. Wir können die genaue Textgeschichte hier nicht darstellen; was darin für die Deutung förderlich ist, wird an seinem Ort angeführt werden. Hier sei nur noch erwähnt, was für das Verständnis des Folgenden nötig ist[1]. Die Gedichte I–IV sind in einer Handschrift von 1831 erhalten; das dritte Gedicht außerdem in einer Handschrift des Jahres 1824; das vierte Gedicht ist nicht in den „Nolten" aufgenommen; es ist zum ersten Mal in der ersten Ausgabe der Gedichte von 1838 gedruckt worden. Das Schlußsonett ist in einer Handschrift von 1828 überliefert und wurde im Cottaischen „Morgenblatt" von 1829 veröffentlicht. Was die endgültige Gestalt der Peregrina-Gedichte angeht, so muß noch gesagt werden, daß sie nicht ungestört von den Handschriften über den „Nolten" sich bis zu der Fassung der Gedichtsammlung entwickelt hat. Der zuletzt vom Dichter gewollte Text geht in manchen Fällen über den „Nolten" zurück auf die handschriftlichen Fassungen, so daß in einem Gedichte einzelne Verse mit der „Nolten"-Form übereinstimmen, andere mit den Handschriften von der Fassung im „Nolten" abweichen. Jedes Gedicht ist in seiner letzten Form das Ergebnis sorgsamen Abwägens, sensibler Künstlerschaft. Das Horazische in Mörike hat auch an der Formung dieser frühen Gedichte, die einem leidenschaftlichem und die Tiefe erschütternden

---

[1] Die Angaben in den Lesarten der einzigen Ausgabe mit textkritischem Apparat von H. Maync ([2]1914) sind unvollständig. Zur Ergänzung ist der aufschlußreiche Bericht von Adolf Beck „Peregrina", Euphorion 47 (1953) 194–217 heranzuziehen, dem auch unsere Deutung dankbar verpflichtet ist.

Erlebnis entstammen, seinen Teil. Das will bedacht sein, wenn man diesem „Kunstgebild der echten Art" ganz gerecht werden will.

✳

Peregrina ist eine dichterische Gestalt und ein dichterischer Name, auch wenn ein wirklicher Anlaß und ein wirklicher Mensch dahinter sich verbirgt. Was ihm in dem „schlanken, zauberhaften Mädchen" begegnet war, übertraf das nur Persönliche, ihres und das seine, war Begegnung mit dem Wesen und Schicksal der Liebe, ihrer Seligkeit und ihrer Schuld: dem gegenüber es die Aufgabe der Bewährung und die Möglichkeit unlöslicher Schuld gibt. Darum tragen diese Gedichte keinen Frauennamen, sondern ein fremdes Wort, das als Sinn und Klang geheimnisvoll, dunkel, schmerzlich ist. Der Name selbst ist bereits Teil des Gedichtes, Grund des Gedichtes; er versetzt die ganze Gedichtreihe in eine fremde, ferne Atmosphäre. Er hebt das einzelne, in wichtigen Zügen, trotz aller märchenhaften Entrückung, greifbare Erlebnis und die es tragende weibliche Gestalt ins Allgemeine. Die Geliebte dieser Lieder ist heimatlos, ist Fremdlingin, ist Peregrina. Aber nicht nur sie: die Liebe selbst ist heimatlos, fremd, sie hat „kein Haus", und ihr Ort ist die „graue Welt", und ihre Weise ist nicht das Wohnen und Bleiben, sondern das Wandern. Aber Peregrina meint auch das innere Fremdsein, das Rätselvolle, nicht Erklärbare, das Widersprüchliche, das „Seltsame" der Geliebten und der Liebe. Der Name als Überschrift des Zyklus ist bereits Inhalt, Bedeutung und Stimmung des Ganzen. Darum konnten die Überschriften der Einzelgedichte (in den Handschriften und dem „Nolten") wegbleiben; es genügten die stummen Ziffern über den einzelnen Stücken.

I.

Das Geheimnis der Peregrina ist im ersten Gedicht schon ganz enthalten: das schwer Faßbare, sich dem Begreifen Entziehende. Enthalten schon in dem gerade noch fühlbaren Gegensatz der strengen, festen Stanzenform, die Mörike genau erfüllt, und der Unsicherheit, dem Schwanken des Empfindens, von dem das Gedicht getragen ist. Es geht aus von der Betrachtung des geliebten Gegenstandes, sucht das dort in der Tiefe Verborgene zu enträtseln. Damit reicht es über die drei folgenden, rückschauenden Gedichte hinweg auf das abschließende Sonett, das auch Betrachtung eines Gegenwärtigen ist. Auf dem Wege dorthin hat sich dies Gegenwärtige, das hier noch die

Geliebte ist, ganz ins Allgemeine umgebildet. Und auch darin ist vom ersten zum letzten Gedicht ein Fortschreiten: was hier noch in rätselhafter Schwebe ist: das Wesen der Geliebten und das Schicksal der Liebe ist dort eindeutig und bitter erkannt.

Ein innerer, mehr unausgesprochener als klar bestimmter Gegensatz ist der tragende Grund dieser Stanze, der Gegensatz von „treu", „innerem Gold", „heilig" und „Tod", „Sünde". Er ist wie eine verschwiegene Frage in dem Gedicht heimlich und unheimlich verborgen: Was ist das, das mich aus dem Auge der Geliebten ansieht; das von mir aufgenommen werden will, so wie man einen dargebotenen Trank annehmen soll? Das Wesen der Geliebten drängt an, will verstanden werden. Des Liebenden Antwort aber ist bereits hier Ablehnung, Nicht-können aus fehlendem Mut, hinter der Gebärde des Sich-anbietens, der Einladung den Goldgrund, das Echte (das nicht getrübt werden kann, wie das Gold), die Tiefe, die im Auge widerscheint, zu erkennen, als wirklich zu begreifen, nicht nur als Schein; in der Nacht dieser Augen nicht nur Verführung zu sehen, sondern den Reichtum der Tiefe, der Gold werden kann oder Sünde, je nach der Antwort, die die begegnende Liebe zu geben vermag.

Dieser Gegensatz von „Gold" und „Sünde" ist nicht in gleicher Schwebe. Auf den ersten Blick teilt sich die Stanze in zwei gleiche Teile zu je vier Zeilen: die Augen als Spiegel „inneren Goldes" – und die Einladung, hineinzutauchen, die als Einladung zum Trunk des Todes aus dem „Kelch der Sünden" empfunden wird. Das heißt also: die Liebe in ihrer rätselhaften Doppelheit von Unschuld und Schuld, Seligkeit und Verführung. Aber diese beiden Seiten stehen nicht einfach gegeneinander wie zwei unvermeidbare Ansichten des Menschenwesens als eines hohen, edlen und auf der anderen Seite verfallenen, gebrechlichen. Durch das Gedicht hindurch geht über diese Doppellung hinweg ein steigender Zug zum Ende hin, auf das Schlußreimpaar, das schon in dieser formalen Besonderheit von den vorausgehenden verschränkt-gereimten Zeilen getrennt und außerdem noch durch den Gedankenstrich abgehoben ist. Das Gewicht liegt auf dem Schluß: auf der Empfindung, die Geliebte ziehe ihn – durch welche Kraft oder Eigenschaft, das bleibt im Dunkeln – in Tod und Sünde hinein.

Dieser sich schon in der Form bekundende Zug auf das Ende der Stanze zu wird noch deutlicher, wenn man sieht, daß der erste Teil des in Wesen und Gestalt der Geliebten sich darstellenden Gegensatzes, die Treue, die wie Gold ist, nicht das volle Gewicht des Wirklichen hat. Er wird mit innerem Zweifel betrachtet und nicht mehr geglaubt. Es fehlt das Vertrauen zu dem, was nie als Sicherheit gegeben ist im Begegnen der Liebe, was immer als ein zu Glaubendes angenommen werden will; es fehlt der Mut, das was die Liebe zu sehen meint im Widerschein der Augen, was aber Geheimnis der inneren Tiefe ist und bleiben muß, wenn es nicht entweiht werden soll, als ganz gewiß anzunehmen und es mit ihm zu wagen. Die Sprache verrät das Fehlen dieser Zuversicht und Kraft, dessen, was das in jeder Begegnung verborgene Ungewisse ins Bleibende retten könnte, ohne das Liebe ins Gleiten, in die Auflösung gerät. Es gehört zum Wesen dieses ersten Gedichtes wie des ganzen Zyklus, daß das Menschliche nicht nur angefochten ist, sondern zwielichtig bleibt, ein seltsam Unentschiedenes gebrochen widerspiegelt. Darin enthüllt sich viel von Mörikes zartem und nicht ganz eindeutigem Wesen. So erklärt sich das Gefühl der Verschuldung, das nicht nur, wie im dritten Gedicht, direkt ausgesprochen wird, sondern den ganzen inneren Ton dieses Zyklus bestimmt. Der Liebende vermag nicht als unumstößliche Gewißheit zu begreifen, daß das innere Gold, das Verläßliche und Echte also der Geliebten, sich in diesen „treuen Augen" spiegelt. Wie bitter steht neben diesem anerkannten „treu" das zweideutige „wie" der zweiten Zeile. In diesem „wie" bleibt offen, ob das Sich-Spiegelnde wirklich Gold ist, oder nur *wie* Gold scheint: ein Widerschein nicht von Gold, sondern *„wie* von innerm Gold". Dieses *scheinen* steht dann auch im nächsten Vers: der Spiegel der Augen *scheint* nur das Gold aus der Tiefe des Busens anzusaugen; und der Zweifel, ob das Gold nur Schein oder Wirklichkeit ist, wird in dem folgenden *mag* noch einmal wieder aufgenommen. Es *mag* sein, daß die Trauer dieser Augen Abglanz eines in „heilgem Gram" gewachsenen Goldes ist — aber wer weiß das? Wie schmerzlich ist dieses Schweben zwischen Glaubenmögen und Nichtglaubenkönnen. Aber was für ein nachtwandlerisches Vermögen der Sprache, diesen sich immerfort offenbarenden und verschließenden Zwiespalt spürbar, den dem benennenden Worte sich entziehenden Widerstreit zwischen Glauben und Zweifel in der der eindeutigen Aussage sich entziehenden, wehen Unbestimmtheit und in der süßen Schwebe dieser Zeilen vernehmbar zu machen. Man ist immer wieder versucht, von den unerbittlichen Schlußzeilen der Stanze her die ersten Verse als Widerlegung dieses Bitteren zu lesen. Es steht doch da: „treu"; ist denn Peregrina nicht also treu und Gold? Und doch, es geht nicht. Auch das gehört zum Wesen dieses Gedichtes, daß es immerfort in Bewegung ist: von der selig-unseligen Ungewißheit des Anfangs in das klare Eingeständnis des Schlusses und von da wieder zurück an den Anfang, als ob nicht dieser Schluß, sondern der Wunsch und die Hoffnung des Anfangs – denn der Dichter möchte ja, es wäre nicht nur Schein – Recht hätte. Das vermittelnde Wort, und auch dieses wieder zwiespältig, ist zu Beginn der zweiten Stanzenhälfte die „Nacht dieses Blickes". Nacht, die bergender Grund des Goldes sein kann, aber auch Abgrund des Truges, wie in Brentanos ähnlich rätselhaftem und doppelsinnigem Gedicht mit der Strophe von dem „Lug und Trug" der Nacht und der Augen der Geliebten[2].

Die innere und äußere Geschlossenheit dieses ersten Peregrina-Gedichtes läßt es als glücklich erscheinen, daß in der endgültigen Fassung die zweite Stanze weggeblieben ist, die in der Handschrift von 1831 noch vorhanden war, aber im Nolten bereits aufgegeben wurde. Und noch eine Änderung läßt die spätere Bearbeitung als die gelungenere erscheinen, die der Schlußzeile. In der Handschrift lautete sie allzu deutlich, das Ungewisse des Gedichtes zerstörend:

„Weg, reuebringend Liebes-Glück in Sünden."

Wie nimmt dagegen der endgültige Vers bei aller schmerzlichen Bestimmtheit noch einmal das ganze Geheimnis, Seligkeit und Not in seinem Bild von der den Sündenkelch darreichenden Geliebten auf. Sie reicht ihn „lächelnd", das heißt in der Unwissenheit ihres Kindseins: „unwissend Kind"; nicht trügerisch, sondern „unschuldig", so hieß es noch in der handschriftlichen Fassung statt „unwissend".

Die Eigenart dieses Liebesbildes wird erst ganz vernehmbar, wenn man die späteren Liebesgedichte, oder Brautgedichte an Luise Rau dahinter sieht, „Zu Viel", „Nur zu", „An die Geliebte". Die Bedrohung ist geschwunden, ein andächtiges Verehren des in der Geliebten sich verhüllenden „Engels" führt in die Kühle der Nacht, die nun erfüllt ist vom „Lichtgesang der Sterne". Zu dieser „sanften", stillenden Nacht *steigt* er – seltsam mystische Umkehrung – wie in den *„Abgrund* der Betrachtung", um darin zu „genesen". Dieses Bild vom „Abgrund der Betrachtung" ist unvergleichlich, und doch ist diese neue Liebe wie ein Verlust, eine Einbuße. Das Gewinnen des „englischen" Wesens der Liebe und der Geliebten wird erkauft durch ein Verkürzen des menschlich Ganzen, das aus Sinnlichem und Geistigem geheim-

---

[2] Clemens Brentano, Gesammelte Schriften (1852) 2, 111: „An Sophie Mereau".

nisvoll verbunden ist. Peregrina ist die elementare ursprüngliche Form der Liebe, in der alle Möglichkeiten, die Höhen und Tiefen des Geistigen und Sinnlichen eingeschlossen sind. In der Gestalt der Peregrina faßte Mörike das, was ihm im Leben in Maria Meyer an dämonischer Liebe und in den dunkel unheimlichen Gestalten des Freundes Waiblinger und Hölderlins begegnet war: menschliches Wesen als Einheit von Herrlichkeit und Bedrohung. Die späteren, ganz stillen und reinen Liebesgedichte, vor allem des Jahres 1830, sind in ihrer heiligen Klarheit der Kontemplation Ausdruck einer kühlen Erhöhung durch Abschied und Entsagung. Die Weise der Betrachtung in diesem und im letzten Peregrina-Gedicht erfährt in den späteren Gedichten ihre Steigerung in die ungetrübte, aber entrückte Kontemplation, die sich wie mystische Beschauung in der Abgeschiedenheit und Eingeschlossenheit des tiefen Abgrundes oder der kühlen Sternenhöhe begibt.

II.

Das zweite Gedicht, vermutlich wie das dritte schon 1824, in unmittelbarem Anschluß an die Trennung von Maria Meyer entstanden, tritt aus dem Allgemeinen ins Geschichtliche ein, aus der Betrachtung in den Bericht, von dem Vorgang der Verbindung, der „Hochzeit", erzählend. In der äußeren und inneren Form von I unterschieden, aber auch in sich verschieden gestuft, wie der ganze Gedichtkreis vom Wesen des Gegenstandes her in Gegensätzen zart und zitternd gespannt.

Wie anders es einsetzt: mit dem betonten, das Thema der Hochzeit gegen den Klang der Sünde und des Todes stellend: „Aufgeschmückt", und in dem ersten Wort gleich die stilistisch andere Lage dem Gefühl mitteilend. Der leicht gezierte, weder innige noch schlichte Ausdruck vermittelt die Atmosphäre einer märchenhaften, zierlichen Festlichkeit, die im Folgenden etwas geisterhaft Entrücktes bekommt. Ein seltsam stilisierter „Freudensaal", der irgendwo in einer fremden Welt steht, die man nach den Andeutungen im Nolten als orientalisch angesehen hat, die aber eigentlich nur märchenhaft fern ist, ist der Ort der Hochzeit. Zu ihm geht der Brautzug wie ein Geisterzug, stumm, feierlich, im gelben Fackellicht, rot und schwarz in der Farbe, still, verhalten, schattenhaft in der Bewegung. Man ist an Mörikes Mummelsee-Ballade, an Goethesche Geisterballaden erinnert; aber nur eben und fast unmerklich. Die freien Rhythmen tragen das Ganze unglaublich behutsam, zierlich. Dem Anfang ähnlich ist der kurze

Schlußteil, in dem das nicht benützte Brautgemach, der anbrechende Morgen, das Lämpchen, das keiner Brautnacht geleuchtet hat, die im Garten schlafende Braut eine märchenhaft stille Szene bilden, die mit dem einfachen, alles offen lassenden Satz, daß der Bräutigam das „seltsame Kind" in sein Haus einführt, schließt, aber nicht abgeschlossen ist.

Wie eine Frage: Warum die seltsame Hochzeit im Garten? und: Was wird nun in dem Hause sein? bleibt das Gedicht am Ende offen.

Der mittlere Teil, der von der Liebesbgegegnung im Garten, „auf seidnem Rasen", fern von dem Lärmen des Festes erzählt, bringt zu dem geisterhaft lautlosen Ton der umschließenden Teile eine andere Färbung hinzu. Der die Liebenden aufnehmende Garten ist dämonisch bewegt. Die Schlangen, die statt der Säulen das Festhaus tragen, deuteten schon darauf hin; sie traten aber vor dem Menschlichen noch zurück. Nun bricht dies zweite, unheimliche Element in die Märchenhochzeit ein, erster Ausdruck des Unbehaustseins der Liebe: der Garten ist von innerem Leben drohend und glühend durchwirkt. Die Rosen „brannten", der Mondstrahl „zuckte" um die Lilien, die „Weymoutsfichte" verhängt „mit schwarzem Haar" den Teich. Wieder die Farben rot, schwarz und fahles Licht; aber nun bewegter, gefährlicher, gespenstiger, Ausbruch ankündigend. Darin nun begibt sich das Liebesgeschehen, das in das märchenhafte, entrückte, drohende Wesen dieser Geisterhochzeit den menschlichen, warmen Ton hineinbringt: das Liebesspiel der aufeinandergelegten Augen der beiden Liebenden. Der Vorgang ist sichtbar, greifbar, fühlbar, im Einzelnen nah und warm gegenwärtig: wie die im Grase Liegende, ehe sie einschläft, den Kopf des Geliebten zu sich niederzieht, damit die Augen aufeinander zu ruhen kommen, und er das Auf- und Abgehen ihrer „langen Wimpern" wie das Sichöffnen und -schließen von Schmetterlingsflügeln empfindet:

> „Spielender Weise mein Aug' auf ihres drückend,
> Fühlt' ich ein Weilchen die langen Wimpern,
> Bis der Schlaf sie stellte,
> Wie Schmetterlingsflügel auf und nieder gehn."

Was ist aber der Sinn dieser seltsamen Hochzeit, die draußen, in dem unruhvoll bewegten Garten, nicht im Haus, ohne ein Liebeswort, nur in der lieben, sinnlichen Gebärde sich bekundend, sich vollzieht? Erst das dritte Gedicht gibt Antwort darauf. Ehe wir sie zu entziffern versuchen, sei nur der Kern des menschlichen Vorgangs noch sichtbar gemacht. Der Mann ist der leidenschaftlich Begehrende, seine Küsse „verschlangen", „erstickten" ihren „scheueren Kuß", bis sie von seinem Ungestüm ermüdet, vor dem Einschlafen, in der schmetterlingshaft zarten Berührung der Wimpern ihre Antwort gibt. Sie spricht nicht, sie erduldet, und wo sie handelt, tut sie es in rührender Verhaltenheit und Schamhaftigkeit. Von da bekommt nun das Benehmen der Braut am Anfang des Gedichts eine unaufdringliche Bedeutung. Sie wartet im Kämmerlein; offenbar zögert sie auch noch, als der Zug kommt, sie einzuholen. „Endlich", heißt es nämlich, bewegt sich der Zug. Diesem Zögern entspricht die Haltung: „einfach" und „lächelnd". Hier ist jemand, der mit stiller Scheu in das Neue hineingeht, nicht entgegenkommend, nur wartend, zögernd und dann mit unglaublicher Zartheit dankend. Aber hier ist noch mehr als die unnachahmliche Vergegenwärtigung zarter und glühender Liebe. Der Ausdruck „seltsames Kind" deutet es an, ohne es zu öffnen.

III.

Das dritte Gedicht, in den gleichen freien Rhythmen sich schon als zum zweiten gehörig ausweisend, enthüllt, was im vorausgehenden sich in den Schlangensäulen und dem gespensterhaften Garten, der an die Szenerie in Eichendorffs „Marmorbild", den Garten unheiliger und heilloser Liebe, erinnert, sich ankündigt. In die „Mondscheingärten" der Märchenliebe ist ein „Irrsal" eingedrungen. Hinter der Stille des „seltsamen Kindes" verbarg sich „verjährter Betrug", eine Schuld, lange zurückliegend. Um ihretwillen weist er das „schlanke, zauberhafte Mädchen" von sich und heißt es in die „graue Welt" hinausziehen. Sie gehorcht, und wie sie vorher schweigend der Liebe und dem Wohnen im „Hause" entgegengegangen ist, so geht sie jetzt „schweigend" „in die graue Welt hinaus".

Nun ist klar, warum ihr Verhalten im zweiten Gedicht nicht nur die Scheu der vor der Liebe zurückbebenden Unschuld war, sondern noch andere Ursache hatte: sie durfte nicht fordern, nicht entgegenkommen, nur „bescheiden" (so heißt es in der „Nolten"-Fassung gegenüber „verborgen" in der Umarbeitung) warten und erdulden; sie war auf die Erlösung durch die Großmut ergebender Liebe angewiesen. Nun ist auch keine Frage mehr, daß die Version des mittleren Teiles, der Liebesbegegnung im Garten, wie sie in der Handschrift, dem „Nolten" und der ersten Ausgabe der Gedichte steht, aufgegeben werden mußte.

Dort war die Fassung kürzer: im Garten streichelt die Braut „seltsamen Blickes" die Schläfe des Geliebten „mit dem Finger". Er entschläft „jählings", unter der Gewalt ihres Zaubers, und nachdem er aus dem „Wunderschlafe" zu „glücklichen Tagen" erwacht ist, führt er die „seltsame Braut" in sein Haus ein. Die bannhafte, an die Tristanliebe erinnernde Form des Zaubers paßt nicht zu der Auffassung des Peregrina-Erlebnisses, die der Dichter mit leiser, aber sicherer Hand langsam herausbildet. Denn es geht nun darum, daß offenbar werde, was im ersten Gedicht verschleiert verborgen ist, wie der Geliebte versagt und schuldig wird. Die Zauberin der ursprünglichen Fassung des zweiten Gedichtes mag zur Zigeunerin Elisabeth stimmen, nicht aber zu der Gestalt, in der sich die Liebe als fremde, heimatlose schweigend, aber vertrauend der lösenden Gegenliebe überantwortet. Peregrina ist sie nicht und heißt sie nicht, weil sie seltsam, zauberkundig, den Geliebten berückend und durch Zauber zu sich bindend ist, sondern weil sie trotz aller Stille und Zurückhaltung nicht angenommen wird; weil in dem Liebenden der Schrecken über den „verjährten", also eigentlich nicht mehr zählenden „Betrug" nicht überwunden werden kann durch das gläubige und vertrauende Erkennen des im Spiegel der Augen erscheinenden „inneren Goldes". Durch die Änderung der Mitte des zweiten Gedichtes wird die Linie klar und deutlich, ohne daß das Geheimnis entblättert wird. Die Gestalt der Peregrina wird noch zarter, tiefer, menschlicher und die Gegenbewegung des Mannes noch „grausamer". Wir wissen nicht, was im Leben Mörikes und Marias der „verjährte Betrug" gewesen sein mag. Es ist gut so: nun kommt das Gemeinte, das Gefühl der Schuld gegenüber Peregrina, die eine Gestalt der Dichtung und als solche die Liebe ist (siehe das Schlußsonett), als Versagen offener und erschütternder heraus. Durch die Änderung des Mittelteiles im zweiten Gedicht wird nun die Übereinstimmung zwischen Gestalt und Form in den beiden freirhythmischen Gedichten ganz vollkommen. Jetzt ist der vom zweiten zum dritten Gedicht zunehmende einfache, kindliche Ton völlig mit dem Wesen der Peregrina übereinstimmend. Dieser Ton einfacher Schlichtheit ist freilich nicht der naive, unbewußte des Volksliedes, wie denn auch Peregrina ja erst auf dem Untergrund der Schuld ihr demütig stilles Wesen gewinnt. Es mag zufällig sein, daß Verse wie „Aber sie zog mit Schweigen . . .", oder „Wie? wenn ich eines Tages . . .", vor allem aber „Und ihr Auge . . . sagte: da bin ich wieder hergekommen aus weiter Welt" an Brentano erinnern, etwa an das Gedicht auf den Tod der Schwester Sophie:

„Wie war dein Leben
So voller Glanz,
Wie war dein Morgen
So kindlich Lächeln."[3]

Bei beiden Einfachheit auf dem Grunde tiefer Gefährdung in bewußter Wachheit gebildet. Es gibt nicht nur die naive Einfachheit des Unbewußten; es gibt auch die aus der Gefährdung gerettete, gewollte und darum leicht bebende und durchsichtige Einfachheit hoher Kunst. Diese scheinbar leichten, aber unheimlich sicher geformten Verse bilden genau das innere Wesen Peregrinens nach und aus: zerbrechlich und gefährdet, aber aus Sehnsucht einfach, kindlich und still.[4]

Die dritte Zeile „Schaudernd entdeckt ich verjährten Betrug" und in der folgenden die beiden Wörter „doch grausam" sind in der zweiten handschriftlichen Fassung von 1831 hinzugekommen. Er entdeckt etwas Verborgenes, das im zweiten Gedicht aus dem Verhalten des „seltsamen Kindes" verhüllt sich ankündigt, und er weist sie in das Elend hinaus; aber er weiß, daß es „grausam" war. Immer noch ist ihre Stirn „hoch", sowie im Auge, wenn er zu glauben vermöchte, das „innere Gold" zu sehen wäre. Mit Recht hat Mörike hier zwei Zeilen, die noch im Nolten stehen, unterdrückt: „Darin (in der hohen Stirn) ein schöner sündhafter Wahnsinn aus dem dunklen Auge blickte." In Peregrina war trotz aller Wirrnis und menschlichen Verfallenheit der Grund echt geblieben, Gold, und als Ausdruck dessen, war ihre Stirn „hoch", (in der früheren Fassung weniger glücklich „weiß"), was nicht nur Äußerliches meint.

Der Schluß des Gedichtes, gegenüber der früheren Stufe sehr verkürzt, hat erst in der vierten Auflage von 1867 seine endgültige Form gefunden[5]. Zunächst ist im Verhalten des Mannes nach der Trennung alles die Schwere des Verhängnisses Mildernde getilgt. Keine „Träume voll schöner Trübe" und keine „selige Krankheit" mehr, sondern einfach „krank" und „wund" und das Wissen, daß das Herz „nimmer genesen" wird. Und dann ist das Wiedererscheinen des Mädchens, das in der früheren Fassung im Traum und wie ein Hereinbrechen aus einer von Gewalt und Ungestüm bewegten Welt geschieht,

[3] Cl. Brentano, Ges. Schriften (1852) 2, 475.
[4] Zu der Frage nach Mörikes Künstlertum vgl. Emil Staigers Deutung des „Verlassenen Mägdleins", Die Kunst der Interpretation Zürich 1955, S. 205 ff.
[5] Die beiden handschriftlichen Fassungen, deren zweite mit dem Text im „Nolten" übereinstimmt, sind von Beck a. a. O. abgedruckt (S. 201).

hier nur noch als eine bange, wehmütige Möglichkeit gesehen: Was wäre dann, wenn sie wieder käme, und aus der trotz aller Verfehlung unversehrten Treue ihres Herzens sprechen würde:

> „Da bin ich wieder
> hergekommen aus weiter Welt!"

So geht auch dies Gedicht ins Offene, und die Gestalt Peregrinens wird rührend einfach und schlicht, alles Zauberhafte, das in den früheren Fassungen ihr anhaftet, ist geschwunden. Alles ist menschlich klar, und nun ist das Verhalten des Mannes, der sie verstoßen hat, nicht mehr ins Unverbindliche gerückt. Wo Zauber war, mag das Handeln des Menschen der Verantwortung enthoben sein. In der Geliebten war Schuld, aber alte, „verjährte", und gegenwärtig ist nur Stille, Treuherzigkeit, Echtheit und das Schweigen, das sich der Gewalt fügt. Dem aber hätte von Seiten des Mannes Großmut und Verzeihung antworten müssen.

Was aber wird er tun, wenn sie wirklich wiederkäme? Es gibt keine Antwort. Auf der früheren Stufe, die wieder im Einzelnen in verschiedenen Fassungen vorliegt, im Ganzen aber gegenüber der Endfassung einen einheitlichen Typus darstellt, war der Bezug auf das wirkliche Erleben näher. Denn Maria war zurückgekommen; Mörike hat sich ihr versagt, und zeitlebens hat er daran, wie diese Gedichte ahnen lassen, als an einer Schuld getragen, so verständlich und ehrlich sein Verhalten gewesen sein mag. So läßt er in der Frühfassung das im Traum aus stürmender Vorwelt hereindringende „Zaubermädchen" ihn anreden und mit Auge und Hand ihn bitten, daß er sie wieder aufnehme. Das Gedicht endet in der Handschrift mit der Frage, ob er sie nicht aufnehmen müsse, in der „Nolten"-Fassung damit, daß er sie im Traum wenigstens aufnimmt. Sollt ich es nicht getan haben?, ist nun seine Frage. Ich mußte doch:

> „Sollt ich die Hand ihr nicht geben
> In ihre liebe Hand?
> Bat denn ihr Auge nicht,
> Sagend: da bin ich wieder
> Hergekommen aus weiter Welt!"

So endet das Gedicht, bis es der alte Dichter in der „Ausgabe letzter Hand" von dem direkten Bezug zu dem offenbar noch immer nicht verwundenen Jugenderlebnis löste.

Und nur jene stille Frage blieb übrig: „Wie?, wenn ich eines Tages auf meiner Schwelle sie sitzen fände, wie einst, im Morgenlicht, das Wanderbündel neben ihr." Wenn sie als heimatlose Pilgerin wiederkehrte? Das Bild vor allem des aus dem Heidesturm durch den Vorhang brechenden Mädchens fehlt hier: es ist alles schlichter geworden und dem stilleren Gang des zweiten Gedichtes angeglichen. Zu dem anfänglichen, immer wiederkehrenden Zwiespalt von Gold und Sünde, Reinheit und Betrug ist nun der zweite mit diesem Gedicht ganz ausgebildet, der Gegensatz von „Haus" und „Welt". Peregrina hat kein Haus. Je mehr das Bild des Mädchens ins Stille und Einfache sich wandelt, um so stärker muß das Verhalten des Mannes als Schuld erscheinen. Er hat sie aus dem Haus in die Welt verjagt. Vor ihrem schweigenden Bild tritt seine laute Schuld um so vernehmlicher heraus. Ihr Schweigen, erst ihre Rechtfertigung (da sie seine Liebe nicht fordert, sondern nur erleidet), ist jetzt (da sie schweigend geht) sein Gericht. Sie muß, wegen der alten Schuld, warten, daß sie angenommen wird; einfach aus Liebe. Ihre Liebe ist Angewiesensein auf das Aufgenommenwerden; er vermag es nicht zu leisten. Er versagt sich, weil er nicht Herr seiner Anfechtungen wird. Wo sie das Wort der Liebe spricht, muß es keinen Zweifel mehr geben; kein Sich-Bewahrenwollen vor angeblicher oder wirklicher Verfehlung. So beantwortet Mörike kurz nach dem Jugenderlebnis seine inneren Stürme, und der alte Dichter bestätigt es. Wer das Wort der Liebe überhört, zerstört die Liebe; ist Schuld daran, daß die Liebe in der Welt kein Haus hat:

> „Ach sag mir, alleinige Liebe,
> Wo du bleibst, daß ich bei dir bliebe!
> Doch du und die Lüfte, ihr habt kein Haus!"

Diese Verse stammen aus der Zeit der Entstehung unseres Zyklus. Und flimmernd leicht, aber doch im Unterton die uneingestandene Schuld mitklingen lassend, heißt es noch 1837:

> „Ach, Lieb und Treu ist wie ein Traum
> Ein Stündlein erst vor Tag."[6]

---

[6] Das Gefühl der Schuld kehrt bei M. häufiger wieder. Wir erinnern an das „Verlassene Mägdlein". Ein merkwürdiges Stück gibt es unter den Nachlaß-Gedichten: Rotkäppchen und der Wolf. Darin wird das Märchen auf Liebes-schuld bezogen. Der Wolf hat Rotkäppchen getötet; er ist vom Jäger dafür erschossen worden. Nun sieht er im Gefühl der Schuld ihren Geist im Wald. Sie aber gibt bei der Begegnung nur ein stummes Zeichen, und es bleibt offen, ob es Verzeihung bedeute. Die Frage drängt sich auf, ob das seltsame Gedicht mit dem Peregrina-Erlebnis in Zusammenhang steht.

IV.

Noch einmal wird aus dem Gefühl der Schuld die Wiederbegegnung mit der verstorbenen Geliebten beschworen. Das vierte Gedicht beginnt mit einer allgemeinen Liebesklage: daß er ihrer „mit tausend Tränen" gedenken muß. Dann folgt in der abschließenden Stanze ein Traumerlebnis: Die Geliebte tritt in die Welt der Kindheit ein, in den „Kindersaal", in den er um des Vergessens willen geflüchtet ist. Ihr „Geist" erscheint als Verkörperung seiner Schuld und setzt sich zu ihm „ans Mahl". Aber es gibt kein Begegnen mehr. Die Trennung ist unaufhebbar, die Schuld ist nicht wieder gutzumachen. „Stumm" und „fremd" sitzen sie beieinander, bis er von der Unabänderlichkeit überwältigt, in Schluchzen ausbricht und sie „Hand in Hand" das „Haus verlassen". Nun sind sie beide ohne Haus. Wer den anderen in die „Welt" hinausgehen heißt, muß selbst hinaus; beide Fremdlinge, wohl „Hand in Hand", aber die Hände fassen sich in Schmerzen und in Fremdheit und nicht mehr bergend und geborgen, wie sonst Hand in der Hand liegen würde und sollte.

V.

Mit dem letzten Gedicht, einem Sonett in strenger Fügung, kehrt der Zyklus zu der Betrachtung des Anfanges zurück. Das Sonett ist betrachtender Überschau und Besinnung besonders entgegenkommend. Es schließt ein und ab; es bindet in sich, was es enthält und läßt es nicht über die Grenzen sich ausbreiten, wie die offenen Formen es tun. Der wundervoll einfache, kindhafte Seelenton der freien Rhythmen, besonders im dritten Gedicht, weicht strenger, fester, den Gegenstand bestimmt greifender und einschließender Formung. Das Gedicht verläßt die Erzählung des wirklich oder traumhaft Geschehenen und faßt deutend und lösend zusammen. So kann es denn mit einer deutlichen Aussage über das allgemeine Wesen der Liebe beginnen und den besonderen Fall der Peregrina damit verbinden. Was hier verkündet wird, ist verbreitete Annahme. „Man sagt", daß Liebe gebunden, arm, zerrüttet, heimatlos, wandernd, unbeschucht ist, daß Tränen und Wunden ihr Los sind. Aber in dieser ersten Strophe gehen Peregrina und die Liebe schon ineinander über. Es heißt nicht, ihr, der Liebe, Haupt habe „nicht mehr, wo es ruht", sondern *„dies* edle Haupt", Peregrinens Haupt nämlich. Was ihr geschehen ist, ist das Schicksal der Liebe überhaupt. So mußte denn der Dichter in Vers fünf das ursprüngliche:

„So hab ich auch *die Liebe* jüngst gefunden!" ändern in: „Ach, *Peregrinen* hab ich so gefunden!". Peregrina ist die Liebe, und irrt wie sie und wie Ophelia, wie Mignon und wie Maria und jede andere, in Wahnsinn und Zerrüttung, als Bild zerstörter Schönheit, für die Frühling und Kränze nicht mehr Zeichen der Fülle und des Glückes sind, oder in fremder Traurigkeit durch die Welt, in der Verwandlung aber noch „edel". Es ist sicher, daß hinter diesem Bild zerstörter Liebe neben dem Persönlichen viel Angeeignetes — nicht bildungsmäßig, sondern als Wesen angeeignet — steht. Die Gestalten großer Dichtung, die hier unheimlich sicher und doch unausgesprochen — was für eine Gabe! — beschworen werden und das Bild der Liebe als Peregrina, als Fremdlingin und Unbehauste mit formen, treten aus ihrer Eingeschlossenheit zu ihrer Schwester Peregrina in das Leben. Und man weiß nicht, wo die Grenze zwischen Dichtung und Leben verläuft.

Die Liebe, als irre, wandernde Törin ruft in dem Dichter, der ihr Leben gegeben hat, der es aus ihr vorher empfing, noch einmal das Bewußtsein der Schuld auf: daß Liebe so sein muß, ist seine, des Dichters, des Mannes Schuld: „War's möglich, solche Schönheit zu verlassen?" Es ist doch nicht denkbar, daß es geschehen sein könnte; so konnte niemand handeln, wie wäre dazu jemand imstande! Diese Möglichkeit war freilich in mir, und ich habe, was etwa an Gefahr und Möglichkeit in mir war, für wirklich genommen. Aber es war Täuschung. Um so „reizender" kommt nach dieser Verdunkelung des Bewußtseins das „alte Glück" zurück. Was einmal eine wehe Frage war (wenn sie käme?), was dann im Traum bei dem Festmahl geschah, das wird jetzt kommen; und das Gute wird wieder hergestellt sein. Aber die aus der Not des Sich-Schuldigfühlens herbeigezwungene Liebe versagt sich ihm: sie küßt ihn „zwischen Lieben noch und Hassen" und kehrt sich dann ab „und kehrt mir nie zurück".[7]

---

[7] Es ist hier nicht möglich, die vielen kleinen Änderungen in den verschiedenen Fassungen zu behandeln. Sie geben ein deutliches Bild von der strengen und behutsamen Art, mit der Mörike die Gestalt seiner Gedichte ausformte. Gerade bei diesem Gedicht, das in der endgültigen Form mehrfach die ersten handschriftlichen Lesungen wiederherstellte, ist der Bildungsvorgang, der kein pflanzenhaft ursprünglicher, sondern ein bewußter, heller war, besonders klar zu fassen. Aber dahinter bleibt das Ringen um das Erlebnis fühlbar. Deshalb will mir scheinen, man sollte das Artistische dieser Kunst nicht zu sehr betonen. Trotz aller Bewußtheit bleibt das Formen zu stark mit dem menschlichen Anlaß verbunden, ist von strenger Verantwortlichkeit.

Es gibt aus dieser Schuld keine Lösung. Da aber Peregrina und die Liebe eins sind, die Liebe Peregrina ist, bedeutet diese Trennung den Abschied von der Liebe überhaupt. Mit Peregrina hat Mörike die Liebe für immer verloren. Das war auch sein Wissen und seine Not fortan. Er hat sie, wie die Änderungen noch in der letzten Auflage beweisen, sein ganzes Leben dichterisch zu bewältigen versucht.

Was ihm in der Frau entgegentritt, das Doppelwesen von Gefährdung, Anfälligkeit und Tiefe, Reinheit, das vermag er nicht aufzulösen in reinem Verstehen. Er wird krank darüber, aber er erkennt über dem Äußeren nicht das Gold ihrer Tiefe; ihr Schweigen bleibt ihm stumm. Er kann ihr Wesen in seine lösende, die Geisterschatten bannende Liebe nicht aufnehmen; es fehlt an Kraft, dem Doppelwesen Liebe einen Ort, ein Haus zu geben. Und so mußte die verlassene Liebe seinem in der Reue aufgelebten Verlangen antworten, in Liebe antworten (denn sie küßt ihn noch), daß sie seine zu späte Einsicht nicht annehmen kann: Du warst so, daß du mich nicht erlösen konntest, meine Schwachheit war dir so schwer, daß du meine Tiefe nicht sahst. So bin ich nun elend und du mit, beide in der Fremde.

Mörike empfand in sich den Mann schuldig, wie Goethe immer wieder. Beide wußten, daß das menschliche Miteinander so beschaffen ist, daß selbst äußerste Reinheit und Klarheit die Schuld nicht von ihm fernzuhalten vermögen:

„So wunderbar ist dies Geschlecht gebildet,
So vielfach ist's verschlungen und verknüpft,
Daß keiner in sich selbst, noch mit den andern

Sich rein und unverworren halten kann." (Iphigenie, IV, 4)

Wer hinhört, das mag am Rande noch bemerkt sein, spürt, wie weit Mörikes sensible, erregte bewußte Einfachheit schon von Goethes hoher Klarheit entfernt ist. So gelassen hätte Mörike ein so Schicksalhaftes nicht mehr auszusagen vermocht. Es ist eine spätere Zeit, die in diesen Gedichten sich bekundet. Diese neue Sprache weist eher nach vorne als nach rückwärts, und das Schicksal der kommenden Lyrik deutet sich hier schon an.

Das Gedicht schließt unerbittlich: Peregrina bleibt nicht bei ihm. Und doch ist im Gefühl das Lösende vorherrschend. Nicht nur durch die Geschlossenheit der Fügung, die das sich Ereignende, Hochzeit und Verlust, in die feste Gebundenheit der beiden äußersten Gedichte eingefügt[8], schließt, beruhigt, sondern auch durch die Gebärde, mit der Peregrina uns entschwindet. Ihre Weise in dem ganzen Zyklus ist das Schweigen, eine hohe stille Verhaltenheit. Handelnd sehen wir sie nur zweimal: in der wundervollen Gebärde des Aufeinanderlegens der Augen, die ihre Seligkeit einschließt, und am Ende in dem Kuß „zwischen Lieben und Hassen", der ihre Not umfaßt. Auch hier kein Wort; auch hier das Innere an der Bewegung, der Gebärde, fühlbar werdend. Aber auch hier, bei allem Schmerz und aller Unausweichlichkeit das Lösende durch die Kraft eines dichterischen Bildes. Dieser Kuß, auch wenn er ein Ende ist, ist Geschenk, aus dem Überfluß des weiblichen Reichtums gegeben in die Armseligkeit des Mannes. Am Schluß ist er Peregrinus geworden; sie hat in ihrem Elend noch die Möglichkeit des Schenkens. Er muß hinnehmen, daß sie im Schenken und Geben sich versagt. So breitet sich am Ende über die tragische Gestalt der Peregrina ein versöhnender, wehmütiger Glanz.

Hermann Kunisch

---

[8] Diese Gliederung ist erst nach dem „Nolten" entstanden. Dort steht am Anfang das jetzt zweite Gedicht. In dem Roman ist die Gedichtfolge geschichtlicher: Hochzeit, Warnung (jetzt Gedicht I), Scheiden. Die endgültige Folge ordnet vom Wesen der Form her: die beiden betrachtenden Gedichte schließen den Vorgang, das Geschehen, deutend und lösend ein.

CONRAD FERDINAND MEYER
MÖWENFLUG

Möwen sah um einen Felsen kreisen
Ich in unermüdlich gleichen Gleisen,
Auf gespannter Schwinge schwebend bleibend,
Eine schimmernd weiße Bahn beschreibend,
Und zugleich im grünen Meeresspiegel
Sah ich um die selben Felsenspitzen
Eine helle Jagd gestreckter Flügel
Unermüdlich durch die Tiefe blitzen.
Und der Spiegel hatte solche Klarheit,
Daß sich anders nicht die Flügel hoben
Tief im Meer, als hoch in Lüften oben,
Daß sich völlig glichen Trug und Wahrheit.

Allgemach beschlich es mich wie Grauen,
Schein und Wesen so verwandt zu schauen,
Und ich fragte mich, am Strand verharrend,
Ins gespenstische Geflatter starrend:
Und du selber? Bist du echt beflügelt?
Oder nur gemalt und abgespiegelt?
Gaukelst du im Kreis mit Fabeldingen?
Oder hast du Blut in deinen Schwingen?

Der Flug hat schon begonnen. Das anhebende Bemühen weit hinter
sich lassend, ziehen weiße Flügel ihre Kreise. Verhaltene Kraft wird
zu Schwerelosigkeit. Das ist der Eingang.

> „Möwen sah um einen Felsen kreisen
> Ich in unermüdlich gleichen Gleisen . . .“

Die Verse fließen in stetem Gleichmaß über vier Zeilen hinweg und
tönen die eine Melodie des Fliegens. Was ist es, das diese Kraft verleiht? Ein Wort gibt den Anstoß, ein Wort – das nicht mehr wiederkehrt – läßt weitausholende Bewegung entstehen: „Möwen". Betont

setzt es ein, steht am Anfang des Gedichtes, enthält Anlaut und Leitmotiv zugleich. Von hier aus empfangen die Zeilen das Gleichmaß ihres Taktes; einmal begonnen, setzt auch die Melodie fort, was im Motiv angeschlagen wurde. So entfaltet sich in regelmäßigem Wechsel der trochäische Fünfheber. Das Schweben hält an, wechselt dann fast unmerklich in den steten Schlag sich spannender und entspannter Flügel, in das Auf und Nieder der Schwingen und kehrt zurück zum ruhenden Gleiten. Betörend leicht die sanften Versausgänge, zumal wo sie durch ihr dauerndes Partizip lange Dauer des Fluges verheißen, betörend auch die Assonanzen inmitten der Zeilen: „einen... kreisen, gleichen Gleisen, eine . . . weiße . . . beschreibend". Dazu tönt der Einklang der Stäbe und der Paarreim bindet den Gleichklang. Nun beginnt das Spiel. Ein Abbild löst sich vom Bild, nimmt, wie dieses, Bewegung an. Kein Satzschluß hindert, der Atem strömt weiter, erhält neue Kraft; Kraft aus zweiter Hand freilich. Wieder setzt hier mit dem „Und" ein, was schon einmal begonnen hatte. Abbild nur, nicht Bild, gibt es den fremden Augenblick für eigene Zeit („Und zugleich . . ."), holt fremde Bewegung in gleichem Maß und Takt herüber, leiht auch den gleichen leichten Ton des gleitenden EI. „Hell" ist nicht mehr „schimmernd weiß", der Farbton bricht im Medium. Der „grüne Spiegel" nimmt den Konturen ihre Milde, zeichnet schärfer. Mit dem „zugleich" wirft der Spiegel das Schweben „gespannter Schwinge" als „Jagd" zielstrebig „gestreckter Flügel" zurück. Der Fels scheint gezackt und zersägt zu „Felsenspitzen". Was hoch oben „bleibende" Bahnen beschreiben durfte, blitzt nun durch die Tiefe. Hart, gekantet, steil endet dieses Blitzen den Flug. Hatte in den vier Zeilen des Eingangs die schöne Regelmäßigkeit gebändigter Bewegung gewaltet, so fährt uns in den vier Versen des Spiegelbildes eine unstete Jagd entgegen: herausfordernd die schnelle Abfolge der meist kurzen Vokale, schneidend die Schärfe der Konsonanten.

Treues Abbild des Fluges? Spiegelbild nur, kein Ebenbild. Waren die Reimpaare des Bildes verlässig — die über Kreuz gereimten Ausgänge des Spiegelbildes spielen fast. Aber schon fließen beide Bilder ineins, schon sind sie, selbst hinter geschlossenen Lidern, eingeprägt. In Bild und Spiegelbild die gleiche Bahn, die eine Bewegung, das selbe „unermüdlich".

Da trifft ein neuer Anstoß. So, wie durch eine Reihe aufgehängter Kugeln hindurch ein erster Impuls Wellen aussendet, schickt das eine erste Wort seine Kraft durch die Verse, will hier noch ein zweites

„Und" zum Schwingen und Weitergeben bewegen. Aber mag auch der mehr und mehr verebbende Rhythmus des Gleitens und Fliegens noch mit der Melodie einer Unterstimme gehen: das Spiel ist aus. Umarmend, nein: umklammernd greifen „Klarheit" und „Wahrheit", Endworte, um die Binnenverse, in denen nochmals leichter Flügelschlag schwingt. Aber da ist kein Ausschwingen. Ein gleitender, Grenzen leichthin überschwebender Rhythmus versprach dauernden Flug. Nun zeugen die beiden Worte − bündig einander zugeordnet − vom Erkennen der Wahrheit. Ahnten wir sie auch schon − ein betörendes Spiel hat sie niedergehalten. Jetzt wissen wir: es war Trug mit in diesem Spiel. Scharf akzentuierend, gemessenen Schrittes nehmen die Worte ihren Weg zum Tongipfel des „völlig" bis hinunter zur tiefen „Wahrheit". Trug und Wahrheit: Wort gegen Wort. Der innere Klang verrät mehr als das äußere Bild des Spiegels, auf dem noch beides ineinander fließt. Trägt der Rhythmus nicht bis zu diesem letzten Wort ein volles Maß an Trauer? Tief ist der Blick in den Spiegel. Hineinsehen wurde Ein-Sicht.

Eine bange Sekunde lang stockt der Schlag des betroffenen Herzens. Wie von weit her setzt er wieder ein. Und greift, unheimlich genug, zurück zum Takt der leichten Flügel. Aber dieses Herz ist nun anders gestimmt; die Einsicht in Wesen und Schein hat die Schau vertieft. Der Schauplatz ist beseelter Innenraum; es ist nicht mehr an der Zeit, zu beobachten und ein fast sachliches Bild der Außenwelt zu entwerfen. Eine gespenstische Vision: Kreisen ist Grauen, Flug ist Geflatter, Sehen ist Starren geworden. Das zwingt zum Innehalten. Und löst Zweifel aus. Hart und unmittelbar geht Frage in Frage über, durch den Paarreim nun wieder dicht gebunden. Sichere Aussage also? Fragwürdig der eigene Ort, quälend die Ungewißheit, Wesen oder Spiegelbild zu sein. Noch einmal schafft die Vokalfolge vom dunklen A zum hellen I Bewegung, innere Bewegung diesmal. Betörend klingt noch einmal der sanfte EI-Laut des Kreisens auf; halb vergessen schon, verwischt fast, gehört er nun den Fabelklängen an, dem Spiel. Vorbei.

Der Zweifel ist mächtiger, stärker ist die Frage: Was bin ich?

Ein leicht verwundbares Ich, müssen wir sagen. Conrad Ferdinand Meyers „Keuschheit zwang ihn zur Tarnung" (Alker). Aus seinem Gedicht strömt nicht freies Empfinden, sondern zuchtvoll geformte Gestimmtheit. Um so mehr erschüttern die herausgestoßenen, selbstquälenden Fragen. Ringen um Existenz in äußerster künstlerischer Form? Doppelt gequält darüber, selbst hilflos nach dem vollkommenen Ausdruck suchen zu müssen – und ihn zu finden, hat Meyer bekannt: „Tiefe und Formklarheit sind fast unvereinbar und unsere charakteristischen Vorzüge eben auch unsere Grenzen" (An Hermann Lingg).

Rudolf Meier

Detlev von Liliencron:
Die Musik kommt

Klingling, bumbum und tschingdada,
Zieht im Triumph der Perserschah?
Und um die Ecke brausend bricht's
Wie Tubaton des Weltgerichts,
   Voran der Schellenträger.

Brumbrum, das große Bombardon,
Der Beckenschlag, das Helikon,
Die Piccolo, der Zinkenist,
Die Türkentrommel, der Flötist,
   Und dann der Herre Hauptmann.

Der Hauptmann naht mit stolzem Sinn,
Die Schuppenketten unterm Kinn,
Die Schärpe ziert den schlanken Leib,
Beim Zeus! das ist kein Zeitvertreib!
   Und dann die Herren Leutnants.

Zwei Leutnants, rosenrot und braun,
Die Fahne schützen sie als Zaun;
Die Fahne kommt, den Hut nimm ab,,
Der bleiben treu wir bis ins Grab!
   Und dann die Grenadiere.

Der Grenadier im strammen Tritt,
In Schritt und Tritt und Tritt und Schritt,
Das stampft und dröhnt und klappt und flirrt,
Laternenglas und Fenster klirrt.
   Und dann die kleinen Mädchen.

Die Mädchen alle, Kopf an Kopf,
Das Auge blau und blond der Zopf,
Aus Tür und Tor und Hof und Haus
Schaut Mine, Trine, Stine aus.
   Vorbei ist die Musike.

Klingkling, tschingtsching und Paukenkrach,
Noch aus der Ferne tönt es schwach,
Ganz leise, bumbumbumbum tsching;
Zog da ein bunter Schmetterling,
    Tschingtsching, bum, um die Ecke?

Dieses Gedicht sollte eigentlich ohne Überschrift gedruckt und rezitiert werden. Finge man gleich mit der ersten Zeile an, dieser derben Lautmalerei „Klingling, bumbum und tschingdada", so würde sich im Leser oder Hörer gewiß die erstaunte Frage erheben: „Nanu, was kommt denn jetzt?" Das ist aber genau die Frage, die der Gedichtanfang selber stellt. Ein großmächtiger Lärm ist da, man kann noch nicht genau ausmachen, was er soll, aber er ruft doch schon aus der Ferne den Eindruck des Freudigen, Gewaltigen, dabei vielleicht nicht ganz Ernstzunehmenden hervor. (Wieso, wenn nicht ein Stich von Ironie bei der Sache ist, würde denn der triumphierende Perserschah in das Berlin der Achtzigerjahre hineinzitiert?)

Marschtritt ist in der Luft. Man merkt es an den scharf taktierten Versen: die Zäsuren, ziemlich starke Zäsuren, liegen fast genau in den Versmitten.

Man kann das, wie fast das ganze Gedicht, in einer Art rhythmisierenden Sprechgesangs hersagen, so etwa, wie die Matrosen ihre Befehle aussingen. Ein Anflug männlichen Leichtsinns vor einer ernsten Sache, wie er sich in solchem Singsang äußert, liegt auch über unserem Gedicht und schreckt nicht davor zurück, gleich das Weltgericht anzurufen, um ein Bild des nahenden Lärms zu geben.

Die Musik wird immer stärker, ihr Ursprung aber bleibt vorläufig noch unbekannt; daher die anonyme Wendung: „Und um die Ecke brausend bricht." Bricht was? Erst nachher tritt die Kapelle selbst in den Gesichtskreis, wird optisch wahrnehmbar: „Voran der Schellenträger."

Der Schellenträger geht der Kapelle voraus, kündigt sie an. Die ganze letzte Zeile ist eine Vorankündigung: Sie ist aus dem rhythmischen Fluß der anderen Verse herausgelöst, hat keine Zäsur, hat auch keinen Reim, steht für sich allein und erweckt das Gefühl, als müsse ihr noch etwas folgen.

Diese Technik der Vorankündigung wird durch das ganze Gedicht angewendet. „Und dann . . ." heißt es viermal in den ungereimten Schlußzeilen. Das gibt die gegliederte Ordnung des Zuges wieder und bildet zugleich den Aufbau des Gedichts: Eindruck reiht sich an Eindruck.

Zunächst also kommt die Kapelle selbst, „die Musike", wie sie gegen Schluß des Gedichts berlinisch-schnoddrig genannt wird. Die Namen der Instrumente geben schon etwas von ihrem Klang wieder: „Bombardon — Pikkolo — Zinkenist." Bemerkenswert, wie bei dem Letztgenannten nicht das Instrument angeführt ist, sondern sein Spieler, wodurch noch ein drittes I in die Zeile hereingebracht ist, ein Laut, der den hellen Klang kennzeichnet. Alle Instrumente werden nebeneinander und nacheinander aufgeführt, so, wie sie nebeneinander und nacheinander in der Kolonne marschieren, und ihre fremdklingenden Namen geben auch den Eindruck des Exotischen, Schauspielmäßigen, auf den schon in der ersten Strophe mit der Frage nach dem „Perserschah" angespielt worden ist.

Ganz anders der Hauptmann. Der Abstand, der ihn schon rein äußerlich, in der Reihe der Marschordnung, von der Kapelle trennt, wird auch sprachlich betont, wenn ihm jetzt, nach den fremdartigen Namen der Musikinstrumente, der ritterliche Titel „Herre" zugelegt wird. Überhaupt herrschen in der Zeichnung, die von ihm gegeben wird, und die, wie im ganzen Gedicht, einzelne Eindrücke in impressionistischer Weise aneinanderreiht, etwas altertümliche Vokabeln und Wendungen vor: „Mit stolzem Sinn", „den schlanken Leib", „Zeitvertreib". Das ist das Bild des pflichtgetreuen, ehrlichen, schneidigen Offiziers, des Preußen, so, wie er selbst sich gern sieht, forsch, hochgemut, dabei konservativ und ein bißchen unnahbar. Die „Schuppenketten unterm Kinn" zwingen ihn, den Kopf immer hochzutragen, und sie sind zugleich das Fragment eines adelig-exklusiven Panzers. Der Hauptmann ist der Held dieses Zuges; ein leise trivialer Held vielleicht, so wie ja jene altfränkischen Wendungen oder der Reim „Leib — Zeitvertreib" nicht gerade sehr erlesen sind, aber immerhin ein volkstümlicher und liebenswerter Held, mit seiner schmucken Schärpe. Und überhaupt, ganz so ernst wird die Sache — wir sind schließlich in Berlin — nicht genommen. Daß das Ganze „kein Zeitvertreib" sei, meint vielleicht der „Herre Hauptmann" selbst, aber der Zuschauer glaubt daran ebensowenig wie an den „Zeus", den er mutwillig zitiert, um diese Versicherung zu bekräftigen.

Anders wird der Ton zu Beginn der nächsten Strophe. „Zwei Leutnants, rosenrot und braun". Das ist in einem ganz anderen Sinne volkstümlich, volksmäßig, als die vorangehende Strophe. Diese zwei

Adjektive haben nichts von der preußischen Forschheit, wie sie sich im Bild des Hauptmanns abzeichnet; sie sind fast volksliedhaft innig, lyrisch im eigentlichen Sinne. Diese und die folgende Zeile, in der die Fahne erscheint, sind aus dem strammen Marschrhythmus der übrigen Strophen herausgelöst, laufen ohne stärkere Zäsur durch, weit und beinahe weich, seidig, mit Wörtern voll langer, dunkler Vokale und klingender Nasale: Unter der Fahne marschiert man nicht, unter der Fahne schreitet man. Die Fahne ist der stillere, reinere Mittelpunkt dieses kecken und lauten Zuges. Ihr Bild steht genau in der Mitte des Gedichts. Auf sie richten sich die Gedanken und Schwüre der Zuschauer:

> „Die Fahne kommt, den Hut nimm ab,
> Der sind wir treu bis in das Grab!"

In diese Gedanken, in diese Haltung selbst tönt freilich, das verrät der Rhythmus, der Takt der Musik hinein, und zugleich auch schon der Marschtritt der Grenadiere, die jetzt herankommen.

Hier wird der Rhythmus am kräftigsten. Seine Regelmäßigkeit wird noch verstärkt durch die wiederholende Wortumstellung in der zweiten Zeile:

> „In Schritt und Tritt und Tritt und Schritt",

und dann durch Begriffspaarungen:

> „Das stampft und dröhnt, und klappt und flirrt."

Das ist der Marschtritt der Kolonne. Durch das letzte Wort, „flirrt", kommt zu den akustischen Eindrücken noch ein optischer, und dadurch erhält die schwere, stampfende Bewegung doch wieder eine Leichtigkeit eigener Art, wie ja überhaupt diese Soldaten nicht die grauen Marschierer sind, wie sie über die Schlachtfelder der Weltkriege ziehen, mit Grauen, Überdruß und verzweifelter Entschlossenheit geschlagen, sondern junge Burschen, bunt, fröhlich, ein bißchen unbedacht. Ihr Schritt hat bei aller Kraft etwas Übermütiges, beinahe Tänzerisches.

Dieser tänzerisch-kraftvolle Schwung teilt sich mit. An „Laternenglas und Fenster" zunächst, aber auch an alle, die dabei sind und die es angeht. In erster Linie also an die „kleinen Mädchen", an „Mine, Trine, Stine", Mädchen, wie sie eben zu Soldaten gehören, das verrät der Gleichklang ihrer Namen. Auch sie werden in den Rhythmus des Marsches hineingerissen. Auch hier Wortwiederholungen, Entgegensetzungen und Begriffspaarungen:

> „ . . . Kopf an Kopf
> Das Auge blau und blond der Zopf,
> Aus Tür und Tor und Hof und Haus . . ."

Recht volkstümliche Wendungen sind das wieder, an denen leicht zu erkennen ist, aus welcher Umgebung diese Mädchen kommen. Erst in der vorletzten Zeile wird der Rhythmus schwächer. Es gibt keine Zäsur mehr, der Takt gerät durcheinander, so wie die Menge der Zuschauer, unter ihnen eben auch „Mine, Trine, Stine", sich ungeordnet auflöst, wenn der Zug der Soldaten vorüber ist.

> „Vorbei ist die Musike."

Dieser Vers ist nicht mehr, wie bisher die letzten Zeilen der Strophen, die Vorankündigung von etwas Kommendem. Im Gegenteil, er ist ein Schlußstrich, und daß kein Reim und kein verbindendes „und" mehr folgt, löscht jetzt die Erwartung, es zeigt an, daß auch der Zug plötzlich zu Ende ist, daß nichts mehr nachkommt. Der Jargonausdruck „Musike" ist etwas wie ein Achselzucken über diese bedauerliche Tatsache: Schade, daß das Schauspiel vorbei ist.
Aber es gibt noch einen Nachklang. Noch einmal kommt die Lautmalerei des Anfangs, noch einmal der Marschtakt in den beiden ersten Zeilen der letzten Strophen, aber er wird schon schwächer, und in der dritten Zeile löst er sich auf. Nur mehr einzelne Geräusche sind zu hören: die Trommel, das Becken. Der Wind und die Entfernung machen den Takt unregelmäßig, geben ihm etwas Leichtes, Flattriges, tragen ihn hinweg. Daher das Bild, das am Ende des Gedichts steht und noch einmal zusammenfaßt, was dem Zuschauer, dem Leser oder Hörer bleibt: Erinnerung an etwas Buntes, Sommerliches, Flüchtiges, an eine Summe heller Wahrnehmungen, leicht gereiht wie Flugbahnen eines Schmetterlings.

Herbert Schmidt

VIII/101

Komm in den totgesagten park und schau:
Der schimmer ferner lächelnder gestade,
Der reinen wolken unverhofftes blau
Erhellt die weiher und die bunten pfade.

Dort nimm das tiefe gelb, das weiche grau
Von birken und von buchs, der wind ist lau,
Die späten rosen welkten noch nicht ganz,
Erlese küsse sie und flicht den kranz,

Vergiss auch diese letzten astern nicht,
Den purpur um die ranken wilder reben
Und auch was übrig blieb von grünem leben
Verwinde leicht im herbstlichen gesicht.

„Es ist schön. Es atmet den Herbst", sagt Clemens zu seinem Freunde
Gabriel in Hofmannsthals „Gespräch über Gedichte", als Gabriel ihm
dieses Gedicht aus dem „Jahr der Seele" vorgelesen hat. Atmet es
wirklich den Herbst? Läßt der Dichter sich von dem Naturgeschehen
tragen? Geht der Herbst in ihn ein? – Nur drei Verse lassen eine
Herbstlandschaft aufleuchten: Weiher und bunte Pfade in einem Park.
Zwei von den drei Strophen des Gedichts nimmt menschliches Tun
ein: ein Kranz wird geflochten. Und wie das erste Wort des Gedichts
ein Imperativ ist, durch den der Leser – oder die Freundin – oder der
Dichter selbst – aufgefordert wird, zum Schauplatz des Geschehens
zu kommen, so wird die schlichte Handlung des Kranzwindens Schritt
für Schritt durch gebieterische Zurufe des Dichters geleitet. Jene
Landschaft aber zieht nicht um ihrer selbst willen den betroffenen
Blick des Dichters auf sich, sondern ein wunderbarer Vorgang nimmt
ihn mit der Gewalt einer Vision gefangen: Der Schimmer ferner
lächelnder Gestade, der reinen Wolken unverhofftes Blau *erhellt* die
Weiher und die Pfade, – diese Pfade, deren Buntheit erst jetzt
recht sichtbar wird. Das Blau, das dort an den Rändern „reiner" Wolken erscheint, ist „unverhofft" nicht nur deshalb, weil die Wolken es
plötzlich freigeben (Hofmannsthal weist besonders auf die Schönheit

dieser kühnen Zusammenziehung hin), sondern auch, weil „man" im Herbst mit diesem Sommerblau nicht mehr rechnen konnte. Diese fernen Gestade sind nicht irdisch, sie lächeln am Himmel, – dort, wo die reinen Wolken erschienen sind.

So ist es nicht der Herbst schlechthin, der dem Dichter im Park begegnet, sondern er erlebt einen Vorgang, mit dem er gerade im Herbst nicht rechnen konnte: es ist ein Gnadenaugenblick, ein Kairos. Die Verwandlung der Erde reicht bis zum Dichter hin; er geht ja auf einem der bunten Pfade, und er liebt es, die Weiher im Kahn zu befahren. („Wir fahren mit dem kahn in weitem bogen
Um bronzebraunen laubes inselgruppen.")

Dies Erlebnis unerwarteter Erhellung gibt ihm den Anstoß zu schöpferischem Tun. „Dort", wo das Wunderbare sich ereignet hat, soll der Kranz gewunden werden. Dieses betonte „Dort", das wie das „Komm" des ersten Verses in der *Senkung* des ersten Jambus steht, hat das gleiche Gewicht wie „Komm" und „schau" und verknüpft auf bedeutungsvolle Weise das Geschehen der ersten Strophe mit dem der zweiten und dritten. Naturvorgang und menschliches Tun sind auch durch die Reime „schau", „blau" in der ersten und „grau", „lau" in der zweiten Strophe miteinander verbunden.

Der Dichter hat auf die Pfade geschaut, deren Buntheit unter dem Schimmer von oben aufgeleuchtet ist, und pflückt scheinbar absichtslos hier und da Zweige, von denen sich wohl schon Blätter auf den Pfaden finden. Aber vielleicht erst, als sein Blick auf die späten Rosen fällt, die noch nicht ganz welkten, faßt er den endgültigen Entschluß zum Winden des Kranzes.

Dieses Suchen und Sinnen beim Brechen von Zweigen und Blumen wird durch die Zäsuren hinter „gelb" und „buchs" sinnfällig. Lange ruht der Blick auf den späten Rosen: der nicht durch eine Zäsur unterbrochene Vers bildet das letzte lange Zögern vor dem endgültigen Entschluß ab. Dann werden dem Kranz noch Astern, purpurnes Weinlaub und „was übrig blieb von grünem leben" zugefügt.

Ist dieser Kranz ein lebendiges und farbenleuchtendes Sinnbild des Herbstes? Wir können ihn uns schwer vorstellen. Keine Blattformen, keine organischen Gebilde sehen wir vor uns. Birken, Buchsbaum und wilde Reben geben nur Farben her, die Wirklichkeit wird verkürzt, ein Teil steht für das Ganze. „Was übrig blieb von grünem leben", – da ist die Abstraktion noch weiter getrieben. Auch erscheint es fraglich, ob einen Maler die Farben dieses Kranzes reizen könnten. Wenn im Vorherrschen des Farbigen in besonderer Weise das Getrenntsein des Dichters von der Natur zum Ausdruck kommt (David), – im Fühlen und im Hören wäre er in innigerer Weise aufnehmend mit der Wirklichkeit verbunden, – woher kommt es dann, daß diese Verse uns so tief anrühren? – Nicht sinnliche Frische überwältigt uns, sondern wir werden durch die Musik und den Geist dieser Verse bewegt. Die Wirklichkeit gibt dem Dichter nur den leisen Anstoß, der Klänge und Gedanken in ihm entbindet. Gelb und grau, Birken und Buchs haben sich vom Sprachklang her zusammengefunden, ebenso das Vokalspiel von I zu U bzw. zu AU in den ersten beiden Versen der zweiten Strophe, das in II,4 und III,3 zu Ü–I abgewandelt wird.

Auch der Aufbau der Verse in Strophe zwei und drei zeigt, daß Georges Gedicht aus anderen Quellen als aus dem Natureindruck lebt. Die Achse dieser Strophen ist der vierte Vers der zweiten Strophe: „Erlese küsse sie und flicht den kranz." Nur in den beiden Versen, die diesen Vers umschließen, werden Blumen genannt. Nur in ihnen steht das Wörtchen „nicht". Attribute der Blumen sind: „späte" und „letzte". Auch zwischen dem „welken" und „vergessen" besteht eine Beziehung. Birken und Buchs lassen sich leicht zum Kranze fügen: die Attribute „tief" und „weich", die Stabreime „birken" und „buchs" wecken Vorstellungen des Willigen, des sich Schmiegenden. Dazu gehört: „der wind ist lau". Dieser unherbstlich laue Wind – das einzige nicht nur Gesehene, sondern Gefühlte in dem Gedicht –, gehört verbindend zu dem Geschehen der ersten Strophe. (Vgl. den Reim!) Anders steht es mit den Blättern, die in der dritten Strophe dem Kranze eingefügt werden. Sie werden erst „verwunden", nachdem die Idee des Kranzes geboren ist. „Purpur", „ranken wilder reben", – das sind Wörter, in denen Leidenschaft und Lebenstrieb atmen. Das „grüne leben" wird zuletzt eingefügt – als das der Idee des Kranzes am meisten widerstrebende Element. Und wenn diese Blätter auch „leicht" verwunden werden, so ist doch ein schmerzlicher Unterton nicht zu überhören.

Dieser Aufbau der Verse zeigt in der Art, wie er den Kranz abbildet, daß es George um die klingenden und geistgeladenen Wörter geht, daß sein Kranz ein bedeutungsschweres Sinnbild ist. Der Kranz vereinigt in seiner vollendeten Rundung die Bereiche des Seins vom Tiefen, Weichen, Lauen, Sterbenden bis zum Glühenden, Wilden, Lebendigen.

Der Zusammenhang zwischen dem Naturgeschehen der ersten Strophe und der Entstehung des Kranzes wird besonders augenfällig, wenn man den Aufbau der ersten und der dritten Strophe miteinander vergleicht. Beide Strophen sind Vers um Vers parallel gebaut. Im ersten Vers, der in beiden Strophen mit einem Imperativ beginnt, fallen Vers- und Satzende zusammen. Der zweite Vers schließt in der ersten Strophe mit einem Komma ab, hinter dem zweiten Vers der dritten Strophe entsteht durch das „und" am Anfang von Vers drei ebenfalls eine Pause. War am Ende von Vers zwei die ansteigende Bewegung noch aufgehalten, so schwingt nun Vers drei durch das Enjambement in Vers vier hinüber (in beiden Strophen), wird dort durch das Verbum „Erhellt" bzw. „Verwinde" aufgefangen und „leicht" – das Wort des letzten Verses drängt sich hier auf – zur Ruhe gebracht.

Man kann Georges Dichtung nicht einfach als „statisch" klassifizieren. In diesem Gedicht jedenfalls wird weite Bewegung zur Ruhe, das Unendliche zum Endlichen geführt, wird das Dionysische in die Gestalt gebannt. Der rhythmischen Bewegung entspricht der Inhalt: die fernen himmlischen Gestade wirken erhellend auf das Irdische; – wilde Lebenskräfte werden in den Kranz gezwungen. Von den fernen lächelnden Gestaden geht ein Schimmer aus; – von den Ranken wilder Reben her leuchtet der Purpur auf. Das unverhoffte Blau der reinen Wolken findet seine Entsprechung in dem grünen Leben, das im Herbst ebenso unverhofft anmutet wie das Himmelsblau.

Ein wesentlicher und sinnvoller Unterschied ist, daß in der ersten Strophe im zweiten und dritten Vers Subjekte und in der dritten Strophe an den entsprechenden Stellen Objekte stehen. Das Verbum am Anfang des vierten Verses ist in der ersten Strophe ein Indikativ, in der dritten ein Imperativ. Gerade diese Beobachtungen zeigen den Sinn der Beziehung zwischen der ersten und der dritten Strophe besonders deutlich. Das Geschehen in der ersten Strophe und das Tun des Dichters in der dritten Strophe entsprechen einander. Das, was der Dichter dort geschaut hat, wird hier im Gebilde des Kranzes festgehalten und bewahrt. Wie im totgesagten Park plötzlich Schimmer, Helle und Buntheit da waren, so findet der Dichter in der ersterbenden Natur noch so viel Leben und Farbe, daß er daraus ein schönes Gebilde formen kann. Oder dürfen wir die Zusammenhänge sogar umkehren? Hat der Dichter aus sich seine Herbstvision, und ist ihm der Naturvorgang nur bestätigendes Zeichen der aus seiner Seele erwachsenen Möglichkeit?

Auch die Reimfügung bildet diese Zusammenhänge ab. Während in der ersten Strophe durch die Reimordnung a b a b das Miteinanderverflochtensein von Beschauer, Himmel und Erde zum Ausdruck kommt, (in einer überaus sinnfälligen Weise, so daß die Reimwörter geradezu den Inhalt in letzter Verkürzung wiedergeben: schau-blau! gestade-pfade!) – bildet die Reimfügung a a c c in Strophe II das noch Getrennte, nicht Zusammengeschlossene der einzelnen Teile ab. So wirken die Reime in derselben Richtung wie die Zäsuren innerhalb der Verse. Die dritte Strophe gibt mit ihren umschließenden Reimen ein schönes Bild des Kranzes selbst, und zwar derart, daß die männlichen Reime in Vers eins und vier die weiblichen Reime von Vers zwei und drei, die dem Inhalt dieser Verse entsprechend einen offenen, weiten Charakter haben, fest umschließen.

Ist es ein Gedicht vom Dichter und vom Dichten? Wir kennen Stefan George als den Herrscher seines geistigen Reiches, als den Gesetzgeber, der den Weltstoff aufgriff und sich herrisch an- und einverwandelte. Im „Algabal" hatte er dem Naturalismus seiner Zeit im Bilde jenes spätrömischen Herrschers sein eigenes Dichtertum entgegengestellt als das des „salbentrunkenen prinzen, der sanft geschaukelt seine takte zählte in schlanker anmut oder kühler würde, in blasser erdenferner festlichkeit", wie er später sagte. George hatte „das Lebensgefühl für das objektiv Schöne durch das Formgefühl für das anorganisch Schöne abgelöst" (Grenzmann). Dann war er aus der ästhetizistischen Selbstgenügsamkeit scheinbar herausgetreten. In den „Hirten- und Preisgedichten", den „Sagen und Sängen" und den „Hängenden Gärten" schien er sich der Welt geöffnet zu haben, aber im Grunde enthalten diese Bücher nach Georges eigenen Worten nur die „Spiegelungen einer Seele, die vorübergehend in andere Zeiten und Örtlichkeiten geflohen ist und sich dort gewiegt hat". Im „Jahr der Seele", das 1897 erschienen ist, scheint sich ihm ein neuer Ausweg zu öffnen: in die Natur. Doch hier ist noch weniger „Begegnung" möglich, als in den geschichtlichen Bereichen, weil die Natur unmenschlich ist und von George nicht als beseelt, als organisches Lebenswunder erlebt wird wie von Goethe. Aber wenn die Natur den Dichter auch nicht aus der Einsamkeit erlöst, so gibt sie ihm doch einen neuen Weltstoff, mit dem er an seinem geistigen Reich bauen kann. Das Gedicht ist das erste im „Jahr der Seele" und eröffnet den Zyklus „Nach der Lese". Wenn wir bedenken, mit welcher Sorgfalt George seine Bücher komponierte, so können wir vermuten, daß es für das ganze Werk eine besondere, vielleicht „programmatische" Bedeutung hat. War nicht für George selbst die Natur „totgesagt" gewesen? Jetzt erlebt er im Park die Vision, und die neue Dimension der Natur eröffnet sich ihm. Andere Gedichte in „Nach der Lese" zeigen, daß der

Dichter nicht allein im Park ist. Eine Freundin begleitet ihn. Sind seine Imperative auch in diesem Gedicht an sie gerichtet? Die Gestalt eines Gegenübers wird nicht sichtbar. Die Einleitung zum „Jahr der Seele" sagt auch, daß selten so wie in diesem Buch „ich und du dieselbe seele" sei. Aber auch wenn der Dichter die Befehle an sich selbst richtet, zeigt diese Form der Gestaltung das Vorherrschen des Willens, die Bewußtheit und das Planende in seiner Geistesart. Bezeichnend ist auch, daß zwei Strophen dem schöpferischen Tun des Dichters gewidmet sind, während nur eine von dem Naturgeschehen kündet. Lebt nicht noch etwas von „Algabal" in der Art, wie hier in die Welt hineingegriffen wird, wie Zweige und Blumen geknickt, wie sie „genommen", wie Rosen „erlesen" werden?

Erinnert die Art, wie der Dichter den Kranz zusammenfügt oder zusammenfügen läßt, nicht an die Gebärde des Magiers, der die Ingredienzien der Natur mischt, um daraus seinen Trank, hier das „herbstliche Gesicht" zu bereiten? Darf man in dem Entstehen des Kranzes ein Sinnbild für das Werden eines Gedichtes sehen? Der Dichter begibt sich nicht in das Gewühl des Lebens, in das Elementare der Natur. Er findet seinen „Stoff" im „Park". Er nimmt in seine Dichtung nur schon geformte, edle Dinge hinein, wie er sich auch nur mit edlen Menschen umgibt. Reste grünen, unverwandelten Lebens nimmt er mit auf, aber sie dienen nur als Kontrast.

Dies ist aber nur die eine Seite des Gedichts und des Dichters. Durch das „Jahr der Seele" ziehen sich Ausbrüche verzweifelter Trauer, die zeigen, daß die Grundproblematik des Dichters durch die Eroberung des Naturbereiches nicht gelöst ist. Da heißt es einmal:

> „Ich möchte langsam auf dem weißen plan
> Mir selber unbewußt gebettet sein."

Claude David, der uns in seinem Buch einen ganz anderen George sehen läßt, als wir ihn bisher kannten, sagt von des Dichters Naturanschauung: „Elle (la nature) est un voile qui couvre le néant."

Sind diese elegischen Töne nicht auch in unserem Gedicht untergründig vernehmbar? Ist der Park nicht im Grunde wirklich tot und nur durch einen vorübergehenden Lichtschimmer erhellt? Einige späte Rosen stehen da, die noch nicht ganz verwelkt sind, letzte Astern drohen vergessen zu werden. Das grüne Leben ist dahin, nur noch Reste sind übrig geblieben. Die können freilich „leicht" verwunden werden, wenn in dem Dichter zutiefst das Wissen um das Ende lebt.

Wäre aus solcher Sicht die Deutung des Gedichts als einer Bezeugung des herrscherlichen George hinfällig? Muß man nicht beides zusammennehmen, um George in seiner Eigenart zu verstehen? Liegt sie nicht darin, daß er mit letzter Kraft immer wieder versucht hat, das Nichts durch das Kunstgebilde zu bannen? Im April 1905 schreibt er an Sabine Lepsius: „Ich gehe immer und immer an den äußersten rändern – was ich hergebe ist das letzte mögliche ... auch wo keiner es ahnt ..."

Gibt nicht auch der Herbst das Äußerste her, um angesichts des herandrohenden Nichts die schönen Illusionen des letzten Aufglühens und Schimmerns zu spenden? So gesehen, ist das Gedicht ein tiefsinniges Bild von Georges dichterischer Existenz.

Wilhelm Loock

Hugo von Hofmannsthal:
Ballade des äußeren Lebens

Und Kinder wachsen auf mit tiefen Augen,
Die von nichts wissen, wachsen auf und sterben,
Und alle Menschen gehen ihre Wege.

Und süße Früchte werden aus den herben
Und fallen nachts wie tote Vögel nieder
Und liegen wenig Tage und verderben.

Und immer weht der Wind, und immer wieder
Vernehmen wir und reden viele Worte
Und spüren Lust und Müdigkeit der Glieder.

Und Straßen laufen durch das Gras, und Orte
Sind da und dort, voll Fackeln, Bäumen, Teichen,
Und drohende, und totenhaft verdorrte . . .

Wozu sind diese aufgebaut? und gleichen
Einander nie? und sind unzählig viele?
Was wechselt Lachen, Weinen und Erbleichen?

Was frommt das alles uns und diese Spiele,
Die wir doch groß und ewig einsam sind
Und wandernd nimmer suchen irgend Ziele?

Was frommts, dergleichen viel gesehen haben?
Und dennoch sagt der viel, der „Abend" sagt,
Ein Wort, daraus Tiefsinn und Trauer rinnt

Wie schwerer Honig aus den hohlen Waben.

Das Gedicht soll nicht als biographisches Zeichen im Werdegang Hofmannsthals oder als geistesgeschichtliche Spiegelung, noch als Para-
digma der Wortkunst betrachtet werden. Es geht uns um die Begegnung mit dem Gedicht, um den dichterischen Anruf.
Eigentümlich berühren uns zunächst Rhythmus und Sprachklang,
diese fast flache, monotone, müde und schwere Bewegung mit langen
Kola im Ganzen des Gedichts und besonders in den vier ersten Stro-

phen, welche in scheinbar zusammenhangloser Reihung das Geschaute an uns vorübertreiben lassen: Kinder, Menschen, Früchte, Lust und Müdigkeit, Wind und Straßen, Orte — Verse, die selbst gleichsam ins Endlose weitergleiten. Aber auch jedes Einzelne für sich gleitet ins Offene, Leere und Ziellose: Die Kinder, die aufwachsen, um zu sterben; die Menschen, die vermeinen, „ihre Wege" zu gehen und doch das Ziel nicht kennen; die Süße der Frucht, die nur ausreift, um zu verderben; der ewig wandernde Wind; das vergebliche Wort; die blinde Regung des Herzens in seiner Lust und Müdigkeit; das richtungslose Gewirr der Straßen; selbst die Orte sind ins Unbestimmte gestreut — da und dort — und haben keine gemeinsame Bestimmung: die einen blühen im Festlicht der Fackeln, die anderen vernichten, und wieder andere liegen vernichtet als Ruinen — ein beständiger Kreislauf: „und gleichen einander nie".

In diesen drei Zeichen: „voll Fackeln . . . drohende, und totenhaft verdorrte" setzt sich die Zeit ihr Mal: Es ist, als ob das immer Fließende petrefakt geworden und nun als Nebeneinander sichtbar wäre, die Sinnlosigkeit des Lebens, des Seins, versinnbildlicht in den drei Gesichtern der Orte. Der circulus vitiosus ist Stein geworden.

Und damit sind wir dem Grunderlebnis des Dichters nahe: die Leere der Zeit, die Sinnlosigkeit und Vergeblichkeit menschlichen Tuns in der Zeit. Er erschaut überhaupt nur diese sinnlos kreisende Bewegung, die sich in einen unendlichen Kreis weitet. Er sieht nicht das Objekt, den „Gegenstand", in seiner Begrenzung, seiner Einmaligkeit und seiner Sinnerfüllung. Die Dinge werden zu allgemeinen schattenhaften Nomina — Kinder, Menschen, Früchte — sie werden ohne hinzeigenden Artikel, ohne differenzierende Adjektive genannt, sind gleichsam namenlos und haben kein eigenes Gesicht. Sie sind nur da — und das haben sie miteinander gemeinsam —, der Zeit verfallen zu sein. Der planlose Wind und die planenden Menschen erleiden beide das Gleiche: zu werden, um zu vergehen. Darum auch werden sie so „wahllos" nebeneinandergereiht. Sie handeln nicht, sondern „es geschieht" mit ihnen; und so sind denn auch alle Verben passivisch richtungslos oder das Passivisch-Richtungslose haftet ihnen durch die Wortumgebung an: wachsen, nicht wissen, sterben, werden, fallen, liegen, verderben, vernehmen, spüren, sein; gehen, wehen, reden, laufen. Sie sprechen kein bestimmtes, farbig-dingliches oder beseeltes Geschehen aus; sie sind allgemein, für alle „gleich-gültig" und wirken wie entleert. Darauf antwortet die Lautsymbolik mit den einebnenden und entgrenzenden „E" in: werden, sterben, verderben.

Nun sehen wir auch ein, warum der eintönige Rhythmus uns so eindringlich berührt hat. Die Uniformität des Geschehens, die Wehrlosigkeit diesem Geschehen gegenüber wird hör- und spürbar im Atem und Pulsschlag des Gedichts: Erlebnis, Rhythmus und Sprachklang sind eins.

Auch ein der deutschen Sprache Unkundiger könnte die quälend schleppende Bewegung der Satzglieder in der endlosen Kette der „Und" sowie die monotonen, in ihrer Symbolik jedoch jeweils verschiedenartigen Klänge in den einzelnen Verszeilen vernehmen: Menschen — gehen — Wege; süße-Früchte; werden — herben; fallen — nachts; Wind — immer — wieder; vernehmen — reden; spüren — Müdigkeit — Glieder; Straßen — Gras; Orte — dort — drohende — totenhaft verdorrte.

Und dieser Fremde könnte auch, ohne ein einziges Wort zu verstehen, am Konsonantismus der W, F, S, L, M, N und an den weichen, durchlässigen Alliterationen: „wissen — wachsen; weht — Wind — wieder" das Sich-Auflösende, Gleitende und Verfließende der Dinge im Raum und die Entgrenzung dieses Raumes erspüren.

Dazu stimmt auch die Syntax. Der Satz ist nicht mehr das „Gesetzte", in sich Ruhende und Beruhende (Keller: „Arm in Arm und Kron' an Krone steht der Eichenwald verschlungen"); er ist aber auch nicht dynamischer Entwurf (Eichendorff: „Frühling, Frühling soll es sein!"); er fließt über das Versende fort in der entgrenzenden Bewegung der Enjambements mit der stetigen Neigung des Fallens, das schließlich, durch das Strophenende nicht mehr aufgehalten, am Ende der vierten Strophe gleichsam ins Bodenlose entschwindet: „Und drohende und totenhaft verdorrte . . .".

Und wie steht es um den Strophenbau? Mit dem Reimwort „sterben" beginnt sich eine Terzinenreihe zu flechten, die sich am Ende des Gedichts wieder aufhebt. Die Terzine ist ihrem Wesen nach bestrebt, die Strophenform aufzulösen. Sie will das Gleitende, das Ineinander, das Weitertreibende; sie kommt nie zur Ruhe. Ihr ist der Sinn des Verses, des „versus" fremd, jenes Furchenpaars, das der römische Bauer einst zog, das Hin und Her als die zum Abschluß kommende, sich erfüllende Bewegung.

So fügt sich denn auch die Struktur der Strophe in die Gesamtgebärde des Gedichtes ein, ja sie ist eines ihrer wichtigsten Elemente.

Überschauen wir noch einmal Verhältnis und Bezug der dichterischen und sprachlichen Formen zur Aussage, so erkennen wir: alles stimmt zusammen, das Ganze spiegelt sich im Einzelnen, das Einzelne weist auf das Ganze hin. Raum, Zeit, Menschen und Dinge: Alles ist entgrenzt, richtungs- und wesenlos aufgehoben. Die Zeit ist das, was sich selber verschlingt. Das Sein ist ohne Anker.

Die drängenden, sich überstürzenden Fragen nach dem Sinn dieses Welttreibens üben in ihrer rhetorischen Gebärde eine tragische Wirkung aus. Sie müssen antwortlos bleiben. Die Lebenswanderung führt die Menschen nur immer weiter vom Ursprung fort ins Ziellose hinein. Und die „tiefen Augen" der Kinder, Brunnen, die noch in diesen Ursprung hinabreichen, sind Spiegeln gleich, die sich selbst nicht schauen, nicht lesen können, „die von nichts wissen". Der Mensch ist ein Gefäß, das seines Inhalts nie bewußt wird, und erlebend, fühlend einzig und allein der Auflösung seiner Form inne wird.

Nur am beständigen Verlust können wir uns und die Welt erfahren: Das menschliche Leben ist ein fortwährendes Erleiden sinnlosen Wechsels.

Wozu ist dann der Geist gegeben, der uns „groß" und zugleich „ewig einsam" macht im Durchschauen dieses richtungslosen, inhaltslosen, beziehungslosen Welt- und Lebensspiels? Die tiefste Einsicht dieses Geistes führt doch nur ins Abgründige, zum Erlebnis der Lebensverkehrung, zu einer Ironie, die unser Dasein in den Wurzeln erschüttert und zu vernichten droht! Auch der Titel: „Ballade des äußeren Lebens" ist im Sinne der Verkehrung, als Oxymoron zu verstehen.

Nun erst öffnet sich die volle Bedeutung des in elf Verseingängen und im ganzen 25 mal erscheinenden „Und".

Diese Kopula, ihrem Wesen nach Ausdruck des Verbindenden – ein Siegel des Schöpferischen schlechthin: „Am Anfang schuf Gott Himmel und Erde" und episches Sinnbild der Ordnung, eines gerechten Nebeneinander von Großem und Kleinem – verkehrt sich in ihr Gegenteil: sie bindet, baut und fügt nicht mehr; sie wird zum Glied der sinnlosen Kette Zeit, die endlos dahinschleift von Unbekannt zu Unbekannt, vom Einsatz des Gedichtes mit „Und" bis zu den drei zeichenhaften Punkten hinter der vierten Strophe, hinter der sich noch unzählbare Kettenglieder des „Und" fortsetzen und im Unendlichen verlieren. Sie sind wie endlos wiederkehrende Speichen im Rade der Zeit.

Daß indessen hinter den Siegeln dieses „Und" ein Gültiges verborgen liegen könne, der Schlüssel zum „inneren Leben", das deutet die inhaltsschwere Mittelzeile der siebten Strophe an, die durch ihre logisch unlyrische Einführung „Und dennoch", durch ihre syntaktische Geschlossenheit und durch ihre Reimlosigkeit aus dem Verband der Verse heraustritt und für sich selbst steht: „Und dennoch sagt der viel, der ‚Abend‘ sagt."

In dem Wort „Abend" – Feierabend – stellt sich für uns gemeinhin das vielfältig gebrochene Tagleben wieder als Einheit her. Hölderlin erlebt es so: „Ringsum ruhet die Stadt" und Trakl: „Da sagt der Landmann: es ist gut" als Stille, Friede, Vollendung.

Für Hofmannsthal aber, den „ewig einsamen" Zuschauer des Lebens, für den Draußen- und Abseitsstehenden, der nicht naiv oder in wissender Hingabe zu leben vermag, kann der Abend keine Erfüllung bringen; er wird ihm zum Zeichen des versäumten Lebens, darum die Trauer der Unwiederbringlichkeit heraufrufend. Zugleich aber auch weckt er den Tiefsinn, der aus der Lebensleere herausquillt „wie schwerer Honig aus den hohlen Waben". Denn der Abend bedeutet nicht nur Neige, Tiefpunkt des rotierenden Zeitenrades, er ist auch das letzte Glied des sich natürlich vollziehenden Kreislaufs und läßt im Dichter die Ahnung von einer schöpferischen Ordnung aufstehen, in der alles seine Stelle, seinen Bezug, seinen Sinn besitzt. Was ihm bisher Chaos, sinnloses Spiel und ungeheurer Leerlauf erschien, es schlösse sich hinter den Schleiern der äußeren Erscheinung endlich doch zum schöpferischen Ring. Im Wort „Abend" erspürt der Dichter die erlösende, befreiende Antwort.

Bezeichnend in diesem Zusammenhang ist auch der Strukturwandel der letzten Strophe: Die Reime gehen eine neue Bindung ein und kommen dadurch zur Ruhe. Die letzte Verszeile wirkt wie ein schmaler Damm, gegen das Strömende der Terzinen gesetzt. Die ersten vier Strophen sind Glieder einer endlosen Kette; das Gedicht als Ganzes aber ist geschlossen.

Hofmannsthal hat das Gedicht mit 22 Jahren geschrieben, in einer Lebenskrise, in welcher er unablässig und mit unbedingtem Ernst um die Frage rang: Welches ist der Sinn des Seins?

Der Mensch kann den Daseinssinn weder gründen noch ergründen; die Verabsolutierung des Menschen in allen ihren Formen – auch in der ästhetischen – führt letztlich in die Verzweiflung. Dies hat der junge Hofmannsthal in sich erlitten. (Vgl. „Der Tor und der Tod"). Schließlich ist ihm in langen inneren Kämpfen die Einsicht widerfahren, daß dem Menschen allein wahrhaft gemäß sind demütiger Dienst und Ehrfurcht vor dem Unerforschlichen. Der spätere Hofmannsthal hat diese Einsicht bekannt und gelebt: „Daß das Leben lebbar nur wird durch gültige Bindung" (Die Berührung der Sphären,

Berlin 1931, S. 441) und „Ohne Glauben an die Ewigkeit ist kein wahrhaftes Leben möglich" (Ad me ipsum, Corona 10, IV, S. 396).

Diese Haltung bezeugt die Größe seines Menschentums.

Jenseits des künstlerischen Erlebnisses liegt der Wert der Begegnung mit der „Ballade des äußeren Lebens" im ethisch-religiösen Bereich: Das Gedicht macht uns betroffen durch die radikale In-Frage-Stellung unseres Daseins vom Menschen her. Es verweist in die Transzendenz.

Durch seinen erschütternden Ernst könnte es die Gleichmütig-Stumpfen, die Selbstsicher-Überheblichen aufhorchen lassen, alle Menschen unserer Gegenwart, die das Dasein in immer ausschließenderer Weise unter die Herrschaft der ratio stellt und die sich durch ihr Werkzeug, die Technik, in einem vernichtenden circulus vitiosus zu überschlagen droht.

Walter Franke

RAINER MARIA RILKE:
JETZT REIFEN SCHON DIE ROTEN BERBERITZEN

VIII/100

Jetzt reifen schon die roten Berberitzen,
alternde Astern atmen schwer im Beet.
Wer jetzt nicht reich ist, da der Sommer geht,
wird immer warten und sich nie besitzen.

Wer jetzt nicht seine Augen schließen kann,
gewiß, daß eine Fülle von Gesichten
in ihm nur wartet, bis die Nacht begann,
um sich in seinem Dunkel aufzurichten: —
der ist vergangen wie ein alter Mann.

Dem kommt nichts mehr, dem stößt kein Tag mehr zu,
und alles lügt ihn an, was ihm geschieht;
auch du, mein Gott. Und wie ein Stein bist du,
welcher ihn täglich in die Tiefe zieht.

„Jetzt reifen schon die roten Berberitzen."
Ein Bild, ein Herbstakkord setzt ein, ausgereift auch in der Klang-
komposition.
„*Alternde* Astern atmen schwer im Beet."
Das Altern vollzieht sich gegenwärtig. Mit dem „Atmen" geht das Bild
insgeheim hinüber in die beseelte Welt, aus dem Herbst des Jahres
rücken wir in den Herbst des Lebens. Das Grundwort „alt" kommt ein
zweites Mal, jetzt im menschlichen Bereich.
„Der ist vergangen wie ein *alter* Mann."
Ein „alter Mann", der gelebt hat; Leben als Bewegung und Wachs-
tum ist vorbei, nunmehr nur noch Zustand und Stillstand. Es wird
ihm nichts mehr zuwachsen.
„Dem kommt nichts mehr . . ."
Vorbei ist das Aufnehmen von Welt, das Anraffen von Gestalten, das
Licht, der Tag, die Spannung von Ich und Welt; die schöpferische
Verwandlung ist unmöglich geworden.
„Dem stößt kein Tag mehr zu."

Zwar bleibt das Dasein äußerlich noch aufrecht, Fassade: der erfüllte Innenraum fehlt, es steht in der Täuschung. Das Vergangen-Sein wird bestimmt von den Negationen vorher, von der Versäumnis der Ernte, dem Verfehlen der Reife.

> „und alles lügt ihn an, was ihm geschieht;
> auch du, mein Gott. Und wie ein Stein bist du,
> welcher ihn täglich in die Tiefe zieht."

Das dichterische Ich, das nicht im Vordergrund erscheint, sagt in der dritten Person aus. Für „ihn", den alten Mann, ist Gott „wie ein Stein" — ist Schwere. „Alles" wird unwahr. Und das geschieht „täglich" und überall.

Woher die Verneinung?

Der Raum fehlt, in dem Gott wirken kann: die Seele. Gott verliert sein Recht. Wir hören einen Augenblick Nietzsches Wort heraus: „Gott ist tot". Rilke aber meint, wenn Gott totgesagt wird, muß zuvor die Seele tot sein. Lästerung fällt sichtbar auf den Lästerer zurück. Gottesdienst einer toten Seele ist Lüge. Anbetung mit versteinertem Herzen, Kult ohne Kraft lebendigen Glaubens ist Götzendienst.

Darum spricht der Dichter das große Du an, Gott, als dessen eigen er sich bekennt: „Auch du, mein Gott". Es ist wie ein anklagender Aufschrei, dem keine Lösung folgt. Ausweglos die Lage des anderen, Alten, des Dichters Ruf verhallt, die dritte Person ist wieder da. Der letzte Blick weist in die Tiefe, nach unten. So bleibt alles in Schwermut.

Die dunklen Töne des Eingangs steigern zur schwarzen Wucht des Endakkords. Auftakt und Ausgang stimmen zusammen. Sie greifen zueinander wie das zweimalige „Alt". Sie umschließen, als Anfangs- und Schlußstrophe eine Mitte, die schwerer wiegt nach dem Maß des Gedichts: der Fünfzeiler weitet die Form, die Außenstrophen sind wie der Rahmen. Selbst das Reimprinzip ändert sich (cdcdc). Wie „Wer jetzt nicht..." und „... der ist vergangen..." sich ergänzen, so entsprechen sich die Reime „kann" und „Mann", betont durch die Symmetrie in der Achse: „... bis die Nacht begann". Sehen wir die Reime der Schlußstrophe an: aus umfassenden, klingenden und stumpfen der Anfangsstrophe sind jetzt kreuzende Reime geworden, aber nur noch männlich-stumpfe. Nach der auch formal außerordentlichen, erregteren Mitte wird der Vers unruhiger, der Reim härter und wuchtiger.

Was geht in dieser Strophe, die so sichtbar wirkende Mitte ist, vor?

„Wer jetzt nicht . . .“

Entschieden und entscheidend tritt die Aussage hervor. Stufe um Stufe ist sie vorbereitet.

„Jetzt reifen schon . . .“
„Wer jetzt nicht reich ist . . .“
„Wer jetzt nicht seine Augen schließen kann.“

Dreimal dieses Jetzt. Unwillkürlich hören wir Rilkes „Herbsttag“.

„Wer jetzt kein Haus hat, baut sich keines mehr.
Wer jetzt allein ist, wird es lange bleiben . . .“

„Jetzt“: der Punkt der Unausweichlichkeit ist erreicht. Das Dasein tritt in die Entscheidung, gerufen vor seine Summe.

„ . . . da der Sommer geht.“

Sommer ist die Fülle des Lebens. Wer ihn nicht nützte, daß er nun „reich“ ist, in der Fülle ist und die Fülle in ihm, wird vergeblich harren. Er wird nie mehr in den Besitz der Ernte kommen, wird „immer warten“.
Auf den aber, der wirklich gelebt hat, „wartet“ nun die Fülle „in ihm“. Die geborgene Fülle wartet nur, daß er „seine Augen schließt“. Eine Welt von „Gesichten“ wartet, daß es außen Nacht wird, daß das Handeln, die Aufnahme von Welt endlich aufhört. Soll innere Welt entstehen, „sich aufrichten“ aus dem Verborgenen, muß „Dunkel“, müssen die Brücken abgebrochen sein.
Solche Nacht zwingt den Menschen zu sich selber, zur Besinnung und entfaltet andere Möglichkeiten. Nacht entfesselt und bindet neu, wie in des Novalis „Hymnen an die Nacht“.
„Nacht *beginnt*“ – ein bewußter Akt – das Schließen der Augen, das „μύειν“. Durch Trennung von der Welt zu uns zu kommen, ist der entscheidende Anruf. Er ist möglich zu allen Zeiten und an allen Orten.

„Wer jetzt nicht seine Augen schließen kann,
gewiß, daß eine Fülle von Gesichten
in ihm nur wartet, bis die Nacht begann,
um sich in seinem Dunkel aufzurichten: —
der ist vergangen wie ein alter Mann.“

281

Dem Menschen, der nach innen schaut, steigt das Gesehene auf zu neuen „Gesichten". Das Gesehene wird Gesicht. Der Sehende wird Seher. Er sieht nun das Wesen des Gesehenen. Das Eigentliche, Gültige steht auf. Die wirkliche Welt entsteht, „richtet sich auf" — innen. Im Innenraum der lebendigen Seele wächst aus allem Gottes Gesicht. Wer aber erntet, ohne die Ernte des Lebens zu verwandeln in Innenwelt, erntet nicht. Wer lebt, ohne Ernte, Summe, Wesen des Lebens einzuverwandeln in das Leben seiner Seele, lebt nicht. Wer Gott nicht anschaut im Geiste, bleibt unberührt vom Geiste Gottes. Wer sich nicht scheiden kann vom toten Stoff, dem werden Gott und Seele „Stein".

Das Gedicht fordert keinen Weltverzicht. Im Gegenteil, zuerst müssen die Augen offen sein, erst müssen die Arme ernten. Ohne Tag und Tat keine Wandlung nach innen, ohne Sehen keine Gesichte, ohne Außen kein lebendiges Innen. Mensch sein heißt Stoff beseelen, Welt durchgeistigen, verwandeln. Tot ist, wer dem Außen verfällt. Auch Gott muß sich gegen ihn wenden.

Es könnte hier noch mehr gemeint sein: daß es erst der Mensch, wenn auch in hoher Gestalt als Seher, vielleicht als Dichter, ist, der Innenraum und mit ihm Gott schafft. So gäbe der Mystiker Gott Leben und Dasein? Hier wohnt fromme Scheu nahe bei Hybris. Sollte Gott wirklich des Menschen, des Mystikers Bild, Geschöpf und Gefangener sein?

Das Gedicht spricht von Verwandlung. Es ist die Verwandlung im Menschlichen, nicht die von oben. Die Möglichkeit der Gnade wird nicht berührt.

Albrecht Weber

Rainer Maria Rilke:
Blaue Hortensie

So wie das letzte Grün in Farbentiegeln
sind diese Blätter, trocken, stumpf und rauh,
hinter den Blütendolden, die ein Blau
nicht auf sich tragen, nur von ferne spiegeln.

Sie spiegeln es verweint und ungenau,
als wollten sie es wiederum verlieren,
und wie in alten blauen Briefpapieren
ist Gelb in ihnen, Violett und Grau;

Verwaschnes wie an einer Kinderschürze,
Nichtmehrgetragnes, dem nichts mehr geschieht:
wie fühlt man eines kleinen Lebens Kürze.

Doch plötzlich scheint das Blau sich zu verneuen
in einer von den Dolden, und man sieht
ein rührend Blaues sich vor Grünem freuen.

Beim ersten stillen Aufnehmen des Gedichtes, gewisser dann beim
zweiten Lesen spüren wir, daß aus den Versen wachsend eine blühende
Hortensie Gestalt annimmt; wir sehen sie vor uns, greifbar in ihrer
dichterischen Wirklichkeit, Wesen aus unserer Erfahrung und schöpferischer Sprache. Wir merken auf bei den ungewöhnlichen Vergleichen, nehmen gegen Ende des Gedichtes im Ton der Aussage eine
Änderung wahr und erfassen im Schriftbild die Strophengliederung
des Sonetts.
Lassen wir nun die Überschrift weg. Hätten wir auch ohne sie ge-
wußt, welche Blume hier gemeint ist? Es wird weder vom Wuchs, von
der Haltung der Pflanze gesprochen, noch von Form und Stellung
der Blätter. Von den vierzehn verfügbaren Versen gelten elf der
eigentümlichen Färbung der Blütenblätter. Sie hat der Dichter von
allen Merkmalen der Hortensie ausgewählt und kraft der Fähigkeiten
des dichterischen Wortes zum Träger ihrer Eigenarten gemacht. Also
gestaltwirkende Verdichtung zum Kunstwerk statt Definition. – Durch

das Fortlassen der Bezeichnung „Blaue Hortensie" wird noch etwas anderes deutlich, nämlich die Aufgabe der Überschrift. Indem sie vermittelnd unsere Vorstellung weckt, entlastet sie das Gedicht. Sie führt auf kürzestem Wege vorbereitend bis zu dem, was der Dichter sagen will; die erste Zeile kann gleich kraftvoll mit dem Thema einsetzen. Bei dem vorliegenden Beispiel weist das Adjektiv „blau" genau die Richtung an: Denn die Farbe der Blütendolden in ihrem Eindruck festzuhalten, sprachlich zu packen, ist das, was als innerer Vorgang das Gedicht beherrscht.

Rilke hat in dem blassen Blau einerseits das Vergehende gesehen, andererseits das zaghaft Werdende. Bestimmend im Gesamtbild ist das Müde, Ermattete des Farbtons; ihm sind bis auf die abschließenden drei Verse die Bilder und Vergleiche zugeordnet. So tragen die Blütenblätter das Blau nicht i n sich, sondern a u f sich, gleichsam abwischbar, Spiegelung, nicht eigener Besitz, der Kraft zum Halten voraussetzt. Ihre Farbschattierung hat jenes Gelb, Violett und Grau, das alte Briefpapiere zeigen können, die Vergangenes bedeuten, Erinnerung an überlebte Gefühle, längst ausgetragene Entscheidungen. Auch der dritte Vergleichskomplex, der mit „Verwaschnes" und „Nichtmehrgetragnes" an eine abgelegte Kinderschürze anschließt, sucht im Entgleitenden, Unwirklichen das Eigentümliche der Tönung zu finden. Er ist im sprachlichen Ausdruck und in der Empfindsamkeit äußerste Anspannung. Ihm folgt dann auch die Wendung. Diese Tatsache macht darauf aufmerksam, daß es sich hier nicht um eine gut formulierte, beliebig zu dehnende Aufzählung handelt, sondern um Fügung. So wie die Vergleiche in bestimmter Beziehung zueinander stehen, so sind sie als Ganzes innig in das übrige eingelassen. Das Neue, Positive, eingeleitet durch das Überraschung ankündigende „plötzlich", begibt sich in engem sprachlichem Zusammenhang mit dem Vorhergegangenen. Grammatische Mittelpunkte des Ereignisses, das die letzte Strophe füllt, sind die Verben „verneuen" und „sich freuen". Dieses steht weit entfernt als Schlußwort, jenes ist eingebettet in die Mitte des Satzes, gedämpft durch das negative „ver-", als inchoatives Verb wie ein Gelenk im Gefüge. Vorsichtig „scheint" sich das junge Blau nur hervorzuwagen, und in „rührend", dem neuen Farbton beigegeben, klingen Gefühlswerte nach, die dem zuvor Gezeigten benachbart sind. Erst in „freuen" hat sich die Änderung im Sprachkörper des Gedichtes völlig durchgesetzt, aber da endet das Sonett. Der neue Eindruck bleibt überschattet von dem erstgewonnenen. – Daß mit der letzten Strophe eine Wandlung eintritt, unterstreicht die rhythmische Gliederung. Der Gang der Sätze ist bis zum achten Vers ruhig, ausschwingend, denn er führt meist über das Zeilenende hinweg. Dann setzt eine Stauung ein. Die Sätze werden nun als Sinneinheiten innerhalb der Versgrenzen gefaßt und dadurch in ihrer Abfolge kurzatmiger, erregter, gespannter, wie Wellen der Brandung. Das Neue macht sich bemerkbar. Mit dem Einhalten nach dem zehnten Vers, der kurzen Pause, welcher die Worte des Besinnens wie eine Stille folgen, ist die höchste Spannung erreicht. Die letzten drei Zeilen nehmen den prosaähnlichen Gang der Sätze wieder auf. – So gliedern die Bewegung, die durch die Strophen geht, und die Aussage das Gedicht in zwei Teile: die vierte Strophe steht der ersten, zweiten und dritten gegenüber, deren Grenzen in eine neue sachbestimmte Einheit aufgehoben sind. Ähnlich gemildert sind in ihrer abgrenzenden Wirkung die reimenden Versenden durch das Enjambement. Das Sonett als Form ist kaum mehr hörbar. Es ist aufgegangen im Dasein der Hortensie.

Nachdem bisher versucht wurde, den Umriß des Gedichtes nachzuziehen, gilt es nun, seine Wesensart zu bestimmen. Wir erkennen sie am raschesten, wenn wir neben die „Blaue Hortensie" vergleichend beispielsweise die „Astern" von Gottfried Benn (VII/119) stellen. Bei ihm ist die Blume nur Anlaß; sie löst als Name aus, was in den Umkreis Herbst aus Fühlen und Wissen hineingehört. Die „Blaue Hortensie" hingegen ist die Pflanze selbst als Kunstwerk; sie beschwört nichts außer ihrer Existenz, in der sie ganz verschlossen ist. Sie ist nicht in einer Umgebung gesehen, der sie helfende Aufhellung ihres Wesens verdankt, sondern streng in sich. Dem entspricht, daß sie nicht Stimmung entwickeln will, wie das die Astern so übermächtig und berückend tun; gleich der erste Satz, „So wie das letzte Grün in Farbentiegeln sind diese Blätter . . .", ist in der Art der Feststellung durch Sachbezogenheit geprägt, die Auflösung ins Gefühl vermeidet. Kein anregendes Du bezieht den Lesenden mit in die Verse ein. Das neutrale „man" (V. 11, 13) verweist ihn in die Position des Betrachters, welche auch die des Dichters ist. Rilke hat hier weder seine persönlichen Gefühle, noch seine Gedanken dem dichterischen Material einverwandelt. Ausdruck ist nur die Hortensie. Es gibt auch keine Stelle in den Versen, die gleichnishaft ausgelegt werden könnte und von der aus sich alles ins Symbol aufhebt. Hier ist die Pflanze in ihrer Gegenständlichkeit gemeint. Das verbindet das Gedicht mit einer Darstellung der Hydrangea in botanischen Lehrbüchern. Andererseits ergibt sich beim Lesen eines solchen Textes, daß dort Umschreibung vorliegt, während Rilke Umsetzung in die Substanz Sprache gewollt hat, Leibhaftigkeit im Wort. Das zeigt sich u. a. darin, daß alle Farbadjektive mit einer Ausnahme substantiviert, d. h. vergegenständlicht sind, ähnlich wie „Verwaschnes" und „Nichtmehrgetrag-' nes", die als Abstrakta einen Satzinhalt (es sieht so verwaschen aus wie . . .) wie einen Gegenstand fassen.

Um das Eigentümliche der „Blauen Hortensie" zu erklären, ziehen wir zuletzt das Gedicht *„Ich fürchte mich so vor der Menschen Wort"* heran; beide erhellen sich wechselseitig in Art und Aussage.

VI/83

Ich fürchte mich so vor der Menschen Wort.
Sie sprechen alles so deutlich aus:
und dieses heißt Hund und jenes heißt Haus,
und hier ist Beginn und das Ende ist dort.

Mich bangt auch ihr Sinn, ihr Spiel mit dem Spott,
sie wissen alles, was wird und war;
kein Berg ist ihnen mehr wunderbar;
ihr Garten und Gut grenzt grade an Gott.

Ich will immer warnen und wehren: Bleibt fern.
Die Dinge singen hör ich so gern.
Ihr rührt sie an: sie sind starr und stumm.
Ihr bringt mir alle die Dinge um.

Das Biographische (Stimmung, Weltverstehen) tritt bei dem Zwölfzeiler in den Vordergrund; es überfällt den Leser gleich in der ersten Zeile und bleibt bis zur letzten erhalten. Als zweites drängt sich die Fülle der Assonanzen und Alliterationen auf (z. B. Garten und Gut, warnen und wehren, starr und stumm), die sich, häufig stabend, zum Endreim gesellen. Unabweisbar ist der Eindruck, daß das Gedicht aus dem Spiel mit Klängen lebt. Einzelne Wörter lassen sich ersetzen, ohne daß der Sinnbezug entstellt wird, z. B. „Hund" durch Baum, was bestätigt, daß die meisten wegen ihres akustischen Wertes gewählt wurden. – Kern der Aussage ist die Klage über das Verhalten der Menschen zu den Dingen (vgl. H. Kunisch, „R. M. Rilke und die

Dinge", 1946), unter denen Rilke Gegenstände sowie Pflanzen und Tiere versteht. Wehrlos sind sie dem Zugriff der Menschen ausgeliefert, die sich ihrer geistig mit Hilfe der Sprache bemächtigten. Ohne Ehrfurcht vor ihrem Eigensein setzen sie die Dinge in eine Beziehung zum Menschlichen, die ihnen nicht gerecht wird, sie „umbringt". Der Dichter selbst glaubt sich in anderer Haltung den Dingen zugetan. Er beobachtet, fühlt sich in sie ein, nimmt sie behutsam ins Kunstwerk auf. Freilich gelingt ihm das zur Zeit jenes Gedichtes (erschienen 1899) noch nicht recht, wie seine „Frühen Gedichte" beweisen. Er erstickt sie meist in gefühligem Umgang mit der Sprache, indem er die Wörter nicht der Aussage dienend verwendet, sondern mehr aus Freude an ihrer sinnlichen Qualität, um des Klanges willen. Erst acht Jahre später erreicht er bei dem Gedicht „Blaue Hortensie" und der Sammlung „Neue Gedichte" jene Art des Wortgebrauchs und der persönlichen Haltung, die er für sich als verpflichtend erachtete. Der entscheidende Schritt vom Wollen zum Können wurde ausgelöst durch das Beispiel des Bildhauers Rodin, an dem er sich selbst als Künstler und seines Materials, der Sprache, bewußt geworden ist.

Brigitte Forsting

Rainer Maria Rilke:
Sei allem Abschied voran

Sei allem Abschied voran, als wäre er hinter
dir, wie der Winter, der eben geht.
Denn unter Wintern ist einer so endlos Winter,
daß, überwinternd, dein Herz überhaupt übersteht.

Sei immer tot in Eurydike –, singender steige
preisender steige zurück in den reinen Bezug.
Hier, unter Schwindenden, sei, im Reiche der Neige,
sei ein klingendes Glas, das sich im Klang schon zerschlug.

Sei – und wisse zugleich des Nichts-Seins Bedingung,
den unendlichen Grund deiner innigen Schwingung,
daß du sie völlig vollziehst dieses einzige Mal.

Zu dem gebrauchten sowohl, wie zum dumpfen und stummen
Vorrat der vollen Natur, den unsäglichen Summen,
zähle dich jubelnd hinzu und vernichte die Zahl.

Der Text ist dem Gedichtkreis „Sonette an Orpheus" entnommen, er
steht innerhalb des zweiten Teils an dreizehnter Stelle. Ihn aus seinem
zyklischen Zusammenhang herauszulösen, ist immerhin ein Wagnis,
da er ja durch ein weitläufiges System von Beziehungen, Entsprechungen, motivischen und vokabulären Anklängen mit seinen Nach-
bargedichten verbunden ist und ohne eine ziemliche Kenntnis des Ganzen nicht vollauf verstanden werden kann. Man wird also gut daran
tun, vor dem Eintritt in die eigentliche Interpretation sich die Gestalt
und Thematik der „Sonette an Orpheus" wenigstens skizzenhaft zu
vergegenwärtigen.
Das Werk ist im Februar 1922 auf Schloß Muzot entstanden: als eine
Frucht jener kurzen und rauschhaft beflügelten Schaffensperiode, der
wir auch die Vollendung der „Duineser Elegien" verdanken. Der erste
Teil wurde zwischen dem zweiten und dem fünften Februar nie-
dergeschrieben, unmittelbar vor dem Ausbruch des elegischen „Or-
kans"; der zweite nur wenige Tage später, jedenfalls aber nach

dem Abschluß des Hauptgeschäfts, das der Dichter zehn Jahre als ein quälendes Bruchstück mit sich herumgetragen hatte. Beide Werke gehören thematisch eng zusammen. „Elegien und Sonette unterstützen einander beständig", so schreibt Rilke in dem berühmten Brief an Witold von Hulewicz (1925), „und ich sehe eine unendliche Gnade darin, daß ich, mit dem gleichen Atem, diese beiden Segel füllen durfte: das kleine rostfarbene Segel der Sonette und der Elegien riesiges weißes Segel-Tuch". Der Brief entwickelt in stürmisch-eindringlicher Prosa noch einmal die Ideen und Leitmotive, die in den Elegien ihre dichterischen Triumphe gefeiert haben und in den Sonetten auf eigentümliche Weise noch einmal abgewandelt worden sind, vor allem folgende: 1.) Die Einheit von Leben und Tod. Der Tod heißt es, sei „die uns abgekehrte, von uns unbeschienene Seite des Lebens: wir müssen versuchen, das größeste Bewußtsein unseres Daseins zu leisten, das in beiden unabgegrenzten Bereichen zu Hause ist, aus beiden unerschöpflich genährt . . ." 2.) Die Abwertung oder Ausklammerung des Begriffs der Zeit und die Konzeption eines räumlich gedachten Seins als einer letzten und maßgebenden Gegebenheit: „In jener größesten ‚o f f e n e n‘ Welt sind alle, man kann nicht sagen ‚gleichzeitig‘, denn eben der Fortfall der Zeit bedingt, daß sie alle s i n d. Die Vergänglichkeit stürzt überall in ein tiefes Sein." 3.) Die Idee der Verwandlung der Erde in etwas Unsichtbares durch den fühlenden Menschen: „wir sind die Bienen des Unsichtbaren", und unsichtbar werden — „i n uns, die wir mit einem Teile unseres Wesens am Unsichtbaren beteiligt sind" — heißt merkwürdigerweise „vorhandener" werden, „vorhanden wie Gefühl".

Es wird also in den Elegien und Sonetten unter der Gestalt des dichterisch Schönen eine sehr entschiedene Seins- und Lebenslehre entwickelt und ein Kanon für das innere Verhalten des Menschen aufgestellt. Der Mensch soll seine fühlenden Kräfte ausbilden bis zu äußerster Tüchtigkeit, um der unendlichen Fühlbarkeit des „Seins" gerecht zu werden. Er soll nicht sittliche oder religiöse, politische oder soziale Werte, die von außen an ihn herangetragen werden, verwirklichen, sondern durch fühlende „Leistung" die Tiefe des Seins in der Tiefe der eigenen Innerlichkeit wiederfinden und bestätigen, den grenzenlosen Raum der äußeren Welt, die ihm gegenübergesetzt ist, als „Weltinnenraum" erleben und „vollziehen". Dieses an ihn ergehende Geheiß soll ein neuartiges, von allen überlieferten Religionen und Philosophien emanzipiertes Ethos in ihm erwecken, ein Ethos des Daseins oder einfach des „Seins".

Schon in der Welt der Elegien treffen wir auf gewisse mythisierende Leitfiguren, die einen äußersten Grad der im Menschen lebendigen Fühlkraft repräsentieren: den Helden, die großen Liebenden, die jungen Toten, vor allem aber die Engel, schließlich d e n Engel. In den Sonetten ist es die griechische Orpheus-Sage, die durch die Einbildungskraft eines modernen Dichters noch einmal eine glänzende Wiedergeburt feiern darf: als eine mythische Urmetapher, auf die alle einzelnen Metaphern und Sprachgebräuche bezogen sind. Welchen geistesgeschichtlichen Sinn eine solche „persönliche" Erneuerung eines vorchristlichen Mythos haben kann, diese Frage müssen wir für den Augenblick auf sich beruhen lassen. Jedenfalls ist Rilkes in 55 Gedichten beschworene mythische Welt von einer bewunderungswürdigen Geschlossenheit und thematischen Konsequenz. Unter der Alleinherrschaft des Orpheus wird eine Deutung des Seins im Ganzen vollbracht, die überall an das Umgreifende rührt und auch das metaphysische bzw. religiöse „Bedürfnis" des Menschen zu stillen sucht. Aus dem Sänger wird ein „Gott", und die beiden entscheidenden Ereignisse seiner Geschichte, sein Hinabstieg in die Unterwelt und seine Zerreißung durch die Mänaden, werden als kanonisch verbindliche Denkwürdigkeiten behandelt und auf liturgisch-exegetische Art meditiert, nicht anders als die Passion Christi von christlichen Dichtern und Predigern. Welche Kraft ist es, die in Orpheus zu göttlichem Range erhöht wird? Es ist die Kraft der „Rühmung", die auch als „Gesang" und als „Verwandlung" erscheinen kann und in allen ihren Bestimmungen immer nur ein und dasselbe meint: das fühlende Vermögen des Menschen, das durch den Mund des Dichters Sprache gewinnt. Was noch in der neunten Elegie für den Menschen überhaupt in Anspruch genommen wurde, als die metaphysische Rechtfertigung seiner Existenz vor dem Engel („Hier ist des Säglichen Zeit, hier seine Heimat. / Sprich und bekenn."), das wird in den Sonetten mit einer merkwürdig freudigen und selbstbewußten Wendung auf den Dichter allein übertragen. Der die Dinge rühmende und verwandelnde Dichter erscheint als der Stellvertreter der Menschheit. Wenn in den zahlreichen Orpheus-Darstellungen der europäischen Oper, von Monteverdi über Gluck bis zu Strawinsky, die Gestalt des antiken Sängers zum Sinnbild der sich selbst verherrlichenden Musik geworden ist, bei Rilke wird sie zum Protagonisten einer Apotheose des Dichters durch den Dichter. Der Autor der Sonette feiert sich selbst und seine Produktivität und in ihr alle produktiven Kräfte der Erde: man kann den ganzen Zyklus verstehen als ein Dankopfer für die gnädig gewährte Vollendung der Duineser Elegien. Das wäre ein subjektiv-lebensgeschichtlicher Aspekt. Wenn man ihn aber als ein Ereignis des objektiven Geistes betrachtet, so wird in ihm eine Entscheidung getroffen, deren Tragweite kaum zu überschätzen ist: die menschliche Existenz wird auf das Wort des Dichters gestellt und von ihm her gedeutet, gerechtfertigt und „erlöst". Was hier gestiftet wird, ist nichts Geringeres als ein Mythos vom ästhetischen Vermögen des Menschen.

Eine erste Lektüre unseres Gedichts bringt uns zunächst zum Bewußtsein, daß wir es nicht mit einem Sonett von klassischer Bauart zu tun haben, sondern daß der Dichter die überlieferte Form selbstherrlich abgewandelt hat. Innerhalb der beiden Quartette sind nicht vier, sondern nur jeweils zwei Versschlüsse aufeinander gereimt, das Metrum ist nicht alternierend, sondern daktylisch. Dem für Rilke von Jugend auf charakteristischen Enjambement begegnen wir zweimal, in Vers eins und in Vers zwölf; im ersten Falle muß gar eine Präposition – „hinter" – als Reimwort dienen: eine Maßnahme, in der eine weitgehende Nichtachtung gegenüber der Einheit des einzelnen Verses zum Ausdruck kommt und ein Drang, den Eckpfosten der Zeile durch ein „musikalisches" Strömen zu überspülen. In der rhythmischen und motivischen Gliederung des Ganzen jedoch entspricht Rilke der klassischen Tradition. Die zweite Strophe ist von der dritten durch eine deutliche Zäsur getrennt; sowohl die beiden Quartette als auch die beiden Terzette bilden je einen homogenen Zusammenhang, eine motivische Einheit. Wenn die Quartette es mit einem Du zu tun haben, das in einer bestimmten, mehr oder weniger bildhaften Situation vorgestellt wird, nämlich als ein Zurücklassender, den Abschied, den Winter hinter sich Lassender, dann als ein Zurücksteigender, schließlich als ein „klingendes Glas" –, so wird in den Terzetten eine unbildliche, verallgemeinernde Lehre ausgesprochen: die „abstrakte" Schlußfolgerung aus dem Vorhergehenden. In den Quartetten erscheint das Hilfsverbum „sein" jedes Mal nur mit einer sinnerfüllenden Ergänzung: „sei . . . voran", „sei . . . tot", „sei ein . . . Glas". In den Terzetten wird es auf einmal selbständig und enthüllt sich in seiner ganzen vielsagenden Bedeutungsmacht, als ein Urwort der orphischen Lehre. Der Mensch soll sein, nichts als sein, eben dadurch erfüllt er die Aufgabe, die ihm hier auf Erden, genauer gesagt: innerhalb seines um den Tod erweiterten „weltischen" Daseins gestellt ist.

„Sei allem Abschied voran . . .": wer wird angesprochen? Offenbar der Leser oder der Hörer, wenn man nicht annehmen will, daß der

Dichter zu sich selber spricht. Jedenfalls richtet er sich nicht an ein beliebiges, zufälliges oder neutrales Du, sondern an einen schon mythisch eingeweihten, schon orphisch verwandelten oder doch für die Lehre empfänglichen Hörer. Das muß aus den beiden ersten Versen der zweiten Strophe geschlossen werden. „Sei immer tot in Eurydike": das ist eine Anspielung, beinahe schon eine Parodie auf die christliche Vorstellung eines Totseins „in Christo". Hier wird die Gestalt eines Steigenden vergegenwärtigt, der, anders als der überlieferte Orpheus, aber ganz im Sinne des rilkisch u m g e d e u t e t e n Orpheus, den endgültigen Abschied von der Geliebten nicht als tödliche Wunde empfindet, sondern preisend bejaht als ein Selber-tot-Sein und dennoch Zurückkehren. Wer ist diese Gestalt? Nicht Orpheus selbst, sondern der Eingeweihte, der in der imitatio Orphei begriffen ist. „Sei allem Abschied voran . . .": Abschied muß hier verstanden werden als eine Situation, die beispielhaft ist für die Zumutungen und Wechselfälle des „Schicksals", und da Menschsein für Rilke in ausschließlicher Bestimmung ein fühlendes, das heißt liebendes, durch Liebe gewinnendes und verlierendes Menschsein ist, so ist Abschied d i e Modellsituation des Schicksal tragenden Menschen schlechthin. Für jeden dramatischen Dichter wäre Schicksal das unbedingte Jetzt und Hier, vor dem es kein Ausweichen gibt, die Probe auf Tod und Leben, Siegen oder Sterben, es wäre der absolut verbindliche Augenblick, durch den sich tragische Sinnfülle entfaltet. Für den extremen Antidramatiker, mit dem wir es in diesem Gedicht zu tun haben, ist Schicksal nur ein Vorwand, um den Menschen zu äußersten Gefühlsleistungen zu provozieren, nur ein Anlaß, um sich schicksallos zu vollenden. Die verlassene Geliebte ist höheren Ranges als die gestillte, weil sie die größer Fühlende ist: dieses oberste Dogma der Rilkeschen Liebeslehre könnte durch zahllose Stellen aus dem Gesamtwerk belegt werden. Der Dichter predigt die nicht-besitzergreifende Liebe, denn sie allein gibt dem Menschen die Freiheit, unbehelligt die immensen Ausmaße des eigenen Innern zu ergründen. Dem Abschied voran sein, das heißt also den Schmerz des Verlierens fühlend überbieten: nicht ihn stoisch beherrschen oder ignorieren, sondern – das wird in den folgenden Versen deutlich – ihn durchleiden und dadurch in Besitz verwandeln. Viermal wird das Wort „Winter", als ein Gleichnis für die Schärfe des Abschieds, genannt, dreimal als Nomen, einmal in Gestalt einer Verbalform („überwinternd"): ein Stilmittel von echt rilkischer Kühnheit, das im Spätwerk gar nicht selten anzutreffen ist. Durch diese viermalige Nennung gelangt das Wort zu

außerordentlich intensiver Anwesenheit, aus der einfachen Sach-
bezeichnung wird Wesen, Welt, beherrschende Gefühlslage. Der
innere Raum der Strophe und das Bewußtsein des Hörers erfüllen
sich unaufhaltsam mit „Winter". So sehr, daß der Umschlag aus
der Negativität des Winterlichen in die Positivität des „Überstehens"
erzwungen wird. Eine Dialektik des Fühlens wird erkennbar, die uns
aus allen mystischen Literaturen von altersher bekannt ist: die redlich ausgestandene dunkle und leere Nacht der Seele, etwa bei Johannes vom Kreuz, kann sich, durch dialektischen Umschlag, plötzlich
verwandeln in die überwältigende Fülle und Lichtflut Gottes. Doch
besteht zwischen der Sinngebung eines christlichen Mystikers und
derjenigen unseres Dichters ein wesentlicher Unterschied: alle religiöse Mystik zielt auf eine Wirklichkeit jenseits des Menschen; bei
Rilke hingegen ist es die Gefühlstiefe des Menschen selbst, die sich
selbst ermessen und bewußt machen, sich selber feiern will. Die
mystische coincidentia oppositorum, das Zusammenfallen aller Widersprüche in der Einheit Gottes, bei Rilke kehrt sie wieder als die
„Identität von Furchtbarkeit und Seligkeit" (in einem Brief vom 12.
4. 23), die hier in transzendenzloser Selbstgenügsamkeit zur Idee erhoben wird. „Überstehen" aber ist der kanonisierte Name für diese
innere Errungenschaft, die das Höchste darstellt, was dem menschlichen Herzen zu leisten aufgegeben ist. Schon im Requiem für Wolf
Kalckreuth (1908) hatte es geheißen: „Wer spricht von Siegen? Über-
stehn ist alles." Eine Zeile, die Gottfried Benn noch kürzlich als ein
heimliches Leitwort seiner Generation gerühmt hat.
Im fünften Vers, wie gesagt, treibt der Dichter orphische Exegese.
Die Stelle greift den Gedanken des ersten Verses anaphorisch wieder
auf: den Abschied hinter sich lassen, heißt tot sein „in Eurydike", heißt
um die Kenntnis, den inneren Besitz des Todes vermehrt aus der
Unterwelt zurückkehren. Ein zweites Hauptmotiv der orphischen
Lehre wird hier eingeführt: die Nichtanerkennung der tödlichen
Grenze, die Idee einer Einheit „beider Bereiche". Rilke liefert hier
etwas wie eine heidnische Variante auf das herrliche Paulus-Wort:
„Darum wir leben oder sterben, so sind wir des Herrn." Das neunte
Sonett des ersten Teils klingt an: „Nur wer die Leier schon hob / auch
unter Schatten, / darf das unendliche Lob / ahnend erstatten. / Nur
wer mit Toten vom Mohn / aß, von dem ihren, / wird nicht den
leisten Ton / wieder verlieren . . ." Daß die Partizipalformen der
beiden mythischen Leitworte „singen" und „preisen" hier in den
Komparativ gesetzt sind, das ist nichts als ein neuer Hinweis auf die

Fülle des Todes: um so viel singender und preisender, als man an Todeswissen zugenommen hat, steigt man zurück: wohin? „In den reinen Bezug". Wieder ein orphischer Kernbegriff –, in Verbindung mit einem kanonisch gebrauchten Adjektiv. Das mit großer Vorliebe verwendete „rein" bedeutet bei Rilke immer soviel wie vollendet, abgeklärt, aber auch durch- und aus-gefühlt, unter Umständen auch durchsichtig und sinnbildlich figuriert wie ein Sternbild. „Bezug" aber meint die präzise Korrespondenz zwischen dem fühlenden Subjekt und der zurückfühlenden Welt, die magische Verständigung zwischen Ich und Nicht-Ich, die an vielen Stellen des Werkes und der Briefe bezeugte „Telepathie" zwischen Mensch und Schöpfung, Lebenden und Toten, Gegenwart und Vergangenheit. „Reiner Bezug" versteht sich als die sternbildhaft durchsichtig und damit objektiv und „geistig" gewordene Konstellation und Partnerschaft aller Wesen: „Heil dem Geist, der uns verbinden mag; / denn wir leben wahrhaft in Figuren", so heißt es am Anfang des zwölften Sonetts des ersten Teils. „Reiner Bezug" meint eine statisch und räumlich gesehene Alleinheit, in der Zeit und Geschichte nicht mehr als triftige Widerstände empfunden werden und die naiven Unterscheidungen zwischen einst und jetzt, Tod und Leben hinfällig geworden sind. Ein durch die orphische Einweihung verwandeltes und verklärtes Sein.

Das zweite Verspaar der zweiten Strophe wird von der rhythmischen Strömung der ersten sechs Verse nicht mehr erfaßt. Kodaartig angehängt, bildet es einen eigenen Zusammenhang und bringt das Thema der vorhergehenden Passage, die fühlende Leistung des orphisch ergriffenen „Du", noch einmal in einer neuartigen Bildchiffre zur Sprache. „Hier", nämlich auf Erden, so wird uns bedeutet, sind wir „Schwindende", Vergängliche, aber indem wir dieses Schwindendsein aufleisten, mit einer grenzenlosen Zuvorkommenheit des Herzens auf uns nehmen, können wir es dialektischerweise außer Kraft setzen, nämlich in „Klang", das heißt in Gesang und Rühmung verwandeln. Das sich im Klang zerschlagende Glas ist ein kühnes Gleichnis für den Sinn der orphischen Hingabe als einer Transsubstantiation eines Sichtbaren in ein unsichtbar Klingendes und damit in einen – nach Rilke – höheren Grad von Wirklichkeit. –

Mit dem ersten Vers der dritten Strophe wechselt der Dichter, wie gesagt, in eine (relativ) unbildliche Sprache hinüber, die dennoch „vollkommen sinnliche Rede" (Lessing) bleibt, wie alle bedeutende Lyrik. Die beiden Terzette enthalten die beinahe gnomisch formulierte „Moral" des Gedichts: einen Aufruf zum „Sein". Was „Sein" ist, glauben wir nun schon verstanden zu haben: innerer Vollzug einer unendlich fühlbaren, allumgreifenden Urgegebenheit, die auch das „Nicht-Sein" mit einschließt, „des Nicht-Seins Bedingung", wobei hier „Bedingung" im Sinne von Zustand oder Verfassung auszulegen ist. Dieses Vollziehen ist gleichzeitig ein „Wissen" und eine „innige Schwingung", also fühlendes Bewußtsein und denkendes, dialektisch befähigtes, bis ins Letzte intellektualisiertes Gefühl. „ . . . den unendlichen Grund" bezieht sich zwar grammatisch auf „des Nicht-Seins Bedingung" allein, dem Sinne nach aber doch wohl auf Sein und Nicht-Sein zugleich, auf die Einheit von beiden, den orphischen „Doppelbereich". Dieser „unendliche Grund" ist die tragende Fülle des „weltischen" Seins. Ich kann mich nicht logisch, ästhetisch oder moralisch von ihm distanzieren, ich bin Substanz von seiner Substanz, Materie von seiner Materie. Was für eine Materie? „Innige Schwingung". Materie a l s Schwingung. Hierzu noch eine Stelle aus dem erwähnten Brief an Hulewicz: „Da die verschiedenen Stoffe im Weltall nur verschiedene Schwingungsexponenten sind, so bereiten wir, in dieser Weise, nicht nur Intensitäten geistiger Art vor, sondern wer weiß, neue Körper, Metalle, Sternnebel und Gestirne." Ein ganz erstaunliches Stück Text! Hat nicht hier der von einer spekulativen Anwandlung ergriffene Dichter, ebenso wagemutig wie hellsichtig, die Gleichung der modernen Physik: Materie = Strahlung, von seiner ureigenen Konzeption her gewissermaßen bestätigt?

Das zweite Terzett steht gänzlich im Zeichen des Kernworts „Natur". Wenn wir versuchen wollten, den Naturbegriff Rilkes in seiner ganzen Sinnfülle genau zu erklären, so würden wir um eine langwierige Untersuchung nicht herumkommen. Einige wenige Andeutungen müssen uns genügen. „Natur" ist für diesen Dichter nicht der Gegensatz zu „Geist" oder „Kunst" oder „Geschichte"; alles, was an idealistische Antinomienbildung erinnert, sollten wir vergessen. Natur ist Fülle, „Vorrat", „unsägliche Summe", sie ist schenkende Erde, unendlich gebender, schaffender, ganz monistisch gedachter Weltgrund. Etwas Dionysisches spielt herein, Nietzsche klingt an, aber ein ins Seraphisch-Seelenhafte abgewandelter Nietzsche –, und wenn wir der Deutung Martin Heideggers glauben wollen, so ist hier sogar ein Kerngedanke der Naturlehre Leibnizens wieder lebendig geworden: die Natur als vis prima activa. Auch der Mensch gehört zur Natur, jedenfalls mit den unwillkürlichsten und innigsten Kräften seines Wesens. Rilke hat einmal, in dem berühmten „Brief des jungen Arbeiters" von 1921, darüber geklagt, daß es Dinge gibt, „die uns von der ganzen übrigen Natur trennen"! Hier nun, in der letzten Strophe unseres Gedichts, scheint — nach allem, was voraufgegangen ist — der Augenblick reif zu sein, um mit triumphierenden Jubelrufen in die Fülle der Natur zurückzutauchen, ähnlich wie Hölderlins Empedokles in den Krater des Ätna springt, um die quälende Differenz zwischen Ich und Weltseele zu überwinden. Nur ein Weniges vom unerschöpflichen Vorrat der Natur ist bisher „gebraucht", das heißt von den fühlenden Energien des Menschen angezapft und ausgenutzt worden. Die überwältigende Mehrheit ist noch „dumpf" und „stumm", vom Menschen noch nicht erkannt und ermessen. Das mütterlich Dunkle, Umfangende, das unergründlich Gründende eines tellurischen Seins wird durch die vielen U-Laute der letzten drei Verse suggestiv vergegenwärtigt, nicht weniger meisterhaft als die Winterlandschaft der ersten Strophe durch das zahlreich verbreitete I. Durch Worte wie „unsäglich" aber und, drei Zeilen vorher, „unendlich" wird eine letzte Verdichtung fühlend-fühlbarer Intensität bezeichnet, die man an anderen Stellen des Werkes auch als „göttlich" gefeiert sieht. „Unsäglich" will sagen, daß hier die Sagbarkeit, also die Reichweite des dichterischen Wortes transzendiert wird, und die Parallelstrahlen des Gefühls sich erst im Unendlichen schneiden.

In dieser letzten Strophe des Gedichts wird die Stufe einer mystischen Entgrenzung ins All-Eine erreicht. In Form eines begeisterten Imperativs wird der orphische Initiant zu einer letzten inneren Hingabe und Verwandlung gerufen, die ihm die rückhaltlose Einswerdung von Natur und Seele bescheren wird:

„zähle dich jubelnd hinzu und vernichte die Zahl."

Was ist „Zahl", wenn nicht ein Prinzip der Vereinzelung und damit der Vielfalt und der Unterscheidung! Dadurch daß ich mich (hinzu-) zähle, vernichte ich die Zahl: das Erlebnis des dialektischen Umschlags — diesmal aus der Zahl in die Un-Zahl — findet hier einen Ausdruck von musterhafter Genauigkeit, indem es als die innere Gegenwendigkeit der Sprache buchstäbliches Ereignis wird.

Hans Egon Holthusen

Rainer Maria Rilke:
Ausgesetzt auf den Bergen des Herzens

IX/125

Ausgesetzt auf den Bergen des Herzens. Siehe, wie klein dort,
siehe: die letzte Ortschaft der Worte, und höher,
aber wie klein auch, noch ein letztes
Gehöft von Gefühl. Erkennst du's?
Ausgesetzt auf den Bergen des Herzens. Steingrund
unter den Händen. Hier blüht wohl
einiges auf; aus stummem Absturz
blüht ein unwissendes Kraut singend hervor.
Aber der Wissende? Ach, der zu wissen begann
und schweigt nun, ausgesetzt auf den Bergen des Herzens.

Da geht wohl, heilen Bewußtseins,
manches umher, manches gesicherte Bergtier,
wechselt und weilt. Und der große geborgene Vogel
kreist um der Gipfel reine Verweigerung. – Aber
ungeborgen, hier auf den Bergen des Herzens . . .

Das kurze, überschriftlose Gedicht, geschrieben am 20. 9. 1914, gehört einer ganzen Gruppe ähnlich gearteter Gedichte Rilkes an, die
alle vom Juni bis etwa Oktober 1914 entstanden sind. Dieses ist das
sprachlich am genauesten gestaltete, das geprägteste, das bestürzend-
ste unter ihnen. Insofern, als gemeisterte Sprachgestalt, steht es noch
in weiter greifendem Zusammenhang, in dem entscheidenden Jahr-
zehnt des Rilkeschen Spätwerkes: angefangen von den ersten drei
„Elegien" und dem „Marienleben" (alles Januar 1912) über die spa-
nischen und pariser Gedichte und die weiteren „Elegien"-Entwürfe
von 1913 und 1914 bis zu dem Abschluß der „Elegien" und auch der
„Sonette an Orpheus" im Februar 1922. Diese wenigen fünfzehn
Verse, durch einen Absatz vor den letzten fünf Zeilen strophisch gegliedert, enthalten durchaus die sprachlichen und geistigen Elemente
dieses Jahrzehntes, in dem, literaturgeschichtlich gesehen, Rilke seine
eigentümliche dichterische Leistung endgültig ausformte.
Die langwährende künstlerische Krise, die sich in der Weiterformung

und Umgestaltung der Sprachmittel nach den „Neuen Gedichten"
(1907/08) und dem „Malte" (1910) ausdrückte, traf in dem halben
Jahr vor dem Ausbruch des Ersten Weltkrieges auf eine persönliche,
menschliche Krise, wie sie, in dieser Dichte von Erwartung und
Schmerz und in der hinterlassenen Erschütterung, von Rilke in seinem
an solchen Krisen reichen Dasein selten durchlebt wurde: die kurze
Begegnung mit der Pianistin Magda von Hattingberg (Benvenuta).
Der endgültige Abschied lag, als Rilke diese Verse formte, schon über
vier Monate zurück. „ . . . ich war starr und hart wie ein Stein und
bin noch in dieser mineralogischen Verfassung", schrieb er über die
Wochen und Monate nach der Trennung.[1]
Interpretation soll das Kunstwerk, das Gedicht allein aus sich selbst
verstehen und begreifen. Diese Forderung, ursprünglich zu recht
gegen eine nur positivistische und später rein geistesgeschichtliche
Auflösung des dichterischen Gestalt-Ereignisses gerichtet, hat indessen
ihre eigene Fragwürdigkeit dort erfahren, wo schließlich aus solchem
eigenständigen Nachvollzug alle historischen Elemente, einschließ-
lich der geistesgeschichtlichen, eliminiert wurden und die Dichtungs-
wissenschaft in Gefahr kam, sich ihrerseits in geistreiche interpretato-
rische Essays aufzulösen. Im übrigen war selbst bei den besten dieser „reinen" Interpretationen das Augurenlächeln nicht zu übersehen,
das die vorgegebene historische Unwissenheit und Unschuld nur zu
bald zweifelhaft werden ließ und also Biographik, Geistes- und Kul-
turwissenschaft, Soziologie und eben auch Literatur„geschichte" doch
wieder, wenn auch nur verschämt über die Hintertür, zwischen den
Zeilen einschwärzte. Es scheint mir methodisch genauer, den unauf-
lösbaren Zusammenhang von Gestalt und Geschichte, von Dichtungs-
„ontologie" und Literarhistorie zuzugeben und für die Interpretation,
um dieser Genauigkeit willen, wieder nutzbar zu machen. Nachdem
die Interpretation n u r aus dem Kunstwerk selbst, als ein notwendiges handwerkliches Können, gelehrt, geübt und gelernt worden ist,
und dies auch nicht mehr vergessen werden darf, ist es an der Zeit,
das gelegentlich in Unordnung geratene Gleichgewicht zwischen Historie und Kunstgestalt wieder herzustellen. Das philologisch genaue
Sprach- und Bildverständnis einer Dichtung ist nur durch Vergleich
und Abgrenzung im gesamten „Bildfeld" des Dichters möglich, das
wiederum in geschichtlicher Bewegung steht und erst in ihr sich

---

[1] Rainer Maria Rilke und Marie von Thurn und Taxis, Briefwechsel, Bd. 1,
Zürich-Wiesbaden 1951, S. 384.

distanziert. Das kann am einzelnen Gedicht nicht ermessen werden. Eine solche Vortäuschung ist methodisch unnötig.

So erleichtert es durchaus das erste Verständnis, sogleich den „Ort" dieses Gedichtes im Gesamtwerk Rilkes ungefähr zu wissen; dazu hat die Forschung uns diese Daten bereitgestellt. Nicht als ob damit vorweg behauptet werden sollte oder könnte, das Gedicht wäre nur ein Niederschlag der gescheiterten Begegnung mit Frau von Hattingberg und der Vereinsamung in den darauffolgenden Wochen; oder – was man biographisch ebenso hinzufügen dürfte – Ausdruck der inneren Verödung Rilkes durch den Beginn des Ersten Weltkrieges im August 1914, der ihm auch den Verlust seiner ganzen persönlichen Habe in Paris eintrug und ihn überhaupt von dieser geliebten Stadt, von den französischen Freunden, vom französischen Sprachraum abschnitt, der ihm durch viele Lebensjahre heimisch vertraut geworden war. Alles dies hat ganz sicher eingewirkt und den Meißel mitgeführt. Aber es ist für ein Kunstwerk ebenso sicher nicht entscheidend. Entscheidender wäre schon, sich etwa den sprachlichen Entstehungsweg der zehn „Elegien" und der dazu gehörigen Gedichte nachzuzeichnen; dann würde man sehen, wie genau das Gedicht in diesen künstlerischen Prozeß der Sprach- und Formumwandlung jener Jahre hineingehört, ja zum erstenmal, kühn vorwegnehmend, eine Bildwelt vollendet aufbaut, wie sie am großartigsten und makellos endlich in der letzten „Elegie" erscheint. Solches Vorbedenken und Vorordnen hilft. Das Wissen um mögliche Entstehungsanreize, die nicht nur „äußerlich" genannt werden dürfen, mindert keineswegs das immer wieder staunend erfahrene Geheimnis poetischer Gestaltwerdung, das jenes Vorbedenken und Vorordnen schließlich überspielt.

Denn poetische Gestalt ergreift uns hier – das ist wohl die fundamentale Erfahrung und Betroffenheit schon nach erstem Lesen, wenn ein näheres Verstehen noch gar nicht eingesetzt hat. Gestalt heißt Geschlossenheit. Es scheint die formale Paradoxie dieses Gedichtes zu sein, daß es in einer offenen, einer geöffneten Frage, die aber im Grunde schon sich selbst Antwort sein will, ohne Ende fortschwingt, „ungeborgen", und doch als geschlossene Sprachgestalt „da ist", geschlossen in der Grundgestimmtheit, geschlossen als Bild-Welt, abgeschlossen als kleines Kunst-Werk, das selbst sich trägt und hält in der Offenheit der „Verweigerung". Solcher Widerspruch von innerer Offenheit, ja Aufgebrochenheit und formaler Geschlossenheit bildet oftmals die „Gestalt" des Rilkeschen Spätwerkes; sie nimmt damit nur die Grunderfahrung seiner Weltschau auf. Dieses Gedicht ist, gleichgültig ob sich im Nachlaß noch weitere Entwurfszeilen finden sollten[2] und trotz der drei fortführenden Punkte am Schluß, kein Fragment. Rilke, der in solchen Fragen der gültigen Gedichtgestalt sehr emfindlich war, hat es noch selbst veröffentlicht, im Insel-Almanach von 1923.

„Ausgesetzt auf den Bergen des Herzens" — diese refrainartige Aussage, dreimal im selben Wortlaut wiederkehrende „heroische" Klage, ein viertes Mal variiert, gibt sogleich den Grundton und die entscheidende Bildform an, die alle weiteren Bildaussagen bedingt und bruchlos aus sich entläßt. Eine „innere Landschaft" wird sichtbar. Wieder eine paradoxe Verfremdung der alltäglichen Welt und Sprache: im Wort sichtbare innere Landschaft, Topographie des Seelisch-Geistigen durch Vokabeln einer Hochgebirgslandschaft. Der Widerspruch von Dinghaftem und Nicht-Dinghaftem, der darin liegt, wird dennoch unlösbar in sprachliche Chiffren verklammert. „Berge des Herzens", „Ortschaft der Worte", „Gehöft von Gefühl", „Gipfel der Verweigerung", mit solchen zwischen Wirklichem und Unwirklichem, Faßbarem und Unfaßbarem, Realem und „Surrealem" schwebenden Genitiv-Metaphern führt Rilke in seine Landschaft des Innern, des „Herzens" ein. Diese Genitiv-Metapher, die jeweils ein Konkretes und ein Abstraktes zusammenbindet und doch eines im anderen aufzuheben scheint, ist das eigentliche Baumittel solcher inneren Beschreibungen. Das Konkret-Anschaubare des Berges, der Ortschaft, des Gehöftes, des Gipfels wird durch seine Bindung an das Undingliche seltsam irreal entgrenzt, wie umgekehrt Herz, Wort, Gefühl ebenso seltsamgeheimnisvoll sich konkretisieren und verdichten, durchschreitbar, schaubar werden. Eine doppelschichtige und doppelsinnige Sprache entsteht, die immer geöffnet, die durchlässig, transparent erscheint und die typisch für die moderne Poesie ist. In der jüngsten deutschen Lyrik — meist von ausländischen „surrealen" Vorbildern übernommen — ist solche metaphorische Ausdrucksweise indessen vernutzt und oft schon unleidlich gemacht worden. Bei Rilke wirkt sie ursprünglich, fast elementar erschreckend mit der Kühnheit ihres Vorstoßes in noch ungesagtes, unbeschriebenes Dasein des Innern. Altes, barocke Erbe, dürfte sie bei ihm voll ausgebildet und bewußt angewendet worden sein erst seit seiner genauen, ihn stark erregenden und beeindruckenden Lektüre Klopstocks (seit 1909/10, verstärkt

---

[2] Das Gedicht wäre ursprünglich dazu bestimmt gewesen, „den Anfang einer Elegie zu bilden", schreibt Lou Albert-Lasard, Wege mit Rilke, Frankfurt M., 1952, S. 49.

1913)[3] und Hölderlins (kaum vor Sommer 1914)[4]. Wohl gibt es bei Rilke Vorformen dazu, die seine spätere Vorliebe für diese Art der Metaphorik als Konkretion des Inneren lang geübt und ausgebildet erscheinen lassen. Doch wäre ohne die Kenntnis der unsichtbaren Auferstehungs-Landschaft in Klopstocks „Messias", wie Wodtke dies überzeugend nachgewiesen hat, ihre Durchführung kaum so folgerecht geschehen, ohne Hölderlin sie kaum so „hart gefügt" worden. Diese „unsichtbare Landschaft" (so genannt in „Klage" von Anfang Juli 1914) als ein Stück des „Weltinnenraums" poetisch zu gestalten, sie an Sprachbildern abzuspiegeln und dadurch sagbar zu machen, ist eine der wesentlichen dichterischen Bemühungen und Nöte Rilkes während des entscheidenden „Elegien"-Jahrzehnts gewesen. Die anfänglich subjektive imaginäre Seelenlandschaft höht sich dabei mehr und mehr in eine mythische, heroische Landschaft[5], die objektives Innen-Sein in konkreten Sprachbildern mitteilen will, bei wechselndem „Inhalt". Die zehnte „Elegie" ist Endpunkt dieser Entwicklung (darin das „modernste" Stück, an das die jüngere Generation sprachlich anschließen konnte). Die anderen „Elegien" gehören ebenso noch in sie hinein wie die oben schon erwähnte Gruppe. „Ausgesetzt auf den Bergen des Herzens" steht innerhalb dieser Reihe an ausgezeichneter Stelle: es zeigt deutlich zum erstenmal jene Aufhöhung in eine mythische Innen-Landschaft – hier eine mythische Landschaft der Verweigerung, des ungeborgenen „Wissenden". Rilke hat jetzt die Klopstockschen, die Hölderlinschen Anregungen in die eigene künstlerische und geistige Entwicklung eingearbeitet.

Die ersten vier Zeilen des Gedichtes geben die imaginäre Situation an. Das menschliche Innerlichste, das Herz als Abkürzungschiffre für den ganzen Innenraum von Geist, Seele, Gefühl und „Liebe", wird in das Bild einer felsigen Berglandschaft schon jenseits der Vegetationsgrenze genommen. Man hat das Gedicht mit einer Bergwanderung verglichen[6]. Der Vergleich trifft nicht genau. Es ist wirklich ein „Ausgesetzt"-Sein auf den Bergen. Die Frage nach dem Wie und Warum wird nicht beantwortet. Es „ist" so – jedenfalls im Bereich dieses

---

[3] s. Friedrich Wilhelm Wodtke, Rilke und Klopstock, Diss. Kiel 1948 (als Manuskript vervielfältigt).
[4] u. a. Werner Günther, Rilke und Hölderlin, in: Hölderlin-Jahrbuch 1951, S. 121 ff, aufgenommen auch in: Werner Günther, Weltinnenraum, 2. Aufl., Berlin 1952.
[5] vgl. Wodtke, a. a. O., S, 163.
[6] Günther, a. a. O. S. 253.

Gedichtes. Rückschau und Umschau bleibt dem Ausgesetzten als einzige „Bewegung" in der „mineralogischen" Erstarrung dieser Berge, welche aber nicht als erinnerte Realität beschrieben werden, sondern als ein Vorgang des Innen selbst, als die steinige, einsame Felsgipfellandschaft des „Herzens", das alles vertraute, heimelige Menschliche hinter sich gelassen hat oder hat lassen müssen und sich „verweigert". Die letzte „Ortschaft" der Worte und das letzte „Gehöft" von Gefühl, menschliches Verständigt- und Vertrautsein, liegen weit unterhalb zurück, nur gerade noch „klein" sichtbar. Diese Grenze ist überschritten. Höher, wo nur noch „Steingrund unter den Händen" fühlbar und nur noch gelegentlich ein Kraut und ein Bergtier zwischen den stummen Felsstürzen zu sehen ist, dort oben – „auf den Bergen des Herzens" – ist der Ort des unbegreiflichen Ausgesetztseins. Das Empfindlichste und das Starrste treffen im Bild zusammen, um die Erschütterung dieser wissenden Verlassenheit im innersten Kern der (künstlerischen) Existenz auszudrücken.

Biographische Erinnerung könnte ansetzen. Rilke selbst scheint dazu Veranlassung zu geben. Ein merkwürdiges, künstlerisch allerdings unausgereiftes Gegengedicht entstand zwei Tage später, am 22. 9. 1914, gerichtet an die junge Malerin Lou Albert-Lasard, mit der er damals zusammenzuleben begann[7]. „Einmal noch kam zu dem Ausgesetzten, / der auf seines Herzens Bergen ringt, / Duft der Täler. Und er trank den letzten / Atem wie die Nacht die Winde trinkt. / Stand und trank den Duft, und trank und kniete / noch ein Mal . . ." – so knüpfte Rilke an die vorgegebene Situation an. Aber dieses Nachgedicht bleibt peinlich sentimental, Rückfall in sprachliche Frühstufe, das Persönlich-Biographische ist künstlerisch kaum überwunden. Kein „Gedicht", auch nicht zur Veröffentlichung bestimmt gewesen, eher eine versifizierte Tagebuch-Notiz. Die genauere Untersuchung beider Stücke ließe sehr Nachdenkliches über das allzu enge Verbinden persönlicher Erlebnisse mit poetischer Form an den Tag kommen. Wo die Distanz fehlt, verkümmert der Vers. Die „Gelegenheit" dichtet nicht; sie erscheint in der Dichtung längst distanziert.

So dürfen wir sicherlich in diesem radikalen Ausgesetztsein jenseits der Worte und des Gefühls ein Nachschwingen auch des Erlebens im Frühjahr und Sommer 1914 vermuten; aber hier ist das Biographische in dem künstlerischen Prozeß rein aufgehoben worden. Der erste Einfall mag aus dem „Anlaß" entstanden sein. Die Form drängt aber zur

---

[7] Gedichte 1906/1926, S. 252; dazu das genannte Buch von Lou Albert-Lasard.

Rundung ganzer, das heißt selbständiger Gestalt; im speziellen Bild sagt sich ein Allgemeines aus.

Um den besonderen Sinn dieser Herzlandschaft noch genauer zu begreifen, kann eher an das ein Vierteljahr vordem, am 20. 6. 1914, in Paris entstandene Gedicht „Wendung" erinnert werden, das schon immer und mit Recht als momentan verdichteter Ausdruck einer „Wende" im Rilkeschen Schaffen gewertet worden ist, in welchem er sich, poetisch, Rechenschaft gibt über seinen künstlerischen Weg vom „Anschauen" zur „Liebe", vom „Werk des Gesichts" zum „Herz-Werk". Auch hier durchdringen sich menschliche und künstlerische Krise in der Form dieses Wende-Gedichtes. „Herz" ist sein Kern- und Zielwort. Daß nach langem und „schon innig entbehrendem" Schauen der Dinge das „dennoch fühlbare Herz" „der Liebe nicht habe", ist der unüberhörbare Urteilsspruch über den Dichter Rilke, der auch als Mensch gerade wieder an der „Liebe" versagt hatte. Denn die nur angeschaute (und als solche poetisch eingeholte) Welt will, wie Rilke formuliert, „an der Liebe gedeihen". Es folgt die berühmte Schlußstrophe: „Werk des Gesichts ist getan, / tue nun Herz-Werk / an den Bildern in dir, jenen gefangenen; denn du / überwältigtest sie: aber nun kennst du sie nicht..." Auf die allgemeine Bedeutung dieser Verse für das Spätwerk Rilkes kann nicht eingegangen werden. Nur wie das „Herz" hier ins Zentrum des künstlerischen Tuns aufsteigt und dieses „fühlbare" jetzt zum eigentlichen inneren Werk-Ort berufen wird, jenseits der „Grenze" des Anschauens („Siehe, wie klein dort, siehe..." — „Erkennst du's?"), sei in unserem Zusammenhang beachtet. Die „Berge des Herzens" meinen also nicht (nicht nur) menschliche Liebesbegegnung, sondern (ebenso) die ganz neu begriffene „Liebes"begegnung zwischen Subjekt und Objekt im Kunstwerk. Von da aus kann das Wagnis der Grenzüberschreitung zwischen Subjekt und Objekt begonnen werden, die gerade diese „unsichtbare Landschaft" der schweigenden Herz-Berge so deutlich und auch wieder so ungewohnt fremd wiederspiegelt und die ein konstitutives Element aller modernen Dichtung geworden ist.

Das Subjekt des Ausgesetztseins erscheint erst am Ende der ersten Strophe: „der Wissende" — „der zu wissen begann". (Ob dieses Subjekt schon in dem Zuruf „Erkennst du's?" enthalten ist, bleibe dahingestellt.) Er steht in unmittelbarem sprachlichen Gegensatz („Aber der Wissende?") zu dem „unwissenden Kraut", das noch in diesen Steingründen aufzublühen vermag, aber auch zu dem „heilen Bewußtsein" des „gesicherten Bergtiers" und des „geborgenen Vogels".

Dem analog ist „der Wissende" auch der Ungesicherte, Ungeborgene, der mit unheilem, gespaltenem Bewußtsein Ausgesetzte. Ist dies „der" Mensch inmitten der „heilen" Natur? oder der um die Unmöglichkeit jeder Liebesbindung wissende Mensch, der in seinem Ich allein zurückbleibt? oder der Künstler, der um die andere Unmöglichkeit weiß, das Unwegsame, das Unsagbare, das Undurchdringliche mit Worten und Bildern je erreichen zu können und daher lieber „schweigt"? Die äußersten „Gipfel", die der große geborgene Vogel, adlergleich, sicher umkreist, verweigern sich ihm durchaus, „rein"[8]. Oder schließlich ist dies der Dichter, der die Lähmung durch das Bewußtsein erfahren hat, nicht mehr unwissend-unschuldig zu singen vermag, und also außerhalb der verbrauchten Worte ungeborgen haust, eben „ausgesetzt"? Wohl jede dieser möglichen Deutungen schwingt mit, wenn auch die Frage nach der ungeborgenen Existenz des Künstlers und seines Auftrages am dringlichsten aus den immer wieder neu angesetzten doppelschichtigen Bildern und Antithesen abzulesen möglich scheint. Es ist Rilkes oft ausgesprochene Überzeugung gewesen, daß das (rationale) Bewußtsein eine Spaltung in die menschliche Natur gebracht hat und diese nun unsicher und heillos zwischen allen anderen Kreaturen, Pflanze und Tier, einhergeht. Dadurch erst entsteht „Schicksal", gegen das Rilke sich immer aufgelehnt hat. Es genügt, allein an die vierte und achte „Elegie" zu erinnern, wo — neben anderen Problemen — die Sicherheit der Kreatur dem „verdrehten" Schutzlossein des Menschen gegenübergestellt wird. Freilich wird in den „Elegien" schließlich dieses Schutzlossein des Wissenden als der eigentliche, unverwechselbare existentielle Ort menschlichen Daseins angenommen, in dem allein „Umschlag" und „Auftrag" sich vollziehen könne. Das steht in diesen schwermütigen Versen von den Bergen des Herzens noch nicht darin. Doch klingt diese Abschiedslandschaft nicht auch in den klagenden Schlußversen der achten „Elegie" weiter? „Wer hat uns also umgedreht, daß wir, / was wir auch tun, in jener Haltung sind / von einem, welcher fortgeht? Wie

---

[8] Die Verwendung von „rein" in dieser Formel von der „reiner Verweigerung" gibt ein deutliches Beispiel für Rilkes Art, doppelten, ja antithetischen Sinn in e i n Wort zu binden. „Rein" bedeutet hier sowohl makellos, strahlend weiß, wie auch unaufhebbar, absolut; das eine bezieht sich auf den Eis- und Schneegipfel, das andere auf die unüberwindbare Verweigerung. — Der „reine Widerspruch" in Rilkes bekanntem Grabspruch hat denselben Doppelsinn: makellos und durchaus unaufhebbar. So trägt Rilke seine Überzeugung von dem „reinen Widerspruch" allen Daseins und aller Sprache oft bis in das einzelne, doppelsinnig gespannte Wort.

er auf / dem letzten Hügel, der ihm ganz sein Tal / noch einmal zeigt, sich wendet, anhält, weilt –, / so leben wir und nehmen immer Abschied." Ebenso aber vollzieht sich in diesem irrealen Berggipfelraum die „Umkehr" bis zu dem aufsingenden „Jubel und Ruhm"; so in der neunten „Elegie": „Bringt doch der Wanderer auch vom Hange des Bergrands / nicht eine Hand voll Erde ins Tal, die Allen unsägliche, sondern / ein erworbenes Wort, reines, den gelben und blaun / Enzian." Die Topographie dieses Gedichtes reicht bis in die weitesten Werkbezüge. Der beschriebene Innenraum ist der Herz-Raum des Dichters.

Eine metrisch besonders betonte Stelle verrät, daß hinter der Versuchung zum Schweigen, geboren aus dem Wissen um die Undurchdringlichkeit des Unsäglichen, die Sehnsucht des Gesanges, des Aufsingens steht. Metrisch ist das Gedicht fast genau nach dem Schema der „Elegien"-Verse gebaut: das überlieferte Distichon, im Wechsel von Hexameter und „Penta"meter in den ersten beiden Versen noch angedeutet, wird, trochäisch und daktylisch frei gefüllt, zumeist auf einen fünftaktigen Vers verkürzt, der jedoch bis zum Dreitakter gepreßt werden kann. Auftakt (Vers 4, 10, 11) und Taktpausen in der Mitte und am Ende der Verse, oft schwer betont, beleben das variierte metrische Schema rhythmisch weiter, was noch durch das gerade von Rilke geschmeidig ausgebildete Enjambement aufs feinste gesteigert wird. Der Satzrhythmus läuft meist gegen die metrische Zeile, die Doppelschichtigkeit der Aussage unterstreichend. Die hart gefügte Syntax, in der die fehlenden Satzglieder dennoch „mitsagen", findet auf diese Weise ihre bewegte rhythmische Entsprechung, so daß die wenigen Verse zu einem kostbaren Kleinod Rilkescher Sprach- und Verskunst geworden sind. Diese fein gegliederte rhythmische Durchpulsung, die alle Verse wie eine untergründige Bewegung durchläuft, wird durch die mannigfachen Alliterationen und vor allem durch die wunderbare Vokalführung melodisch zum Klingen gebracht. Wie dieser Vokalton bald gehalten, dann gewechselt und durchschlungen wird, erweist den wahren Künstler. Der beherrschende stumpfe E-Laut der Refrainzeile, dagegen geführt das dunklere O (Ortschaft der Worte, der große geborgene Vogel), noch dunkelgründiger das U (Steingrund, unter, stummer Absturz), doch auch aufgehellt über das I bis zu dem breit aussingenden EI (schweigt, heiles Bewußtsein, weilt, reine Verweigerung), und wie dazwischen dreimal das gefühlige Ü wirklich auf„blüht", das ist, zusammengehalten in nur 15 Zeilen, meisterhaft. Metrum, Rhythmus, Melodie unterstreichen nicht nur den „Gehalt", sie selbst sind Sinnträger der Gestalt. Nur in dieser so ausgebildeten syntaktischen und rhythmisch-melodischen Fügung gestaltet sich der Sinn des Ausgesagten. Nur so verstehen wir die dichterische Mitteilung.

Die kunstvoll metrisch herausgehobene Stelle findet sich in der „betonten" Pause zwischen zwei Hebungen der achten, der Mittelzeile (Takt 3 und 4): „blüht ein unwissendes Kraut singend hervor". (Rhythmisch wird diese Pause durch den beidseitigen I-Laut wieder überspielt und dadurch zu keiner „Abtrennung"). Hier, wo der Sinn des Gedichtes sich dialektisch öffnet (in den Zeilen 8 und 9), geheimnisvolle Mitte, setzt Rilke die metrisch-rhythmische Betonung, die damit zu einer Sinnbetonung, zu einer Sinnöffnung wird. Denn um das Singen-Können, um den Gesang geht es. Unwissend und heilen Bewußtseins leistet dies, „aus stummem Absturz", ein blühendes Kraut, Gesang der geborgenen Kreatur. „Aber der Wissende?" Der Dichter, der sich selbst in seinem Bewußtsein gegenübersteht und berghoch ausgesetzt alle Gefühle und längst geleisteten Worte hinter sich gelassen hat? Wie soll ihm, ungesichert, unheil, das Singen noch gelingen, der einzige Auftrag seiner Existenz? Rilke gibt hier keine unmittelbare Antwort. Das aufklagende „Ach" scheint in der Verlockung zum „Schweigen", zum wissenden Schweigen, zu enden. Die heroische Erstarrung der Stimme ist angedeutet. „Ungeborgen" und und „Ausgesetzt": das bleiben die großen Klagerhythmen dieser Landschaft, ungestillt weiterschwingend in den Eishöhen der „Verweigerung". Die Antwort erfolgt erst in den „Elegien" und den „Sonette an Orpheus". Doch das „singende" Hervorblühen des Krautes aus Stein und Sturz (zweimal wird dieses Blühen bezeugt) deutet, als Mittelachse, auf die „unwissende" Erwartung des Dichters, erworbenes Herz-Wort, in Absage an das Unsägliche, doch einst heimzubringen – „sondern / ein erworbenes Wort, den gelben und blaun / Enzian", das „kleinblütige Heilkraut" (5. Elegie) menschlicher Leistung.

So rundet sich Form und Sinn zur Gestalt dieses Gedichtes. Durchzittert noch von dem Nachschwingen der Liebesbegegnung und Liebesverzweiflung, von dem Herzensjubel und der Herzensversteinerung in den ersten Monaten des Jahres 1914 weitet Rilke solche „Erfahrung" bis in das Zentrum seiner künstlerischen Not dieses ganzen Jahrzehnts: wie ist es möglich zu „sagen", wenn das Unsägliche sich dem dichterischen Wort verweigert und das Herz schweigt, welches das bloße „Anschauen" mit seiner „Liebe" überholen sollte? Erfahrung und Not setzen sich in poetische Erkundung um; es entsteht ein in Sprache und Bild herrlich ausgewogenes, elegisches Gedicht, das in jenes noch Ungesagte schon Vorstöße wagt, wie sie bis dahin kaum aufgezeichnet waren.

Hans Schwerte

CAROSSA:
STERN ÜBER DER LICHTUNG

Die Knechte fällen Baum um Baum im Wald.
Wie Vogelnest, vom Herbste preisgegeben,
So sichtbar ist nun unser Aufenthalt,
Und alle schaun in unser Werktagsleben.

Das leise schaurige Gebraus ist stumm,
Das unsre Mühen trug auf heiliger Schwinge –
Wir müssen feiern. Unsre Zeit ist um.
Wir gehn hinaus und zählen Jahresringe,

Halb trunken von des Harzes herbem Hauch.
Doch während wir die Silberzweige brechen
Vom Fichtenwipfel zwischen Stein und Strauch,
Scheint uns der Himmel heimlich zuzusprechen.

Aus tiefem Abend glänzt ein heller Stern,
Den wir vor lauter Wald sonst nie gesehen.
Er mahnt zur Heimkehr, und wir folgen gern.
Wir müssen vor dem klaren Licht bestehen.

Hans Carossa läßt uns in dem „Lebensbericht" seines 1952 erschienenen Werkes „Ungleiche Welten" ahnen, welchen Weg er durch die Jahre des „bösartigen Karnevals", des „gespenstigen Maskenballs" gegangen ist. Seine Gedichte aus dieser lichtlosen Zeit (1940–1945) gibt er bereits 1946 unter dem Titel „Stern über der Lichtung" seinem Volk, das, preisgegeben, nach Sternen der Hoffnung schaut.
In dem gleichnamigen Gedicht dieses Bändchens spricht nicht Betroffenheit, in der die Seele zittert. Es sammelt sich nach den furchtbaren Gesichten der erfüllte Augenblick eines letzten Gesichtes. Ein Geheimnis wird offenbar, das nicht der Stunde des Morgens gegeben ist, nicht der Höhe des Mittags, es kommt aus dem Abend, doch nicht aus dunklem Ende: es wird Heimkehr in das Licht sein.
Der Sinn des Gedichtes wirkt auch in den Formen, schrittgenau,

hauchgenau: im gleichmäßigen Rhythmus, still gewaltig, umsichtig, Schritt vor Schritt steht aus versinnlichtem Wort und sinnbildlicher Gestalt die geschaute Welt auf. Thema und Ton sind nicht zu trennen: Dunkle, lange verhallende Klänge, da und dort von kurzen, hellen unterbrochen, vier Strophen, die Verszeilen im wohl gemessenen Gang von Hebung und Senkung, von stumpfen und klingenden Ausgängen. Die Laute tragen den Sinn der Rede, die still hingesprochen ist.

Rein und vollkommen nimmt der einstimmende Vers die Wahrnehmungen auf:

„Die Knechte fällen Baum um Baum im Wald."

Der Wald hallt wider jetzt, da die Äcker ruhen, das Echo der gleichmäßig fallenden Schläge läuft dröhnend über Blößen und Schluchten, nicht jäh abreißend, sondern in Wellen ausschwingend in den dunklen Tonstrom des Moll:

„Das leise schaurige Gebraus ist stumm."

Der Sieg der tödlichen Schläge wird gezeichnet in einprägsamer Schallform. Ein Hauch geht durch diese stumme Welt gefällter Bäume: Duft des Harzes, wir spüren Atem des bewegten Menschen:

„*H*alb trunken von des *H*arzes *h*erbem *H*auch",

bezwingend durch die unauffällige Alliteration, in dem auslautenden Vers der gleichen Strophe nochmals wiederholt:

„Scheint uns der *H*immel *h*eimlich zuzusprechen."

Dadurch wird die Phantasie angesprochen, aus der heraus die bedeutsamen Worte des Verses – „scheint" und „zuzusprechen" – die Sinnrichtung erhalten, die in der vierten Strophe aus dem bloßen Scheinen zum klaren Sehen führt, das in dem das ganze Gedicht abschließenden Vers seine reinste Form erhält:

„Wir müssen vor dem klaren Licht bestehen."

Jede Strophe ist eine geschlossene Einheit, jeder Vers hat seinen klaren Satzplan. Der erste Vers und der letzte Vers des Gedichtes schließen in ihrer straffen und knappen Aussage wie ein Rahmen das Gefüge zusammen. Wie Gesetzesformeln klingen die Hauptsätze:

„Wir müssen feiern. Unsere Zeit ist um."
„Er mahnt zur Heimkehr, und wir folgen gern."

Die Satzmelodie spannt sich in wohlabgewogenen, verschieden lang gezogenen Satzbögen über zwei oder auch drei Verse. Es fällt auf, daß

Strophe zwei und drei durch den auslautenden bzw. den einleitenden Vers in eine enge Verbindung miteinander treten, ein wohlbedachter Aufbau, gerade in der Mitte des Gedichtes. Durch diese Klammer wird das ganze Gedicht, erzählend und schildernd, sichtbar, da Vers acht deutlich rückwärts weist und Vers neun in die Bewegung nach vorne drängt, die durch das Wörtchen „Doch" bewußt unterstützt ist.

> „Wir gehn hinaus und zählen Jahresringe,
> Halb trunken von des Harzes herbem Hauch."

Nimmt es uns nicht wunder, daß der Dichter nicht als „Ich" spricht, die Welt heimzuholen ins Herz, daß er kein Du ruft, daß es teilnehme an der Bewegung des Herzens? Durch alle Zeilen geht das „Wir", das allumfassende Ich, dessen Zeit um ist. Der Dichter spricht stellvertretend und berufen, im Wort die Welt zu schaffen und zu deuten, für alle und an alle spricht er es aus: es ist Zeit.

Die im Gedicht genannten Dinge, Zeiten, Taten, Anrufe lassen so eine hinter der sichtbaren Welt liegende unsichtbare durchscheinen. Erst jetzt sammeln sie sich zu wesentlichem Dasein: „unser Aufenthalt", „unser Werktagsleben" im Herbst, in dem die Blätter fallen und die kahlen Äste hinausstarren in die Luft, nicht mehr fähig zu schützen, bloßgestellt, preisgegeben. Ein Mensch schreitet in den Nachmittag und Abend. Aus den Gassen des gelichteten Waldes kommt er spät mit den Silberzweigen der Fichtenwipfel. Ein Wanderer, dessen Blut nicht mehr unruhig ist, der die Schwingen nicht mehr hebt zu den schaudernden Flügen heiliger Begeisterung. Der Flug hat sich gesenkt dem westlichen Horizonte zu, setzt leis auf den Boden auf, er hat die Erde wieder, den Anfang und den Ursprung:

> „Das leise schaurige Gebraus ist stumm,
> Das unsre Mühen trug auf heiliger Schwinge —"

Da steht der Gedankenstrich, ein Zurückwenden in die reiche Vergangenheit des Schaffens, von Freude gehoben, so daß hier der Rhythmus versucht, den jugendlichen Schwung nochmals zu wagen. Aber da steht auch die Einsicht in das große Gesetz des Lebens:

> „Wir müssen feiern. Unsre Zeit ist um."

Fast will sich das „müssen" und „feiern" nicht reimen. Der zweite Satz klärt es: Weggehen aus dem Werktag, ruhen und dem Kreislauf des Lebens zuschauen, die Jahre zählen und wägen. So alt bist du, so viel hast du geleistet, das bist du. Das Müssen bekommt einen eigenartigen Klang: „opportet": es ist in Ordnung, es ist recht so.

Der greise Wanderer ist so weit entfernt von Bitterkeit und Trauer, daß er in tiefem Einverständnis mit der Ordnung der Welt trunken wird schon von dem Hauch des Harzes: Augenblick der Gnade, der das Herz öffnet und alle Sinne, die die Stille des Abends allen Eindrücken zugänglich macht. Er hat den Heimweg noch vor sich, in der Dämmerung, in der Tag und Nacht, Zeit und Ewigkeit miteinander sprechen.

„Scheint uns der Himmel heimlich zuzusprechen."

Der Wanderer bleibt stehen und lauscht, ungewiß, ob er nicht einer Täuschung unterliegt, wenn er eine Botschaft zu hören glaubt. Er muß nach oben schauen: von dorther kommt sie, vom Himmel, nicht laut und aufdringlich. Die Botschaft ist Zuspruch, dem Angesprochenen eng und wissend verbunden. Er wird nicht überredet. Es ist ein Ermuntern und Trösten, nicht der Menge, nur dem Eingeweihten, dem Ohr des Herzens vernehmbar, ein Wort der Liebe. Es fällt nun gegen den Schluß zu Fülle und Güte in die Verse, weil in dem gelichteten Dasein die Entdeckung steht, die alle Entdeckung übertrifft:

> „Aus tiefem Abend glänzt ein heller Stern,
> Den wir vor lauter Wald sonst nie

Von da hebt sich jeder Vers in die Höhe, wie wenn er dem Stern zustreben wollte, jeder Vers endet in den hellen Klang steigender Melodie. Sie will empor aus dunklen und dumpfen, schweren und drückenden Klängen. Einsicht strahlt ins Herz des Angerührten: Wir sind nicht preisgegeben, wenn der Wald gelichtet ist, wir sind eingesehen von Mächten, die uns gütig erleuchten. Die Bäume mußten fallen, daß der Aufenthalt sichtbar wird, fallen mußten die tausend Vorwände, mit denen wir uns ausreden, entschuldigen, verstecken, es mußten die Wälle niedergelegt werden, hinter denen wir uns verschanzen. Was sonst nie geschah, ist jetzt. Wir hören den Zuspruch im Licht des Sternes: „Kehr heim!" und die Antwort: „Ich komme." — „Wir kommen gern." Es ist gut. Der Weg führte nicht zum heimischen Herd, sondern zum himmlischen Licht. Entblößt, ohne Maske, treten wir über die Grenze und werden, da alles Unechte und Zufällige von uns abgefallen ist, vor dem Lichte sein, was wir sind. Das ist der große Ausklang mit dem Wort *„bestehen"*.

Heiter und gelassen schwingt das Gedicht aus, wie Glocken zum Feierabend: wir rüsten uns zur Stunde der Ruhe, in der es uns gegönnt ist, wesentlich zu sein. So rüstet sich auch der Mensch zu seiner letzten Stunde. Es ertönt nicht bang eine Totenglocke, es weht kein Hauch von Vergehen und Verwesen. Es ist die Stunde der Verwandlung, in der wir nach ewigem Gesetz das Sterbliche in Unsterbliches, das Vergängliche in Unvergängliches gehoben sehen. Schwebende Leichtigkeit überkommt den Wanderer; alle Dinge sind durchleuchtet, ins Sinnbild verwandelt:

„Wir müssen vor dem klaren Licht bestehen."

So klingt die allgemeinmenschliche Aussage des „Wir" aus in der objektiven Sprache, fast wie wir sie in der christlichen Liturgie hören: Vita mutatur, non tollitur: das Leben wird verwandelt, nicht ausgelöscht. Es wird verwandelt ins Helle.

Rupert Hirschenauer

Rudolf Alexander Schröder:
Im halben Eise

VI/54

Blick in die Welt und lerne leben,
Bedrängt Gemüt;
Braucht nur ein Tauwind sich zu heben,
Und alles blüht.

Die Hasel stäubt, am Weidenreise
Glänzt seidner Glast,
Schneeglöckchen lenzt im halben Eise
Und Seidelbast.

Braucht nur ein Tauwind sich zu heben. –
Verzagt Gemüt,
Blick in die Welt und lerne leben:
Der Winter blüht!

Es singt „einer der neuen Lieddichter der evangelischen Kirche"
(Grenzmann) von dem „alten Wunder", wie er ein anderes Gedicht
aus diesem Zyklus „Vorfrühling 1934" überschreibt. Es gibt ihm
Trost und Gewißheit neuen Lebens und Blühens nach dem Winter-
grauen, und dieses Gefühl möchte R. A. Schröder als Dichter und
Tröster in die Herzen der Bedrängten und Verzagten überströmen
lassen:

> „Es ist das Wunder, das alte Wunder,
> Dein alt und neues Wunder, Welt.
> . . . . . :
> Soll wieder leben die Welt und lieben,
> Soll leben Welt den Sommer lang."

Wie sich der Dichter am Frühling freuen kann, das zeigt sich auch in
dem kleinen Gedicht „Grüner Halm", der ihm nach winterlangem
Frost zum „Bild überstandener Gefahr" geworden ist. Auch die
„Weide, silbern Angesicht" aus dem Zyklus „Frühlingsanfang" zeigt
ihm das Wunder der Wandlung an:

> „Ich verspür die Wandlung kaum,
> Und sie hat dich schon durchdrungen
> . . . . . .

313

Weide, die mein Herz erfreut:
Wer ums Wunder weiß, lernt hoffen."

Immer wieder wird ihm das Aufblühen oder Grünen im Frühling zum
Sinnbild der Lebenserneuerung außen und innen; „ein grüner Zweig"
(so überschreibt er ein Gedicht) spricht ihn mit seinem „sanften Grün"
so tief an wie das schönste Blühen und weist ihn wunderbar nach
innen, zu Gott, aus dem das Frühlings- und Lebenswunder gewirkt ist:

> „Da draußen kann nichts holder sein,
> So gehn vor deinem stillen Schein
> Mir Herz und Sinnen offen.
> Ist wohl ein herrlich Ding ums Blühn;
> Doch schön ist auch das sanfte Grün:
> Gott, lehr uns alle hoffen!"

Der Dichter kann sich mit Herz und Sinnen am Frühling freuen, an
diesem „Blühn schier unermessen". Und wenn ihn einer fragt, wem es
fromme, und wenn einer es vor lauter Sorge und Trübsal nicht fassen
kann, so spricht er ihm mahnend und ratend zu:

> „Entschlag dich deiner Sorg;
> Gott gab, und so genieß es,
> Gönnt er dir heut auf Borg
> Den Schein des Paradieses.
>
> Und bliebe kahl dein Feld,
> Lern Freud am fremden Wesen,
> Das seinen Frühling hält,
> Als wär nie Winter gewesen."

So wird an vielen Gedichten deutlich, wie freudig der Dichter der
schönen Welt zugewandt ist; aber immer ist ihm die äußere Schönheit, das Blühen draußen überstrahlt von dem Gottesglanz, der auch
in das Innere dringt und in ihm leuchtet. Aus diesem Erleben des
alten, neuen Wunders der Auferstehung in der Natur schöpft er Kraft
zu einer inneren Auferstehung als ein Mensch in Gott, für den die
Natur „der Gottheit lebendiges Kleid" bedeutet.
Bei einem solchen Grade von Einweihung kann er — das wundert uns
nun nicht mehr — als ein Weiser in der doppelsinnigen Bedeutung
des Wortes einem bedrängten oder verzagten Gemüt Trost und Hoff-

nung zusprechen und frommen Rat erteilen, indem er den Blick auf die Frühlingsahnung, auf das Blütenwunder „im halben Eise" lenkt. Er kann es, weil er die Welt als religiöser Mensch, als Christ gleichnishaft erkennt und deutet.

Stellen wir uns die innere Situation seiner Aussage vor! Er denkt an ein Gegenüber, an eine brüderliche oder schwesterliche Seele in Not und Kümmernis, in Bedrängnis und Verzagtheit. Um sie aufzurichten, wählt er erfüllte Wörter und freundliche Bilder, läßt er helle, weiche Laute erklingen und gießt seinen Rat und Zuspruch in eine so schlichte Form, daß sie ein Kind erfassen kann. Man weiß auch sofort, wie das zu sprechen ist: ohne Auftragen, ohne Pathos, aus dem Herzen heraus — mezza voce.

Der Blick in die Welt kann dem, der leben lernt, zum tröstlichen Gleichnis werden. Wie sie „im halben Eise" bedrängt daliegt, aber der Erweckung gewiß sein darf, so eröffnet sich auch dem bedrängten Gemüt der Ausblick, daß bald alles blüht, sobald ein Tauwind sich erhebt.

Wir betrachten den Symbolgehalt der Laute, die mit dem dreifachen I am Anfang, auch mit den hellen E-Lauten („lerne leben!") etwas Lichtes an das „bedrängte Gemüt" heranbringen, wo die Konsonantenfügung DR das Drangvolle verdeutlicht, im Klangbild von „Gemüt" jedoch schon etwas wie eine leichte Aufhellung eintritt. Dabei werden die Imperativ-Formen gar nicht als sonderlich kategorisch empfunden, sondern eher als Mahnung, als erfahrene und erfüllte Lebensregel. Heraushebt sich als eine geradezu mantrische Formel der Anruf „Lerne leben!", in sich durch Stabreim gefügt und erinnernd an das Wort „Lerne leiden, ohne zu klagen!" und denkbar weiterzuführen zu dem noch höheren Gebot „Lerne lieben!", so daß man wohl von einem seelischen Stufengang sprechen kann, in dem das Leben-lernen wichtig und bedeutsam ist. Dabei ist das Schwebende, Liebevolle dieser Beratung noch im klingenden Reim zu spüren, der vor allem im dritten Vers neben den vollen Akkorden AU — U — EI — AU und den folgenden hellen Vokalen das Lösende und Gelöste, das Auftauende bewirkt, dessen Ergebnis sich in der überaus knappen Schlußzeile der ersten Strophe kundtut: „Und alles blüht", wo in drei Worten, stumpf reimend, aber im Ü von „blüht" den inneren Bezug zwischen Gemüt und blüht aufnehmend, ein wunderbarer Trost vor die bedrängte Seele hingestellt wird.

Bei dieser allgemeinen Formel bleibt aber der Dichter nicht stehen, wenn seine Seele selbst auch von der Fülle dieser Fügung bewegt sein mag. Er lenkt den Blick des Angesprochenen wirklich hin auf die Wunder im einzelnen, im kleinen, auf die Kostbarkeiten dieser schon geahnten Frühlingswelt; denn köstlich und kostbar sind diese kleinen Bilder am Wege für den, der den verwandelnden Tauwind nicht nur äußerlich, sondern tief innen spürt. Welche Kostbarkeit auch in der Weichheit dieser Wörter, die geradezu den Anhauch des Tauwindes weiterwehen lassen in den stimmhaften S-Lauten (Hasel – Weidenreise – seidner – Eise – Seidelbast), in der geschmeidigen dreifachen GL-Fügung (glänzt – Glast – ... glöckchen), welche die Wörter im Stabreim bindet, im fünfmal aufklingenden EI. Und auch hier wieder der stille, sinnvolle Wechsel der gelösten ersten und dritten Verszeile mit den männlichen Reimen Glast und Bast; dazu der andere Wechsel von schlichter Beobachtung („Die Hasel stäubt") zum pretiösen Bild („Am Weidenreise glänzt seidner Glast") und zu dem sprachschöpferisch geformten Verb „lenzen", das er für Schneeglöckchen und Seidelbast anwendet.

Wie tröstlich kann diese Strophe von der beschworenen Schönheit der Welt auch im kleinen, unscheinbaren Bereich in eine Seele dringen, die sich dem Zuspruch des Dichters erschließt! Und beschwörend nimmt er noch einmal die Formel vom Tauwind auf, sie auch syntaktisch wie ein Aufatmen abhebend vom Strophenzusammenhang, indem er den Satz selbständig setzt und durch einen Gedankenstrich abgrenzt.

Dann wendet er sich noch einmal an sein Gegenüber, zu dem jeder von uns, jeder Leser oder Hörer werden kann und wird, selbst schon voller Hoffnung, daß das Gemüt nun doch nicht mehr so „bedrängt", nur noch „verzagt" ist, aber schon im Begriffe, dem Trost zu folgen und an das Wunder des Blühens nicht nur „im halben Eise" zu glauben, sondern zu vertrauen, daß „der Winter blüht" – um uns und in uns. Wie schlicht und doch eindrucksvoll ist auch der Umbau der letzten Strophe im Vergleich zur ersten!

Es kommt uns zum Schluß das Wort des Angelus Silesius in den Sinn, mit dem die Seele Rudolf Alexander Schröders zusammenstimmt, da sie uns nichts anderes als jener zurufen will:

> „Blüh auf, gefrorner Christ, der Mai steht vor der Tür!
> Du bleibest ewig tot, blühst du nicht jetzt und hier."

Hans Stahlmann

OSKAR LOERKE:
DER SILBERDISTELWALD

Mein Haus, es steht nun mitten
Im Silberdistelwald.
Pan ist vorbeigeschritten.
Was stritt, hat ausgestritten
In seiner Nachtgestalt.

Die bleichen Disteln starren
Im Schwarz, ein wilder Putz.
Verborgne Wurzeln knarren:
Wenn wir Pans Schlaf verscharren,
Nimmt niemand ihn in Schutz.

Vielleicht, daß eine Blüte
Zu tiefer Kommunion
Ihm nachfiel und verglühte:
Mein Vater du, ich hüte,
Ich hüte dich, mein Sohn.

Der Ort liegt waldinmitten,
Von stillstem Licht gefleckt.
Mein Herz — nichts kam geritten,
Kein Einhorn kam geschritten —
Mein Herz nur schlug erweckt.

Das Gedicht ist im gleichnamigen Gedichtband enthalten, der 1934 als sechster der sieben Gedichtbände erschien, die Loerke seit 1916 in Abständen von je vier bis fünf Jahren im S. Fischer Verlag Berlin veröffentlichte, in dem er während des ersten Weltkrieges den Posten eines Lektors übernahm, den er bis zu seinem Tode am 24. 2. 1941 innehatte. Die anderen Gedichtbände heißen: Wanderschaft (1911), Pansmusik (1916), Die heimliche Stadt (1921), Der längste Tag (1926), Atem der Erde (1930), Wald der Welt (1936). Den lyrischen Nachlaß aus den letzten Lebensjahren Loerkes veröffentlichte Hermann

Kasack im Juni 1949 unter dem Titel „Die Abschiedshand". Er hat auch Loerkes „Tagebücher 1903–1939" herausgegeben. In diesem Gesamtwerk, in dem uns die deutsche Lyrik nach Rilke anspricht, erscheint eine Ausdruckswelt, die die zerstörenden Kräfte des Expressionismus überwindet und ihn im Aufruf der Kräfte dieser Erde und Mächte der Natur zugleich weiterbildet. Das geschieht in der Bindung an feste Formen, Figuren und Strukturen auf der Ebene des Spruches und Gleichnisses, in denen „einfache Dinge und Wesenheiten zuströmen, die keine Bedingungen zu ihrem Eintritt in das Gedicht mitbrachten, außer daß sie darauf drangen, ihre volle Wirklichkeit zu behalten. Viele schienen mir ihre Wirklichkeit erst drüben im Vers zu enthüllen, die hüben dumpf und getrübt gewesen war". (Loerke, Nachwort zum „Silberdistelwald". Vgl. Clemens Heselhaus: Oskar Loerke und Konrad Weiß. Zum Problem des literarischen Nachexpressionismus. DU. 1954/Heft 6, S. 28–55. Dieser aufschlußreichen Darstellung ist die hier versuchte Deutung dankbar verpflichtet.)

Durch die fünf ersten Gedichtbände Loerkes flutet und fließt die dionysische Fülle der Natur. Nur bisweilen zeichnen sich die dunklen Schatten des Leides der Welt ab, das im „Silberdistelwald" in der ganzen Weite und Tiefe durchschritten wird. „Der himmelfüllende Wermutbaum dieses Buches rauscht nicht meine Schwermut, sondern bewegt die Schwermut der Welt in seiner Krone." (Loerke, a. a. O.). Der Mensch ist aus dem Sinnbereich der Welt herausgefallen und hat sich in den Widerspruch von Zeit und Sein verstrickt. Es ist der Dichtung aufgegeben, diese Wunde zu heilen und den Menschen heimzuholen in den rechten Bezug zu Erde, Natur und Kosmos und so den Widerspruch zwischen Sein und Zeit aufzuheben. „Ich hatte mein Erleben heimzuleiten in die Form seiner Existenz durch Sprache. In ihr wird keine begnadungslüsterne Beichte angenommen, ebensowenig wie in den musikalischen Formen. Und auch keine Technik schafft Existenz. Wie wenig oder viel ich in dieser Hinsicht erkannte, lernte und wie ich es verwaltete, wird keinem verborgen bleiben, der meine Gedichte inwendig laut, das heißt, wer sie überhaupt liest." (Loerke, a. a. O.).

Der Zugang zu Loerkes Dichtung ist wegen der notwendig neuen Stilgesetze steil. Unsere Blicke sind Blicke, die, wenn nicht abstrakte, so doch verschlüsselte Wortkunst enträtseln müssen. Gerade die Entschlüsselung und Erhellung dieser Wort-Bild- und Gleichnisfiguren ist der Kunstzweck des Gedichtes. Von der Form her können wir die Schichten des Seins aufdecken und zum Sinn erkennend vordringen.

„In der Lyrik zeigen sich alle Lebensfragen als Fragen der Form...
Die Form ist das einzige Organ, mit dem sich die Lyrik ihrer Inhalte
bemächtigt. Das Organ kann tauglich oder untauglich sein: ohne
dieses Organ aber würden die Inhalte bleiben, was sie vorher waren:
Vorwurf und Vorgang der Erfahrung." (Loerke: Das alte Wagnis des
Gedichts, in: Deutscher Geist, ein Lesebuch aus zwei Jahrhunderten.)
Wir lesen also das Gedicht inwendig laut. Die Worte, die gebraucht
werden, liegen nicht in der Ebene unseres täglichen Umgangs, sie
sind hart, eigenwillig, sinnschwer, rätselhaft. Die Sätze bewegen sich
straff gegliedert in klarem Plan. Ohne Verstellung, Verrenkung und
Trennung sind sie in eine Verszeile gebettet, schwingen bisweilen in
zwei Verszeilen aus und strömen hin über drei Verse im Gebrauch des
Enjambements, wobei der so gleichmäßige rhythmische Fall einen Gehalt erzeugt, der die Maße des jambisch klassischen Metrums ganz
nach innen saugt. Der ganze Sprachsinn ist wie der Titel des Gedichtes gleichnishaft, schwer und dunkel. Eine metaphorische Sprechweise gibt uns wie eine Sphinx Rätsel auf.
Die kunstvolle Fügung des Gedichtes aber wird mit jedem Lesen der
Strophen durchsichtiger: Vier gleichgebaute Strophengebilde stehen
in einem feingeknüpften Netz der Beziehungen von Metrum, Rhythmus, Melodie und Reim. Wie der Musiker seine Formen weiß und
setzt, so wirkt hier der Baumeister bis in die Vokale und Konsonanten
hinein und ihren Zusammenprall, nie ästhetisierend. Aller Prunk wird
vermieden. Die einleitende Strophe gibt den Lagebericht:

> „Mein Haus, es steht nun mitten
> Im Silberdistelwald."

Sie erscheint in der Schlußstrophe als Conclusio in der Form:

> „Der Ort liegt waldinmitten,
> Von stillstem Licht gefleckt."

Unter diesem straff gespannten Bogen begegnen sich kontrapunktisch
die zwei Mittelstrophen, die erste als Erfahrungsgleichnis des ge-
schichtlich-zeitlichen Raums:

> „Die bleichen Disteln starren",

die zweite als magische Wendung nach innen, in den mythisch-zeit-
losen Raum gestellt:

> „Vielleicht, daß eine Blüte
> Zu tiefer Kommunion
> Ihm nachfiel und verglühte:"

Es klärt sich wohl schon in diesen Hinweisen Loerkes Wort über seine Dichtung: „Ich hatte mein Erleben heimzuleiten in die Form seiner Existenz durch Sprache."

Die in der einleitenden Strophe gegebene Metapher will nicht etwa nur Bild sein. Die gesehene und erfahrene Wirklichkeit, der „Silberdistelwald", das ist nach Loerkes eigener Erklärung der nächtliche Sternenhimmel. Er geht, in der Form der Sprache geistig bewältigt, als neue Existenz als die Wirklichkeit in das Gedicht ein, als verrätselte Gleichnisform so verdinglicht, daß sie nicht einem Bilde bloß äußerlich anhaftet, sondern innerlich zugegen ist und wirkt. So ist denn auch Pan nicht der Hirtengott der Antike oder der Gott des Alls, sondern der Grüne Gott, der Blühende, der Glühende, „kühler und weniger bestimmt gesagt, die Natur, der währende Vollzug ewiger Gesetze, das mildeste und härteste Gericht." (Loerke, a. a. O.). Er ist aus dem Tag in die Nacht geschritten. Im Gedicht „Pansmusik" aus dem gleichnamigen Gedichtband wird dieses Schreiten stimmungsvoll als Entgrenzung des Daseins gezeichnet, da der Hirtengott, einer im Abendlicht segelnden Wolke gleich, auf dem Floß der Töne alle Bereiche beseelend, dahinfährt. In dieser verzückten Stimmung zeichnen sich deutlich die „schwebenden Übergänge" ab von Stufe zu Stufe, von Himmel zu Himmel, von Traumschöpfung zu Traumschöpfung, immer weiter weg aus dem Raum der Zeit in die entgrenzten Horizonte der Unendlichkeit. Diese metaphorische Sprechweise, die über das bloße Bildsein hinaus drängt zu selbständiger Wirklichkeitsform, zieht durch das ganze Werk Loerkes. Die Art der Aussage aber wird immer bestimmer geformt: straff, knapp, karg, nüchtern, in Wort, Satz, Klang, Melodie. Diese Form wird gewählt, um dem Stoff die letztmögliche Klarheit und Grenze zu geben.

In der einleitenden Strophe der Dichtung „Silberdistelwald" nimmt die Metapher als mythische Überhöhung der Natur jenes Eigenleben an, in dem der Widerspruch von Zeit und Sein verstummt: alles Seiende hat sich in der Kraft der Nachtgestalt Pans eingeordnet in die ewigen Gesetze des Kosmos, in Ordnung und Recht.

> „Pan ist vorbeigeschritten.
> Was stritt, hat ausgestritten
> In seiner Nachtgestalt."

Umso überraschender und bestürzender bricht die Aussage der folgenden Strophe des Gedichtes herein, in der die Metapher den Charakter des bloßen Bildes spürbar abweist, sich verselbständigt und aus eigener Lebensfülle heraus die These aufwirft, die fortschreitend Sinn und Zweck des Kunstwerkes enthüllt: Geht Macht vor Recht? Nur durch den Rhythmus und den Reim ist noch eine Verbindung mit der vorausgehenden Strophe gegeben. Aber die Reimwörter sind scharf und spitz (Putz, Schutz), hart und rauh (starren, knarren, verscharren), erregt und verdeckt zugleich strömt der Rhythmus dahin. Alle Formen erwecken den Eindruck des Frostigen und Unbeweglichen, des Unfreundlichen und Harten, des Klirrenden und Erbarmungslosen. Diese Nacht ist nicht gut, die Sterne leuchten nicht, sie starren stachlig. Das ist nicht friedlicher Glanz und freundliche Stille, sondern wilder Putz fahler Nacht, in der „das Gezücht, das der Engel verstieß", aus verborgenen Tiefen dräuend heraufkriecht gegen die Ordnung des Grünen Gottes. Heisere Stimmen des Umsturzes knarren gegen das Recht, das Gesetz, gegen Pan, gerade in dem Augenblick der erhabenen Klarheit und Einheit.

> „Die Stachelkugeln grinsen manchmal wie Menschenköpfe,
> Messer, Speere gieren herab von den Stielen,
> Ungestüm stechen und hacken sie, ohne zu zielen."
> (Der Traum von den Disteln, aus: „Wald und Welt")

In den Erscheinungen der Natur sind dem Menschen Zeichen aufgehoben, in deren Wesen gerade der Dichter mit unbestechlichem Blick schaut. Sein Ohr unterscheidet untrüglich mit feinstem Gespür die Töne. Er erkennt und hört aus den Zeichen und Stimmen dieser Nacht das dumpfe Grollen des aufgepeitschten Begehrens der Masse. Am Pfingstfest des Jahres 1933 schrieb Loerke das Gedicht „Silberdistelwald" nieder, in dem nicht seine Schwermut rauscht, sondern die Schwermut der Welt in der Krone des Wermutbaumes. Was er aus diesen unheimlichen Tagen in verrätselter Gleichnisform verkündet, lesen wir heute in seinen Tagebüchern: „Freitag, 3. März 1933: In der Nacht des 28. ist der Reichstag angezündet worden. Folge: Aufhebung der verfassungsmäßigen Grundrechte . . . – 14. 2. 33: . . . Viel Entsetzliches hat sich ereignet. Es hat keinen Zweck, Chronist zu sein. Am 30.: Regierungsbildung mit Herrn Hitler als Reichskanzler, wir begraben die deutsche Kultur . . . Alles bricht zusammen."
„Ich hatte mein Erleben heimzuleiten in die Form seiner Existenz durch Sprache. Nicht selten wollte ich mich in meinen Versen beklagen, wenn der Frost oder Strahl der Ungerechtigkeit mich verletzt hatte. Es gelang mir nicht, ich quälte mich und andere mit meiner

Schwäche, indessen das Gedicht löste sich erst, als ich mich seinem Willen ergeben hatte." (Loerke, Nachwort zu „Der Silberdistelwald").

Dieses Gesetz nehmen wir wahr in der überraschenden Verwandlung, die das Leben der Metapher in Spruch und Gleichnis der dritten Strophe des Gedichtes nimmt, in der das Thema, in der magischen Wirkung nach innen, aus dem klirrenden Frost des Herzlosen und des Geistlosen in den Zauber des Geistigen weist. Hinter dieser Form und Abfolge der Strophen steht ein bewußtes Gesetz: „Vielmehr glaube ich, daß mein Gedicht das ist, was man in der Musik eine Fuge nennt. Es weist zwei Themen auf, einen Dux und Comes, und ohne einige Beherrschung des strengen Kontrapunktes für die Durchführungen geht es nicht." (Die Neue Rundschau 1936, S. 1268).

So zeigt die Zeichensprache das Machwerk der Menschen vor der unvergänglichen und unzerstörbaren Ordnung dieser Erde und Natur als albern und eitel. Architektonisch ist diese antithetische Strophe der vorangehenden genauestens verwoben. Sie zerreißt aber durch die Gesetze der Form die Bande der dunklen Mächte. Kälte, Frost und Härte sind durch das gewählte Wort, die fließende Weite des Satzes, den bewegten Rhythmus, durch „einwärtsglühende Versunkenheit" gelöst.

Gegen die „verborgenen Wurzeln" steht das Verglühen der offenen Blüte, gegen das Verscharren Pans die tiefe Kommunion mit Pan, gegen den Verrat an ewigen Ordnungen die Treue zum Ursprung im Lieben und Opfern, das die blutigen Hände entwaffnet und reinigt. Das Zeichen eines unzerstörbaren Bundes steht auf zwischen Sein und Zeit.

> „Mein Vater Du, ich hüte,
> Ich hüte Dich, mein Sohn."

Die Stellung der Worte verschlingt gütig und innig Urworte. Das Du und Ich schauen sich unmittelbar an, versinken zu einander, ohne sich ineinander zu verlieren. Ihr Ort ist übereinander. Es bleibt als selige Bestätigung ihrer Verbindung nur der Ausruf: „Mein Vater — mein Sohn" am Anfang und Schluß, „ich hüte" am Schluß und am Anfang der beiden Verszeilen, in ihrem diagonalen Schnittpunkt liegt das „Du".

Das kleine, sich opfernde Ich darf in das nie sterbende Du des Kosmos hinüberverlöschen und treibt aus dem kosmischen Du überpersönliche Frucht voll heiler Welt. „So tauschen Gesamt- und Einzelleben von ihrer Aura manchmal ein Weniges aus, ohne mit dem Erfahren des

Geheimnisses Welt jemals einen Schritt weiter, geschweige denn zu Ende zu gelangen." (Loerke: Meine sieben Gedichtbücher, Die Neue Rundschau 1936, S. 1252). Der gestörte Bezug des Menschen zur Erde und Welt ist im Bild des Geheimnisses der Natur, Pans, in einem wunderbaren Seinsvollzug wiederhergestellt, der in den Raum des Glaubens führt:

> „Alles ist an ein Jenseits nur Glauben,
> Und Du bist Ich, gewiß und rein."
> („Strom" in: Pansmusik).

Form und Stoff schaffen so in rechtem Einklang das Kunstwerk aus Leben und Geist, in seinem Strahl schauen wir die reinste Gegenwart des Göttlichen und Menschlichen. Diese Einheit ist Sieg gegen Willkür und Chaos, gegen die Barbarei dunkler Mächte, gegen den nihilistischen Ungeist.

Der Sieg liegt in dieser Kommunion DU : ICH, in der die Gegensätze Zeit und Sein sich aufheben. Hier gewinnt das Ich, der Mensch, die Stimme der „naturischen Einheit": „Die Sonne geht in ihm auf und ab, die Meere rauschen in ihm, die Ströme geben Gedanken und die Liebe ergreift ihn, er hört die Musik, die ein Stück der Musik der Welt ist — in ihm ist die ganze Welt vollkommen, die mag ich erhalten wollen: das wäre Opfer, die eigene Welt dafür auszulöschen, aber nichts anderes." (Loerke: Gedanken über den Krieg, in: Die Neue Rundschau 1951, S. 52).

Im Dichter begeben sich diese Geheimnisse, er ist durch die geschichtliche Erfahrung angerufen, das wahre Sein gegen das falsche Sein zu schirmen, stellvertretend für den ganzen Kosmos, mitten im Silberdistelwald bleicher, wilder Sterne. Loerkes Tagebücher erhellen vielfach dieses Gesetz der überpersönlichen Fruchtbarkeit in jenen Menschen, die das wahre Leben leisten: „Freude, daß es Menschen ab und zu gibt, die die Welt in der Gerechtigkeit halten." (Tagebuch, 16. 7. 1922). — „Gestern Stifters ‚Nachsommer' zu Ende gelesen. Dieses Buch ist ein großes Ereignis in meinem Leben. Ich weiß mich nicht zu entsinnen, wann ich mit derselben Erschütterung geschriebene Worte in mich aufnahm." (Tagebuch, 26. 5. 1925). „Gestern nachts und heute früh den Helena-Akt, Faust II mit ungemeiner Bezauberung gelesen." (Tagebuch, 14. 9. 1917). — Zu diesen Äußerungen muß man noch Loerkes Beziehung zur Musik stellen: „Die Musik setzt sich rhythmisch in meinem Körper um und läßt die Seele dann auch in meinem eigenen Gebiet produktiv werden ... Diese Kunst, immer neue Quellen meines Wesens öffnend. Ohne sie wären meine Phantasien wahrscheinlich ärmer, schlechter, belangloser für das verborgene Wesen der Dinge." (Tagebuch, 3. 12. 1913). „ . . . ich weiß genau, daß die Musik Bachs die größte auf Erden ist; ich weiß genau, daß ich die Musik Bruckners zeitlebens am meisten geliebt habe." (Letztwillige Bitten für den Fall meines Todes vom 6. 2. 1940). – „Man freut sich, daß schwarz nicht zugleich weiß sein kann, daß also niemand zugleich Mozart und den Teufel verehren kann." (Gedanken und Bemerkungen, undatiert, 1933-1938).

Aus diesen Stellen, die sich vermehren ließen, strahlt zwischen den bleichen starrenden Disteln jene Blüte, die, Pan zu tiefer Kommunion nachfallend, verglüht. Da war dem Ich der geheimnisvolle Ort gegeben, von dem, als Conclusio der ganzen Aussage, die letzte Strophe des Gedichts in mystischer Naturerfahrung spricht:

> „Mein Ort liegt waldinmitten
> Von stillstem Licht gefleckt."

In dieser Strophe wird das Prinzip der Aussage durch Form in besonderer Weise erhellt. Sie fällt bis zum Wort und zur Silbe in die erste Strophe ein, wiederholt Klang, Melodie und Reim:

> „Mein Haus, es steht nun mitten
> Im Silberdistelwald."

Mit dieser in sich ruhenden und doch deutlich zurückverweisenden Form wird ein bewußtes Gesetz der Kongruenz aufgestellt: „Ich weiß, daß dieselben Reime selten mehrmals verwendet werden, außer wo sie die seelische Kongruenz innerhalb meines lyrischen Gesamtbaus betonen, wobei man allerdings zugeben muß, daß sich nicht Silben reimen, sondern durch sie Dinge und Gedanken, daß aber die Reime nicht erst in ihren Gleichklängen entstehen, sondern früher." (Meine sieben Gedichtbücher, a. a. O. S. 1257).

In der Conclusio, dem Schlußstein des ganzen Baues, erfährt der Gleichnischarakter des Gedichtes seine Vollendung, die Metapher ihre Sinngebung. Über das Traumgesicht hinaus findet der Entsetzte und Gehetzte seinen Ort, seine Zuflucht. Der Ort ist den Empörern und Verfolgern unsichtbar, verwehrt, sie fallen wie ein Blitz ins Nichts, im Herzen des Verfolgten aber glüht das stille Licht. Der Ort des Bundes ist das Herz, dem durch die erfahrene und erlittene Wirklichkeit die Einsicht in die ewigen Zusammenhänge des Seins gegeben ward, so daß es unter diesem Sternenhimmel, an dem Zeit und Sein im Kampfe

sich begegnen, erweckt schlägt. So letztlich ist die geistige Bewälti-
gung der Erfahrung durch das Wort, daß der Ausdruck „Herz" zweimal genannt werden darf, einen Schaltsatz umschließend, der eine
plötzliche Sinnestäuschung ausgeschlossen haben will: „nichts kam
geritten", wie auch den Zauber irgendeiner Märchenwelt: „kein
Einhorn kam geschritten –". Die Wirklichkeit ist Traum und der
Traum die Wirklichkeit.
So hat der Dichter sein Erleben heimgeleitet in die Form der Existenz
durch Sprache, im Vers es aus der trüben Dumpfheit gerettet und in
die helle Wahrheit erhoben: Macht geht nicht vor Recht, unzerstörbar
bleiben Recht und Gesetz dieser Erde und Natur.
Das ist eine Botschaft, von der Loerke glaubt sagen zu dürfen: „Ich
muß nun die Überzeugung behalten, daß meine Verse nicht untergehen werden, bevor sie ihre Wirkung getan haben." (1. April 1934).
„ . . . Und würden sie vernichtet, sie haben ihren Raum in der geistigen Welt." (14. Sept. 1933).
Thomas Mann schrieb zu Loerkes Gedichtband „Atem der Erde":
„ . . .manches darin scheine schwerfällig–melancholisch–dunkel, aber
man müsse nur genau hinsehen, dann öffne sich eine klare Tiefe".
Dazu schreibt Loerke: „Auf diese Klarheit, die von der Verklärung
und Verdüsterung durch Klüfte getrennt ist, kam es mir immer an."

VI/140

Ob gehört, ob nie gelesen,
Hat nichts über uns entschieden;
Doch wir halfen mit am Frieden
Nur durch Dasein, nur durch Wesen.

Und wir wollen nichts vermehren
Oder gar für uns es rauben,
Wollen bloß, was gut ist, glauben,
Um die Erde so zu ehren.

(Oskar Loerke: Meine alten Verse)

Rupert Hirschenauer

GOTTFRIED BENN:
VERLORENES ICH

Verlorenes Ich, zersprengt von Stratosphären,
Opfer des Ion: — Gamma-Strahlen-Lamm —,
Teilchen und Feld: — Unendlichkeitschimären
auf deinem grauen Stein von Notre-Dame.

Die Tage gehn dir ohne Nacht und Morgen,
die Jahre halten ohne Schnee und Frucht
bedrohend das Unendliche verborgen —,
die Welt als Flucht.

Wo endest du, wo lagerst du, wo breiten
sich deine Sphären an —, Verlust, Gewinn —:
Ein Spiel von Bestien: Ewigkeiten,
an ihren Gittern fliehst du hin.

Der Bestienblick: die Sterne als Kaldaunen,
Der Dschungeltod als Seins- und Schöpfungsgrund,
Mensch, Völkerschlachten, Katalaunen
hinab den Bestienschlund.

Die Welt zerdacht. Und Raum und Zeiten
Und was die Menschheit wob und wog,
Funktion nur von Unendlichkeiten,
die Mythe log.

Woher, wohin —, nicht Nacht, nicht Morgen,
kein Evoë, kein Requiem,
du möchtest dir ein Stichwort borgen —,
allein bei wem?

Ach, als sich alle einer Mitte neigten
und auch die Denker nur den Gott gedacht,
sie sich den Hirten und dem Lamm verzweigten,
wenn aus dem Kelch das Blut sie rein gemacht,

und alle rannen aus der einen Wunde,
brachen das Brot, das jeglicher genoß —,
oh ferne zwingende erfüllte Stunde,
die einst auch das verlorne Ich umschloß.

In seinem Vortrag „Probleme der Lyrik"[1] vertritt Gottfried Benn den Standpunkt, daß ein Lyriker nicht mehr als sechs bis acht vollendete Gedichte zu schaffen vermag. „Die anderen mögen interessant sein unter dem Gesichtspunkt des Biographischen und Entwicklungsmäßigen des Autors, aber in sich ruhend, aus sich leuchtend, voll langer Faszination sind nur wenige . . ."
Wenn dieser Standpunkt Gültigkeit haben soll, muß er zunächst auf den Lyriker selbst anwendbar sein, der ihn vertritt. Dabei ist im Blick auf Benns bisheriges Gesamtwerk zweifelhaft, ob das Gedicht „Verlorenes Ich" zu den sechs bis acht „vollendeten" Gedichten seines Schaffens zu rechnen sein dürfte. Auf jeden Fall aber zählt es zu den bemerkenswertesten Beispielen moderner deutscher Lyrik. Das Gedicht ist von starker unmittelbarer Wirkung. Es trifft die Bewußtseinslage einer Vielzahl — man darf wohl sagen: der Mehrzahl — der Menschen unserer Gegenwart an ihren neuralgischen Punkten. Das ist gewiß kein Wertkriterium für ein lyrisches Gedicht schlechthin. Aber es ist eine kennzeichnende Eigentümlichkeit dieses m o d e r n e n Gedichts.

Soll die Interpretation einer modernen Dichtung zur Erschließung des ihr eigentümlichen unverwechselbaren Wesens führen — und nur das kann ihre Aufgabe sein! — so muß man grundsätzlich bereit sein, ihre dem Überkommenen gegenüber erheblich veränderte Eigenart als gegeben und als für die Beurteilung maßgeblich anzuerkennen[2].

So kann die grundlegende Forderung an ein modernes Gedicht nicht sein, daß es die thematischen, formalen und ästhetischen Prinzipien erfülle, die uns durch die große Lyrik vergangener Epochen vertraut sind, sondern einzig die, daß es einem echten Daseins- und Lebensgefühl des modernen Menschen spontan und unmittelbar Sprache verleiht und zwar in einer Gestalt, die dem Gegenstand angemessen ist, d. h. ihrerseits nichts anderes ist als geformter Ausdruck des Lebensgefühls. Ob und auf welche Weise das Gedicht „Verlorenes Ich" diese Forderung erfüllt, wird die Interpretation unter anderem zu erweisen haben. Gottfried Benn selbst behauptet: „ . . . hinter einem modernen Gedicht stehen die Probleme der Zeit, der Kunst, der inneren Grundlagen unserer Existenz weit gedrängter und radikaler als hinter einem

---

[1] Gottfried Benn: Probleme der Lyrik, Limes-Verlag, Wiesbaden 1951, S. 18.
[2] Vgl. dazu meinen Aufsatz: „Vom Wesen des modernen Gedichts und von den Möglichkeiten der Interpretation", in: Interpretationen moderner Lyrik, Verlag Moritz Diesterweg, Frankfurt 1954.

Roman oder gar einem Bühnenwerk. Ein Gedicht ist immer die Frage nach dem Ich, und alle Sphinxe und Bilder von Sais mischen sich in die Antwort ein."[3]

Die unmittelbaren Reaktionen auf das Betroffensein des einzelnen durch dieses Gedicht mögen sehr verschieden sein. Sie dürften mit mancherlei Abstufungen sich bewegen zwischen resignierender Zustimmung, daß es wohl leider tatsächlich so sei, und grundsätzlicher Ablehnung aus der Überzeugung heraus, daß das Ich auch heute noch nicht „verloren" und „was die Menschheit wob und wog" nicht „Funktion nur von Unendlichkeiten" sei. Handelt es sich dabei eindeutig um *subjektive Urteile,* so geht es der Interpretation um *objektive Einsichten.* Sie wird aber guttun, das Gefühl des persönlichen Betroffenseins durch die unmittelbare Wirkung des Gedichts zu nutzen als Wegweisung zu einem möglichen Zugang zum dem Gedicht Eigentümlichen und damit im weiteren zur Erschließung seines Wesens. Von der starken unmittelbaren Wirkung ausgehend, stellt sich dann an den Anfang der Interpretation die Frage: W a s ist hier zu solch erregender Wirkung gebracht und a u f w e l c h e b e s o n d e r e W e i s e? Das heißt also, daß zunächst die Frage nach dem *Gestaltungsgegenstand* des Gedichts zu stellen ist. Ihre Beantwortung ist nur möglich durch intensive Beobachtungen am Gedicht selbst. Sie führen notwendig zur Erschließung aller dem Gedicht eigentümlichen Elemente des Gehaltlich-Thematischen wie auch der sprachkünstlerischen Gestaltung im einzelnen und in ihrem Zusammenspiel als Wesensteile der Ganzheit des Gedichts.

Gegenstand des Gedichts ist das Ich in der Welt. Offenbar ist das Ich *jetzt* verloren, während es *einst* umschlossen war. Seine Verlorenheit ist bedingt durch den jetzigen Zustand der Welt. Einst war sie dem Ich Stätte der Geborgenheit, des Umschlossenseins, jetzt ist die Welt als Ganzes der Raum angstgetriebener Flucht.

Die Struktur des Gedichts stimmt mit der thematischen Gliederung genau überein: Dem „*Verlorenes* Ich" des ersten Verses entspricht das „die einst auch das verlorene Ich *umschloß*" des letzten Verses. Die ersten sechs Strophen vergegenwärtigen das Verlorensein des Ich und den Weltzustand der Gegenwart in ihrem Aufeinanderbezogensein. Die beiden letzten Strophen rufen die Vorstellung der Weltganzheit und Ich-Geborgenheit der Vergangenheit wehmütig in Erinnerung. Die sechs Gegenwartsstrophen sind ihrerseits gegliedert in

---

[3] Gottfried Benn: a. a. O., S 14.

zwei dreistrophige Gruppen, deren jeweils letzte Strophe (Vers 9 und Vers 21) das Ausgesagte aufgipfeln lassen in der bei aller Verlorenheit dringlichsten Frage: Wo? bzw. woher, wohin?

Gedankliche und strukturelle Achse des Gedichts aber ist jener lapidare Satz aus drei Worten, der die Ursache für das Verlorensein des Ich in der Gegenwart ausspricht: „Die Welt zerdacht." Dieser Satz steht genau in der Mitte des ganzen Gedichts. (Im 17. Vers von 34 Versen insgesamt.)

Der genauen Übereinstimmung von gegenständlich - thematischer Gliederung einerseits und struktureller Gesamtgestalt andererseits entspricht auch das rhythmische Gefüge des ganzen Gedichts. Die ersten sechs Strophen (Verlorenheit des Ich im Jetzt) haben durchweg hastenden, jagenden Rhythmus. Ausrufformen sind hart und ohne Überleitungen zueinander gestellt. Zur Ausformung ganzer Sätze bleibt keine Zeit (Bezeichnend das häufige Fehlen der Verben!). Die Wirkung des harten, hastenden und immer wieder von Intervallen in der Versmitte gebrochenen Rhythmus verbindet sich mit der des Aussagesinnes: „Die Welt als Flucht". (Deutlich erweist übrigens die gehäufte Verwendung kurzer Ausrufformen die Herkunft Gottfried Benns aus der Spätstufe des lyrischen Expressionismus.)

Von völlig anderer Art dagegen ist der Rhythmus der beiden letzten Strophen, die das Bild einstiger Ich-Umschlossenheit beschwören. Auf das einleitende „Ach, als sich alle . . ." (Vers 25) folgen lang ausschwingende Sätze. Der Rhythmus der Verse ist getragen und weich. Er verstärkt den Eindruck des trauererfüllten Wissens um ein unwiederbringlich Verlorenes, von dem die Schlußstrophen sprechen.

Was sich im Blick auf das Gedicht als Ganzes hat erschließen lassen, findet vielfache Bestätigung durch die Beobachtung im einzelnen: „Verlorenes Ich" (in der Überschrift und im ersten Vers) soll offensichtlich nicht heißen, daß das Ich abhanden gekommen, nicht mehr da ist. *Verloren* heißt hier: vom Ganzen abgerissen, ziellos umherirrend, angstvoll und verzweifelt suchend. In diesem Sinne ist es gebräuchlich etwa in der Redensart: „In der völlig fremden Umgebung kam ich mir ganz *verloren* vor." Trotz seiner Verlorenheit ist das Ich anwesend. Es wird im Gedicht selbst mehrfach angesprochen als Gegenüber, als Du (Vers 5, 9, 10, 12 und 23). Das Ich spricht sich dabei selbst als Du an. Das Gedicht ist in diesen Teilen Selbstgespräch. Auch das ist Kennzeichen der Verlorenheit: Ein echtes, wirklich antwortendes Du gibt es für das „verlorene Ich" nicht mehr. Es ist in absoluter Isoliertheit auf sich selbst verwiesen. Eine echte, tragende und haltende Beziehung ist nicht mehr vorhanden. Diese Tatsache ist gegenwärtig im ganzen Gedicht. Sie kommt unmittelbar zum Ausdruck in den Versen 23 und 24: „Du möchtest dir ein Stichwort borgen – allein bei wem?"

Im gegenwärtigen Zustand der Welt herrschen unheimliche Mächte, denen das Ich sich hilflos preisgegeben weiß. Sie sind im Gedicht allgemein bezeichnet als „das Unendliche" (Vers 7), „Unendlichkeiten" (Vers 19), desgleichen auch in der eigenartigen Verbindung „Unendlichkeitschimären" in Vers 3. (Vgl. dazu weiter unten!) Die erste Strophe versucht einige solcher „Unendlichkeiten" zu nennen: „Stratosphären", „Ion", „Gamma-Strahlen", „Teilchen und Feld". Nähere Auseinandersetzung mit den hier aufgerufenen technisch-wissenschaftlichen Bezeichnungen bzw. Begriffen läßt den Sinn des Wortes „Unendlichkeiten" erkennbar werden. Stratosphären sind Räume, mit denen die moderne Technik selbstverständlich rechnet, aber ihre Dimensionen liegen weit außerhalb aller menschlichen Vorstellungsmöglichkeiten. Sie sind daher für das Ich von „unendlicher" Größe. Seit das Ich um diese *„unendlichen"* Räume weiß, ist es „zersprengt", das heißt: aus der umschließenden Einheit einer Welt vertrauten Daseins und vertrauter Maße herausgerissen. („Zersprengt" in dem Sinne, wie wir dieses Wort im letzten Kriege gebrauchten, wenn wir melden mußten, daß unsere Einheit „zersprengt" sei und daß wir nun nicht wußten, wohin wir gehörten.)

Der *„unendlichen"* Größe der Stratosphären genau entgegengesetzt ist die ebenfalls unvorstellbare – *„unendliche"* – Winzigkeit des Ion, des kleinsten Teilchens der Materie. Seit es darum weiß, welche ungeheuren Kräfte grausigster Vernichtung in diesen *unendlich* kleinen Materieteilchen ausgelöst werden können, begreift sich das Ich als ihr „Opfer". Ähnliches gilt von den Gamma-Strahlen, den von radioaktiven Elementen ausgehenden „Todesstrahlen", wie sie die laienhafte Sprache richtig bezeichnet. Das erste und das letzte Wort des zweiten Verses schließen sich zusammen. Das Ich ist „Opfer-Lamm" dieser winzigsten „Unendlichkeiten". Es ist selbst „Teilchen und Feld" zugleich. „Teilchen" heißen jene „unendlich" kleinen Materieeinheiten mit elektromagnetischer Ladung, die sich nach den magnetischen „Feldern", in deren Kraftbereich sie geraten, gruppieren und ordnen müssen. Jedes „Teilchen" aber kann durch seine eigene Ladung auch zugleich die Funktion eines „Feldes" haben und dadurch seinerseits andere Teilchen zu bestimmter Gruppierung und Zusammenballung zwingen. Begreift sich das Ich als „Teilchen und Feld", so ist ihm damit bewußt, daß es sich nicht mehr nach eigenen Willensentscheidungen frei bewegen kann, sondern nur noch Funktionen ausübt, die von unvorstellbaren Kräften ausgelöst und gelenkt werden. Die Bedeutung des Wortes „Funktion" (Vers 19) wird hier schon erkennbar, nachdem einsichtig geworden ist, was mit „Unendlichkeiten" bezeichnet sein soll.

Auf die wissenschaftlich-technischen Begriffe der ersten Verse, die ja ob ihrer „unendlichen" Maße keine eigentlichen Bildvorstellungen bewirken können, folgt (in den Versen drei und vier) ein Bild, das sich zunächst nicht recht in diese Umgebung zu fügen scheint: „Unendlichkeitschimären auf deinem grauen Stein von Notre Dame". Bild und Sinnzusammenhang aber erschließen sich von der spezifischen Bedeutung der „Unendlichkeiten" in Benns Gedicht her: Die mittelalterlichen Steinmetzen versuchten, in den Fabelwesen, die sie an den gotischen Kathedralen anbrachten, das grausig-dämonisch Unheimliche und Bedrohende der Welt, wie sie es in ihrer Zeit kannten oder verspürten, phantasievoll zu verkörpern[4]. Die Chimären sind „auf deinem grauen Stein" angebracht, an den Türmen und Mauern außerhalb des geweihten Kirchenraumes, zu dem ihnen der Zutritt verwehrt ist. Dort, im „Außerhalb" ist ihr Herrschaftsbereich, eben dort, wo das Ich jetzt ziel- und ruhelos umherirrt. „Auf *deinem* Stein" kann nur heißen, daß der Kirchenbau als von Menschenhand Geschaffenes zum Vertrauten, Beheimatenden gehört im Gegensatz zu den Gegenständen modernen wissenschaftlich-technischen Denkens, das zwar auch von Menschen vollbracht wird, aber Bedrohendes, unfaßbar Schreckliches verwirklicht hat. Die beiden letzten Strophen machen diesen Sinn deutlich: „Dein grauer Stein von Notre Dame" stammt noch aus der Zeit, als „auch die Denker nur den Gott gedacht". Seit die Menschen „die Welt zerdacht" haben, sind nun die „Unendlichkeiten" das Grauenhafte, Entsetzliche, Dämonische, das das Ich bedrohend umlauert. Sie sind ebenso unvorstellbar und unfaßbar und im Letzten unabbildbar, wie das Grauen, das die Menschen einst in den Phantasiegebilden der Chimären zu verkörpern suchten.

Dem sich verloren wissenden Ich ist die Zeit als geordnetes, organisches Maß im Daseinsverlauf verstört. Die Tage sind nicht mehr sinnerfüllter und vertrauter Wechsel von Tätigkeit und Ruhe. Nacht und Morgen sind ohne Bedeutung. Die Jahre sind nicht mehr durch

---

[4] So sieht jedenfalls ihre Bedeutung im Sinnzusammenhang des Benn'schen Gedichtes aus, unabhängig von jeglicher kunsthistorischen Deutung.

den natürlichen Rhythmus der Aufeinanderfolge der Jahreszeiten und der ihnen zugeordneten vertrauten Lebenserscheinungen der Natur bestimmt, sondern nur noch vorüberfliegende Zeiteinheiten. Jeden Augenblick kann das bedrohend lauernde „Unendliche" vernichtend hervorbrechen. Die Welt, einst Heimat und Erfüllungsbereich menschlichen Daseins mit ihren festen Gegebenheiten von Zeit und Raum, ist jetzt der Schauplatz ruheloser Flucht. Gottfried Benn liefert selbst einen Kommentar zu den beiden ersten Strophen des Gedichts in dem Gespräch „Drei alte Männer"[5]: „Innerhalb eines Zeitalters, das seine Perspektiven so ins Imaginäre verlängert, rückwärts in Lichtjahre, die nie einer sah, vorwärts in Zahlen und Ideen, zu denen keine Anschauung je noch vordringen kann, gibt es einen Maßstab für Sinn und Wahnsinn überhaupt nicht mehr."

Die dritte Strophe schließt unmittelbar an und erweitert das Bewußtsein des Verlusts der zeitlichen Lebensordnung zugleich auf das Räumliche. Dreimal klingt die Frage auf: Wo? Jede Flucht hat ein Ende. Wenn aber die Welt selbst Flucht ist, gibt es in ihr keinen Platz mehr, an dem das Fliehen enden, das Ich einen Ruhepunkt („wo lagerst du") finden könnte. Es gibt dann auch keinen Ort, wo sich die Ich-Sphären „anbreiten", Kontakt und Aufnahme finden könnten. Das sprachlich-klangliche wie auch das sinnhaltige Wiederantönen von „Stratosphären" im Gleichlaut und Kontrast zu „Sphären" unterbaut und verstärkt die Wirkung dieser drei Fragen ohne Antwort. Jeglicher Einfluß auf das Verhältnis von Verlust und Gewinn im Dasein ist dem Ich entzogen. Das Spiel wird von „Bestien" gespielt. „Bestien", ein anderes Wort für „Unendlichkeiten", ähnlich wie „Unendlichkeitschimären".

„Ewigkeiten" (Vers 11) darf nicht als andere Bezeichnung von „Unendlichkeiten" aufgefaßt werden. Sie sind wohl zu verstehen als die tatsächlichen Ruhebereiche des gehetzten Ich. Aber sie sind durch Gitter, durch unüberwindbare Hindernisse versperrt. An ihnen flieht das Ich entlang, der Zugang zu ihnen ist verschlossen.

Die vierte Strophe ist als Ganzes ohne weiteres verständlich. Doch enthält sie einige sprachliche Schwierigkeiten, wenn nicht Schwächen. „Der Bestienblick": Die mit der Vorstellung „Bestien" belebten „Unendlichkeiten" sind so gewaltig, daß für sie die Sterne, für den Menschen bisher mit der Assoziation des Fernsten, der Weite des Weltalls verbunden, nur die „Kaldaunen", also die Eingeweide bilden. Vor

---

[5] Gottfried Benn: Drei alte Männer, Limes-Verlag, Wiesbaden 1951.

diesem Blick, im Bewußtsein seiner Drohung, erscheint der „Dschungeltod" im unübersehbar orientierungslosen Auf-der-Flucht-Sein des Ich als „Seins- und Schöpfungsgrund". Die biologisch orientierte Weltanschauung Gottfried Benns, die den Menschen jeglichen personalen Eigenwertes entkleidet, bricht hier brutal und ungehemmt durch. Die Belebung der zunächst technisch-wissenschaftlich begriffenen „Unendlichkeiten" als „Bestien" faßt konsequent in Bennscher Manier Weltall, Einzelexistenz und Menscheitsgeschichte biologistisch in erschreckender Raffung. Die Sterne werden zu Eingeweiden, die Geschichte in ihren großen weltgestaltenden Ereignissen der Vergangenheit zum Sturz in den Bestienschlund der jetzt welt- und daseinsbeherrschenden „Unendlichkeiten". Dabei ist der Untergang des Menschen im Unentwirrbaren („Dschungeltod") biologistisch zum „Seinsund Schöpfungsgrund" erhoben. – „Katalaunen" kann man nur als eine recht unglückliche Neubildung (Schlacht auf den Katalaunischen Feldern, 451 n. Chr.) bezeichnen; im übrigen wiederholt sie nur, was bereits mit „Völkerschlachten" ausgesagt ist. Der gegenwartsbezogene Sinn der vierten Strophe wird trotzdem klar. Ereignisse der Geschichte, wie die Schlacht auf den Katalaunischen Feldern, von denen wir uns einbildeten, daß sie das Abendland vor der asiatischen Überflutung retteten, sind vor den „Unendlichkeiten" der Gegenwart bedeutungslos. Mensch, Geschichte, Räume und Zeiten, Helden und Taten sind nichtig und sinnlos im unvermeidlichen Sturz in den „Bestienschlund".

Die fünfte Strophe bezeichnet zunächst die Ursache für den gegenwärtigen Weltzustand und für die in ihm begründete Verlorenheit des Ich, um dann die Konsequenz des „Die Welt zerdacht" in formelhaft nüchtern wirkender Zusammenziehung nocheinmal aufzuzeigen. „Zerdacht" – die Vorsilbe „zer" hat immer den Sinn von zerstörendem Auseinanderreißen von etwas Gefügtem, Ganzem. Denken als den Menschen auszeichnende Fähigkeit ist zum „Zerdenken" und damit zu zerstörerischer Wirkung gelangt, seit der dem Menschen eigene Erkenntnisdrang beim Denken der Ganzheit nicht stehengeblieben, sondern in die Bereiche des nicht mehr sinnenhaft Wahrnehmbaren vorgedrungen ist. Solches Denken war auch dem Menschen der Vergangenheit eigen, aber damals richtete es sich auf Gott (Vers 27), in räumlichem Sinn auf „die Mitte" (Vers 26). Jetzt aber ist es nach außen, über die gegebenen Grenzen hinaus, gerichtet, es ist zum Auseinander-Denken, zum „Zerdenken" geworden. Im Überschreiten der Grenzen der Wahrnehmbarkeit hat der Mensch das Wissen erworben um die „Unendlichkeiten" der Realität. Dem Menschen aber ist als Herrschaftsbereich das „Endliche" zugeordnet: Das „Unendliche" konnte er zwar entbinden, aber kann es nicht lenkend beherrschen. Nun sind die „Unendlichkeiten" da. Und angstgeschüttelt flieht der Mensch vor den unbeherrschbaren Mächten, die er durch sein „Zerdenken" der Welteinheit ihrer Fesseln entledigt hat. Alle Sicherheiten, alles einst selbstverständlich Gegebene hat in der „zerdachten Welt" seine einstige Kraft verloren: Raum- und Zeitmaße und -begriffe, Zeiten und Zeitalter, Menschheitsgeschichte und damit alles, „was die Menschheit wob und wog". Es ist „Funktion" unfaßbarer, unsichtbarer und doch gewußter und in ihren grausigen Wirkungen verspürter Mächte. Zwar weiß der Fachwissenschaftler diese Funktionen in mathematisch-physikalische, chemische oder biologische Formeln zu fassen. Ihre grauenhaften, vernichtenden Wirkungen aber sind dem einzelmenschlichen Willensbereich entzogen.

Die letzte Konsequenz alles dessen ist dann, daß „die Mythe log" (Vers 20). Was von der Frühzeit der Völker an Vorstellungen über die Weltschöpfung, einzelne Götter und Heroen geglaubt oder doch wenigstens als Überliefertes hochgehalten worden war, ist entwertet in einer „zerdachten Welt", in der alles Geschehen nur noch Funktion der vorher gekennzeichneten „Unendlichkeiten" ist.

Die sechste Strophe vergegenwärtigt noch einmal die Situation des Ich im gegenwärtigen Weltzustand. Nicht nur das Fehlen jeglichen Ziels — „wohin" —, sondern auch jeder Verwurzelung im Vergangenen — „woher" —, wird erschreckend bewußt. Die absolute Ich-Vereinsamung begreift sich in dem unteilnehmenden, empfindungslosen Schweigen der Umwelt. Weder Begrüßung für den Kommenden noch Trauer um den Scheidenden ertönt. Ringsum ist nur das drohende Lauern der Unendlichkeiten. Und doch möchte das dermaßen sich verloren wissende Ich seinem Dasein einen Sinn geben. Es verlangt nach dem „Stichwort", das ihm gilt, damit es den Augenblick seines Auftritts erfahre. Es möchte sich ein Stichwort wenigstens „borgen", damit es seine Rolle im Dasein spielen und ihm dadurch einen Sinn geben kann. „Allein bei wem?" In der „zerdachten Welt" ist ja niemand da, von dem du ein Stichwort auch nur borgen könntest. Ringsum ist nur das drohende Schweigen der „Unendlichkeiten".

Aber da wird die Erinnerung wach: „Ach — einst!" — Einstmals, ehe die Denker die Welt „zerdacht" hatten, da war sie doch eine Ganzheit, in deren harmonischer Ordnung jedes Einzelwesen seinen ihm gemäßen Platz, seine Verwurzelung, sein Stichwort und seine ihm

zugewiesene Rolle hatte. Damals war die Blickrichtung nicht nach
außen, über das „Endliche" der Schöpfung und ihre gefügten Ordnungen hinaus, wo die Chimären des Unendlichen hausen. Alle, auch die
Denker, dachten nur Gott als die Mitte des Seienden, ihr Denken war
nicht auflösend, sondern bindend und verbindend. Damals „verzweigten" sie sich „den Hirten und dem Lamm", dessen Blut sie alle
reinigte. Sie waren eingefügt in die große Gemeinschaft der Kommunion. Der einzelne war Glied des Ganzen. Und für jeden einzelnen
war das Blut des Lammes vergossen worden. Das reine Gegenbild
zum gegenwärtigen Weltzustand der ersten sechs Verse formt sich
aus: Hirten und Lamm als Bild des Behütet- und Bewahrtseins. Das
reinigende Blut des göttlichen Opferlammes – welch ein Gegensatz
zum sinnlosen Opfer des Ich als „Gamma-Strahlen-Lamm". Damals
„eine Mitte", *„alle"*, *„eine* Wunde", dazu das Bild des Brotes, das die
Hirten brachen und das *„jeglicher* genoß". Damals war die „Stunde"[6]
erfüllt. Das für sich immer, auch damals, „verlorene Ich" war umschlossen und wußte sich geborgen. Während jetzt Zeit- und Raum-
einheiten zersprengt, aller haltenden Kraft entkleidet sind, war jene
Zeitenstunde „zwingend" und „erfüllt". Für das Damals steht das Bild
des von Hirten behüteten Lammes. Und als Sinn: Christus selbst, Gott,
Lamm und Hirte in einer Person und durch die Teilhabe an seinem
Blut und Leib im gemeinsamen Essen und Trinken das Umschlossen-
und Eingefügtsein eines jeglichen. Das einzelne Ich nicht, wie jetzt,
verloren, sondern „umschlossen" in der Ganzheit Welt und ihrer
Ordnung von Gott und in Gott. Nicht „Unendlichkeitschimären", son-
dern „Hirten und Lamm", nicht „Tage ohne Nacht und Morgen" und
„Jahre ohne Schnee und Frucht", sondern „eine zwingende erfüllte
Stunde", die alles, auch das „verlorene Ich" umschloß.
Aber zwischen dem Jetzt, in dem alles nur noch „Funktion" von
unvorstellbaren „Unendlichkeiten" ist und dem „Einst" der „erfüllten
Stunde" steht das „Ach" und (im Vers 31) dazu das „oh ferne Stunde,
die einst". Offensichtlich gibt es für den Dichter zwischen dem erlebten „Jetzt" und dem erinnerten „Einst" keine verbindende Brücke.
Das ganze Gedicht ist nur nüchterne Feststellung des Sachverhaltes
jetzt und des Wissens um das „Einst". Das „Ach" des 25. Verses macht
deutlich, daß das schöne Bild einstiger Gottes-Welt und Menschenord-

---

[6] Die „Stunde", in Benns Lyrik immer wieder auftauchend als Zeitraum des
bewußt erlebten, erfüllten Augenblicks, hier als besonderes Kennzeichen
Benn'scher Lyrik zu untersuchen, gehört nicht in den Aufgabenkreis einer
Einzelinterpretation.

nung nicht mehr ist als der Ausdruck traurigen Wissens um unwiederbringlich Verlorenes.

Wenn irgendwo, so tritt in diesem Gedicht Gottfried Benns seine hohe sprachkünstlerische Meisterschaft und zugleich seine Problematik deutlichst in Erscheinung. Das Gedicht vergegenwärtigt ein ganz und gar aktuelles Daseinsproblem unserer Tage. Es betrifft das menschliche Ich der Gegenwart und seine verzweifelte Situation schlechthin. Die zunächst ungewöhnlich scheinenden Mittel der Gestaltung erweisen sich bei näherer Beobachtung als dem Gestaltungsgegenstand durchaus angemessen. Wissenschaftlich-technische Fachausdrücke wie „Stratosphären", „Ion", „Gamma-Strahlen", „Teilchen und Feld" und „Funktion" sind heute nicht mehr auf die Fachsprache begrenzt, sie sind charakteristisch für die Gebrauchssprache. Daß sie zu selbstverständlichen Elementen der Gebrauchssprache geworden sind, kennzeichnet das tatsächliche Verändertsein der Welt, das tatsächliche Wirksamsein jener Mächte, die Benn als „Unendlichkeiten" bezeichnet und damit die Situation des menschlichen Ich in der Gegenwart. Ist Lyrik immer „die Frage nach dem Ich", so sind damit solche wissenschaftlich-technischen Begriffsbezeichnungen heute auch legale Ausdruckselemente der Lyrik. Daß es Benn gelingt, sie so zu fügen und zu verwenden, daß sie die überlieferte Form des lyrischen Gedichts nicht sprengen, sondern ihre Erfassungskapazität derart erweitern, daß das Lebensgefühl und die Daseinssituation des modernen Menschen in ihr Raum und Ausdruck finden, kennzeichnet den Meister lyrischer Wirklichkeitsgestaltung der Gegenwart. Bis in die Struktur der einzelnen Verse ist das Gedicht vom Bildlichen wie vom Klanglichen rhythmisch und gedanklich durchkomponiert. Assonanzen innerhalb der Verse sind ebenso zur Wirkung gebracht wie sinnbetonende Lautfolgen „Opfer des Ion", „Gamma-Strahlen-Lamm", „wob und wog", „Ach, als sich alle" usw.). Zahlreiche Bindungen geben der Gedichtgestalt den Charakter des in sich ruhenden, geschlossenen Sprachgebildes. (Mit dem „zerdacht" verbindet sich das „und auch die Denker nur den Gott gedacht", mit „Gamma-Strahlen-Lamm" das „den Hirten und dem Lamm".) Zahlreiche andere Beispiele wurden im Verlauf der Interpretation schon genannt.

Neben den Begriffen moderner wissenschaftlich-technischer Weltveränderung aber stehen die Namen und Bilder, die das Bewußtsein europäischer Kultur- und Geistestradition vergegenwärtigen: „Notre Dame", „Mythe", „Evoë und Requiem". Sie bringen durch ihr Aufgerufensein den grausigen Weltzustand nach dem „Zerdenken" gerade durch den Kontrast zu stärkerer und unmittelbarerer Wirkung.

Daß sich in der dritten und vierten Strophe Bilder durchsetzen, die das Nichts, dem das „verlorene Ich" sich ausgeliefert weiß, in biologischen Vorstellungsbereichen (Bestie, Bestienschlund, Kaldaunen, Dschungeltod) vergegenwärtigen, kennzeichnet die *Welt- und Menschensicht* des Dichters. Über sie zu sprechen und zu ihr, so wie sie im Gedicht erscheint und Mensch und Welt erscheinen läßt, Stellung zu nehmen, gehört zur unerläßlichen Aufgabe der Interpretation, nachdem sie das „Was" und das „Wie" des Gedichts beobachtend erschlossen hat.

Das Gedicht ist echter und spontaner Ausdruck des Daseinsbewußtseins und des Lebensgefühls des modernen Menschen in sprachkünstlerisch vollendeter Gestaltung. (Über die sprachliche Schwäche in Vers 15 wurde oben bereits gesprochen.) Es ist zugleich umfassendes Zeugnis über den Lyriker Gottfried Benn. Die um Objektivität der Einsichten bemühte Interpretation dieses Gedichts kann und sollte im gegebenen Fall die Grundlage bilden für eine Gesamtcharakteristik seiner Persönlichkeit, seines Werkes und seiner Welt- und Menschensicht. Seine Herkunft und Verwurzelung im lyrischen Expressionismus, seine Eigenart der lyrischen Gestaltung und sein seit dem Anfang der zwanziger Jahre im letzten Grunde kaum verändertes Weltbild lassen sich von diesem Gedicht aus ohne besondere Schwierigkeiten aufweisen. Doch ist dazu im Rahmen dieser Einzelinterpretation nicht der Raum. Auf jeden Fall erweist sich Gottfried Benn mit diesem Gedicht als ein unvergleichlich scharfer und genauer Beobachter der gegenwärtigen Daseinssituation des Menschen. Er hat die Kraft, das Erkannte in hoher sprachkünstlerischer Meisterschaft im Gedicht Gestalt werden zu lassen. Konsequenz seines kompromißlos biologischen und nihilistischen Standpunktes ist es, daß für ihn „die Welt zerdacht" und das Ich „verloren" ist und daß ihm die Umschlossenheit des Ich in der christlichen Heilsbotschaft nicht mehr sein kann als traurig-wehmütige Erinnerung, die für ihn im Heute keine Kraft mehr hat. Diese Feststellung aber zwingt zu der anderen, daß dies nicht die einzige Einstellung zum gegenwärtigen Zustand der Welt und zur Daseinssituation des Ich sein kann. Ihr gegenüber steht die andere, die ihre lyrische Gestaltung gefunden hat in Werner Bergengruens Gedicht „Ruhm des Menschen und seiner Zukunft"[7]. Auch

---

[7] Werner Bergengruen: Die heile Welt, Gedichte, München 1950, S. 25 ff.

in diesem Gedicht ist die Rede von Atomen, Stratosphären, Protonen und Elektronen, also von dem, was Benn als die „Unendlichkeiten" bezeichnet:

> „Zertrümmerer der Atome, Überspringer
> des Raumes, zertrümmere, überspringe auch
> das letzte Graun in dir . . ."

heißt es in Bergengruens Gedicht. „Nichts ist verloren" — so ist dort die Überzeugung. Und:

> „So schleudere die angeerbte Furcht hinweg,
> Verwinde den Schauer vor dem Schrecknis,
> den die Unermeßlichkeit dir kalt entgegenhaucht."

Hier wird die *andere Überzeugung* Wort. Und ihre letzte Erkenntnis ist nicht „Die Welt als Flucht", sondern das vertrauensvolle „Ja" des Menschen zur Erschließung der gewaltigen Kräfte der Welt als Vollzug des göttlichen Auftrages an das menschliche Geschlecht:

> „Denn das Unendliche mindert sich nicht,
> wenn das Endliche wächst.
> Und das Geheimnis verbleibt."

Bezeichnet Benns Gedicht „Verlorenes Ich" die *eine* (extreme) Position der modernen Dichtung, so das Bergengruens die *andere*. Interpretieren heißt zuletzt: Stellung beziehen. Die Entscheidung hat der einzelne zu fällen im Bewußtsein der Verantwortung vor der Mitmenschheit, vor dem eigenen Gewissen, vor Gott!

Helmut Motekat

GEORG TRAKL:
VERFALL

Am Abend, wenn die Glocken Frieden läuten,
Folg ich der Vögel wundervollen Flügen,
Die lang geschart, gleich frommen Pilgerzügen,
Entschwinden in den herbstlich klaren Weiten.

Hinwandelnd durch den dämmervollen Garten
Träum ich nach ihren helleren Geschicken
Und fühl der Stunden Weiser kaum mehr rücken.
So folg ich über Wolken ihren Fahrten.

Da macht ein Hauch mich vom Verfall erzittern.
Die Amsel klagt in den entlaubten Zweigen.
Es schwankt der rote Wein an rostigen Gittern,

Indes wie blasser Kinder Todesreigen
Um dunkle Brunnenränder, die verwittern,
Im Wind sich fröstelnd blaue Astern neigen.

„Am Abend" – ein voller vokalischer Akkord setzt ein. Etwas Beruhigendes und Bergendes geht von ihm aus. Des Tages Hast verklingt,
des Tages Ziele sind erreicht oder unerreichbar geworden. Der
Mensch fühlt Frieden. Glocken verkünden und stimmen läutend an
die begnadete Ruhe des Alls, die gesegnete Stille der Nacht.

„Am Abend, wenn die Glocken Frieden läuten . . ."

Der Mensch sieht nun von den Vordergründen des Tages und des Ichs
als von vorläufigen Helligkeiten ab, kommt zu sich, indem er den
Abend schaut und sinnt. Mit Einstimmung und Einklang in das kosmische Geschehen wird er fähig, das „Wundervolle" zu erfahren, das
sich jenseits des „Dämmervollen" begibt, welches nun „am Abend"
auf Garten und Erde, auf Wege und Wandlungen sinkt. Der gepflegte
Garten, dieses dem Menschen gewonnene Stück Diesseits, in dem der
späte Schauende „dahinwandelt", hüllt sich in Dämmer. Das Irdische
will sich mehr und mehr entziehen.

Am Horizont aber leuchtet noch Licht, in das hinein Scharen von Vögeln ziehen. Der Schauende folgt ihrem Flug. Sie streben in die Weite, die der Herbst klärt und wohl auch verklärt: Klarheit und Verklärung der Reife.

Nach ihrem Gesetz geschieht im Herbstabend die Scheidung: Stoffliches, Vitales, Schweres fällt ins Irdische, in die Farbe der Nacht und „ver-fällt", Geistiges und Leichtes, vom Wesen des Überirdischen, ordnet sich dem Licht zu, das entweicht.

Der Zurückbleibende „folgt" den „wundervollen Flügen". Er schaut den Vogelscharen nach, sein Herz geht mit, er „folgt" ihnen, die in die „herbstlich klaren Weiten entschwinden". Sie dürfen „ihren helleren Geschicken" zueilen; denn sie sind des Fluges fähig, der Enthebung über Erdenschwere, hinauf über das Begrenzende, „über Wolken", hinein in das grenzenlos Gültige.

Sehnsüchtig und gebannt „folgt" der Mensch. Es ist ein geistiges Folgen. Er „träumt" dem Übergang in das Gültige nach, „ihrem" besseren Schicksal. Er vergißt die Zeit und den eigenen Fort-Schritt in den Dämmer.

> „Und fühl' der Stunden Weiser kaum mehr rücken."

Der Schauende ist der Erde und ihrem Wesen, der Zeit, entrückt. Im Anschauen rührt er an gültige Klarheit. Die Flüge der Vögel werden ihm „wundervoll", der Wunder voll. Sie werden Zeichen, wie in uralten Auspizien. Sie weisen aus der Ebene des Logos und Chronos in das Reich des Mythos. Der Sinn ruht im Bild. Der in die kosmischen Mythen Einstimmende analysiert nicht, zerlegt und zerdenkt nicht, er schaut und weiß. Sein Wissen ist ursprünglich, erlebtes Wissen. Er schaut die Zeichen und weiß das Gleichnis: „gleich frommen Pilgerzügen". Das ist die Frömmigkeit rechten Hinüberschwindens in das hellere Dasein, das Wesen des Fromm-seins, das der Pilger hat.

Es bleibt ein Gleichnis; denn kosmische Mythen sind kein Weg mehr in einer Welt, deren Abende von christlichen Glocken angestimmt werden. Eine innere Grenze ist berührt.

Da wird der Schauende seiner Entrückung bewußt, erkennt, daß er hier im begrenzten, „dämmervollen Garten wandelt" und den Vögeln nur mit den Augen „folgt". So nimmt er denn den Auftakt mit „So folg ich . . ." wieder auf, die Quartette auch inhaltlich rundend.

Volle Vokale tragen diese Klänge, alliterierend in F, V und W. Da spricht nichts von Erregtheit, von Morbidität, da ist nichts von Verfall; auch nicht in den klingenden Reimen, die jedes der Quartette

umfassen (abba cddc). Unirdisch wirken die Farben: „dämmervoll . . .
klar . . . heller" — eigentlich keine Farben, sondern Stärken des
Lichts; denn der Schauend-Träumende beobachtet nicht.

„Da macht ein Hauch . . ."

Und siehe, welche Erschütterung! Das Reimgefüge ordnet sich um,
die weiterhin klingenden Reime der Terzette finden sich kreuzend zu
Terzinen. Die Farben werden wieder wirklich, werden rot und rostig,
blaß und dunkel, sie entmischen sich, Grün, der Ausgleich, fehlt, der
letzte Blick verliert sich ins Blau, der himmlischen Farbe, die enthebt, der Herzfarbe Trakls.

Die Wirklichkeit kehrt ins Bewußtsein. Die Entrückung schlägt um
in Empfinden gegenständlicher Diesseitigkeit, in Zittern, Klagen,
Schwanken, Rosten, Verwittern, Frösteln und endet im Neigen vor
dem Unausweichlichen. Ernüchtert wird der Garten gesehen, das Einzelne beobachtet und festgestellt. Die Erdendinge bekommen Gewicht,
ja Übergewicht.

Die Amsel, nun die genaue Bestimmung im Gegensatz zu den „Vögeln"
vorher, der schwarze Vogel „klagt" von „entlaubten Zweigen". Die
Bäume haben, herbstlich, das Laub, ihr Organ zu atmen und zu
leben, verloren. Sie stehen nackt. Dies Entlaubt-sein wird jäh und
schrecklich wahr-genommen. Eisengitter verfallen; sie rosten und
bieten dem auch schon verfärbten, „roten Wein" kaum noch Halt.
Selbst die Brunnen, edle Gefäße des ewig Quellenden, vergehen im
Wechsel der Wetter: sie „verwittern". Sogar Stein zerfällt in die Elemente. Das Bild von Kindern taucht auf; allein es ist kein Bild des
Lebens und einer blühenden Zukunft; sie sind blaß und tanzen dem
Tod einen Reigen, ein schauerliches Bild wie aus einem Totentanz des
Mittelalters. Nicht die Pflanze dient hier als Gleichnis des Menschen,
umgekehrt, der Mensch gibt wieder, wie bei den „Pilgerzügen", das
Beispiel nur für den kosmischen Vorgang, der mehr ist. Der Mensch
scheint nur Element, aufgehend im Kosmos, dessen Fatum unterworfen.

Mit dem kalten Hauch, am Eingang der Terzette, verschwindet die
Aussage in der ersten Person. Das Ich, das träumend zu seinem besseren Teil fand, wird Objekt. Ein ursprüngliches Es dringt vor, der
Mensch hat weder Stand noch Eigenwert, die Welt um ihn her ist
jeder Dauer ledig, verfällt ungehemmt, und er vermag nichts, als
diesem Verfall menschliches Gleichnis zu geben, mit menschlichen
Augen zu sehen. Unter dem Klageruf des schwarzen Vogels tanzen

die Astern, todkranken Kindern gleich, deren Blüte gebrochen ist, einen Reigen, frierend im kalten Wind, dem letzten und äußersten Element in der Welt Trakls, stofflos, Bote aus eisigem Weltraum.

Aus dem Traum, aus beflügelter Sehnsucht stürzt der Mensch in entlaubte Wirklichkeit, deren Wahrheit Tod heißt. „Ein Hauch", ein leises Rühren der Luft, genügt: eine Sekunde lang... plötzlich... „da". Erschütterung quert das Herz. Der „hellere Geschicke" Schauende „erzittert" betroffen.

Abend und Herbst oder genauer: Abend im Herbst — es sind die Gezeiten Georg Trakls. In diesem Zeichen sieht er die Welt. Kaum ein Gedicht ohne den bitteren Grundton, ohne die Grundfarbe Schwarz. Die Welt ist immer Übergang, für Trakl aber nur vom Tag in die Nacht, von der Blüte in den Frost, vom Leben in den Tod. Tages- und Jahreszeiten decken sich im Zeichen des Vergehens, keinesfalls zufällig. Beide, Abend und Herbst, reichen vor und zurück, haben Teil an beiden Bereichen, an Helle und Dunkelheit. An der Grenze des Doppelbereichs, zugewandt dem Nächtigen, siedelt Trakls Dichtung.

Am Verfall der Welt erfährt der Mensch die Vergänglichkeit. Wohl versucht er, in Sehnsucht und Traum dieser Wirklichkeit zu entrücken. Es gelingt nicht, weil der Glaube nicht hält. Der Rückfall auf das Vergehende ist darum endgültig. Ausweglos scheint der Mensch ins Zeitliche geworfen. Sein Schicksal ist unausweichlich.

So leistet hier der Mensch nichts? Verzweifelt er einfach? Resigniert? Er spürt das Dunkel Einbrechende als das Letzte, vor dem er nicht Stellung bezieht — und doch hält er das verfallende Dasein noch zusammen. Noch sagt er den Verfall gemessen aus, in betonter Form, die noch das Zerstörende bannt: im Sonett in Moll.

Albrecht Weber

GEORG TRAKL:
DER GEWITTERABEND UND DAS GEWITTER

VIII/104, 102

Der Gewitterabend

O die roten Abendstunden!
Flimmernd schwankt am offnen Fenster
Weinlaub wirr ins Blau gewunden,
Drinnen nisten Angstgespenster.

Staub tanzt im Gestank der Gossen.
Klirrend stößt der Wind in Scheiben.
Einen Zug von wilden Rossen
Blitze grelle Wolken treiben.

Laut zerspringt der Weiherspiegel.
Möwen schrei'n am Fensterrahmen.
Feuerreiter sprengt vom Hügel
Und zerschellt im Tann zu Flammen.

Kranke kreischen im Spitale.
Bläulich schwirrt der Nacht Gefieder.
Glitzernd braust mit einem Male
Regen auf die Dächer nieder.

Das Gewitter

Ihr wilden Gebirge, der Adler
Erhabene Trauer.
Goldnes Gewölk
Raucht über steinerner Öde.
Geduldige Stille odmen die Föhren,
Die schwarzen Lämmer am Abgrund,
Wo plötzlich die Bläue
Seltsam verstummt,
Das sanfte Summen der Hummeln.
O grüne Blume —
O Schweigen.

343

Traumhaft erschüttern des Wildbachs
Dunkle Geister das Herz,
Finsternis,
Die über die Schluchten hereinbricht!
Weiße Stimmen
Irrend durch schaurige Vorhöfe,
Zerrißne Terrassen,
Der Väter gewaltiger Groll, die Klage
Der Mütter,
Des Knaben goldener Kriegsschrei
Und Ungeborenes
Seufzend aus blinden Augen.

O Schmerz, du flammendes Anschaun
Der großen Seele!
Schon zuckt im schwarzen Gewühl
Der Rosse und Wagen
Ein rosenschauriger Blitz
In die tönende Fichte.
Magnetische Kühle
Umschwebt dies stolze Haupt,
Glühende Schwermut
Eines zürnenden Gottes.

Angst, du giftige Schlange,
Schwarze, stirb im Gestein!
Da stürzen der Tränen
Wilde Ströme herab,
Sturm-Erbarmen,
Hallen in drohenden Donnern
Die schneeigen Gipfel rings.
Feuer
Läutert zerrissene Nacht.

Zweimal das Erleben eines Spätgewitters, gesehen von demselben
Menschen. Würde man für beide Gedichte denselben Dichter ver-
muten?
Der Vorgang gleicht sich: vor die drohende Nacht zieht, Mensch und
Tier erregend bis zum Unerträglichen, der Vorhang eines Gewitters,
das sich endlich in befruchtenden Regen löst.

Auf diese Lösung hin streben beide Gedichte. An der strengen Strophenform des Gedichtes „Der Gewitterabend" ist dieser Vorgang nicht ohne weiteres abzulesen. Doch hebt der letzte Satz, die letzte Halbstrophe die Spannung auf.
Ein Ausruf zuerst:

„O die roten Abendstunden!"

Und wie der Klang ins Dunkle dämmert, werden mit der Farbe und der Tageszeit die Stimmungen geweckt. Ein längerer Satz zieht bis zum Strophenende einen weiteren Bogen, in den drei folgenden Strophen nach je zwei kurzen Sätzen jeweils in der zweiten Halbstrophe wiederholt. Etwas Chaotisches wird aufgerührt in beengendem fast unerträglichen Gleichlauf, Unentwirrbarkeit — Angst ist das Wesen dieser Gestimmtheit. Beängstigend wirken die im einzelnen genau registrierten Bilder, deren Ineinanderdrängen das Baugesetz der Sprache aufheben möchte, weil sie alle gleichzeitig erfaßt sein wollen. Daß das Wort warten lassen muß, wo die Bilder drängen, erhöht die Spannung.
Die Eindrücke, jeweils nur kurz angedeutet, dürfen nicht ruhen und sich klären, sie werden einfach nebeneinandergesetzt: Fenster, Weinlaub, Staub, Gestank, Wind, Scheiben, Wolken wie Wagenzug, Blitze, Weiher, Möwen, Hügel, Tann, Gosse, Spital — es schwankt, tanzt, stößt, treibt, schreit, kreischt, schwirrt — flimmernd, wirr, klirrend, wild, grell, laut. Elemente, Pflanzen, Tiere, Menschen, Gefühle gehen durcheinander und sind doch jeweils in sich genau und getroffen. Während sich das Rot des Auftaktes im Aufflammen des Feuerreiters in Bewegung löst, wird das geistige Blau, die Farbe der Enthebung, vom Grellen zerrissen und verzehrt und verliert sich endlich „bläulich" vor dem Wesen der Nacht. Die Farben übersteigen sich bis zu dem jähen Augenblick, wo zauberhaft silbrig vor der Schwärze und wundersam-wirklich der Regen herabkommt.

„Glitzernd braust mit einem Male
Regen auf die Dächer nieder."

Die Vorgänge sprechen zugleich als die Seele, die bemüht ist um die Ordnung der Welt.
Geht es hier um das Naturereignis wie die Seele, so ist das Erlebnis in „Das Gewitter" nur Anlaß zur Selbstaussprache.
Der Auftakt, ein ganz anderer Ton, ruft ins Elementare der Natur.

„Ihr wilden Gebirge."

Die ins Gewaltige gesteigerte Welt mißachtet Reime und Metren, es dichtet sich geradezu über den Dichter hinweg, der, unfähig zu jeder herkömmlichen Ordnung, das Innen und das Außen scheinbar heillos vermengt. Willkürliche Strophenlängen, aufgereihte, unzusammenhängende Ausrufe: die alten Formen sind zerbrochen. Schmerz zerreißt die Fügung — freie Rhythmen sind notwendig geworden.

Da ist nicht erst ein Bild gewählt, das den Zustand der Seele spiegelt, Ereignisse und Bilder stürzen ineinander, Logos und Form versagen scheinbar. Das Entformte gibt dies Gedicht.

Kann man von Sinnbildern sprechen? Die Bilder sind nicht so gerundet, daß man „Sinn" schauen könnte. Gesprengte Bilder stehen auf, Chiffern, die durchlässig sind, zwischen denen und durch die hindurch der Sinn dringt.

Zweifellos ist der Dichter außer sich. Er ist im Gewitter. Er ist das Gewitter. Beide Bereiche drücken sich durch einander aus. Durch die transparenten Erscheinungen wirft sich gewissermaßen auf eine zweite, nicht mehr spiegelbildlich-mediale, sondern absolute Wand ein neues bezeichnendes und gezeichnetes Gesicht. Es fügt sich aus Trauer, Finsternis, Schmerz, Angst und Läuterung, — eine an der Grenze des Daseins bestürzte und schauernde Seele. An dieser Grenze fallen die Schichten der Existenz — ferne dem schon überschrittenen ordnenden Bewußtsein — in eins zusammen. Das Wort, entlassen aus alten Ordnungen, wird von neuem Ursprung gewonnen, ungewohnt und bis dahin un-erhört. Im Unbewußten schließt der Klang Räume auf, die eigner Zeichen harren.

Welches Gesicht! Das dampfende „goldne Gewölk" über der Steinwüste, die toddrohende Schwärze des Abgrunds, die schicksalhaft über Lebendiges kommt. Selbst die Bläue des Himmels endet da, „verstummt" — immer wieder fließen Augen- und Ohrenbereich ineinander. Dieses äußerste Sein, Schöpfungstag oder Apokalypse, geschieht in duldendem Verstummen, der Föhren, der Farbe: „O Schweigen!" In den wortlosen Urakkord hinein tönt „das sanfte Summen der Hummeln". Hummeln summen dort weiter, wo die stolzen, königlichen Tiere, die Adler, „erhaben" trauern.

Erhaben harrt die Landschaft der Seele. Der Wildbach wird wesenhaft und „erschüttert" zutiefst. Es geht um das Herz. Es ist betroffen. Während Auge und Ohr verhängt werden, indem Finsternis auf das Schweigen „hereinbricht", hört das Herz in sich Laute, Worte, Stimmen — deutlich und hell: „weiße Stimmen". Welch nie geschautes Gesicht: weiße Stimmen in schweigender Finsternis! Farbe und

Ton steigern sich gegenseitig zu äußerster Wucht. Die Stimmen sind nicht zu Hause, sie „irren" im Ungesicherten, „schaurigen Vorhöfen", „zerrißnen Terrassen", umgetrieben, unerlöst. Die Erschütterung des Herzens hat sie entbunden, es sind Urstimmen: Väterzorn und Mütterweh, Urteil der Ahnen über ein vertanes Dasein, der hoffnungsvolle Aufbruch der eigenen Jugend; furchtbar „seufzen" unzählige Geschlechter, durch Schuld der Unterlassung ungeboren, um unzählige Leben betrogen. Vergangenheit und Zukunft stehen gegen den Gegenwärtigen auf. Schuldig, ohne Gestern und Morgen:

> „Und Ungeborenes
> Seufzend aus blinden Augen."

In dieses vor sich selbst geforderte Herz fährt feuriger Schmerz.

> „O Schmerz, du flammendes Anschaun
> Der großen Seele!"

Der Schmerz deckt erst die Größe der Seele auf. An seinem Leiden ermißt sich der Mensch. Und wie der Blitz „rosenschaurig" aus „Schwarzem" auffährt, das Herz ganz außer Fassung ist, überkommt das gefaßtere Denken eine eigenartige Entferntheit, sachlich, kühl und doch genau, „magnetische Kühle". Empfänglich, aber unbeteiligt, „stolz" sieht das Haupt dem Herzen zu und deutet den Schauer als Zorn und Schwere Gottes. Der Mensch ist außer sich und dessen in wundersamer Fremdheit bewußt und schaut den strafenden Gott im Gewitter.

Unter der Geißel Gottes wirft das durch sich gestrafte Dasein die Angst ab.

> „Angst, du giftige Schlange,
> Schwarze, stirb im Gestein."

Damit ist, wie alles in solchem Gedicht klanglich zwingend verwirklicht, das Entscheidende geschehen: das Schwarze, der Bann ist gebrochen. Mitten im Höhepunkt des Gewitters wird Befreiung und Lösung vom Chaos, gewaltiger Ausbruch der Gnade. Der Regen wird als Tränenströme gedeutet, das Erbarmen hat Gewalt und Wesen des Sturmes, Donnerschläge tönen auf zu den Gipfeln der Erde, die glockengleich widerhallen. Das pfingstliche Element, die Flamme, erhellt das nächtige Dasein, glüht es aus und reinigt es von dem Uneins-sein mit sich selbst.

> „Feuer
> Läutert zerrissene Nacht."

Ein letztes, mächtiges Gesicht: die vordem in sich gefangene, schwarze Erde ist Gefäß geworden, Helle zu empfangen, die aus Überirdischem herabkommt.

In den freien Rhythmen „Das Gewitter" spricht sich innere Form in neuen Zeichen unmittelbarer und fast absolut aus, indes in „Der Gewitterabend" die Aussage mittelbar durch ein gewohntes Bild geschieht. Nicht nur der gleiche innere Ablauf, sondern auch das Bild der von Blitzen getriebenen Rosse und Wagen, das Wesen und Wort der Angst, das schreckliche Betroffensein, kehren in beiden Gedichten wieder. Was sie unterscheidet, ist die Haltung des Menschen, die sich die jeweils notwendige Dimension des Sagens schafft. Versucht dichterische Existenz dort gestaltend das Chaos durch Wort und Bild zu bannen, so wird sie hier überwältigt von dem Übermaß, von einer Vision, die das Wort selbständig heraufruft, soweit es überhaupt noch verfügbar ist. Die Seele erfährt Unsägliches.

Welch ein Weg liegt zwischen beiden Gedichten?

Albrecht Weber

Georg Heym:
Der Krieg

Aufgestanden ist er, welcher lange schlief,
Aufgestanden unten aus Gewölben tief.
In der Dämmrung steht er, groß und unbekannt,
Und den Mond zerdrückt er in der schwarzen Hand.

In den Abendlärm der Städte fällt es weit,
Frost und Schatten einer fremden Dunkelheit.
Und der Märkte runder Wirbel stockt zu Eis.
Es wird still. Sie sehn sich um. Und keiner weiß.

In den Gassen faßt er ihre Schulter leicht.
Eine Frage. Keine Antwort. Ein Gesicht erbleicht.
In der Ferne zittert ein Geläute dünn,
Und die Bärte zittern um ihr spitzes Kinn.

Auf den Bergen hebt er schon zu tanzen an,
Und er schreit: Ihr Krieger alle, auf und an!
Und es schallet, wenn das schwarze Haupt er schwenkt,
Drum von tausend Schädeln laute Kette hängt.

Einem Turm gleich tritt er aus die letzte Glut,
Wo der Tag flieht, sind die Ströme schon voll Blut.
Zahllos sind die Leichen schon im Schilf gestreckt,
Von des Todes starken Vögeln weiß bedeckt.

In die Nacht er jagt das Feuer querfeldein,
Einen roten Hund mit wilder Mäuler Schrein.
Aus dem Dunkel springt der Nächte schwarze Welt,
Von Vulkanen furchtbar ist ihr Rand erhellt.

Und mit tausend hohen Zipfelmützen weit
Sind die finstren Ebnen flackend überstreut,
Und was unten auf den Straßen wimmelnd flieht,
Stößt er in die Feuerwälder, wo die Flamme brausend zieht.

Und die Flammen fressen brennend Wald um Wald,
Gelbe Fledermäuse, zackig in das Laub gekrallt,
Seine Stange haut er wie ein Köhlerknecht
In die Bäume, daß das Feuer brause recht.

Eine große Stadt versank in gelbem Rauch,
Warf sich lautlos in des Abgrunds Bauch.
Aber riesig über glühnden Trümmern steht,
Der in wilde Himmel dreimal seine Fackel dreht

Über sturmzerfetzter Wolken Widerschein,
In des toten Dunkels kalten Wüstenein,
Daß er mit dem Brande weit die Nacht verdorr,
Pech und Feuer träufelt unten auf Gomorrh.

Worum geht es in diesem Gedicht? Anders gefragt: Wie gibt sich das
Gedicht von sich aus, und woraufhin ist es angelegt? Nun, es geht hier
doch wohl um so etwas wie eine prophetisch-mythische Vision des
Krieges; prophetisch in dem Sinne, daß eine gewissermaßen in der
Luft liegende Katastrophe in beschwörender Ahnung vorweggenommen wird; mythisch in der Weise, daß sich das Geahnte zu einer
menschlich-übermenschlichen Erscheinung zusammenzieht, die in
ihrer gestaltähnlichen Bewegtheit eine kosmische Urmacht repräsen-
tiert. Aber wenn man nun genauer prüft, ob und in welchem Grade
diese Intention verwirklicht ist, dann zeigt sich, daß sie stecken bleibt
in allegorisch-personifizierender Rhetorik.
Um mit dem Rhythmus zu beginnen: Die breit gespannten trochäi-
schen Sechstakter haben unverkennbar etwas Aufgepumptes und bedürfen daher immer neuer gewaltsamer Füllsel, um eingehalten und
durchgehalten zu werden. So gleich im zweiten Vers das „unten", das
vom anschaulichen Sinn her pleonastisch wirkt. Oder im dritten Vers
der zweiten Strophe das Adjektiv „runder", das im Rahmen der hier
zu vermittelnden Vorstellung ungemäß ist. Oder im letzten Vers der
vierten Strophe das abermals pleonastische Beiwort „laute", pleonastisch von der dahinterstehenden Gesamtanschauung her. Oder in
Vers drei und vier der sechsten Strophe zunächst das im Zusammenhang mit „Dunkel" und „Nächte" so völlig sterile „schwarze", dann
das kraftlose „furchtbar". Oder zu Beginn der achten Strophe die leere
Doppelung, die sich durch das eingeflickte Adverb „brennend" ergibt.
Oder am Schluß der vorletzten Strophe das willkürliche Füllwort

„dreimal" und in der letzten Strophe die Streckung durch das Beiwort „toten" im zweiten sowie durch das Umstandswort „unten" im vierten Vers.

Alle diese auf die gewaltsame Dehnung des Versmaßes abzielenden Bemerkungen treffen immer schon den sinnbildlichen Ausdruck mit. Zunächst jedoch ist hier nun aber dessen stilbestimmende Intention rein in sich und als solche zu kennzeichnen: die Tendenz nämlich zum Plakathaft-Grellen in Farbe und Umriß. Als Farben heben sich heraus das Schwarz in den Wendungen von der „schwarzen Hand", dem „schwarzen Haupt" und der „schwarzen Welt"; das Weiß in Verbindung mit den die Leichen bedeckenden Todesvögeln; das Rot, mittelbar in der Glut und dem Blut, unmittelbar im Beiwort zu Hund; das Gelb in den Wendungen von den „gelben Fledermäusen" und dem „gelben Rauch". Solcher grellen Farbigkeit entspricht im Ganzen der bildhaften Vorstellungen der gleichsam steil herausgetriebene Umriß: so wenn die Figur des Krieges groß und unbekannt in der Dämmerung steht; oder wenn der Schatten einer fremden Macht weit in den Abendlärm der Städte fällt; oder wenn die wirbelnde Geschäftigkeit zu Eis erstarrt; oder wenn dem dünn zitternden Geläute das Zittern der Bärte um das spitze Kinn der Bürger entspricht; oder wenn die angestrebte Gestalt des Krieges auf den Bergen zu tanzen beginnt; oder wenn er einem Turm gleich die letzte Glut austritt.

Wie aber steht es nun um die anschauliche Überzeugungskraft und um die metaphorische Verwandlungskraft aller dieser sinnbildlichen Vorstellungen? Schließen sich die stoßweise markierten Einzelzüge zur gestalthaften Einheit einer bewegten Gesamtanschauung, oder handelt es sich nicht vielmehr um künstlich zusammengefügte Bruchstücke, die vor dem redlich realisierenden Blick zerbröckeln? Entgleist nicht gleich am Schluß der ersten Strophe die auf Monumentalität hinarbeitende Metapher ins Gezwungene und Ausgedachte, wenn hier der unbestimmt personifizierte Krieg mit prahlerisch kompakter Gebärde den Mond in der schwarzen Hand zerdrückt? Oder bleibt es nicht völlig blaß und beliebig, wenn im zweiten Vers der zweiten Strophe „Frost und Schatten" abhängen von dem Abstraktum „Dunkelheit"? Vollends der Tanz in der vierten Strophe ist nicht geschaut und gestaltet, sondern erdacht und gestückelt: Was sich dem Anspruch gemäß zu einer quasi-menschlichen Figur zusammenschließen soll, zersplittert in ein Nebeneinander und Gegeneinander von Attributen, die sich wechselseitig aufheben. Im Fortgang von der fünften zur sechsten Strophe stört die ungewollte und unbewältigte Assozia-

tion, die sich zwischen dem Austreten der letzten Glut und dem Quer-
feldeinjagen des Feuers in die Nacht ergibt; und was die Metapher im
letzten Vers der fünften Strophe betrifft, so strahlt sie zwar für sich
genommen einen eigentümlichen Zauber aus, was wohl auf der kühnen Verschmelzung des zugrundeliegenden Bildes vom weißen Todes-
laken mit dem Sinnbild der den Tod als gieriges Gefolge begleitenden
schwarzen Raubvögel beruht: nur daß der Stimmungsklang, der so
entsteht, in seiner inselhaften Isoliertheit eben doch willkürlich wirkt.
Vers drei und vier der sechsten Strophe drehen sich dann abermals
bis zu matter Verkrampfung im Kreise. Die nächste Strophe leidet
besonders unter dem Bild der Zipfelmützen, dessen allzu behagliche
Tönung dem Grundzug — der kosmischen Größe — dessen, was hier
vorschwebt, widerstreitet. In der achten Strophe stimmt die statische
Fixiertheit der zackig in das Laub gekrallten Fledermäuse nicht zu
dem dynamischen Sichvorwärtsfressen der Flammen, während das an-
schließende Bild an der Spannung zerbricht, die zwischen dem besteht,
was man sich von der Sache her unter einem Köhlerknecht vorstellen
muß, und dem, was der herausgeschleuderte Vergleich vermitteln
will.
In der vorletzten Strophe zerfallen die ersten beiden Verse: Sich-
werfen verträgt sich weder mit Versinken noch mit Lautlosigkeit
noch mit Bauch, abgesehen davon, daß der Bauch den Abgrund aufhebt. In der letzten Strophe schließlich drängt sich ein dreifacher
Bruch auf: Wenn sich totes Dunkel zu kalten Wüstenein ergänzt, dann
ist das eine beliebige Häufung, innerhalb derer alles mit allem ver-
tauschbar ist; die überbietende Fortführung im nächsten Vers mutet
hohl an, weil das zu erzielende Verdorren durch den Inhalt des vorhergehenden Verses bereits vorweggenommen ist; und die als krö-
nende Besiegelung des Ganzen aufgebotene Vorstellung „Gomorrha"
wirkt wie an den Haaren herbeigezogen: nicht nur durch die Gequält-
heit des Reimes „verdorr / Gomorrh", sondern darüber hinaus und
vor allem deshalb, weil nirgends vorher Wesenszüge sichtbar sind, die
auf das Sinnbild von Sodom und Gomorrha vordeuten oder gar mit
zwingender Notwendigkeit hindrängen. Denn weit entfernt davon, unter dem Zeichen von Sünde und Heimsuchung zu begegnen, erscheint
der Krieg vielmehr als Einbruch einer kosmischen Urmacht in die vom
Sekuritätswahn beherrschte Welt der städtischen Zivilisation; und der
hier spricht, berauscht sich eher in dionysischer Gestimmtheit an
einem Schauspiel von elementarer Gewalt, als daß er Unheil und Ver-
werfung ahnte.

Damit hat sich denn der Ring dieser Erläuterung geschlossen: Was visionär scheint, enthüllt sich bei unbefangener Prüfung als rhetorisches Flickwerk; und was wie mythische Beseelung aussieht, das gleitet immer wieder ab in ein allegorisches Personifizieren von abrupter Willkür. Ein Beispiel also für das Mißverhältnis zwischen dem, was erlebnismäßig vorschwebt, und dem, was gestalthaft da-ist, zwischen dem weit ausgreifenden Entwurf der Phantasie und seiner sprachlichen Verwirklichung.

Johannes Pfeiffer

GEORG BRITTING:
DER FASAN

VI/115

Wo an den Bäumen die Äpfel saßen,
Sitzen nun Krähen: bittere Frucht!
Ja, bei des Nordwindes wildem Blasen
Hat uns sogar der Fasan besucht,
Würdevoll schreitend in adliger Zucht.

Streuen wir Futter vor Tür und Schwelle,
Stürzen die Krähen rauschend vom Ast
Wie eine dunkelnde Meereswelle,
Kommen die Spatzen in Hungerschnelle,
Wird der Fasan selbst ein eiliger Gast.

Wer kann wie Krähen so gierig fressen,
Listige Räuber, neidisch geborn?
Kriegerisch sind sie und schrein besessen,
Wagt sich ein Kleinerer an ein Korn –
Nur der Fasan fürchtet nicht ihren Zorn.

Einmal ein Ende hat jedes Fest.
Trüb steht der Abend über dem Dach.
Suchen die Krähen ihr Schlafgeäst –
Leer ist die Tafel vom letzten Rest –
Sieht der Fasan ihnen hochmütig nach.

Rings auf der Felderflur liegen Brocken
Giftigen Fleisches, hämisch gemeint.
Die auf den Bäumen und träumend hocken
Mag solch aasiges Zeug verlocken,
Doch der Fasan ist dem Unrate feind.

Nicht anzuraten ist jeder Schmaus
Denen, die träumen. Schwer ist der Tod.
Schon sinkt die Sonne. Der Schnee wird rot.
Einsame Winde, was soll der Braus?
Nur der Fasan geht noch langsam ums Haus.

Ein erster flüchtiger Blick auf die graphische Form des vorliegenden Gedichts will den Eindruck erwecken, als hätten wir es mit einem Gebilde in durchgehend festgefügter Form zu tun. Aber schon bei einmaligem Lesen verwischt sich dieser Eindruck wieder. Vor allem fällt uns jetzt auf, daß die sechs Strophen, obwohl durchwegs fünfzeilig, doch nicht alle in gleicher Weise gebaut sind. Wir haben in dem Gedicht zwei verschiedene Reimschemen: einmal a b a b b (Strophe I, III, VI) und zum anderen a b a a b (Strophe II, IV, V).

Auch rhythmische Verschiedenheiten hören wir heraus. Zwar bleibt das Metrum durchgehend ein vierhebiger Daktylus. Darin können wir einen Hinweis auf ein Grundmotiv des Gedichtes sehen: auf den kurzen, unregelmäßigen Vogelschritt, das unruhige Hin- und Herhüpfen der hungrigen Vögel. Doch finden sich innerhalb dieses metrischen Schemas eine Reihe rhythmischer Modulationen: lang über den ganzen Strophenbau gezogene Perioden stehen neben kurzen Ausrufen oder lapidaren Feststellungen.

Wie sollen uns diese Eindrücke zum Verständnis des Gedichts helfen? Was haben sie mit dem Inhalt zu tun?

Das Gedicht beginnt mit der Feststellung: „Wo an den Bäumen die Äpfel saßen, sitzen nun Krähen." Es ist also Winter, die Früchte sind lange schon geerntet oder abgefallen, ihr Platz bleibt den totenfarbenen Vögeln, der „bitteren Frucht". In diesem Ausruf „bittere Frucht!" liegt „bittere" Ironie, zugleich Klage über die „bittere" Vergänglichkeit, über die „bittere" Verkehrung aller irdischen, lebendigen Fülle zu einer Chriffre des Todes.

Dieser aussichtslose Kampf gegen Kälte, Not, Zerstörung, die im nächsten Vers unter dem Bild des tobenden Nordwinds beschworen werden, demütigt auch das Edle, Stolze, Aufrechte. Das erscheint zunächst kaum glaublich, daher das überraschte „Ja . . ." am Zeilenbeginn. Aber es ist so: auch der Fasan muß sich unter die Krähen mischen, mit ihnen die Nähe des Menschen und sein Futter suchen. Nur in der Wahl des Wortes „besucht" für sein Kommen findet sich eine — freilich leise spöttische — Anspielung auf einen Rest von adeliger Zurückhaltung. Auch die Nebeneinanderstellung zweier auf der Endsilbe betonter Wörter in „sogar der Fasan" wirkt ungewöhnlich, unterstützt den Wortsinn des „sogar" und die Anklänge von ritterlicher Jagd und Noblesse, die sich mit dem Bild des Fasans verbinden. Der Fasan bleibt ein Edelmann, auch wenn er als Bettler kommt. In der letzten Zeile der Strophe wird es ausdrücklich festgestellt: er kommt „würdevoll schreitend in adliger Zucht".

Dieser Vers, unter Wiederholung des letzten Reims einem an und für sich vollständigen und sinnvollen Vierzeiler angehängt, in sich ohne Zäsur durchlaufend, verlangsamt den Sprachrhythmus, wirkt schwer, lastend, prunkend. Er ist eine Art höfischer Schleppe, von der Strophe nachgezogen wie ein prächtiger Fasanenschweif. Zugleich aber hinterläßt er in etwas den Eindruck unbeholfener, wirklichkeitsfremder Grandezza, so wie dem Edlen ja leicht ein Anflug von Lächerlichkeit eignet, wo es unter ungemäßen, unwürdigen Bedingungen auftreten muß.

In der zweiten Strophe kommt Bewegung in das Bild: Futter wird gestreut, es entsteht ein Rauschen und Flügelschlagen. Optische und akustische Eindrücke und Bezüge überschneiden sich, die stürzende Vogelwolke wird zur rauschenden Meereswelle, „dunkelnd" unter unfreundlichem, stürmischem Himmel. Durch die Partizipia „rauschend", „dunkelnd" entsteht der Eindruck massiver Bewegung. Die Spatzen „in Hungerschnelle" sind wie die spritzende Gischt dieser Flut.

Das Reimschema ändert sich. Die zweimalige Wiederholung des ersten Reims im Stropheninneren untermalt das Bild der wieder und wieder heranwogenden Menge. Der Rhythmus wird noch rascher durch den gedrängten, kohärenten Satzbau der Strophe. Drei Nebensätze, sprachlich durch die Voranstellung des jeweiligen Verbs aufs äußerste geballt und verknappt, einer von ihnen durch Enjambement über das Zeilenende hinweggerissen, gehen dem Hauptsatz voran, der erst in der letzten Zeile steht. Auch dadurch wird das Gefühl einer gewaltsamen, gefährlichen Bewegung verstärkt.

Diese Woge, diese Gefahr, hat ihre Wirkung: sie reißt auch den Fasan mit sich. Auch er kommt mit, auch er wird, was ihm ungemäß ist, „eilig" im Kampf um das Futter. Und nur in dem einschränkenden „selbst" und in seiner Bezeichnung als „Gast" zeichnet sich wieder ein Rest von nobler Reserve ab. Er ist in der Menge, aber er gehört nicht zu ihr.

Von ihm aus gesehen wirkt das Gedränge der Krähen befremdend, kaum glaublich in seiner Widerlichkeit. Daher die ungehaltene Frage zu Beginn der dritten Strophe, mit ihrer abschätzigen Qualifikation der Krähen, die sozusagen nach ritterlichen Wertbegriffen vorgenommen wird: „Listige Räuber, neidisch geborn." Diese Charakteristik wird untermalt durch die Häufung von gepreßten Vokalen und Zischlauten in Wörtern wie „gierig fressen", „listig", „neidisch". Die Krähen bieten das Bild einer ursprünglichen, angeborenen Gemeinheit, die dreist

und „kriegerisch" auftritt, das Bild einer Masse, eines Pöbel-
haufens, der hektisch „besessen" schreit, unduldsam besonders gegen
Schwächere. Der Kleinere muß sich unter Gefahr an sein Korn
„wagen".

Wieder wird das Reimschema der ersten Strophe angewandt, mit dem
schwer nachgezogenen Schlußreim. Diesmal dient es dazu, die Würde
des Fasans gegen das Gewühl und Gezänk zu kontrastieren:

> „Nur der Fasan fürchtet nicht ihren Zorn."

Hier ist also eine Grenze erreicht, die nicht mehr hinausgegangen
wird. Den Edlen kann die Not wohl demütigen, aber sie kann ihn
nicht erniedrigen. Er läßt sich nicht einschüchtern und schrecken.
Hier gibt es kein „sogar der Fasan" mehr, kein „selbst der Fasan".
Er steht in einem ausdrücklichen Gegensatz zur Menge: „Nur der
Fasan". Zugleich, da diese Situation ihm gemäß ist, fällt auch jener
Anhauch des Lächerlichen, die Armseligkeit des hochgeborenen Bett-
lers von ihm ab, die ihm bis jetzt angehaftet haben mögen. Er ist jetzt
nur mehr achtunggebietend und bewunderungswert in seiner Vereinzelung.

Die vierte Strophe bringt das Ende dieses „Festes". Alles bricht auseinander, auch die rhythmische Struktur. Zwei kurze, nur zeilenlange
Sätze stehen zu Beginn der Strophe, und der dritte, über drei Zeilen
hinweggezogene, wird durch eine Parenthese gespalten.

Über der ganzen Strophe liegt diese Atmosphäre des Auseinander-
brechens, des im wörtlichen Sinne verflogenen Rausches, lautlich ausgedrückt durch die Folge von gepreßtem E, bangem A und -ach, trü-
bem Ü und dunklem U.

Die Tafel ist geleert „vom letzten Rest", es ist nichts mehr da, was
die Menge aneinanderbindet, der „trübe" Abend kündigt die Nacht
an, alles geht auseinander, die Krähen suchen ihr „Schlafgeäst".

Dieses Wort, oder vielmehr Bild „Schlafgeäst" ist ein Schlüssel zur
ganzen Seinsweise der Krähen: „Schlaf", das Zurücksinken ins Unbewußte, Dumpfe, Blinde; zugleich das Bild des „Geäst", eine Chiffre der
Verworrenheit, der Brüchigkeit, Unsicherheit und Ungeborgenheit, die
jeder Einzelexistenz in der Masse eignen.

Nur der Fasan bleibt zurück. Er, für das Dasein als Einzelner geschaffen, immer schon allein, fällt nicht in Dumpfheit, sobald sich die
Menge zerstreut. Er blickt den Krähen nach: wach, sehend, „hochmütig", als Sieger fast, nicht durch seine größere Kraft, sondern durch
seine höhere Art. Es ist, als werde er selbst sich des wesentlichen Gegensatzes zwischen ihm und den Krähen bewußt.

Jetzt, da sich die Menge verzogen hat, wird der Raum frei für einen weiteren Blick. Auch er findet zunächst nur Unerfreuliches, Unedles: „Brocken giftigen Fleisches, hämisch gemeint", Zeugnisse einer tükkischen Berechnung auf die pöbelhafte Gier der Krähen. „Aasiges Zeug", das zu jenen paßt, die ausgesetzt und unwissend „auf den Bäumen und träumend hocken". Das Dialektwort „hocken" für „sitzen" ist als Ausdruck ihrer Niedrigkeit ganz angemessen, ein Gegensatz zu der vornehmen Konservativität des Fasans, wie sie sich in dem altväterischen Dativ „dem Unrate" und der gehobenen Wendung „ist ... feind" für „nicht mögen" manifestiert. Auch durch das „Doch" am Anfang der letzten Zeile wird der Fasan noch einmal in ausdrücklichen Gegensatz zu den Krähen gesetzt.

Zugleich aber wird jetzt, in dieser Einsamkeit, schon eine gewisse Distanz zu dem Geschehenen, Gesehenen erreicht. Es ist nicht mehr der empörte Ton wie in der Frage zu Beginn der dritten Strophe, in dem jetzt über die Krähen gesprochen wird. Es wird gelassener über sie geredet, einfach feststellend: so sind sie, und der Fasan ist anders. Diese Gedanken schwingen in der letzten Strophe weiter. Es ist nicht das Amt des Edlen, zu hassen oder zu verachten; ihm ist aufgegeben, für die anderen, die Dumpfen, zu wachen und zu sehen. Vor dem Bild des einsam zurückgebliebenen Fasans wird das klar. Die Erwägungen gehen jetzt ins Allgemeine, werden zu Erkenntnissen:

„Nicht anzuraten ist jeder Schmaus
Denen, die träumen."

Die Krähen werden gar nicht mehr ausdrücklich erwähnt, nur angedeutet als eine Chiffre, hinter der sich alle verbergen, für die der Wache da sein muß, die er warnen, denen er raten müßte, wenn ihnen denn zu raten wäre. Zorn oder Verachtung sind nicht die rechte Haltung gegen sie; auch sie, mögen sie es selbst nicht wissen, sind ja betroffen von dem unbarmherzigen Gesetz, der lapidaren Tatsache, die plötzlich und unvermittelt in der zweiten Zeile steht: „Schwer ist der Tod." Das ist eine Gewißheit, die alle angeht. Zeichen dafür sind überall: die sinkende Sonne, die Blutfarbe des Schnees, die „einsamen Winde", die geräuschvoll etwas ankündigen, dessen Bedeutung und Ziel ungewiß ist. Eine Ahnung von Verderben ist überall in der Luft, in der Landschaft, die plötzlich tot daliegt, von allem Lebenden verlassen, ein Schauplatz nur mehr für Gedanken voll harter Schwermut.

„Nur der Fasan geht noch langsam ums Haus."

Der letzte Vers wirkt wie ein Echo, eine verlegene Antwort auf die verschreckte Frage: „Einsame Winde, was soll der Braus?"

Es ist „nur" der edle Fasan, der um das Haus geht. Er ist kein Wächter, er kann und will keinen Schutz gewähren vor allem, was droht, kaum einen Trost; er selbst ist vom Elend und der Gefahr angefallen und gedemütigt worden. Und doch ist in dem Bild, das er bietet, ein Rest von Gewißheit und Siegeshoffnung. Er geht „langsam", im tiefsten unberührt, trotz aller Anfechtung edel und stolz.

Herbert Schmidt

Josef Weinheber
„Zwischen Göttern und Dämonen ..."

Wohl ist Leben nicht viel. Und es gebührt jegliche Ehre den
Himmlischen über uns. Aber es muß dennoch das bittre ge-
lebt sein. Nein, keine Flucht steht uns zur Hand. Wer da zerbricht,
Nichts, das ist, kennt Erbarmen.   [zerbricht.

Wir sind hier, aber nicht augenblickhaft wie die Nurirdischen.
Und es hat ja das Tier keinerlei Wahl. Wir aber schreiten durch,
schauend vor und zurück. Unser die Wahl. Unser das Beispiel auch,
dank den Größern, den Toten.

Vielmißhandeltes Wort, menschliches Wort, göttliches: Menschlichkeit!
Wohl ist Leben nicht viel, Adel jedoch uns in die Hand allein
und ans Herz doch gelegt! Welten sind viel – Welche von ihnen sei
wert, erlitten zu werden?

Brüder, Tränen sind schön, Tränen sind gut. Laßt sie uns sammeln zum
ewig heiligen Strom! Drinnen ertrinkt jegliches Ungefähr.
Ja-und-nein ist die Kraft. Aber es steht königlich drüberhin,
was wir fühlen: das Ganze!

Unter den 40 Oden des Zyklus „Zwischen Göttern und Dämonen" ist
der 36. eine bevorzugte Stellung schon durch ihre Form zugewiesen.
Weinheber hat hier eine „antike Strophe" neu geschaffen. Asklepiadeische Sechzehnsilber gibt es, bei Catull, bei Horaz, stichisch oder
abgeteilt in vierzeilige Strophen (GA IV, 313 f., 360). In diesem Fall
aber wird aus drei größeren Asklepiadeen eine Strophe gebildet,
welche eine pherekrateische Epode (Abgesang) schließt. Auch fehlt
– anders als in der Odik sonst üblich – die Synaphie: Strophenende
und Satzschluß fallen zusammen. Das Gedicht sondert sich so von
den rein antiken Formen ab, um eine Art *Mitte* zwischen diesen und
den modernen einzunehmen.
Der an sich „schwerblütige" Rhythmus der Sechzehnsilber erfährt dadurch eine gewisse Aufhellung: die Last seines Gewichtes wird leichter, die „große Mächtigkeit und Pracht" seines Schreitens erscheint
dank der Anmut der Pherekrateen zu gefaßter Gebärde verknappt.

Die Ode besteht aus kurzen, einfachen Sätzen; nur zwei Nebensätze, lauter Hauptsätze. Die Sprache zeigt strenge Zurückhaltung – Streben nach einem Höchstmaß substanzieller Dichte, sorgfältiges Meiden des Adjektivs. Sparsamkeit beherrscht die Wortwahl; erst die letzte Strophe steigert den Ausdruck. Das rhythmische Leben der Strophen entsteht durch das abwechslungsvolle Spiel zwischen Satzbau und Verszäsuren: einmal überschneiden sich rhythmische und syntaktische Fügung, dann wieder stimmen sie überein, immer aber bietet dem starr und regelmäßig wiederkehrenden Zäsurenpaar die sprachliche Füllung des Verses Äquivalente – bald logischer Art, je nachdem ob der Satz durch Beistriche gegliedert wird oder als eine Aussage, Feststellung, als Frage oder Ausruf schließt, bald expressiver Natur als sinnakzentuierende Pause. So entsteht ein Widerspruch zwischen der Länge der Zeilen und der Kürze der Sätze, zwischen der kunstvollen metrischen und der nüchternen syntaktischen Struktur – ein Kontrast, analog dem Gegensatz zwischen äußersten, jedoch zu einem Ganzen geeinten Extremen, oder dem Gegensatz zwischen äußerer, beherrschter Ruhe und kaum zu bändigender, innerlicher Erregung.

Leise sprechen, langsam, verhalten: hier ist gar kein Pathos. Nach innen hin horchen, sich selber zusprechen.

Mit der fallenden Basis und dem steigenden Rhythmus vor der ersten Zäsur, dem spiegelbildlich entsprechenden rechten Dritt-Teil des Verses und mit dem so gleichsam von zwei emporgereckten Armen gehaltenen zentralen Chorjambus erinnert in dieser Ode Weinhebers die Figur des asklepiadeischen Sechzehnsilbers an eine heraldische Gruppe: Zwei Träger halten stützend ein Mittelglied – gegensätzliche, jedoch (im gemeinsamen Dienst an der „Mitte", die sie durchschreiten) verglichene Gewalten. Das *Ganze* des Verses enthält Gegensätze, welche sich aber nicht ausschließen oder zerstören: an der Stelle ihrer Berührung entsteht vielmehr in fruchtbarer Zeugung ein neuer, selbständiger, dritter Bereich: das Formgeheimnis des größeren Asklepiadeus birgt ein Symbol der Schöpfung.

In der Mitte zwischen den „Göttern" und den „Dämonen" liegt der Bereich des Menschen: „Leben" heißt, durch die Tiefe der einen hindurchgehen zu den Höhen der anderen Gewalten – umgekehrt schreiten auch wieder die Mächte durch uns hindurch und tragen dabei *ihre* Gegensätze aus *in uns, durch* uns: selbst diese Spanne zwischen Geburt und Tod „gehört" uns nicht allein; die Gewalten *brauchen sie,* um Ereignis werden zu können, aber: *sie genügt* ihnen auch zur Entfaltung ihrer Kraft und Wirklichkeit.

Der metrische Aufbau der Verszeilen zeigt genau Entsprechendes: Der Mensch ist also keine selbst-mächtige Mitte – *durch* die Kola hindurch *schreiten* so Stimme wie Sinnfügung, aber „das Ganze" erst „*steht* königlich drüberhin . . .".

So erfüllt die Bezeichnung „Obere und Untere Mächte" für Weinheber zunächst die logische Funktion einer Ortsbestimmung (Bollnow 103 f.) des „Wesens der Mitte", sie stellt aber in eins damit auch die Frage nach der *heilen* Reichweite unserer menschlichen Existenz. Der Dichter wendet sich sowohl gegen die, welche nur noch „den (autonomen) Menschen" kennen (5. Ode), wie gegen jene Frommen, die das Böse nicht wahrhaben wollen: Ein Bild vom Menschen, das ihn derart vom Göttlichen *und* vom Dämonischen frei setzt, verkümmere seine volle Realität (28. Ode).

Weinheber war beherrscht vom Schrecken über die Zerstörung des Menschlichen; er empfand voll Angst seinen Schwund als das allgemeine Zeitschicksal: die *eine* Ursache der vielen und verschiedenen Phänomene des Untergangs aber sah er in jener nihilistischen Verstümmelung. So also hieß ihn das Leiden am Menschsein nach dem *Wesen des Menschen* fragen – um die Ordnung, sein *Maß* zu finden und dem Menschen wieder die Verfügung über die Dimensionen seiner Welt zurückzugeben. Füglich sagen die „Götter" und „Dämonen" des Zyklus nichts irgend Theologisches, sondern nur Anthropologisches aus: sie kehren sich gegen die Vorstellung von der Selbst*mächtig*keit des Ich. Konstitutiv für das Menschsein sind vielmehr geistige Mächte: nach der Selb*ständig*keit des Menschen wird gefragt.

Fast immer greift der Satz über die Zeilenenden in den nächsten Vers hinüber, nur in der ersten Zeile jeweils der zweiten und der dritten Strophe fehlt das Enjambement. Diese Gemeinsamkeit eint beide Strophen und hebt den Mittelteil des Gedichtes hervor, dessen Aussage dem Menschen gilt.

Jedoch besteht eine Bindung auch zwischen der dritten und vierten Strophe: beide beginnen mit einem Anruf; seine Glieder (die Vokative Menschlichkeit, Brüder) sind chiastisch gestellt, die Rühmungen beide Male parallel gebaut und auch inhaltlich aufeinander bezogen: Göttlichkeit und das Schön-und-Gute – hier wie dort wird ein oberster Wert genannt, Tränen aber sind sowohl dem Leid des Mißhandelten zugeordnet, wie sie ein Gesicht als menschlich zeichnen und auszeichnen. Die Emphase des Gefühls ist vollends in der vierten Strophe („Brüder") noch stärker als in der dritten, sie war jedoch schon von der ersten zur zweiten Strophe gewachsen: Leben ist wohl wenig – aber der Mensch steht nicht auf seiner untersten Stufe.

So führt uns das Gedicht, indem wir uns mit ihm einlassen, aus der Resignation des Eingangs zunächst in die Tiefe der völligen Desillusion (erbarmungsloses Zerbrechen), sodann aber läßt es uns in immer steilerem Anstieg von der Erhebung über das Nur-Irdische im Menschentum durch-schreiten zu der Entscheidung über das zuinnerst, zuhöchst Menschliche, bis hin zu einem Äußersten an seelischer Intensität in der Ekstase der vierten Strophe.

Die Gesamtbewegung des Gedichts stiftet aber auch Bezüge zwischen Eingang und Schluß: Auf das gnadenlose Zerbrechen in der dritten Zeile antwortet, ebenfalls an das Versende gerückt, das Bild von der Erhabenheit königlichen Stehens. Endet die erste Strophe mit der Feststellung, daß kein Seiendes Erbarmen erfahren habe, so setzt die letzte Strophe ein mit der Rühmung brüderlichen Mitgefühls. Herrschen dort Scheitern, Stück- und Trümmerhaftigkeit, und ist Leben „nicht viel", so erhebt sich hier in der heilen und klaren Größe einer göttlichen Epiphanie „das Ganze".

Das Geschehen der ersten Strophe ereignet sich ganz im Bereich der Physis, der körperlichen Kraft; die zweite Strophe erhebt sich darüber in die Sphäre des Intellekts, des Geistes: das Wort wird nicht genannt, aber angedeutet durch seine Funktion – Wahl. Die Stimmung der dritten Strophe – Adel, Herz, Menschlichkeit – faßt in sich der eine Name „Humanitas". Die vierte Strophe teilt mit der zweiten, daß sie ihr Geheimnis nur ebenso sparsam andeutet: Gefühl, Mit-gefühl, sich lösend in der Erschütterung von Tränen, quillt aus dem Grund der Liebe. Der heiligste, der tragende Weltgrund darf nicht profaniert werden: ein Gebot der Arkandisziplin.

Physische Kraft – Kraft des Geistes – Herzenskraft: sie alle umfassend, und als das „Ganze" überragend, die Macht der Liebe – „ewig heiliger Strom".

Das Gedicht fragt nach Ort und Wesensbestand des Menschen. Es steht damit im größeren Zusammenhang des ganzen Zyklus, und so erklärt sich das erste Kolon: „Wohl ist Leben nicht viel . . ." – diese Feststellung wird im Rückblick auf voraufgegangene Erörterungen getroffen. Der Mensch hat widerrufen müssen: er ist nicht autonome Persönlichkeit, er hat die Götter fürchten lernen müssen. Findet sich im menschlichen Bereich Heiles, Gutes, Schönes – dann entstammt es nicht unserer Kraft, sondern göttlicher Gnade. Das Schicksalsgewebe besteht aus menschlichem Ungenügen und göttlicher Stärke.

Aber der Mensch findet sich mit dieser Einsicht nicht ab. Durch den Mittelsatz der Strophe peitscht Titanentrotz: Ausdrücke der Empörung gegen diese Ordnung, dreimal: Aber – dennoch – nein; eliptisch verkürzt sind manche Sätze des Gedichtes, keiner aber zerbricht wie dieser das reguläre Satzschema, die Korrecktheit des Ausdrucks ‚Aber das bittere Leben muß dennoch gelebt sein. Nein, Flucht steht uns nicht . . .‘. In der Wortbrechung „ge-lebt" erfaßt die sich aufbäumende Wucht selbst noch den Versbau. „Das bittre" – nur das Wie, das Eigenschaftswort ist wichtig, nichtig und bis zur Ausstoßung abgewertet, aber die Substanz, das Was (Leben) und die Ordnung des Satzes wird durch den Ausdruck so zersprengt, daß die Adversativa „Aber" und „Dennoch", Worte des Aufruhrs, nahe aneinandergerückt, sich verstärken; zwischen ihnen, mehr verbindend als trennend, steht das gewaltsame, herrische „muß".

Die Situation wird fast bildhaft deutlich: Die in den ersten zwei Sätzen gezeichnete Seinsordnung ist zwar evident, aber der Mensch will nicht abhängig sein von der *Gnade* der Gottheit, er will Heil durch eigene Anstrengung erwerben: so steht er im Leben vor dem Tod wie ein in der Falle gefangenes Tier. Mit einem maximalen Aufwand an Kraft will er den Durchbruch durch die Wände seines Kerkers erzwingen, hinter denen die Freiheit (der Himmlischen: das ewige, selige Leben) wäre – vergeblich. Vergeblich in immer neuem, verbissenem Ansprung, bis zum letzten, erbarmungslosen Ende: Tod. So geschieht einem jeden nach dem *Gesetz,* und die animalische Wut zerschellt, dieser gottlose Impetus, das Heil zu erzwingen. Zerkämpftes Liegenbleiben, das ist das Ende des heroischen Aufstands; die Bewegung des Gedichts führt vom Heroismus fort, sie setzt ihm kontrastierend in der vierten Strophe das Mitleiden entgegen, und ebenso jener physischen Dynamik, die hier zerbrach, ein Bestehend-Unvergängliches und die wahre, die überlegene Kraft: Ja und Nein, die Wahl – also den Geist.

Der Schritt aus der ersten in die zweite Strophe ist der Hinüberschritt aus der entfesselten Dynamik der („ge-wissenlosen") Tat, des Kampfes in die Stille der Besinnung; nach dem Entsetzen der Vernichtung ereignet sich ein Wunder der Auferstehung. Auch diese Situation gewinnt bildhaften Umriß: Der Mensch, von dessen Katastrophe der Gedichtanfang sprach, erwacht; um sich blickend findet er sich wohl hier vor, in der unentwegt gleichen Wirklichkeit, aber er erfährt sein Scheitern als einen Zusammenbruch, nicht als unwiderrufliches Zerbrochensein — damit lebt er schon nicht mehr nur im Augenblick, sondern in der Zeit und erhält Distanz zu sich selbst, Beobachtung, Erinnerung; und erkennt sich so als Lebewesen eigener, vom Tier verschiedener Art. Er erfährt sich als Menschen und bestätigt dieses Menschentum, indem er (ein Tier, dem Zufall oder Gnade das Ende noch einmal hinauszögerte, würde wahllos und triebhaft blind nur sich wiederholen) wählt und, „durch-schreitend", einen *neuen* Weg begeht. So ward die Einsicht, mehr als nurirdisch, nur naturhaft zu sein, dem Menschen zuteil, und mit ihr gliedert sich das Ganze der Welt in die *drei* Bereiche der Himmlischen „über uns", der Menschen, und der Tiere, Pflanzen, Dinge, welche wohl mit dem Menschen diese Wirklichkeit teilen, aber doch, in vielem ihm nachstehend, unter ihm stehen: ohne Wissen um Raum, Zeit, Entwicklung, ohne abwägende Schau und Vergleichung — ohne Geist.

Wie verschieden die Welt der ersten und der zweiten Strophe ist, zeigen Gegensätze wie „muß" und „Wahl"; die Verbissenheit des Mittelsatzes dort, hier dagegen die freie Weiträumigkeit im Vor- und Zurückschauen; dort Zerbrechen, hier Durchschreiten, dort im Zerbrechen das Ende, die Schmach, die Niederlage — hier sind die Toten die „Größeren": sie, die den Gegebenheiten dieser menschlichen Wirklichkeit ohne zu fliehen (fast das einzige, was aus der ersten Strophe noch weitergilt, ist das Fluchtverbot: aber wie völlig anders verlaufen nun die Fronten!) standgehalten — sich der Wahl, der Entscheidung gestellt haben, musterhaft für den Wandrer auf dem Lebensweg.

Die zweite Strophe hat die Gegebenheit „Menschen*tum*" ein erstes Mal gesichtet: die dritte Strophe will es eigentlich, in seinem innersten Wesen erfassen — in seinem Adel, als „Menschlichkeit". Besteht nicht die Gefahr, die Verlockung zur Hybris, zur Übersteigerung, da doch Erbarmen im Umkreis des Seienden, wie es hieß, unbekannt ist und „Größere" als Vorbild den Eifer spornen? Aber schon in der ersten Zeile — der Sinnmitte des ganzen Gedichtes —, in dem staunenden, im dreifachen Ansatz sich steigernden, preisenden Anruf „Menschlichkeit" liegt Mahnung zur besinnenden Einkehr: das Wort ist, „schauend vor und zurück", so gesetzt, daß es „durch-schreitet": immer wieder aus seiner Mitte gestoßen, einmal an den nurirdischen, dann wieder an den nurhimmlischen Rand hin, lebt es ja gerade dieses *menschliche* Los, zwar der Erhöhung fähig, dennoch aber jeder Mißhandlung ausgesetzt zu sein.

Die Mahnung zur Bescheidung, die Warnung vor jeder Überhöhung unseres menschlichen Bewußtseins wird zweimal wiederholt: zuerst mit den Worten des Gedichtanfangs, dann in der Erinnerung: Adel — stammt nicht aus uns; er ist — uns nur anvertraute — Gnadengabe, an das Herz gelegt (den Sitz des Erbarmens!), und wird aus dem Herzen in die Hand — in das Tun — weitergeleitet: Und auf die Warnung vor der Selbstübersteigerung folgt nun die Warnung vor dem Ausgriff überhaupt der Tat: nicht die Aktio ist menschengemäß, sondern die Passio.

Der mittlere Chorjambus der dritten Zeile läßt die Anfangsworte des Gedichts noch einmal anklingen, doch verleiht er ihnen nun einen neuen Sinn: Leben ist — im Gegensatz zu den „vielen Welten" — eine einmalige Gegebenheit; ja eine einzigartige Möglichkeit. Leben *ist* nicht viel — es *kann* sehr viel sein: Wähle nicht eine Welt, deren Lust dir gefällt — wähle die, deren Leid zu durchleiden frommt. Alle Welten sind Leiden, aber nicht jede Welt ist des Leidens wert: Darum gerade *(„sei* wert") ist „unser die Wahl", jenes „unsäglich Freie: Scheidung, Entscheidung": PASSIO, nicht Passivität; nicht die Ergebung in die Übermacht, nicht stumpfes Mit-sich-geschehen-lassen ist das Ende. Nein, weil nicht alles darauf ankommt, das selbstmächtige Ich zu behaupten, kann es auch unterliegen, ohne sittlich entwertet zu werden. Denn es gilt nicht, dem Leid sich zu widersetzen: DASS wir leiden, ist unabdingbar. WIE wir leiden — dazu sind wir frei. Beide Möglichkeiten umfaßt Menschentum: Verfehlung und Scheitern sowohl, wie den Adel der Humanitas.

Leid ist Gnade. Sein Begriff erschließt Weinhebers Kunst: „Ihr ist gesetzt, die Flamme des Leids in die Unsterblichkeit zu heben." (SK K 6). Der Leidende steht in Kommunikation mit dem Geheimsten; in der Wortbedeutung (GA IV 227) ist mitgesetzt, daß Leiden den Menschen nicht in Fesseln schlägt, sondern formt; ihn erschafft.

Die letzte Strophe vollzieht die Hinwendung zur Welt: Mit den Menschen leben, was heißt das? Schon das erste Wort trifft die Entscheidung: Brüderlichkeit. Leiden ist leidenswert, wenn es die Menschen aus ihrem Alleinsein löst, aus Vereinzelung, Einsamkeit, und sie gegenseitig sich nahebringt.

Tränen — das ist alles jenes, was irgend am Menschen ehrwürdig ist: sie kennzeichnen ein Menschenantlitz einmalig und unverwechsel-

bar, als *menschliches* Angesicht: sie sind schön und gut – Tränen mit-
leidender Brüder, wiedergeborene Menschlichkeit, in der die Starrheit
schmilzt, die Herzensversteinung. Die Wüste – wuchs: nun bricht sie
fruchtbar auf: denn es flutet (wie *wir* durch das Hiesige *schreiten)*
durch sie wieder der Lebensstrom: in dem Strom dieser Liebe unter-
tauchend wird Schuld vergeben, weggebüßt.
Kraft aber – die wahrhaft menschliche Kraft – ist nicht der heroische
Impetus; sie liegt, als geistige Kraft, in der sittlichen Entscheidung der
Wahl: Da aber „Ja und Nein" auch die Kraft auszuscheiden, auszu-
schneiden ist, wird der Satz fortgesetzt mit „Aber es steht königlich
drüberhin ... das Ganze"; es gilt jene vorbehaltlose Annahme der
vollen Wirklichkeit, die dem Nein die ausklammernde, tilgende Negativität, die metaphysische Starre nimmt – die das Übel, das Böse nicht
verdrängt, sondern fruchten läßt als Antrieb, als ein Werkzeug, das
Gute wirklich werden zu lassen, indem wir hindurchgehen: denn der
Mensch ist die „Mitte" – nicht ruhend, sondern im *Durch-schreiten:*

> „Was bliebe ihm, hättst du ihm nicht verliehn,
> nackt zwischen Schicksal, Zeit und Tod zu hangen?
> Was wäre sein, wenn nicht die Schmerzen schrien
> und ihm das Herz nicht fast verging vor Bangen?
> . . . . . .
> Du aber lehrst ihn aus dem Sündenfalle
> die Sehnsucht nach Erlösung, trägst den Armen
> aus niedern Reichen nach den höchsten hin."

> „Aus niedern Reichen nach den höchsten hin
> *geht* ja nur einer, den die Schuld zerbrach.
> Nur wer im Sumpfe sank bis an das Kinn,
> weiß ganz, was Reinheit ist – und weint ihr nach.

> Und wahr ist, daß erst hinter Schmerz und Schmach
> der Mensch den Menschen sieht. Auf blutigen Knien
> muß er dahin, die Seele bloß und brach,
> zurück, empor zu seinem Anbeginn." (SK N 6, 7; vgl. KM 33)

Das ist „das Ganze": die Stationen sind – theatrum mundi – Schuld,
Reue, Buße, ... Hölle und Himmelreich. Der Mensch – felix culpa –
inmitten, *unterwegs.*

Friedrich Jenaczek

WERNER BERGENGRUEN
WEIL ALLES ERNEUT SICH BEGIBT

Aus dem Dunkel, das lind dich umschließt,
aus dem Naß, das dich nährend umfließt,
mach dich auf, tritt hinaus aus dem Schoß,
denn das Licht ist so süß und so groß.

Wenn die Wölbung des Schlafes zerbricht,
tritt hinaus in das östliche Licht,
in den Tau, der die Sohlen dir kühlt,
in die Luft, die so blau dich umspült.

Und du fühlst, wie der Atem beglückt.
Die Wiese ist rötlich geschmückt.
Und ein silberner Mittag beglänzt
den Hang, der mit Reife sich kränzt.

Doch bevor noch ein Strahl dich versengt,
hat kühl sich der Schatten verlängt,
und grünlich befärbt sich der West,
da der Tag seine Gäste entläßt.

Was dich schreckte und scheuchte, vergiß!
Denn die Erde ist treu und gewiß.
Und du weißt dich vom Dunkel geliebt,
weil alles erneut sich begibt.

Und so trittst du vertrauend hinein
in die Nacht, in den Tod, in den Stein.
In den Sand, in den Schiefer, den Ton,
in den Wein, in das Öl, in den Mohn.

Das Gedicht ist mehr als reine Naturlyrik, als Abbild, Anschauung oder
„Lobgesang", wie etwa Bergengruens „Ballade vom Wind" oder „Die
Wolken". Lobpreisungen dieser Art, rein und ungebrochen, sind im
Werk des Dichters nicht die Regel. Zumeist wird, wie in der Prosa so auch
in der Lyrik Bergengruens, das Bild zum Gleichnis („Die Meise"), wird

das Gedicht wesenhafte Aussage über unsere menschliche und alle kreatürliche Existenz, führt zur Wiederentdeckung des metaphysischen Bezugs, zur Sichtbarmachung der ewigen Ordnungen. „Es gilt also die Darstellung und Deutung des Einmaligen, des Einzelfalles. Aber wie ich die Welt nur als Einheit zu empfinden vermag, so ist mir auch der Einzelfall ... nichts als die Manifestation ewig gültiger Gesetze; und deren Offenbarwerden, nicht deren vordringliche Predigt, das, was ich als metaphysische Pointe bezeichnen möchte, scheint mir denn auch den Kern jeder erzählenden Kunst zu bilden" („Bekenntnis zur Höhle" – Nachwort des Dichters zu „Die Feuerprobe"). – In der metaphysischen Pointe des behandelten Gedichtes liegt die Schwierigkeit.

Das Grundthema „Tod und Vergänglichkeit", zunächst nicht sofort zu erkennen, weil das Gedicht durchaus nicht auf Moll abgestimmt ist, gehört nicht zu den vordergründigen Erlebnissen junger Menschen. Es hat zunächst auch wohl keinen Sinn, von der Ausgesetztheit der Kreatur zu sprechen, von der Verlorenheit und Ungeborgenheit des „unbehausten" Menschen, von seinem „Geworfensein in das Nichts", und wie die termini technici alle heißen mögen. Aber ohne die Einstimmung auf Tod und Vergänglichkeit bleibt das Gedicht Antwort auf eine ungestellte Frage.

Die Totentanzdarstellungen des Spätmittelalters, auch Rethel (6. Blatt, „Der Tod auf den Barrikaden 1848" usw.), die apokalyptischen Reiter bieten sich zur Einstimmung an. Furcht vor dem Tode, das kann erstens sein: Furcht vor einem qualvollen Sterben (Furcht vor dem Schmerz); zweitens: Furcht vor Gericht und Strafe im Jenseits – sofern es geglaubt wird und Gefühl für die Unzulänglichkeit alles Menschlichen entwickelt ist; drittens aber: Furcht vor Vernichtung (Bergengruen, „Am Himmel wie auf Erden"). Für den jungen Menschen wird diese – ohne jede metaphysische Spekulation – begreiflich als Furcht vor Vernichtung angesichts seines Lebens, das noch voll süßer Hoffnungen steht; für den Erwachsenen mag sie erscheinen als Furcht angesichts der zurückbleibenden Angehörigen oder angesichts eines Werkes, dessen Vollendung mit letzter Hingabe erstrebt wird.

Diese Angst vor dem Tode als „Furcht vor Vernichtung" ist der entscheidende Ausgangspunkt; denn ihm steht gegenüber Bergengruens ‚Fürchtet euch nicht!', wenn auch Sicherheit und Tröstung – bei diesem Gedicht! – nicht aus der Heilsgewißheit des Christenmenschen strömen, sondern mit dem Eingebettetsein des Menschen in die Gesetzmäßigkeit eines großen kosmischen Vorgangs begründet werden.

Vielleicht ist es ratsam, ehe das Gedicht gesprochen wird, dem so erarbeiteten theoretischen Verständnis von der Furcht vor dem Tode das dichterische Wort an die Seite zu stellen. Liliencron: „Acherontisches Frösteln" (2. Strophe)

> „Dann ängstet in den Wäldern eine Leere,
> durch kahle Äste wird ein Fluß sich zeigen,
> der schläfrig an mein Ufer schickt die Fähre,
> die mich hinüberholt ins kalte Schweigen."

Oder noch eindringlicher Claudius:

> „Ach, es ist so dunkel in des Todes Kammer,
> Tönt so traurig, wenn er sich bewegt
> Und nun aufhebt seinen schweren Hammer
> Und die Stunde schlägt."

Erst auf solchem Hintergrund erhält das Gedicht Bergengruens seine Leuchtkraft: „Und so trittst du vertrauend hinein . . ."

Erste Frage, nachdem das Gedicht gesprochen ist: Welche Antwort gibt es – etwa im Vergleich zu den vier Verszeilen von M. Claudius – auf die in der Ausgangssituation herausgestellte Bedrohung unseres Seins durch den Tod? – Die Meinungen gehen kaum auseinander. Da ist einmal kein „schwer anrollender Rhythmus" (J. Pfeiffer) wie bei Claudius, keine Unsicherheit, kein gehemmter, zaudernder oder zurückbebender Schritt, sondern ein sicheres, unbesorgtes, ja geradezu beschwingtes Schreiten. Da ist weiterhin entschiedener Wohllaut, Sprachmusik, fesselnder Zauber der Tongestalt, der „Instrumentierung". Und da ist zum dritten – die letzte Strophe ausgenommen, deren Sinndeutung für alle (mit Recht) zunächst Hieroglyphe bleibt – Klarheit, Durchsichtigkeit, plastische Bildhaftigkeit. So weit der erste Eindruck. Wo aber steckt das Geheimnis der Form, und was ist wiederum deren Geheimnis?

In innig warmem, aber verhaltenem Sprachton beginnt das Gedicht. Das Du ist tröstender Zuspruch des Dichters an sich selbst, aber zugleich – stellvertretend – Anrede an dich und mich. Behutsame Aufforderungssätze wechseln deshalb ab mit schlichten Aussagesätzen, die in Nebenordnung aufgereiht sind. Dabei bilden je eine oder auch zwei Verszeilen oder auch eine ganze Strophe das Gerüst für einen Satz, und immer fügen sich Sinnschritt und Verszeile zur Einheit. Nur an einer Stelle wird die Verszeile zögernd überschritten: „Und ein silberner Mittag beglänzt / den Hang, der mit Reife sich kränzt, und in der letzten Strophe stört uns, weil für die normale Syntax unmotiviert, in der zweiten Verszeile hinter „Stein" der Punkt – im ersten Falle, wie wir später sehen werden, vielleicht, im letzteren sicher mit gutem Grund! Jeder einzelne Satz aber zieht seine Kraft aus dem frischen Pulsschlag des Verbums. Fünfzehnmal allein steht es am Versende, dem voll ausgebildeten Versfuß, und trägt hier im Reim den entscheidenden Akzent. Das entspricht sowohl in der ersten und fünften Strophe dem Sinn des Aufforderungssatzes, verleiht aber gleichzeitig in der zweiten bis vierten Strophe den Aussagesätzen jene Bewegung, die in dem Gang des Tagesgestirns vom Morgen bis zum Abend ihre Parallele hat. Im ganzen aber entsteht dadurch jene Klarheit und Übersichtlichkeit, die oben als erster Eindruck vermerkt wurde. Nur die letzte Strophe bildet wiederum eine Ausnahme. Mit der Aufreihung der Hauptwörter verliert sie an Helligkeit; dafür gewinnt sie an Klangfülle und Symbolkraft.

Drei Tongipfel in der Verszeile, klar ausgeprägte, in der deutschen Dichtung so seltene Anapäste; Metrum und Rhythmus fließen spannungslos ineinander, ergeben ein schwebendes Auf und Ab. Von der dritten Strophe an wird jedoch der erste Versfuß mehrfach auf eine Senkung verkürzt („Die Wiese ist rötlich geschmückt" – „hat kühl sich der Schatten verlängt"); das drängt das allzu geschäftige Metrum in ruhigere Gangart zurück und verleiht überdies an entscheidender Stelle der Aussage Nachdruck: „Weil alles erneut sich begibt." Im übrigen spannen sich die Bögen der rhythmischen Bewegung in ruhigem Schwung teilweise von Verszeile zu Verszeile, dann wieder über zwei Verszeilen oder die ganze Strophe hinweg; ja fast scheint es, als seien auch die im Bild zusammengehörigen zweite, dritte und vierte Strophe in einer großen rhythmischen Bewegung erfaßt. Dies alles, die Festigkeit der Gangart trotz des an sich unruhigen Metrums – der Dreitakter mildert im Gegensatz zum Viertakter die Bewegung, die hier ins Tänzerische hinübergleitet – gibt uns das Gefühl des ruhigen, beschwingten Schreitens. Und dies hält an bis in die letzte Strophe: „Und so trittst du vertrauend hinein / in die Nacht, in den Tod, in den Stein . . ."

Die Musikalität, schon beim ersten Sprechen herausgehört, hat nichts vom Neutönertum moderner Lyrik; die ausgesprochen stimmungshaltige Tongestalt erinnert eher an romantische Vorbilder. Eine mittlere Grundstimmung fängt uns ein, die aus dem immer wiederkehrenden Wechselspiel weniger Vokale entsteht, dem weichen, mütterlich-bergenden U-Laut (Dunkel, umfließt), dem warm aufleuchtenden AU (Tau, blau) und dem beruhigenden Ö (Wölbung, Öl). Immer aber drängen sich in diesen Wechselgesang die hellen, lichten Töne, so die I-Laute: In „lind" noch etwas gedämpft, dann immer beherrschender und gewisser in „zerbricht – Licht", „vergiß – gewiß"; schließlich (besonders in der zweiten und dritten Strophe) mit entschiedenem Lobpreis das strahlende Ü („beglückt – geschmückt"). Gerade hier ist es übrigens deutlich, wie das Grundthema (in diesen Strophen das des Lobgesanges) allein aus Klang und Lautmelodie herauszuhören ist. Im ganzen Gedicht keine einzige Dissonanz! Gebrochene Vokale in Verbindung mit Zischlauten erscheinen nur an einer Stelle: „Was dich schreckte und scheuchte, vergiß!" – Aber dies alles ist erst ein Teil Assonanz und Alliteration drängen sich so unmittelbar auf, daß der Hinweis darauf nahezu überflüssig erscheint. Die durchweg männliche Reimbindung umschließt mit Vorliebe auch noch die vorhergehende Silbe (versengt – verlängt) oder greift über die Verszeile zurück und nähert sich dem gleitenden Reim, dies am deutlichsten in der vierten Strophe: „. . . . Strahl dich versengt. / . . . Schatten verlängt" und „. . . . befärbt sich der West / . . . seine Gäste entläßt". Wie durch ständige, vielfältige Assonanz und Stabung, innerhalb der Verszeilen und über die ganze Strophe hinweg, die Harmonie des Zusammenspieles entsteht, ist wohl am besten an der Eingangsstrophe nachzuweisen. Genug! – Im ganzen spüren wir, was die Lautgestalt betrifft, nichts von November, von Allerseelenstimmung. Im Gegenteil, hier ist Tröstung und Gewißheit, ähnliche Gewißheit, wie sie in Mörikes „In der Frühe" in den beiden letzten Verszeilen zum Ausdruck kommt: „Freu dich, schon sind da und dorten / Morgenglocken wach geworden!"

In klarer Folge entfaltet sich in den ersten vier Strophen Bild um Bild. Sprachton, Wortschatz und Bildwahl offenbaren eine wirkliche „heile Welt". Nicht ein einziger Name oder Begriff stammt aus dem Umkreis unserer technisierten, aus den Fugen geratenen Gegenwart. Führerin ist allein die Natur, darüber hinaus das, was sich in ihr an kosmischer Gesetzmäßigkeit eröffnet.

Erste Strophe: Stunde der Geburt, Bild des mütterlichen Schoßes, ähnlich wunderbar gefaßt in „Die vier Elemente": „Linde Fluten quollen dir entgegen, / nährend schloß dich stilles Wasser ein." – „Denn das Licht ist so süß und so groß": Bekannt ist das „groß" von Rilke („Der Sommer war sehr groß") und von Weinheber („Die Nacht ist groß"). Ein Doppeltes, Verheißung und Beglückung, steckt in der Aussage. –

„Süßes Licht": „Honig" erscheint bei Bergengruen in „Die Mühle" als magisches Symbol für das Leben an sich, und „Singe, Seele, du singest nie das Irdische aus!" heißt es in seinem Gedicht „Sommer". Die drei folgenden Strophen: Drei Bilder, ungemein knapp, aber plastisch greifbar. Farben herrschen vor, doch nicht ausschließlich; der ganze Mensch mit allen Sinnen ist geöffnet: „Tau, der die Sohlen dir kühlt" . . . „Luft, die so blau dich umspielt" – Morgen, Mittag und Abend: Der Tagesbogen sinnbildlich zu dem unseres Lebens erhöht! – „Wenn die Wölbung des Schlafes zerbricht" . . . Wölbung: Das Bild des mütterlichen Leibes zittert leise nach, aber das Wort verwandelt sich in der Hand des Dichters: Obhut, Geborgenheit, umhegter Raum, heiliger Bezirk, wie der Torbogen sich über den Eintretenden, der Himmel über die Erde wölbt. – Zuversichtliches jugendliches Schreiten in diesen Bildern, bis zur Mitte der dritten Strophe: „Und ein silberner Mittag beglänzt / den Hang, der mit Reife sich kränzt". Im Bild des Hanges noch einmal die Erinnerung an den Anstieg, dann aber zögerndes Verweilen (Enjambement!) im Scheitelpunkt, ehe der Tagesbogen sich neigt: Stunde der atemanhaltenden, lähmenden Mittagsstille, Stunde auch der tödlichen Bedrohung. Aber auch sie geht, unwandelbares Gesetz, vorüber. „Doch bevor noch ein Strahl dich versengt" . . . Linde Kühle des Abends umfängt uns, da der Tag seine Gäste entläßt.

Die fünfte Strophe bedarf keiner Erklärung, sie verkündet selber: Erste Geborgenheit und Sicherheit für alles, was sich vor dem Tode ängstet, unter der Furcht vor Vernichtung leidet. „Und du weißt dich vom Dunkel geliebt, / weil alles erneut sich begibt." Die Natur, die unverfälscht dem göttlichen Gesetz gehorcht, kennt nicht Ende, Auslöschen, Zerstörung und Vernichtung, sondern nur ewiges Kreisen in sich selbst. „Ewig wechselt Frucht und Blüte, / Vogelzug nach Süd und Nord." So auch der Mensch: „Und dir ist von Ewigkeiten / Rast und Wanderbahn gesetzt." („Die heile Welt"). Hier erscheint bereits klar das *Grundthema:* Im Wandel – Dauer; im Vorübereilenden – Beständigkeit; im Zeitlichen – das Ewige.

Doch ehe wir den Gedankenfaden weiterspinnen, noch einmal zurück zu der letzten Verszeile der vierten Strophe: „Da der Tag seine Gäste entläßt." Man mag leicht darüber hinweglesen, aber sie verlangt Besinnung. Das bedeutet also: daß das Leben uns als seine Gäste entläßt! So sind wir nicht Beheimatete hier auf der Erde, sondern flüchtig Erscheinende, Vorübereilende, Gäste! Wo aber ist Heimat? Bergengruen antwortet selbst:

„Mensch, du verlorner Sohn der ersten Zeit,
kehr um, geh heim.
Dein Vaterhaus heißt Ungeborenheit.
Du drangst ans Licht, hast dich zu sein erkühnt.
Kehr heim. Wohin?
Wo kühl im Dunkel ewige Hausung grünt."

(„Kehr um, geh heim")

Nun ist wohl der Weg geebnet für das Verständnis der letzten Strophe. „Und so trittst du vertrauend hinein / in die Nacht, in den Tod,
in den Stein": Zum erstenmal, während bisher nur vom „linden" und
„geliebten" Dunkel zu vernehmen war, erscheint jetzt hart und real:
Nacht, Tod, Stein. Was ist damit gemeint? Sicher nicht jenes Dunkel,
das der Dichter unaufhörlich umkreist, sondern d e r Tod, den die ge-
ängstete Kreatur, der ungeborgene Mensch schlechthin fürchtet: Stein
als Sinnbild der letzten tödlichen Erstarrung, auch der leblosen Materie. – Wie aber weiter? „In den Sand, in den Schiefer, den Ton":
bloße angereihte Synonyma? Kaum! „Es ist geradezu ein Kriterium
für ein gutes Gedicht, daß es durch ein falsch gesetztes Komma in den
Abgrund der Bedeutungslosigkeit gestürzt wird . . ." (P. Hühnerfeld).
Die Aussage der beiden ersten Verszeilen endet aber mit einer klaren
Zäsur, dem Punkt hinter Stein. Was folgt, muß also wohl als *Verwandlung, Neubeginn, Wiederkehr* gedeutet werden. Versuchen wir,
zu umschreiben, ohne die Dichtung bei der Auslegung zu überan-
strengen.
Auch der Stein ist nicht „Endprodukt", sondern der Wandlung und
Verwandlung unterworfen. „Da dreht sich die uralte Mühle, / schleift
Kiesel und hellen Achat" („Die Mühle"). Selbst der härteste Granit
zerfällt, wird Sand, neu formbare Materie: Sandstein. „Die Welt liegt
geborgen im schimmernden Netz, / im alten Vollzug und im stillen
Gesetz. Im Tiefen *wachsen* Metall und Gestein." („Schlaflied"). Wer-
dendes Gestein: das ist Schiefer. – Verwittertes Gestein, „Staub
und Kruste", abgelagert, angeschwemmt: das ist Ton. Aus Ton aber
formt der Künstler, aus Erde schuf Gott den Menschen.
Noch sind wir aber im Stofflichen – nicht in der „toten" Materie, denn
in der kosmischen Perspektive des Dichters ist dieses „tot" in gewis-
sem Sinn aufgehoben – für uns heute noch in einem zweiten, weiteren.
Im Aufzucken eines Augenblickes verwandelt sich Materie in Kraft,
Energie, Feuer: Atomspaltung. Der Mensch aber ist beides, Materie
und Feuer; *Feuer* jedoch ist sein eigentliches, sein beständiges Ele-

ment (Feuer als Symbol der Geistnatur, aber auch der allumfassenden, wärmenden Liebe!).

> „Ich weiß, ich bin aus Glut geboren,
> getauft mit feuriger Tinktur,
> und ewig bleibt mir eingeschworen
> die salamandrische Natur.
>
> Ich weiß, ich soll in Schwall und Schwebe
> ein fest beruhendes Gestein
> und wie asbestenes Gewebe
> im Feuer unverbrennbar sein."
>
> („Der Behütete")

Von hier aus betreten wir die Brücke zur letzten Verszeile: „In den Wein, in das Öl, in den Mohn." — Die gewiß schwer zu umgrenzende Symbolik dieser Verszeilen ist im Werk Bergengruens nicht einmalig. Sie hat ihre Entsprechung in dem Gedicht „Die Mühle":

> „Und aber entflammt sich der Osten,
> Wirst Honig, Asche und Wein
> In neuen Verwandlungen kosten,
> Und kein Ende wird sein."

Die Deutung von L. Sandrock Wein (= das Berauschende) geht an dem Kern des Ausgesagten vorbei. Wein bedeutet einmal im Sinn des sakramentalen „Brot und Wein" des Lebens das Eintauchen in „der Schöpfung Schoß", in die Urheimat (die Geistnatur!), in die Beständigkeit, in die Quintessenz.

> „Haben wir dich treulich einbefohlen
> in die Hut des vierten Elements,
> rauschen Fittiche, dich heimzuholen,
> und so gehst du in die Quintessenz."
>
> („Die vier Elemente")

Noch einhelliger kommt es zum Ausdruck:

> „Werden Bilder,, werden Funken,
> längst von Eigenem befreit,
> nur noch e i n e s Rausches trunken:
> trunken von Beständigkeit."
>
> („Magische Nacht")

Damit ist wohl interpretiert, welch magischer Sinn hinter dem alltäglichen „Wein" aufleuchtet. Dieses Eintauchen in der Schöpfung Schoß ist „süße Trunkenheit":

> „Teil hat alles, was gedeiht,
> An der tiefsten Trunkenheit."
>
> („Feldkreuz")

In das Öl: Auch das Untertauchen in die Quintessenz bedeutet nicht Stillstand, nicht Endgültiges, sondern ist unablässige Entfaltung, „urgeheimes Schöpfungsbett".

> „Schon einmal hab ich Zeiten
> in dunklem Schoß verbracht,
> in feuchten Fruchtbarkeiten
> der mütterlichen Nacht."
>
> („Testament")

So mag man denn auch hier bei der Interpretation von der sakramentalen Bedeutung ausgehen: Öl als Sinnbild der Reinigung, der Heiligung (aus der Gnade), aber auch der Stärkung, der Kraftspendung – wie man der Lebensflamme kostbares Öl zuströmen läßt. Und damit nähern wir uns dem Beginn des Gedichtes. „Mütterliche Nacht"! Das linde Dunkel des bergenden Schoßes taucht wieder auf: Öl als heilige, nährende Feuchte.
In den Mohn: Sinnbild des Schlafes, des Erquickers und Kraftspenders, ehe der Mensch wieder „hinaustritt aus dem Schoß". – Damit schließt sich der Kreis.
Gegenüber aller Not und Angst der gehetzten, über dem Abgrund des Nichts wandelnden Kreatur gewinnt Bergengruen aus der Schau in die Gesetzmäßigkeit des Weltablaufs seine Zuversicht. „Wage nur dem schwarzen Schoße, / Liebender, dich anzutraun!" In der Schlußstrophe von „Die vier Elemente" wird dies zu beglückender Verheißung:

> „Wandrer, heiße alle Ängste schweigen,
> niemals fällst du aus der Schöpfung Schoß,
> bist ein Sohn in seinem Erb und Eigen,
> und dein Erbe ist unmeßlich groß."

Fritz Kranz

ELISABETH LANGGÄSSER:
REGNERISCHER SOMMER

VII/99

Wenn das Mohnblatt niederfällt
Und die Kapsel schwarz enthält
Schwere, bodenlose
Träume, die Verdandi träumt,
Wenn das Webstück sie umsäumt –
Schlafe, meine Rose!

Schlafe in der Norne Sinn,
Die dich kennt von Anbeginn,
Aller Makel bloße.
Die dem Beifuß mächtig wehrt
Ohne Sichel, ohne Schwert:
Schlafe, meine Rose!

Schlafe, wenn der Regen rauscht
Und die Schöpfung seufzend lauscht
Ihrem Todeslose.
Äolsharfen streift der Wind,
Einst wird Orpheus dir zum Kind –
Schlafe, meine Rose!

Es ist leicht zu sagen, was dieses Gedicht *nicht* will: es will weder das Bild einer regenverhangenen Sommerlandschaft vergegenwärtigen, noch die Stimmung emporrufen, die einen Sommerregen begleitet, wie das etwa Gedichte von Hans Leifhelm („Im Regen") und Friedrich Bischoff („Das Regenlied") tun. Einen Anklang von Stimmung kann man in dem Gedicht der Langgässer allenfalls finden in den Versen: „. . . wenn der Regen rauscht / Und die Schöpfung seufzend lauscht / Ihrem Todeslose" – es wäre die Stimmung hoffnungsloser Trauer, die der eintönig niederrauschende Regen verbreitet. Aber es ist nicht ein Ich, das solche Trostlosigkeit empfindet, sondern die Natur selbst. Die dichterische Subjektivität ist hier überhaupt ganz ausgeschaltet; hier ist kein Einswerden von Seele und Welt, wie im Stimmungsgedicht Goethes und der Romantik und ihrer Nachfolge im 19. Jahrhundert. Und was soll es heißen, daß die Natur ihrem „Todeslose" lauscht? Etwa, daß die Pracht des Sommers in dem endlosen Regen erstirbt und in den Herbst hinüberwelkt? Aber was bedeutet dann die Aufforderung: „Schlafe, meine Rose!"? Was will die Behauptung sagen, daß die Rose dem „Beifuß" wehre, was soll die Rede von „Äolsharfen"? Dieses Gedicht läßt sich offenbar nicht als Naturgedicht im herkömmlichen Sinne verstehen. Es meint ein Geschehen jenseits des vordergründigen Naturvorgangs, eine Wirklichkeit über die Naturstimmung hinaus.

Dies auszusprechen, bedient sich das Gedicht einer bestimmten Zeichensprache – mit einem gewissen Recht könnte man von Chiffren reden. Solche Chiffren sind auch die mythologischen Namen Verdandi und Orpheus, deren Bedeutung aus der an sie geknüpften Überlieferung nicht ohne weiteres einzusehen ist. Es ist das Wesen eines chiffrierten Textes, daß sich sein Sinn erst herstellt, wenn man statt der herkömmlichen Wortbedeutung die vereinbarte einsetzt. Nun sind diese poetischen Chiffren keineswegs willkürlich gewählt. Immerhin aber wird ein ganz anderer Weg des Verständnisses gefordert als bei einem Gedicht Goethes oder Eichendorffs, wo es sich nicht, wie hier, darum handelt, dem Textwort einen bei-gelegten Sinn abzufragen, sondern vielmehr, es zunächst in seiner alltäglichen Bedeutung hinzunehmen und dann von hier aus seine ganze Tiefe zu erloten.

Die Chiffrensprache dieses Gedichtes zu entschlüsseln, ist die Textgrundlage, die es selber bietet, zu schmal – um so mehr, als es nur ein Teilstück eines Ganzen darstellt, das nochmals einem größeren Ganzen eingegliedert ist. Unsere Strophen sind der letzte Teil einer Gedichtdreiheit, die als Ganzes den Titel „Regnerischer Sommer" führt, und diese Dreiheit selbst ist wiederum ein Stück des von der Dichterin als „Jahreskreis" bezeichneten Gedichtzyklus „Der Laubmann und die Rose". Nur aus diesem Zusammenhang ist das Gedicht zu interpretieren, wobei der Gedichtkreis selbst wieder in der geistigen Einheit von Elisabeth Langgässers Gesamtwerk zu sehen ist, das manche Klärung auch durch nichtdichterische Zeugnisse, nämlich die Briefe der Dichterin, erfährt.[1]

Der erste Vers der Gedichttrilogie „Regnerischer Sommer" bezeichnet den Augenblick des „Jahreskreises", den das Gedicht ausspricht, zwischen dem „Hochsommer" und dem „Altjahr": „Der Mohn fällt ab." Der Regen selbst aber ist vergegenwärtigt in einem Bild, das auch bei anderen Dichtern begegnet, z. B. bei den eingangs genannten.

„Wenn des Sommers Regenwebe / Rieselnd überm Garten hing . . ."
heißt es bei Bischoff, und bei Leifhelm:

> „Hier im Regenwebstuhl sitzen wir gefangen,
> Nässe steht in Fäden steil und schwer,
> Nässe flackert wie der Einschuß quer,
> Den die Regenweberschifflein schwangen . . ."

Und so auch bei der Langgässer „Spult sich der Faden, / Schiffchen sie
hüpfen", und auch das Bild des Webstuhls kehrt wieder; aber nun
keineswegs beschränkt auf die Verdeutlichung des sinnenhaften Eindrucks, sondern durchsetzt mit einzelnen Chiffren und als Ganzes
selbst Chiffre und nur aus dem religiösen Weltbild der Dichterin
deutbar:

> „Vom Brustbaum tritt zum Kettenbaum
> Das Wetter im Gestühle
> Und webt den Teppich ohne Saum,
> Schießt Beifuß ein und bösen Traum
> In ungelöschte Schwüle." (I)

Was ist das „Webstück", das auf diesem Webstuhl gewoben wird?
Jedenfalls nicht „der Gottheit lebendiges Kleid"! „Böser Traum" ist
eingewoben — „böse" also sind die „Träume, die Verdandi träumt".
Das „Wetter", das im Gestühle werkt, ist dämonischer Art — der
Kenner der Langgässer denkt an die Schilderung der Gewitterregen
im „Unauslöschlichen Siegel". In der Zeichensprache des Gedichtes
meinen die metereologische und die mythische Chiffre, das „Wetter"
und die „Norne", das nämliche. Verdandi[2]: das heißt das Werdende, die
stetige Gegenwart, der stehende Kreis von Geburt und Tod, ohne Ziel
und ohne Anfang. Es ist das „ewig verschlingende, ewig wieder-
käuende Ungeheuer" des „Werther", jene „Natur", die doch als das
Allumfassend-Göttliche anzubeten gerade die Gefahr des deutschen
Geistes so oft gewesen ist. Dies ist das Thema der bedeutenden Erzählung „Mithras", von deren Helden es heißt: „Er wußte nicht, daß
er den dumpfen Schoß der fühllosen Gäa verehrte, die immer nur ge-
bären und wieder vernichten kann" (N 13). Es ist der Fluch dieser
Natur, daß sie in sich selber kreist, transzendenzlos, „ohne Bezogen-
heit" (US 413) und ohne Ausbruch „ins Offene" (US 492). Symbol
dieses In-sich-verschlossen-Seins ist das Bild der brütenden Fasanen-
henne im „Unauslöschlichen Siegel", „die über ihrem Nest saß und
nichts duldete außer ihren Eiern und der Wärme, die sie verbreitete:
unwiderstehlich, mit wachsender Stärke und sich selbst genügender

Lust" (419). In solcher Brutwärme, in der panischen „kochenden Stunde" hochsommerlicher Glut (LR 40), in der vom dämonischen Regenguß „ungelöschten Schwüle" vollzieht sich die „finstere Zeugung" (LR 40), triumphiert die „wuchernde, begattende Kraft der Natur" (US 166):

> „Sumpfmäuler schmatzen.
> Geisterhaft schnellen
> Samen und platzen,
> Kürbisse schwellen." (I)

Das geile Strotzen der Vegetation – in unserem Gedicht vertreten durch den wuchernden „Beifuß" – ist das von der Langgässer tausendfach abgewandelte Sinnbild dieser Nachtseite der Natur. Mythische Gestalt geworden ist es in der Figur des „Laubmanns", die der Dichterin, wie sie an Wilhelm Lehmann schreibt, von dem „merkwürdigen Gebilde" eingegeben wurde, dem sie „einmal auf einem Tiroler Schloß begegnet ist: geschnitzt aus Blatt- und Samenornamenten, die das panische Antlitz eines Mannes bilden" (B 107). Die Gestalt, auch im „Unauslöschlichen Siegel" angedeutet (100 f.), erscheint im „Mithras" in einer packenden surrealistischen Szene (N 86) und ist in dem Gedichtband, der ihren Namen im Titel trägt, lyrisch beschworen:

> „Ich bin der Laubmann. Ich same und schnelle
> Auf panischer Schleuder mein lautloses Wort.
> Es zeugt meine Hüfte: sich selbst wie der Welle
> Dahinfluß zeugt Bingelkraut, Gras, Bibernelle.
> Es zeugt meine Sohle: von Schwelle zu Schwelle
> Zeugt sich Geißblattfuß und Huflattich fort." (LR 36)

Der Grund dieser Verse aber ist Klage. Das Antlitz des „Laubmanns" ist ein wildes, aber ein „schmerzlich wildes Gesicht" (US 101). Das ziellose Zeugenmüssen ist leidvoller Zwang. Sehnsüchtig erklingt der Ruf: „Ach, singe mich fest . . .! O hilf mir zu säumen!" So seufzt die Schöpfung nach der Erlösungsstunde, wo „am Ziel des Pfades / Krümmung und der Schwung des Rades / Endlich Ruhe hat" (LR 44). All die endlos kreisende Bewegung der Natur vollzieht sich im Leeren. „Meine lappigen Hände greifen ins Leere", klagt der „Laubmann", und in „Mithras" hängen seine Wurzeln ins „Wesenlose", in das bodenlose Nichts – „schwer" sind Verdandis Träume, weil sie „bodenlos" sind. Der „rasende Kreis" (US 218), die „stehende Bewegung" (US 413), der „unendliche Wirbel" (US 389) reißt alles Leben in seinen „schwindelerregenden Abgrund" (US 322). Die unerlöste Natur kreist um das Nichts, ihr Leben ist Tod. Die Stimme der Lebensweberin verkündet der lauschenden Schöpfung ihr „Todeslos". Der Urgrund der „nur mit sich selber" erfüllten Natur (LR 42) ist der „Hades". Der „Hades" ist gegenwärtig in der Üppigkeit des prangenden Sommers wie der Wurm in der schwellenden Frucht:

> „Fernher vom Hades haucht Hermes, der Bote:
> ‚Made, mein Mühmchen im körnigen Kote,
> Mögest du fetter entschlüpfen!'" (I)

Verdandi träumt in der dumpfen Bewußtlosigkeit, die das schwarze Korn des Mohns erzeugt. Das ist der Zustand der unerlösten Natur: „schläfrig", „gedankenlos" (LR 42). Wie es in ihrem todumfangenen Kreisen nur die Wiederkehr und nicht das Ereignis gibt, so gibt es auch kein Erinnern. Zum „Hades" gehört „Lethe" – zum Tod das Vergessen. Das zweite Gedicht in der Trilogie „Regnerischer Sommer" ist dem Hadesboten Hermes in den Mund gelegt (an dieser Stelle macht übrigens die Dichterin, wie oben angedeutet, den nihilistischen Naturglauben als eine besondere deutsche Gefahr kenntlich, indem sie dem antik-mythischen Namen den des deutschen Flusses an die Seite setzt):

> „Steigt meine Lethe, so steigt auch im Norden
> Der Unstruth strömender Schleier.
> Eurydike, Flußgöttin beider geworden,
> Weiß, ewig verhaftet den kräutichten Borden,
> Stimmlos die rettende Leier."

So will es Hermes, der Bote des Todes und Gott des Betrugs, der von sich sagt:

> „Entsiegelnden Samen, der Kraft hat, zu warnen
> Vor lauerndem Irrpfad und listigen Garnen,
> Trat meine Sohle zu Boden." (II)

„Aber das Licht auch . . . / Reift, um den Pfad zu erhellen" (I). Einmal wird der Bann gebrochen sein – „einmal, wer weiß es wann, bin ich am Ziel", singt die „arme, arme Natur" (LR 49). Einmal ertönt „die rettende Leier" des Orpheus doch. „Äolsharfen streift der Wind" – der Wind, der „böse" durch das Reich des „Laubmanns" ging (LR 37). Orpheus' Gesang erweckt die schlafbefangene Natur, die der „Traum" hinunterzieht ins Totenreich (LR 58): er führt Eurydike aus dem Bannkreis des Hades zurück ins Licht, in das neue Leben. Den Zwang des ewigen Kreisens bricht das Ereignis der „Neugeburt" (LR 44) – so erlöst den Menschen aus der magischen Gewalt der dämonischen Natur die Wiedergeburt „aus dem Wasser und dem Geiste" (Joh. 3, 5): das „unauslöschliche Siegel" der Taufe hebt ihn in die Ordnung der Über-Natur.

Der Orpheus des Gedichtes aber ist nur „ein Abbild des göttlichen Orpheus" (MA 275), des „Sohnes" der „rosa mystica". Die „rosa mystica" der Lauretanischen Litanei — das Wort steht als Motto vor dem Gedichtband — ist das Gegenbild des „Laubmanns". Sie ist das Sinnbild der „Neugeburt", der „geistlichen Schöpfung" (US 289). Sie überwindet den Tod, in dem die kreatürliche Welt befangen ist, löst sie in den Duft, den Hauch, das Pneuma des übernatürlichen Lebens: „Ganz in Hauch gelöster Hades" (LR 44). Sie durchbricht die „magische Wiederkehr" (MA 88), sie bedeutet das Ende des naturhaften Werdens und Vergehens, der Macht des Geschlechts, der „finsteren Zeugung" — ihr Wesen ist „Umwandlung der Staubgefäße in Blütenblätter, Ende von Geburt, Zeugung und Tod, reines ‚Sein', vollendetes Paradies", wie die Dichterin an Karl Krolow schreibt (B 174), indem sie das botanische Faktum, daß bei den veredelten Rosenformen die Vermehrung der Rosenblätter auf Kosten der Zahl der Staubgefäße zustande kommt, geistlich ausdeutet. Die „Märkische Argonautenfahrt" wiederholt das Bild der „mystischen Rose": „Kreisender Kreis und Fülle der Blütenzungen, in welche die Staubkörner, Blatt für Blatt, ohne Zeugung verwandelt waren" (66).

Die Erlösung der Natur aus dem antik-heidnischen „Verhaftetsein in dem Naturkosmos", aus der „Bannung der panischen Mittagsstunde, des Hochsommers" (B 192) — die „Naturseele an der Wende, der Peripherie des Jahres" — „die Verwandlung aus der Unfreiheit und dem Zwang, aus der Angst und der Begierde in den neuen Zustand der Freiheit und Erlösung" (B 188): das ist, immer neu umschrieben, das Thema des „Jahreskreises". Es ist nochmals aufgegriffen in dem großen Gedicht „Daphne an der Sonnenwende"; auch hier wieder das Bild der Rose: „Und im Bild der pollenlosen / Ward Natur erst frei" (N 117).

In der „Märkischen Argonautenfahrt" heißt es, daß „einst die ursprüngliche Schöpfung als ihr Vorbild Maria enthalten hatte" (173); sie ist denn auch der gefallenen Natur „von Anbeginn" als diejenige verheißen, die die Erlösung bringt. Aber noch liegt die Natur, auf der Höhe des Jahres, im Bann des „Regens". Jedoch das niederstürzende Wasser ist beides zugleich: Sinnbild des Todes und des Lebens. Im Banne des Regens — das heißt: „unter dem Schleier des Elementes, das den Tod und die Wiedergeburt bedeutet" (MA 173). Und so wird denn auch das Schlußwort des „Jahreskreises" lauten: „Allnatur, erlöst vom Bann" (LR 59). Aus solcher Gewißheit tönt in das Seufzen der Schöpfung, stets wiederholt, das vertrauensvolle Wort der Dichterin: „Schlafe, meine Rose!"

Wenn aber die tröstliche Verheißung in die merkwürdige Form gekleidet wird, daß die Gestalt des mythischen Sängers mit der des Retters Christus verschmilzt, so will das besagen, daß die antikheidnische „Natur" durch das Christentum nicht vernichtet, sondern wahrhaft erlöst ist. Die Kirche, als die „legitime Erbin der Antike", ist „Taufschale der Natur und Bändigung jener Dämonen", die gleichwohl durch sie in die entmythisierte moderne Welt „hinübergerettet" werden (B 67).

Es bliebe vielleicht noch zu bemerken, daß alles, was in dieser Dichtung von der „Natur" ausgesagt wird, seinen eigentlichen Sinn erst gewinnt im Hinblick auf den Menschen. „Denn das Thema der Dichtung ist immer der Mensch, auch das der Naturdichtung ist es . . . Der Mensch bestimmt erst, ob die Natur der Erlösung bedürftig ist – oder ob sie ihn überragt."[3] Was im Werk der Langgässer als Natur in Erscheinung tritt, Naturding oder Naturgeschehen, ist immer als Chiffre zu lesen für die Natur-Seite des Menschen.

So esoterisch der Sinn, so eingängig ist die Form der Langgässerschen Lyrik. Die Melodie der Klänge, der klar bestimmte Rhythmus, das Zusammenfallen der sprachlichen und metrischen Gliederung, die einfache Syntax, der Kehrreim und ähnliches – das alles sind liedhafte Elemente. Das Lied ist innerhalb der Gattungen der Lyrik schlechthin Sprache der „Natur" (im Gegensatz etwa zur Ode, zum Sonett, zur Elegie als „Geist"-Ausdruck). „Natur" nun ist diese Lyrik nicht als Gefäß der Stimmung, sondern gerade als Gefäß des „Geistes", wobei „Geist" eines ist mit Mysterium. Die lyrische Sprache dieser Dichterin ist betörender Klang und mystische Chiffre zugleich; in ihr ist die bedrängende Macht und Süße des Irdischen und die befreiende Kraft des Logos; sie ist „Natur" im Zeichen der Erlösung.

Erich Hock

[1] Wir bezeichnen im folgenden die beiden ersten Gedichte des „Regnerischen Sommers" mit I und II und bedienen uns für die angeführten Werke folgender Sigeln: US: „Das unauslöschliche Siegel"; MA: „Märkische Argonautenfahrt"; LR: „Der Laubmann und die Rose"; N: „Geist in den Sinnen behaust" (Nachlaß); B: „. . . . soviel berauschende Vergänglichkeit" (Briefe).
[2] Das Metrum fordert die — falsche — Betonung auf der zweiten Silbe.
[3] E. Langgässer, Alles Außen ist Innen. Welt und Wort 4, 1949, S. 273.

KARL KROLOW:
VERLASSENE KÜSTE

Segelschiffe und Gelächter,
Das wie Gold im Barte steht,
Sind vergangen wie ein schlechter
Atem, der vom Munde weht,

Wie ein Schatten auf der Mauer,
Der den Kalk zu Staub zerfrißt.
Unauflöslich bleibt die Trauer,
Die aus schwarzem Honig ist,

Duftend in das Licht gehangen,
Feucht wie frischer Vogelkot
Und den heißen Ziegelwangen
Auferlegt als leichter Tod.

Kartenschlagende Matrosen
Sind in ihrem Fleisch allein.
Tabak rieselt durch die losen
Augenlider in sie ein.

Ihre Messer, die sie warfen
Nach dem blauen Vorhang Nacht,
Wurden schartig in dem scharfen
Wind der Ewigkeit, der wacht.

„Segelschiffe und Gelächter": zwei Substantiva, beliebig, scheint es, aus der Unzahl möglicher Nennungen herausgegriffen, verbunden durch die Konjunktion „und", alternierend ablaufend, auftaktlos („trochäisch") in vier Takte gefügt, durch einen melodisch leicht variierten E-Laut zusammentönend und auch wieder durch Vokalwechsel rhythmisiert und betont, eben noch „sinnlos", unerwartet, aber plötzlich in solcher „Konjunktion", durch das Medium der Sprache selbst, abgekürzt einen ganzen Raum voller Bedeutung, voller Assoziationen, voller sinnschaffender Zusammengehörigkeit bildend:

erregende Geburt des Verses aus poetischer Einbildungskraft, logisch und kausal unerklärlich, aber vorlogisch, vorkausal ein für allemal nun stimmend und überzeugend, Beschwörung und zugleich doch die Sache genau bezeichnend – so hebt Krolow dieses Strophengedicht an. Küstenlandschaft, Weite der Segel, Mannschaftsgelächter, *„das wie Gold im Barte steht"*, fast scheint ein romantischer Bänkelsong vom freien Matrosenleben aufzuklingen, wenn auch diese beiden ersten Verse in der chiffrierten Dichte ihrer Aussage schon alle sentimentalisch zurückblickende „Romantik" durchstoßen, sprachlicher Grund, nicht Nachahmung. „Wie Gold im Barte steht", eine kühne „statische" Metapher[1] für das männlich unbekümmerte Gelächter, wobei – will man dies wieder „logisch" aufklären – die Farbeigenschaft vorausgenommen und „festgestellt" in ein eigenes Substantiv wird, das nun unmittelbar die Verbindung zu „Gelächter" herstellt, glückhaft kräftig, höchster Sprachton des Gedichtes.

Aber der Satz, die Strophe ist nicht zu Ende. Krolow bricht diese Einstimmung in jäher dialektischer Umkehr ab, ohne Übergang, ohne „doch" und „aber". Diese *„Küste"* ist *„verlassen"*, wie die Überschrift voraussetzt (nehmen wir sie vorerst als konkretes Bild) – dies alles *„vergangen wie ein schlechter / Atem, der vom Munde weht"*. Bewegung kommt mit den aufhebenden Gegenaussagen in die Verse, verstärkt durch Enjambement und Strophensprung – radikale Aufhebung des Goldgelächters, das jetzt erst in seiner Situation begriffen scheint und einem schlechten, einem übel riechenden Atem verglichen wird, Verwesungsgeruch der Vergänglichkeit, der den lachenden Mund verzerrt, aus ihm weg „weht", ekelnd ausgestoßen wird. Was Lebensodem sein sollte, Atem des Daseins, ist „schlecht" geworden. Verben solcher Vergänglichkeit zerstören das statische Versbild: „vergangen, weht, zerfrißt". Woher diese zerstörerische Beschattung *(„wie ein Schatten auf der Mauer")* kommt, wird nicht direkt gesagt. Einbruch der Angst, der Bodenlosigkeit, der Leere, des Nichts: bei Krolow sind alle diese Vokabeln in seinen Gedichtbänden zu finden. „Und mit langsamer Bewegung / hebt die Zeit ihn auf" (29)[2], „dahinter das Loch in der Luft, die Leere, von niemand erfunden" (67) – solche anhauchende „existentielle Erfahrung" der Vernichtung bricht immer

---

[1] Vgl. im ganzen dazu die Selbstdeutung Karl Krolows „Intellektuelle Heiterkeit", in: Akzente, 1955, H. 4, S. 341 ff., wiederabgedruckt in: Mein Gedicht ist mein Messer, hsg. von Hans Bender, Heidelberg 1955, S. 38 ff.
[2] Alle Seitenzahlen beziehen sich auf den Band, dem dieses Gedicht entnommen ist: Karl Krolow, Die Zeichen der Welt. Neue Gedichte. Stuttgart 1952.

wieder in die so selig besungene Idyllik „Irdischer Fülle" (6) ein, „Wind und Zeit", wie der spätere Gedichtband von 1954 heißt. „*Staub*", das ist das erste erreichte Gegenwort zu „Gold"; „Mauer" und „Kalk", die allenfalls Schutz hätten verbürgen können, werden von dem selbst vergehenden und verwehenden „Schatten" zu Staub zerfressen. Das scheinbar Feste zerbröckelt, zerfällt. „Und der Aussatz, der überall frißt: / Zeit, die mir stirbt, meine Straße mit Speichel befleckt, / Speichel der Schwermut, du Zeit . . ." (64), heißt es in einem anderen Gedicht, welches das „Heute" in elegischen Versen umschreibt. Beschattung der Zeit, die das „Gold" der schönen irdischen Gegenwart zerfrißt.

Doch der Sog der Verse zieht weiter voran. Von der dritten Zeile der ersten Strophe bis zur letzten der dritten Strophe schwingt ein einziger Bogen, der mit „sind vergangen" ansetzt und auf „Tod" endet. Der zweimalige Strophensprung bestätigt diese durchgehende Bewegung. Auch das Bild von der schattenzerfressenen Kalkmauer wird beibehalten, wenn auch zunächst unterbrochen, um eine neue Variation der überfallenden „Schwermut" einzufügen –: „Trauer". Der dunkele Druck in der Seele angesichts der überdeutlichen Zeichen, welche der Fraß der Zeit hinterläßt – diese Trauer bleibt beharrlich, „*unauflöslich bleibt die Trauer*". („Der Mensch ist an sich schon ein hinreichender Grund zur Traurigkeit", lautet das Motto von Menander zu dem dritten, dem Hauptteil dieses Gedichtbandes.) Das Unauflösliche, Haftende, Klebende wird noch durch eine Metapher verdeutlicht; diese Trauer der Schwermut ist „*aus schwarzem Honig*". „*Ist*" – nicht „wie" aus schwarzem Honig. Während Krolow bisher dreimal den vertrauten „Wie"-Vergleich zur Knüpfung seiner Metaphern gebrauchte (wie Gold, wie ein schlechter Atem, wie ein Schatten), verzichtet er hier und – mit noch einer Ausnahme – bis zum Ende des Gedichtes auf dieses traditionelle Mittel, das letztlich aus der Gegenüberstellung von Subjekt und Objekt stammt. Die Bildsprache hakt jetzt dichter ineinander, sie schreibt die Vision genauer nach, ohne den vergleichenden Zwischenraum. Gottfried Benn, ein Lehrmeister der jungen Lyriker-Generation, behauptet sogar, dieses „Wie" wäre „immer ein Bruch der Vision, es holt heran, es vergleicht, es ist keine primäre Setzung . . . ein Nachlassen der sprachlichen Spannung, eine Schwäche der schöpferischen Transformation" (Benn, Probleme der Lyrik, 1951, S. 16). Ob dieses „immer" zutrifft, bleibe dahingestellt (Benn selbst bewundert Ausnahmen); jedenfalls ist dieser Wegfall des vergleichenden „Wie" (oder anders ausgedrückt: die sprachliche Aufhebung der Grenze zwischen Subjekt und Objekt) ein Charakteristikum auch der jüngeren deutschen Lyrik geworden, im Expressionismus ansetzend, vom späten Rilke genial fortgebildet, bei uns aber heute meist von ausländischen Dichtern des westeuropäischen „Surrealismus" aller Schattierungen übernommen (Eliot, Auden, Apollinaire, Saint-John Perse, Eluard, Lorca). Krolow kennt das Werk dieser großen ausländischen Anreger gut und arbeitet ihre Bildtechnik überraschend fugenlos in die eigene „Schulung" durch Oskar Loerke und Wilhelm Lehmann ein. Daher konnte Hans Egon Holthusen, als er „die lyrischen Errungenschaften Karl Krolows" kenntnisreich beschrieb und sie genau analysierte, seinen Aufsatz überschreiben „Naturlyrik und Surrealismus"[3]. Krolow hat diese Technik des Wegfalles von „wie", „als ob" usw. überzeugend entwickelt und durchgebildet, gerade in diesem Band von den „Zeichen der Welt". Ein Musterbeispiel, dessen Verständnis ganze Gebiete der modernen Lyrik erschließt, ist der Anfang seines Gedichtes „Der Täter" (30): „Der Morgen, die traurige Taube, schmilzt / Mir langsam im Aug' und verdirbt / Mit blauem Gefieder." Da ist ein genialer Einfall in eine ebenso bewundernswerte Verschmelzung zweier Bildebenen gebracht. Die Sprache stellt plötzlich Bindungen her, die auf eine ursächliche Verknüpfung im Grund des Seins deuten und vor der nur unsere „Logik" scheitert.

Ähnlich gefügt „die Trauer, die aus schwarzem Honig ist". Kein Vergleich; ein Seinszusammenhang, der im Bild sich öffnet und bestätigt. „Honig" klingt noch an den Goldton des Eingangs an, süßes Bienenleuchten, aber dies ist, wieder unerklärlich „stimmend", an die Schwärze gekoppelt, „unauflöslich" schwarz verschattet. Die Antithetik des ganzen Gedichtes spiegelt sich in diesem schwermütigen Versglied. Es ist eine andere Bildumschreibung jener erworbenen Grundeinsicht heutigen Daseinsgefühls, die Krolow, am Ende seiner „Ode 1950", so präzise mit „leuchtend und bitter" angibt (89).

Die Antithetik dieses Verses geht in die nächste Strophe über und spaltet sich dort zunächst in die beiden ersten Zeilen. Diese Trauer, die aus schwarzem Honig ist, *„duftend in das Licht gehangen"*: wieder zuerst das Einklingen in den goldenen Honig-Ton. Licht, das ist bei Krolow immer eine Chiffre schwereloser, schwebender, ätherischer

---

[3] Dieser hervorragende Aufsatz, auf den grundsätzlich für diese Interpretation verwiesen sei, erschien zuerst in: Merkur, Nr. 62, VII. Jg. 1953, H. 4, dann wiederabgedruckt in: Ja und Nein. Neue kritische Versuche. München 1954, S. 86 ff.

Daseinshelle, die „Unschuld des Lichts" (67); darin „duftet" der Honig. Aber auch hier wird, der Schwärze analog, hart und rücksichtslos die Kehrseite des „Duftens" und der flüssigen Konsistenz des Honigs gegengesetzt — *„feucht wie frischer Vogelkot"*, Abfall wie der „schlechte Atem", Rückbleibsel verfallenden Daseins, ätzender Kotbewurf der „Mauern". Mit dieser scharf alliterierenden Zeile ist das Ausgangsbild dieser beiden Strophen von neuem erreicht, denn die *„heißen Ziegelwangen"*, deren Beiwort noch auf das Brennen des Lichtes zurückweist, stellen wieder jene schon bröckelnde Mauer vor, nun von frischem Vogelkot verschmutzt. Er ist ihren Ziegelwangen (welche merkwürdige Zärtlichkeit in dieser Wortverbindung!) *„auferlegt als leichter Tod"* (beide Zeilen noch durch den EI-Laut gehalten). Doch das zweite, das vorerst endgültige Gegenwort zu „Gold" ist erreicht: Tod — klanglich zusammengebunden über drei Strophen hinweg, genau weitergeleitet von den antithetischen Zwischengliedern „Honig" und „Vogelkot", durch den trockenen dumpfen O-Laut, immer tieferer Gongschlag des endlich auffangenden Todes, eine Vokal- und Sinnbindung hoher künstlerischer Meisterschaft. Die Gestalt enthüllt präzise den Sinn. Freilich — „leichter Tod"; so sehr Krolow erschüttert wird von dem unerklärlichen Einbruch des Verfalls in das Honig-Gold des Daseins, von „fürchterlich aggressiven Nichtserlebnissen", von „existentiellen Schwindelerlebnissen" (Holthusen), so „leicht" und „licht" begreift er — jedenfalls an den meisten Stellen — schließlich den Tod selbst, oder genauer: die Toten, mit ihren „bodenlosen Herzen" (54), denen „das Leid" „sanft im Nacken" zerschmilzt und die ihre eigene „Heiterkeit" besitzen (52). „Niemand mehr trennt / Von nun an mich von den leichten Gedanken der Toten, / Die sie mir lächelnd gleich bittren Gerichten entboten" (66). So hier auch diese unaufhaltsam saugende Bewegung von „vergangen", ver- „wehen", „zerfressen", Schatten und Kot, Schwärze und Staub schließlich auferlegt als „leichter" Tod.

Erst jetzt, in den letzten beiden Strophen, nach der Umvariierung von Gold in Tod, wird — nochmals sicher geführt durch den zusammenhaltenden O-Ton — die Anfangssituation aufgenommen, das eigentliche (doch nur stellvertretende) Subjekt der Handlung genannt: *„Matrosen"*. Doch nun nicht mehr, jener Kehre gemäß, „Segelschiffe und Gelächter", sondern eher eine dumpfe Kneipe, makabrer Ort der Verlassenheit; Tabak und Schnaps, Karten und Messer sind die zugehörigen Versatzstücke — „Kartenspiel der Schwermut" (49). *„Kartenschlagende Matrosen / Sind in ihrem Fleisch allein. / Tabak rie-*

selt durch die losen | Augenlider in sie ein": Verse, deren Ausdruck und Aussage in ihrer, nun gegensätzlichen Erfindung so frappierend ist wie die beiden Eingangszeilen und die den Leser noch mehr betroffen machen, ihn erinnern an eigene Verlassenheit, „. . . besiegt / Von Chimären, dem Echo des Nichts hinterm Rausche" (76). Holthusen hat die „Erinnerung" dieser Strophe beschrieben: „Selten ist das „Geworfene", das Ausgestoßene und einsam ins Fleisch Gesetzte moderner Existenz so gültig ausgesprochen worden . . .". Das Hineinrieseln des Tabaks „durch die losen Augenlider" (die Alliteration verschleift das Enjambement) ähnelt modernen surrealen Gemälden, etwa denen Picassos, wo die Gestaltkonturen der dargestellten Personen ebenso aufgelöst erscheinen und sie aller Umwelt und umgebenden Gegenständlichkeit durchlässig geworden sind. Das Haltlose personaler Existenz wird in dieser Durchlässigkeit für den rieselnden Tabak noch mehr betont. Die Augen schauen und behalten nichts mehr; das Narkotikum betäubt und „zerfrißt" sie. Auch diese Strophe bleibt auf den basso ostinato „Tod" und „Staub" fugiert.

Das gilt auch für die letzte, doch kommt hier, abschließend und sogleich wieder sich öffnend, ein neues antithetisches Element hinzu, mag dies auch nur ein konventionell verwendetes Wort sein, ohne jede religiöse Einfärbung – „Ewigkeit". Krolow hält die Höhe seiner poetischen Bildfindung sicher, seine Sprache weitet die gewagte Szenerie noch aus. *„Ihre Messer, die sie warfen | nach dem blauen Vorhang Nacht"* – noch scheinen wir im konkreten, gegenständlichen Raum zu bleiben, die Matrosen werfen ihre Messer in einen Vorhang, Kneipaufruhr der Einsamen zwischen Kartenspiel und Tabakdunst, tödlich protzendes Spiel und auch wieder sinnlos gegenüber der andrängenden Nacht. Aber die fugenlose Koppelung – ohne „wie" – von Vorhang und Nacht, wobei das gemeinsame Beiwort „blau" beide Substantiva noch mehr einander durchlässig macht, deutet auf die Irrealität dieser Bühne. So wie in den ersten Strophen der unerklärliche Schatten der Vergänglichkeit unversehens die konkrete Szene mit dem Schauer des Todes überzog, wird auch hier der an sich schon unheimliche Vorgang weiter entwirklicht, entkonkretisiert, transparent, „surreal". „Diese zweideut'gen Nächte, / Wie ein Hinterhalt überall" (96) – ist es der Hinterhalt der Schwermut, der Trauer, gegen den die Matrosen vergeblich ihre Messer warfen *(„wurden schartig"),* oder ist diese verhängte Nacht selbst schon der *„scharfe Wind der Ewigkeit, der wacht",* dessen Einbruch ebenso vergeblich abzuwehren möglich ist? Selbst die Messer werden stumpf an dieser wachen Schärfe.

Diese letzte Strophe, die Sinn und Form des Gedichtes zusammenfaßt, ist noch kunstvoller als die anderen gefügt. Der verbindende O-Laut wird abgelöst durch das klarere A (siebenmal in den vier Zeilen), das auch bisher schon deutlich den Gegenton bildete; Alliterationen auf W und Sch klammern die Verse eng zusammen. Der Kreuzreim, ebenso zwischen männlich und weiblich wechselnd wie in den übrigen Strophen, bleibt durchweg auf A stehen (genau wie die erste Strophe auf E). Umso schärfer hebt sich aus diesem engen Geflecht des A-Lautes der einbrechende Ton „Ewigkeit" heraus.

Jedenfalls ist diese Genitiv-Metapher „Wind der Ewigkeit" keine Vokabel der Geborgenheit, religiösen Aufgehobenseins, volltönenden Abschlusses. (Das bestätigen alle übrigen Gedichte Krolows.) Auch das „Wachen" dieses scharfen Nacht-Windes ist eher verhängnisvoll als behütend. Es mag ein metaphysischer Moment sein, der damit angedeutet werden soll und der den Menschen ins Visier nimmt, gleich nun ob er mit dem „Vorhang Nacht" übereinstimmt (denn die Messer werden dahineingeworfen) oder ihn noch, von wo immer, überweht. Denn nochmals wird in der letzten Zeile, wie in der ersten Strophe, dieses windige Wehen und Verwehen ausgesagt. Es bleibt, wenn hier auch auf anderer Ebene, bei dem Aufheben und Zernichten der scheinbar gesicherten Existenz. Nicht nur die Messer, auch das Gelächter ist in diesem Wind schartig geworden. Ob „Tod", ob „Ewigkeit" – der Mensch ist von der „Küste" abgestoßen, mußte sie verlassen, ohne darum gefragt zu sein, und geriet in das Wehen von Zeit und Ewigkeit, selbst nun der Verlassene. Das Lied von den Matrosen, das so hell anhob, wird unvermutet zu einem Lied von der „Heimsuchung"[4] des Menschen durch die zeitliche Vergänglichkeit. So stimmt das vorausgesetzte Motto des Petronius genau: *„Wenn man es recht besieht, so ist überall Schiffbruch."* Das will das Gedicht dichterisch mitteilen: Schiffbruch und überall; der Moment des Schauders, wenn das Gefügte bodenlos wird.

Ein elegischer Ton, zweifellos, wie er in der Moderne oft genug vorkommt. „Verdächtig" bleibt dann die Liedform. Wohl hat Krolow in seinen beiden letzten Gedichtbänden für diesen elegischen Ton sich eigene Langzeilformen zu bilden versucht, strophisch, gereimt, auch „freirhythmisch". Hier aber, und in vielen anderen Gedichten ähnlichen Klanges, bleibt Krolow bei dem altüberkommenen vierzeiligen,

[4] So der Titel eines Gedichtbandes Krolows, 1949.

viertaktigen, gereimten Strophenlied. Das weist auf seine dichterische Herkunft, die er bis heute nicht aufgegeben hat: das naturlyrische, das naturidyllische Gedicht aus der strengen Formschule Wilhelm Lehmanns, dessen begabtester „Schüler" und meisterlicher Fortbilder Krolow sicherlich ist, gerade weil er nicht jede Skurrilität des Schulmeisters mitmacht. Krolow gehört, mit einem guten Teil seines veröffentlichten Werkes, zu den wesentlichsten Vertretern dieser pastoralen und naturmagischen lyrischen Schule, die gegenwärtig eine der am deutlichsten profilierten Erscheinungen moderner deutscher Lyrik darstellt. Aber diese magisch geschlossene Naturwelt muß dort aufgebrochen und ihr oft betörend seliger Sang von der dauernden Haltbarkeit naturhaft mystischer Grundmuster dort fragwürdig werden, wo der „Wind der Zeit" in sie einbricht und die Zerstörung durch diese Zeit, durch die Geschichte urplötzlich und mit schaudernder Angst empfunden wird. Das „Heute", das bei Lehmann (und dessen Vormeister Loerke) kaum ernstlich in den Gedichtraum eingelassen wurde, läßt sich dann nicht mehr übersehen und mit Blüte und Vogelflug überspielen: dies der exemplarische Vorgang im dichterischen Schaffen Krolows, woraus sich seine eigentümliche Stellung zwischen Naturgedicht und metaphysischem Surrealismus ergibt. (Der andere mögliche Weg der Elisabeth Langgässer aus dem magischen Raum des modernen Naturgedichtes, in der erlebten Polarität von panischem „Samen" und marianischem Erlösungsruf, sei nur angedeutet.)

So findet sich bei Krolow öfters eine gewisse Diskrepanz zwischen dem elegischen Nichtigkeitschauer und der strophischen, klaren Liedform. Diese gelegentliche Unstimmigkeit zwischen Thematik und Form wird aber in den gelungensten Stücken dieser Art zu einem besonderen künstlerischen Reiz, fast wäre man versucht zu sagen, von dem Dichter bewußt eingesetzt – der Reiz des unaufhebbaren und doch formgebändigten Widerspruches zwischen „Lied" und metaphysischem Schauder, zwischen strophischem Sang und der Vergeblichkeit des Sich-Wehrens gegen die Trauer aus schwarzem Honig. Das Gedicht „Verlassene Küste" gehört dazu. Dieser poetische Reiz ist bis in jede Zeile ausgebreitet und nachzukosten. Es ist eines der schönsten Gedichte unserer Zeit geworden.

Hans Schwerte

Heinz Piontek
Teiche im Sommer: Bootsfahrt

VI/86

Ruderschlag, Dunst und Libellen,
der Teich ist aus flüssigem Licht.
Geblendete Fische schnellen
hoch aus der Flimmerschicht.

Aller verschollenen Fahrten
bin ich heut eingedenk.
Teichrose bringt ihre zarten
Schneeblätter mir zum Geschenk.

Schmal überm Dickicht die Föhre –
was wir nicht träumen, wird sein.
Knarren die Dollen? Ich höre
mich tief in das Lautlose ein.

Das Gedicht gehört zusammen mit zwei anderen zu einem Zyklus unter der gemeinsamen Überschrift: „Teiche im Sommer"; das erste heißt „Bootsfahrt", das zweite „Im Regen", das dritte „Fischerhütte". Ihre Grundstimmung ist: Hoffnung – Verzweiflung – Geborgenheit. Die „Bootsfahrt" wäre verhältnismäßig leicht zugänglich, gäbe es nicht die dritte Strophe und besonders ihren zweiten Vers. Es ließe sich bis dahin ein „Naturbild" nacherleben. Aber schon was in den beiden ersten Strophen an Eindrücken hervorgehoben wird, stimmt nachdenklich. Man wird sich jedoch vor allem klar sein müssen, was mit jenem Vers gesagt sein soll: „was wir nicht träumen, wird sein".
Der Traum und das den Traum aufhebende oder überragende Sein hat in mehreren Gedichten Pionteks Ausdruck gefunden; sie sind in derselben Sammlung „Die Furt" enthalten: „In der Winterlaube"; „Großer Arber 1945"; „Biblische Nacht". Aus der Kenntnis des Werkes und der Persönlichkeit eines Dichters gewinnen wir Anhaltspunkte der Deutung. (Aufhellung boten mir neben den Gedichten der „Furt" und der „Rauchfahne" literaturkritische Arbeiten Pionteks in der Zeitschrift „Welt und Wort", sein „Selbstporträt" dort, 9. Jhg., 1954,

Heft 4, seine „Notizen über Dichtung und Gedicht" an derselben Stelle, 10. Jg., 1955, Heft 6 und Curt Hohoffs Studie „Flötentöne hinter dem Nichts" in Hohoffs Essay-Sammlung „Geist und Ursprung".)

Der Eindruck, den die Verse nach zweimaligem Vorlesen in einer Mittelstufenklasse hinterlassen hatten, war uneinheitlich, aber doch so, daß eine Art Neugier, daß Aufmerksamkeit wachgerufen war. Wir sahen die Verse genauer an und suchten uns in die Verfassung zu versetzen, aus der heraus sie gesprochen wurden.

1. Strophe: Der Schöpfer dieser Verse rudert allein auf einem sommerlich hellen Teich; er ist vom Ufer ein Stück weg; flimmerndes Licht, bewegtes Leben ist um ihn; dunstige Luft hüllt ihn ein.

2. Strophe: Er denkt an weit zurückliegende, kaum noch bewußte Erlebnisse (verschollene Fahrten), sich auf sich selbst besinnend, vom unmittelbar Nahen zum fernliegenden Vergangenen sich zurückversetzend, träumend; aber ihn beglückt auch die zarte Schönheit der Teichrose, der Natur in seiner Nähe. Vergangenes und Gegenwärtiges scheinen sich zu einer einheitlichen Empfindung zu verbinden, die etwas von Trauer und etwas von Glück enthält.

3. Strophe: Die träumenden Gedanken, die Stimmung, die von der erinnerungsvollen Nachdenklichkeit und der Freude am Gegenwärtigen ausgeht, wird unterbrochen durch eine Wahrnehmung, die über der Ebene des bisher Gesehenen liegt, die über sie hinausreicht: „Schmal überm Dickicht die Föhre". Die Unterbrechung wird durch den unvermittelten Übergang vom Eindruck zum Gedanken ausgedrückt. Der Gedankenstrich steht an Stelle einer ausgelassenen, nicht mitgeteilten Gedankenreihe; nur der Schlußsatz findet Ausdruck: „Was wir nicht träumen, wird sein." Hart stehen die beiden Erfahrungen nebeneinander: die äußere und die innere, die Wahrnehmung der Umwelt und die gewonnene Erkenntnis: das Sein reicht über unseren Traum hinaus; es ist etwas da, noch jenseits der Linie des Blickkreises, der unserem Standort entsprach, unsere Welt umschloß.

Diese Verse lassen sich als Quelle der Stimmung und somit des ganzen Gedichtes betrachten. Denn die beiden letzten Verse leiten zu einem Tun zurück – „Ich höre / mich tief in das Lautlose ein"–, das vorher schon in einer anderen Haltung ausgeübt wurde: „Aller verschollenen Fahrten / bin ich heut eingedenk". Die Frage: „Knarren die Dollen?" und der Einschnitt in der vorletzten Verszeile sind Zeichen der neuen Regung: bewußt zu tun, was einem unbewußt

Gewinn brachte: in die Stille einzudringen, ins Lautlose hinein-
zuhören.

Überblicken wir nun das ganze Gedicht, so erkennen wir, daß ein großer Stimmungsbogen von der ersten bis zur dritten Strophe reicht
und daß das Gedicht endet mit einem neuen Beginn. Der tragende
Pfeiler für beide Bogen ist der Anfang der dritten Strophe.

Im Rhythmus spiegelt sich der Ablauf der Empfindung: der Bewegung entspricht der Auftakt–Anfang der zweiten und dritten Verszeile der ersten Strophe und der vierten Verszeile der dritten Strophe;
die zweite Strophe und drei Verszeilen der dritten Strophe beginnen
ohne Auftakt und haben etwas von Verhaltenheit an sich.

Als klangliche Schönheiten entdeckt man den Sch-Laut der im Wasser
gleitenden Bewegung in der ersten Strophe und die Distanz-schaffen-
den A-E-O-Laute in der zweiten Strophe.

Was leisteten dabei die jungen Menschen? Sie nahmen nicht nur das
Naturbild auf, sie verstanden auch die Lage des in der Stille zu sich
findenden, sich zurück-träumenden Menschen, dem das Schöne nahe
ist. Und sie fanden auch eine Beziehung zu dem Kern des Gedichts,
freilich in der Sprache, die ihrer inneren Erfahrung entsprach; die
Unterbrechung der Linie des Blickkreises durch die darüber hinaus-
reichende Erscheinung traf auf die Erkenntnis: das Leben könne überraschen, es sei oft anders oder es komme oft anders, als man es sich
denke. Auf die Frage, wann der Ruderer das Bild der Föhre wahr-
nehmen konnte, antwortete einer: wenn er den Blick erhob. –

Es wird viele Zugänge zu einem Gedicht geben und viele Stufen, auf
denen man ihm begegnet. Will unsere Interpretation mehr als den
Zugang erleichtern? Der Dichter Heinz Piontek ist der Meinung: „Ich
vermute, daß derjenige ein Gedicht am genauesten interpretiert, der
es mehrere Male hintereinander kommentarlos vorliest."

Alois M. Kosler

ANJA HEGEMANN:
ÜBERSTUNDEN

VIII/51

Die Neonlampe gellt. Du bist noch hier?
Sind denn die Zeiger aus der Uhr gefallen?
Vielleicht. Die Zeit ist zäh. So geht es allen.
Du wischst gelangweilt vom Kanzleipapier

Ein graues Nachtinsekt. Sein Flügelstaub
Verbleibt. Wie sonderbar, auf Totem Spuren
Von etwas, das noch lebt. Fern schlagen Uhren.
Und plötzlich fühlst du: Ich. O welch ein Raub.

Dann schreibst du weiter. Wechselkonto, Bank.
Vielleicht wird keiner je dies alles lesen.
Die Zeit ist zäh. Ja, solche Stunden: Spesen,
Verbraucht und nicht verbucht. Und niemals Dank.

Den Wechsel Dasein unterschriebst du einst,
Noch ungeboren. Jetzt im Lampengrinsen
Befällt es dich: das also sind die Zinsen.
Du legst die Hände ans Gesicht und weinst.

Nein, wirf den Rotstift hin und geh nach Haus.
Dein Tritt erschreckt Verliebte, die sich küssen.
Der Mond steht halb. Mit unserm Leben müssen
Wir zahlen, daß wir leben. – Schlaf dich aus,

Denn mehr kannst du nicht tun. Du bist verdammt
Zu deiner späten Rente und zum Alter.
Auf deiner Wange ruhte nachts ein Falter?
Wasch ab die Illusion. Du mußt ins Amt.

Es ist nach Dienstschluß. Eine Sekretärin oder Buchhalterin ist gehalten, noch „Wichtiges", wie man so sagt, zu erledigen. Durch-
schreibbuch, Karteien, Stahlschränke, Drehstühle, Schreibtische, Re-

chenmaschinen, Schreibmaschinen, Löscher, Schnellhefter, Telefon: alles ist da, was das Leben erleichtern soll, sachlich und zweckmäßig, auch das Neonlicht, das den Tag in die Nacht verlängert. Nichts ist gespart.

Ermüdet hält die Sekretärin inne, legt den Kopf zurück. Das grelle Licht fährt ihr in die Augen, so jäh und weh, daß sie Licht und Ton verwechselt.

„Die Neonlampe *gellt* . . ."

Die Ermüdete schreckt hoch, sieht sich selbst:

„ . . . Du bist noch hier?"

Sie spricht sich an, holt in ihrem Verlassensein ein Du herauf zwischen die fertigen Gegenstände und die toten Sachen, zu denen es keine Verbindung hat, fremden Ansprüchen, die der Erledigung harren. Die Arbeit liegt außerhalb der eigenen inneren Schwerkraft, erfüllt nichts, bindet nicht, das Denken schweift ab und die Zeit wird endlos.

„Sind denn die Zeiger aus der Uhr gefallen?"

„Die Zeit ist zäh . . ."   „. . . Fern schlagen Uhren."

Solchem Dasein scheint der eigene Rhythmus entwendet. Fremder Gleichlauf ist ihm aufgezwungen. Im Leerlauf, „gelangweilt", begreift plötzlich dieses aufgerufene und erwachte Du den eigenen Zustand.

„Und plötzlich fühlst du: Ich. O welch ein Raub."

Vor dem Nichtigen erkennt sich die Person, spürt den Betrug. Und – beugt sich.

„Dann schreibst du weiter . . ."

Das Du verklemmt zwischen den Sachen, dem fremden Es. Noch einmal: „Die Zeit ist zäh" – dann weicht das Grunderlebnis wieder zurück. Aber das Zeitgefühl ist wach und wirkt fort in steigender Spannung.

Das für Augenblicke ergriffene Ich enthüllt nicht das Persönlichste. Das Selbstgespräch öffnet nicht, der Monolog hat kein Ziel. Das Ich bleibt ein Teilchen des „Man".

„So geht es allen."

Es zweifelt an Wirkung und Sinn der Arbeit, die keine aus dem Eigenen für das Eigene ist.

„Vielleicht" . . .

„Vielleicht wird keiner je dies alles lesen."

Fremdes, sinnloses Tun weckt Zweifel und dieser Zweifel wiederum zerstört den letzten Rest von Sinn, führt das Ich zu seiner Auflösung.

Das Ich fühlt das verfehlte Dasein zwischen fremden Gegenständen, aber es füllt die Leere nicht aus. So rücken denn die Funktionen näher, verlangen, getan zu werden: Wechsel, Spesen, Zinsen. Sie fesseln das gequälte Denken, das, ausgebrannt, keine lebendigen Bilder mehr hat. Die Funktionen des Bankwesens, in denen gleichnishaft das Dasein verläuft, sind unerhört und unerbittlich. Die Übermächtigung durch die Funktion geschieht genau in der Mitte des Gedichtes.

> „ . . . Spesen,
> Verbraucht und nicht verbucht, Und niemals Dank.
> Den Wechsel Dasein unterschriebst du einst,
> Noch ungeboren . . .“

Bezieht sich das „Verbraucht und nicht verbucht“ wörtlich noch auf das „Spesen“, so ist doch schon der Bezug zum Dasein zu spüren, den das Wort „der Wechsel Dasein“ aufschließt: ein Wertpapier, dessen Qualität andere bestimmen, das andere in Umlauf brachten, über das andere verfügen. Der Wechsel Dasein ist auf dich ausgestellt, trägt deine Unterschrift, die du, handlungsfähig, nie gegeben. Du bist nicht schuld daran, du kannst aber auch nichts tun, was den Wechsel außer Kurs setzt. Du kannst nur einlösen. Keiner wird dir danken. Das Leben ist undankbar und ausweglos.

Was ist vor dem Unabänderlichen der kleine Ausbruch, den das Ich versucht, ein Weinen, das nicht befreit, das Hinwerfen eines Rotstiftes, der Versuch, einfach nach Hause zu gehen? Auch der Heimweg hetzt am Leben vorbei, „erschreckt Verliebte“, denen romantisch der Halbmond leuchtet. Liebe, Natur sind fremd, draußen, außerhalb dieses Zirkels bloßer Funktion. Da ist kein Ausweg.

> „ . . . Mit unserm Leben müssen
> Wir zahlen, daß wir leben.“ –

Leben ohne Freiheit und Sinn ist auf das Existieren zurückgeworfen.

> „ . . . Schlaf dich aus,
> denn mehr kannst du nicht tun . . .“

Deinem Schicksal, das mechanisch und gleichgültig, aber unerbittlich auf dich zukommt, entgehst du nicht: Rente und Alter. Weiß schon dieses junge, arbeitskräftige Dasein mit sich nichts anzufangen, wie muß es erst das Alter fürchten. In entsetzlicher Leere, mit gleichgültigen Dingen maskiert, hat dieses Leben in gleichläufiger Wiederholung kein Ziel, nur ein Ende:

> „Du bist verdammt.“

Daß dieses Ich im Selbstgespräch einen Augenblick zu sich kam, war umsonst; mit dem letzten Wort des Gedichts beginnt der Zirkel des Leerlaufs von vorne:

„ . . . Du mußt ins Amt." –

Was die Aussage meint, geschieht auch in der Gestalt: gebrauchsfertige Alltagsrede. Melodie und Vers zerbrechen syntaktisch.

„Vielleicht. Die Zeit ist zäh. So geht es allen."

Kürzeste Sätze setzen noch über die rhythmische Zeile.

„Sein Flügelstaub
verbleibt."

Immer wieder Enjambements, über Verse und Strophen hinweg. Die äußerlich festgehaltene Form bricht nach innen ein, wie das ausgehöhlte Dasein selbst.

Und doch wird hier Bild zum Sinn-Bild verdichtet.

„Du wischt gelangweilt vom Kanzleipapier
Ein graues Nachtinsekt. Sein Flügelstaub
verbleibt. Wie sonderbar, auf Totem Spuren
von etwas, das noch lebt."

Das Gedicht erweitert und erhebt zu allgemeiner Bedeutung auch dieses, im Grunde eintägige, insektenhafte Dasein. Ließ sich wenigstens „nachts", im Schlaf, ein Wunderbares hernieder?

„Auf deiner Wange ruhte nachts ein Falter?"

Auch das ist heillos geleugnet.

„Wasch ab die Illusion."

Der moderne Mensch steht schonungslos vor sich selbst. Und doch zerbricht das Dasein nicht in Stücke; denn es wird gehalten von Form, ist Gedicht.

Albrecht Weber

INGEBORG BACHMANN:
HERBSTMANÖVER

VIII/99

Ich sage nicht: das war gestern. Mit wertlosem
Sommergeld in den Taschen liegen wir wieder
auf der Spreu des Hohns, im Herbstmanöver der Zeit.
Und der Fluchtweg nach Süden kommt uns nicht,
wie den Vögeln, zustatten. Vorüber, am Abend,
ziehen Fischkutter und Gondeln, und manchmal
trifft mich ein Splitter traumsatten Marmors,
wo ich verwundbar bin, durch Schönheit, im Aug.

In den Zeitungen lese ich viel von der Kälte
und ihren Folgen, von Törichten und Toten,
von Vertriebenen, Mördern und Myriaden
von Eisschollen, aber wenig, was mir behagt.
Warum auch? Vor dem Bettler, der mittags kommt,
schlag ich die Tür zu, denn es ist Frieden
und man kann sich den Anblick ersparen, aber nicht
im Regen das freudlose Sterben der Blätter.

Laßt uns eine Reise tun! Laßt uns unter Zypressen
oder auch unter Palmen oder in Orangenhainen
zu verbilligten Preisen Sonnenuntergänge sehen,
die nicht ihresgleichen haben! Laßt uns die
unbeantworteten Briefe an das Gestern vergessen!
Die Zeit tut Wunder. Kommt sie uns aber unrecht,
mit dem Pochen der Schuld: wir sind nicht zu Hause.
Im Keller des Herzens, schlaflos, find ich mich wieder
auf der Spreu des Hohns, im Herbstmanöver der Zeit.

Unter der jungen Generation hat Ingeborg Bachmann einen eigenen
Platz. Im Jahre 1953 erhielt sie auf Grund ihrer noch unveröffent-
lichten Gedichte den Literaturpreis der Schriftsteller-Gruppe 47, veröffentlichte 1953 den ersten Gedichtband „Die gestundete Zeit". Heute
lebt die junge Dichterin in Rom. Ihre in führenden Zeitschriften erscheinenden Gedichte, Hörspiele, Essays sind die Sprache eines neuen
Menschen, der ein Verhältnis zur Welt sucht.

Was spricht im Gedicht „Herbstmanöver"? Poesie, wie sie zu allen Zeiten gilt? Modische Philosophie, die Sartre nachspricht? Aus trostloser Stimmung hingeworfener Text? Drei mächtige Blöcke, herausgeschleudert aus Schmach, Bitterkeit und Hohn zeigen den dreimaligen Stellungswechsel der Stimmung: Herbstmanöver. Unmittelbar erlebte Zeit und Aufruhr! Wir suchen umsonst eine konventionelle Strophenform, den verbindenden Reim, die geschlossene Einheit der Melodie. Vulkanische Stöße brechen aus von innen her, sind wieder zurückgeworfen in den elegischen Grundton des Dreiklangs: *„wertlos"* – *„freudlos"* – *„schlaflos"*.

„auf der Spreu des Hohns, im Herbstmanöver der Zeit".

Das ist der Sockel, der die drei, von mannigfaltigen Einsprengungen durchzogenen Blöcke trägt, es ist – in überhängender Verszeile – der Abschluß des dritten Blockes. So haben wir ein in sich geschlossenes Gedicht. Alle Worte, Sätze, Rhythmen und Bilder des Gedichtes sammeln sich um diese Aussage, stehen zueinander in Beziehung, den Adern vergleichbar, die steinerne Quader durchziehen. Wir gehen nicht fehl, wenn wir die Sinnmitte des Gedichtes in dem Satze begründet sehen: „Wir sind nicht zu Hause."
Wir spüren: hier ist nicht nur Technik am Werk, die Proben und Etüden als Dichtung ausgibt, sondern das Herz in der Einsamkeit und Ausweglosigkeit ist in den Versen und Bildern, im Traum von heiler südlicher Welt, im Eisgang der Zeit, im Plakat „Welt". Es fragt nach dem Weg nach Hause. Nicht das einzelne, durch irgendein unvorhergesehenes Schicksal schwer getroffene Herz spricht, sondern ein ganzes Geschlecht, bald gefaßt in das „Ich", bald in das „Man", bald in das „Wir", nie in Vergangenheit verweilend: hier in Zeit und Stunde, in dieser Gegend, diesem Volk, hier im Herbstmanöver – am Ende einer Zeit – ohne Aussicht auf Rückzug in vergnügte Winterquartiere – zwar in der Blüte der Kraft, sommerlich, aber „wertlos" – im Frieden, aber „freudlos" – „im Keller des Herzens", aber „schlaflos".

„Ich sage nicht, das war gestern . . ."

Wir können den Worten und Sätzen, den weitausgreifenden, den in Jamben, Trochäen, Daktylen und Anapästen tönend bewegten Formen Bedeutung und den Bildern Sinn geben: Da ist der „Fluchtweg nach Süden". Die Scharen der Vögel, die nach innerem Gesetz und Sinn aus dem Herbst der nördlichen Zonen fortfliegen, schicken ein rettendes Zeichen. Sie finden im Süden Heimat und bauen Nester. Viele Menschen haben denn auch ihre Schritte nach Süden gelenkt und in dieser Welt der Form und des Maßes sich selbst gefunden und die Welt neu angeschaut. Und heute stehen die gleichen Zeichen reiner Schönheit dort, alle Zeit überdauernd; der Abend erfüllt die Gärten, die Zypressen, die Pinien, die Palmen, in seinem Licht leuchtet das Marmorbild, ganz gegenwärtig, über das Meer hin fallen die breiten Strahlen, daß die immer bewegten Wellen blitzen in silbern-goldenen Farben, durch die der Kahn streicht und der Fischer seine Netze zieht — das alles ist da, es verwehrt sich dem Menschen nicht: aber er kann keine Antwort geben, er wacht nicht auf, er wird nicht erweckt. Die Bilder bleiben Erscheinungen, vom Auge nur wahrgenommen, sie fallen nicht in das Innere. Es entsteht kein reines Gefühl, der Mensch wird nicht angesprochen und nicht verwandelt. Er bleibt allein, ein Fremdling, verhöhnt, verschmäht. Er ist nicht zuhause.

Das Auge nur sieht, es liest in den Manöverblättern des Herbstes, in den Zeitungen; dunkel drängen sich die Marschlinien auf, ausgehend von einer gemeinsamen Mitte: „Eisgang der Zeit": der kalte Mensch — die erstarrte Welt. Sie bricht auseinander und schwimmt fort in Myriaden von Eisschollen. Wohin treiben sie?

Das Auge liest, das Herz hört nicht, es ist fühllos. Die Antwort auf den Ruf des Ermordeten, des Erhängten, Verbannten, des Ausgepeitschten, ist die aus Ekel hingeworfene Frage: Warum auch? Es ist die überdrüssig dem bettelnden Elend zugeschlagene Türe, ist die zynisch rechtfertigende Erklärung: „Es ist Frieden". Mit der Lüge überspringt der unbehauste Mensch sich selbst. Die unleugbaren Zeichen der Zeit bleiben: im Regen sterben die Blätter, freudlos.

Diese Flucht vor dem Anruf, der Umweg um die sich stoßenden und stauenden Trümmer und Scherben der Zeit spiegelt sich wider in der Form der Strophe, die von zwei je vier Verszeilen umspannenden Sätzen — getrennt durch die Frage: Warum auch? — gebildet wird. Der erste schiebt sich langsam und mühsam voran in der Aufreihung vieler, teilweise alliterierender Substantive und präpositionaler Wendungen, die durch das Wörtchen „von" lose verbunden sind, ein gebrechlicher Steg von Vers zu Vers. Der zweite Satz, in dem die Wendung voll Ekel aus diesen Katarakten des Verfalls dargestellt wird, drängt eilig und hastig voran — springt über Hindernisse hinweg, aber ins Ausweglose, nicht nach Hause.

Gibt es keinen Weg? Es gibt einen. Grell schreien ihn die Reiseplakate aus, buntfarbig preisen sie die Welt an in satten Tönen kitschiger Zeichnungen, die die Masse einfangen sollen ins Auto, in die Bahn, ins

Flugzeug, man wird gefahren und geflogen, von Stadt zu Stadt, von Monument zu Monument, nichts wird vergessen, überall wird ausgestiegen; alles wird für uns getan, gesagt, erlebt – bis zum Sonnenuntergang, der nicht seinesgleichen hat, so überwältigend, daß wir das „Gestern" vergessen. „Und . . . kommt uns nicht zustatten."

So steigt der Schmerz in der Seele und schwillt an zu zynisch-sarkastischen Tönen, in denen die Verzweiflung steckt über Mensch und Welt, die so billig zu erfahren sind, „zu verbilligten Preisen", mit denen wir alles begleichen, auch die Schuld. Und das erschreckende Elend, daß wir „nicht zu Hause" sind, wird zur termingerechten Ausrede. Der verlorene Mensch, seelenlos, erstarrt, ein Mechanismus, angekurbelt, ablaufend, ausgeleiert – „wertlos" – „freudlos" – „schlaflos": – verdammt in alle Ewigkeit . . .?

Rupert Hirschenauer

BIBLIOGRAPHIE

Auf den Stand vom 1. Januar 1961 gebracht
von Studienrat Rudolf Jüngst, München

BIBLIOGRAPHIE
ZUR INTERPRETATION VON LYRIK

Die Angaben beziehen sich auf die in der Sammlung H i r -
s c h e n a u e r - W e b e r „D e u t s c h e G e d i c h t e" aufge-
nommenen Dichtungen, worauf Bandziffer und Seitenzahl (z. B.
IX/100) jeweils am Rand hinweisen. V o l l s t ä n d i g k e i t
der bibliographischen Hinweise ist dabei n i c h t a n g e -
s t r e b t, doch ist versucht, das Wesentliche zu nennen. Interpretationen zu Gedichten, die nicht in der genannten Sammlung erscheinen und hier angegeben werden, sind hinter eine
Klammer gesetzt. Um die Erforschung der einzelnen Epochen
der Lyrik besser überblicken zu können, ist die zeitliche Folge
gewählt. Auf diese Weise entsteht zugleich ein Gesamtver-
zeichnis der vier Bändchen der genannten Anthologie. Die
breite Spalte am Rand soll den Eintrag von bibliographischen
Ergänzungen jeweils am entsprechenden Ort ermöglichen. Die
Gewichte der genannten Arbeiten sind natürlich unterschied-
lich. Es will aber keinesfalls ein Werturteil sein, wenn die aus-
führlichen Interpretationen mit I, die kürzeren mit H (= Hinweise, Anmerkungen, Kommentar) abgekürzt werden. Folgende
Abkürzungen sind verwendet, alle anderen Titel werden ausge-
schrieben:

DU	= Der Deutschunterricht, hsg. R. Ulshöfer
DVLG	= Deutsche Vierteljahresschrift für Literatur-wissenschaft und Geistesgeschichte
GRM	= Germanisch-Romanische Monatshefte
Wirk. Wort	= Wirkendes Wort. Deutsches Sprachschaffen in
ZfDPh	Lehre und Leben
	= Zeitschrift für deutsche Philologie
ZfDK	= Zeitschrift für Deutschkunde
ZfDU	= Zeitschrift für den deutschen Unterricht

A. ALLGEMEIN

I. Grundlagen

Bibliographische Hinweise

E p p e l s h e i m e r, H. W.: Handbuch der Weltliteratur, 2 Bände, Vittorio Klostermann, Frankf./M. 1947[2] und 1950.
O l z i e n, Otto: Bibliographie zur deutschen Literaturgeschichte, Stuttgart (Metzler) 1953, Nachträge 1953/54, 1955.
K ö r n e r, J.: Bibliographisches Handbuch des deut. Schrift-
tums. Bern[3] 1949.
H o c k, Erich, über: Ausgaben deutscher Dichter, in Wirk. Wort
VI (1955/56) 1, S. 25—41 und 2, S. 92—105.
v. d. L e y e n, Friedrich: Das Buch dt. Dichtung. Bd. 1: Frühes
und hohes Mittelalter (Texte u. Übertragung) Leipzig 1939.

B r i n k m a n n, Hennig: Liebeslyrik der deutschen Frühe in zeitlicher Folge. Düsseldorf (Schwann) 1960.

A a r b u r g, Ursula: Singweisen zur Liebeslyrik der deutschen Frühe. Düsseldorf (Schwann) 1960.

W e h r l i, M.: Deutsche Lyrik des Mittelalters, Auswahl und Übersetzung. Zürich (Manesse) 1956.

v. K r a u s, Carl: Des Minnesanges Frühling. Leipzig 1954 (31. Aufl.).

M a s c h e k, Hans: Lyrik des späten Mittelalters (Dt. Literatur in Entwicklungsreihen) Leipzig 1939.

C y s a r z, Herbert: Barocklyrik, 3 Bde. (Dt. Literatur in Entwicklungsreihen) Leipzig 1937.

H e d e r e r, Edgar: Deutsche Dichtung des Barock, München (Hanser) 1954.

W e b e r, Albrecht: Deutsche Barockgedichte. Frankfurt/M. (Diesterweg) 1960.

B e c h e r, Johannes: Tränen des Vaterlandes. Deutsche Dichtung aus dem 16. und 17. Jahrhundert. Berlin 1954.

M i l c h, Werner: Deutsche Gedichte des 16. und 17. Jahrhunderts (Renaissance und Barock). Heidelberg 1954

G i n s b e r g, Ernst: Ihr Saiten tönet fort, Lyrik des 18. Jahrhunderts. Zürich 1946.

B e r t r a m, E. und L a n g e n, A.: Das Buch dt. Dichtung. Bd. 5 Die Zeit der Romantik. Leipzig 1939.

B r i n k, Michael: Gedichte der dt. Romantik. Heidelberg (L. Schneider) 1946.

H e d e r e r, Edgar: Deutsche Gedichte. 2 Bde. München (Oldenbourg) o. J.

H e d e r e r, Edgar: Das deutsche Gedicht. Fischer-Taschenbücher Nr. 155; 1957

L e i s i n g e r, Fritz: Kranz des Lebens. Eine Sammlung deutscher Gedichte. Braunschweig (Westermann) 1955.

E c h t e r m e y e r — v. W i e s e: Deutsche Gedichte (mit Bibliographie). Düsseldorf (Bagel) 1954.

K i r s c h, Erich und R o ß, Werner: Deutsche Dichter. Frankfurt/M. (Diesterweg) 1959.

Deutsche geistliche Dichtung aus tausend Jahren. Hsg. F. Kemp. München (Kösel) 1958.

H o l t h u s e n, H. E. — K e m p, F.: Ergriffenes Dasein. Dt. Lyrik 1900—1950. Ebenhausen (Langewiesche) 1955 (2. Aufl.).

H o h o f f, Kurt: Flügel der Zeit. Deutsche Gedichte 1900— 1950. Fischer-Taschenbücher Nr. 113; 1956.

M i c h a e l, Friedrich: Jahrhundertmitte. Deutsche Gedichte der Gegenwart. Inselbücher 1955.

B e n d e r, Hans: Junge Lyrik. München (Hanser) 4. Auflage.

S i n g e r, E.: Spiegel des Unvergänglichen, Deutsche Lyrik seit 1910. List-Bücher Nr. 61.

B r i t t i n g, G. mit H. H e n n e c k e, C. H o h o f f und K.

V o ß l e r: Lyrik des Abendlandes. München (Hanser) 1949²
L y r i k d e s O s t e n s. München (Hanser) 1952.
T r u n z, Erich: Lyrische Weltdichtung in dt. Übertragungen
  aus sieben Jahrhunderten. Berlin (Junker und Dünnhaupt)
  1933.
J a s p e r t, R.: Lyrik der Welt. Berlin (Safari) 1953.
B r a u n: Die Lyra des Orpheus. Lyrik der Völker in dt. Nach-
  dichtungen. Wien (Zsolnay) 1953.
B u s c h, K. Th.: Sonette der Völker. Heidelberg 1954.

Literaturgeschichten

d e B o o r, Helmut, und N e w a l d, Richard: Geschichte der dt.
  Literatur von den Anfängen bis zur Gegenwart. Mün-
  chen (Beck) 1951 ff.
  I (770-1170), II (1170-1250), V (1570-1750)
  VI (1750-1832) I. Teil.
A l k e r, Ernst: Geschichte der deutschen Literatur von Goe-
  thes Tod bis zur Gegenwart. 2 Bde. 1949—50.
B u r g e r, Heinz Otto: Annalen der deutschen Literatur. Stgt.
  1952. (Dazu Bibliographie von Otto Olzien 1953.) Darin:
  d e B o o r, H.: Von der karolingischen zur cluniazensi-
  schen Epoche (700-1170), 37-97
  K u h n, Hugo: Die Klassik des Rittertums der Staufen-
  zeit, 99-177
  F l e m m i n g, Willi: Das Jahrhundert des Barock, 339-404
  M a r t i n i, Fritz: Von der Aufklärung zum Sturm und
  Drang, 405-464
  R a s c h, Wolfdietrich: Die Zeit der Klassik und frühen
  Romantik, 465-550
  B a u m g a r t, Wolfgang: Die Zeit des alten Goethe, 551-
  620
  B u r g e r, Heinz Otto: Der Realismus des 19. Jh., 621-718
  S c h w e r t e, Hans: Der Weg ins 20. Jahrh., 719-840
M a r t i n i, Fritz: Deutsche Literaturgeschichte. Stuttgart
  (Kröner) 1952
M u s c h g, Walter: Tragische Literaturgeschichte. Bern
  (Francke) 1953².
E h r i s m a n n, Gustav: Geschichte der dt. Literatur bis zum
  Ausgang des Mittelalters. 4 Bde München (Beck) Neu-
  druck 1954.
S c h n e i d e r, Hermann: Heldendichtung, Geistlichendichtung,
  Ritterdichtung. Heidelberg 1943.
K i e n a s t, Richard: Die deuschsprachige Lyrik des Mittel-
  alters, in: Stammlers Aufriß, II, 775-902.
K u h n, Hugo: Minnesangs Wende. 1952.
C u r t i u s, E. R.: Kritische Essays zur europäischen Literatur.
  Bern (Francke) 1954².
L a n g e n, August: Dt. Sprachgeschichte vom Barock bis zur
  Gegenwart (Hinweise auf die Sprache der wesentlichen
  Lyriker), in: Stammlers Aufriß, I, 1077-1522.
C y s a r z, Herbert: Deutsche Barockdichtung. Leipzig 1924.

E r m a t i n g e r, Emil: Barock und Rokoko in der dt. Dich-
tung. Leipzig 1926.
S c h n e i d e r, Ferdinand Josef: Die deutsche Dichtung vom
Ausgang des Barock bis zum Beginn des Klassizismus,
1700-1785, Stuttgart 1948[2].
P a u s t i a n, H.: Die Lyrik der Aufklärung. 1933.
K o r f f, H. A.: Geist der Goethezeit. 4 Bde. Leipzig 1923-1953.
S c h u l t z, Franz: Klassik und Romantik der Deutschen.
1780-1830. 2 Bde. Stuttgart 1952[2].
B e n z, Richard: Die deutsche Romantik. Leipzig 1944[4].
C l o s s, August: Die neuere dt. Lyrik vom Barock bis zur
Gegenwart, in: Stammlers Aufriß, II, 43-258.
Deutsche Literatur im 20. Jahrhundert, Gestalten und Struk-
turen. Hsg. Hermann F r i e d m a n n und Otto M a n n.
Heidelberg (Rothe) 1954. Darin
Beiträge über Hofmannsthal, George, Rilke, den Expressio-
nismus, Benn, Hermann Hesse, und
H e s e l h a u s, Clemens: Die dt. Lyrik des 20. Jahrh.
H o r s t, Karl August: Die deutsche Literatur der Gegenwart.
München (Nymphenburger) 1957.
J e n s, Walter: Statt einer Literaturgeschichte. Beiträge zu den
Dichtungen von Benn, Brecht, Broch, Mann, Musil, Joyce,
Proust. Pfullingen 1957.
Lexikon der Weltliteratur im 20. Jahrhundert. 2 Bände. 1. Band
Freiburg (Herder) 1960.
E r m a t i n g e r, Emil: Die deutsche Lyrik in ihrer geschicht-
lichen Entwicklung von Herder bis zur Gegenwart.
I. Von Herder bis zum Ausgang der Romantik. II. Vom
Ausgang der Romantik bis zur Gegenwart. Leipzig-Berlin
1921.
W i t k o p, Philipp: Die deutschen Lyriker von Luther bis
Nietzsche. I. Von Luther bis Hölderlin. II. Von Novalis
bis Nietzsche. 3. Aufl. Berlin-Leipzig 1925.
H o l t h u s e n, Hans Egon: Das lyrische Kunstwerk. Stamm-
lers Aufriß 25. Lief. Spalte 961—990.
K l e i n, Johannes: Geschichte der deutschen Lyrik von Luther
bis zum Ausgang des zweiten Weltkrieges. Wiesbaden
(Franz Steiner) 1957.

Poetik — Gattungen der Literatur

O p p e l, Horst: Methodenlehre der Lit. wiss, in: Stammlers
Aufriß I, 39-78.
M a r t i n i, Fritz: Poetik, in: Stammlers Aufriß, I, 217-267.
S t a i g e r, Emil: Grundbegriffe der Poetik. Zürich 1952[2].
S t a i g e r, Emil: Zum Problem der Poetik, in: Trivium VI
(1948), 274-296.
K a y s e r, Wolfgang: Das sprachliche Kunstwerk. Bern
(Francke) 1954[3].
K u t s c h e r, Arthur: Stilkunde der dt. Dichtung, Allgemeiner

Teil, 1951. Besonderer Teil: Lyrik, Epik, Dramatik.
Bremen (Dorn) 1952.
B ö c k m a n n, Paul: Die Lehre von Wesen und Formen der
Dichtung, in: Vom Geist der Dichtung, 13-30. Hamburg
1949.
W e h r l i, Max: Historie in der Literaturwissenschaft, in:
Trivium VII (1949), 45-59.
L a u s b e r g, H.: Rhetorik und Poetik. München (Hueber)
1952².
B ö c k m a n n, Paul: Formgeschichte der dt. Dichtung. I. 1949.
M ü l l e r, Günther: Die Grundformen der dt. Lyrik, in: Von
dt. Art der Sprache und Dichtung, 95-135. Stuttgart-Ber-
lin 1941.
M ü l l e r, Günther: Geschichte des dt. Liedes. München 1925.
S e e m a n n, Erich und W i o r a, Walter: Volkslied, in: Stamm-
lers Aufriß 9. Lieferung. Spalte 1—42.
M ö n c h, Walter: Das Sonett. Gestalt und Geschichte. Hei-
delberg (Kerle) 1955.
W e l t i, H.: Geschichte des Sonetts in der deutschen Dichtung.
K l e i n s c h m i d t, Oswald: Die Kunst des Sonettes, in:
ZfDK 53 (1939), 4, 241-246.
K l e i n s c h m i d t, Oswald: Die Kunst des Sonettes. Regel
und Rhythmus im Gedicht. In: Das Manuskript, 190-196.
Wilhelmshafen (Hübener) 1954.
S c h w a r z, Georg: Warum Sonette? in: Welt und Wort, II
(1947), 15-16.
V i e t o r, Karl: Geschichte der dt. Ode. München 1923.
B e i ß n e r, Friedrich: Geschichte der dt. Elegie. Berlin (Gruy-
ter) 1941.
K a y s e r, Wolfgang: Geschichte der dt. Ballade. Berlin 1936.
K a y s e r, Wolfgang: Die Ballade als dt. Gattung, in: ZfDK
50 (1936), 7, 453-465.
B e n o i s t - H a n a p i e r, Louis: Die freien Rhythmen in der
deutschen Lyrik. Halle 1905.

II. Seinsweisen von Dichter und Gedicht

E r m a t i n g e r, Emil: Die Persönlichkeit des Dichters. in:
Festschrift für Paul Kluckhohn und Hermann Schneider,
213-230. Tübingen (Mohr) 1948.
S t ö c k l e i n, Paul: Dichtung vom Dichter gesehen: alte und
neue Winke der Dichter für den Literarhistoriker, in:
Wirk. Wort, 1. Sonderheft, 72-93.
Dichter über Dichtung in Briefen, Tagebüchern und Essays,
ausgewählt und kommentiert von Walter S c h m i e l e.
Darmstadt 1955.
Zur Biographie von Gedichten: Akzente 4/1955, 341-365. Darin:
K r o l o w, Karl: Intellektuelle Heiterkeit.
H o l t h u s e n, H. E.: Vollkommen sinnliche Rede.
H e c k m a n n, Herbert: Lyrische Odyssee.
H ö l l e r e r, Walter: Fortgang.

Bergengruen, Werner: Gedanken über Dichtung und Dichter, in: Wort und Tat 1 (1946) 94-100.

Piontek, Heinz: Notizen über Dichter und Gedicht, in: Welt und Wort X (1955), 6, 175-176.

Schaeffer, Albrecht: Dichter und Dichtung. Leipzig (Insel) 1923. (bes. Mörike, George, Das Sonett).

Langgässer, Elisabeth: Lyrik in der Krise. Berliner Hefte 7/1947.

Bach, Rudolf — Schaefer, Oda — Schwarz, Georg: Bekenntnis zur Lyrik, in: Welt und Wort I (1946), 1, 9-11.

Schaefer, Oda: Bekenntnis zum Gedicht der Zeit, in: Welt und Wort VI (1951), 297-299.

Alverdes, Paul: Vom Beruf des Dichters in unserer Zeit, in: Universitas I (1946), 1093-1097.

Schröder, Rudolf Alexander: Vom Beruf des Dichters in der Zeit, in: Merkur I (1947/48), 6, 863-876.

Kaschnitz, Marie Luise: Vom Ausdruck der Zeit in der lyrischen Dichtung. in:DU 1950, 4, 63-70.

Hamburger, Käte: Die Zeitlosigkeit der Dichtung, in DVLG XXIX (1955), 414-427.

Bergsträßer, Arnold: Die Dichtung und der Mensch des technologischen Zeitalters, in: Merkur VII (1953), 1-14.

Milch, Werner: Ströme, Formeln, Manifeste. 1949.

Fischer, Ernst: Vom Wesen und Nutzen der Lyrik, in Dichtung und Lebensdeutung, 373-414. Wien 1953.

Holthusen, Hans Egon: Das unmögliche Geschäft des Gedichts, in: Merkur IX (1955), 3, 295-298.

Hühnerfeld, Paul: Trost und Verführung durch das Gedicht, in: Die Zeit 1955, Nr. 46.

Pfeiffer, Johannes: Kierkegaards Kampf gegen den Dichter, in: Zwischen Dichtung und Philosophie, 186-197.

Becher, Johannes R.: Verteidigung der Poesie. Vom Neuen in der Literatur. Berlin (Rütten) 1952.

Pfeiffer, Johannes: Lyrik als Lebenshilfe, in: Die Sammlung 1951, 641-652.

Grenzmann, Wilhelm: Dichtung und Glaube. 1952².

Grenzmann, Wilhelm: Überwindung des Nihilismus, in Stimmen der Zeit, 1950/51, 10, 241-255.

Schröder, Rudolf Alexander: Dichter und Dichtung der Kirche. 1936.

Schneider, Reinhold: Der Bildungsauftrag des christlichen Dichters, in: Die Neue Rundschau 1953, 4, 483-500.

Pfeiffer, Johannes: Das geistliche Gedicht, in: Zwischen Dichtung und Philosophie, 177-185.

Langgässer, Elisabeth: Möglichkeiten christlicher Dichtung — heute, in: Hochland 41, 3, (Febr. 1949), 244-252.

Ross, Werner: Christliche Literaturkritik, in: Hochland 48 (1956) 5, 434-445.

Pfeiffer, Johannes: Sinn und Grenze der Dichtung, in: Zwischen Dichtung und Philosophie, 198-218.

Rupprecht, Erich: Dichtung — Wahrheit oder Spiel?, in: Wirk. Wort I, 5 (Juni 1951), 257-264.

W e r n e r, H.: Die Ursprünge der Lyrik. 1923.

K r a f t, Werner: Das Dunkel des Gedichtes, in: Akzente, 2/
1954, 132-140.

P f e i f f e r, Johannes: Das Dichterische, in: Die Sammlung
1946, 572-586, und in: Zwischen Dichtung und Philosophie, 90-107.

I b e l, Rudolf: Gestalt und Wirklichkeit des Gedichts. Düsseldorf (Diederichs) 1954.

S t o r z, Gerhard: Über die Wirklichkeit von Dichtung, in:
Wirk. Wort, 1. Sonderheft, 94-103.

M ü l l e r, Günther: Über die Seinsweise von Dichtung, in:
DVLG XVII (1939), 137-153.

B r i n k m a n n, Hennig: Zur Daseinsweise der Dichtung, in:
Wirk. Wort I/4 (April 1951) 218-223.

K o m m e r e l l, Max: Geist und Buchstabe der Dichtung.
Frankfurt (Klostermann) 1944³.

K o m m e r e l l, Max: Dichterische Welterfahrung (Essays).
Frankfurt (Klostermann) 1951.

K u n i s c h, Hermann: Grundformen der Dichtung und des
Dichtertums, in: Wirk. Wort, V/1 (Nov. 1954), 36-47.

S c h n e i d e r, Wilhelm: Dichter und Dichtung, in: Liebe
zum dt. Gedicht. Freiburg (Herder) 1952, 1-34.

H o h o f f, Curt: Sprache, Dichter und Poesie, in: Geist und
Ursprung, 5-11.

S t a i g e r, Emil: Lyrik und lyrisch, in: DU 1952, 2, 5-12.

W i e g a n d, Julius: Subjektivität und Objektivität in der Lyrik, in: GRM XXXI (1943), 158-169.

K a h l e r, Erich: Was ist ein Gedicht? in: Die Neue Rundschau, 4/1950, 520-544.

M a i e r, Nikolaus: Von den wirkenden Kräften des Gedichts,
in: DU 1951, 6, 52-66.

P e t s c h, Robert: Die lyrische Dichtkunst. Ihr Wesen und
ihre Formen. Halle (Niemeyer) 1939.

H o l t h u s e n, Hans Egon: Das lyrische Kunstwerk, in:
Stammlers Aufriß, III, 961-990.

L o e r k e, Oskar: Formprobleme der Lyrik, in: Das alte Wagnis des Gedichts, Berlin 1935.

B e n n, Gottfried: Probleme der Lyrik. Vortrag. Wiesbaden
(Limes) 1954³.

S t r i c h, Fritz: Das Symbol in der Dichtung, in: Der Dichter und die Zeit, 15-39.

H o h o f f, Curt: Der symbolische Prozeß, in: Geist und Ursprung, 12-18.

B r i n k m a n n, Hennig: Die Situation und das Gedicht, in:
Wirk. Wort III/1 (Okt. 1952), 1-5.

Z i e r s c h, Roland: Die Heilkraft dichterischer Gleichnisse,
in: Welt und Wort, IV (1949), 447-450.

P o n g s, Hermann: Das Bild in der Dichtung I Marburg 1927,
II 1939.

P e t e r s e n, Julius: Das Motiv in der Dichtung, in: Dichtung und Volkstum (Euphorion) 38 (1939), 44-65.

411

H e d e r e r, Edgar, Magie und Mystik in der Sprache der
Dichtung, in: Die Neue Rundschau 48/1 (1937), 577-590.
H e d e r e r, Edgar: Mystik und Lyrik, München (Oldenbourg)
1941, bes. die Kapitel „Bild und Ich" 255-272, „Mystik
und Dichtung", 273-277, „Dichter und Leser" 296-314.
G r e i n e r, Martin: Über die Grenzen des dichterischen Aus-
drucks, in: Die Sammlung 1953, 364-374.
L e n n e r t, Rudolf: Von der Kraft des dichterischen Worts,
in: Die Sammlung 1946, 456-459.
B ö c k m a n n, Paul: Die Sageweisen der modernen Lyrik, in:
DU 1953, 3, 28-56.
H o c k e, Gustav René: Über Manierismus in Tradition und Mo-
derne, in: Merkur X (1956), 4, 336-364.
S t a i g e r, Emil: Vom Pathos. Ein Beitrag zur Poetik, in: Tri-
vium II (1944), 77-92.
A n d e r s, Günther: Die Dichtstunde, in: Merkur VI (1952),
224-240.
V i e t o r, Karl: Geist und Form. Bern (Francke) 1952.
I b e l, Rudolf: Weltschau der Dichter (Goethe, Schiller, Höl-
derlin, Kleist) Jena (Diederichs) 1943.
H o l t h u s e n, Hans Egon: Versuch über das Gedicht, in: Ja
und Nein, 16-55.
H e d e r e r, Edgar: Das Gedicht und der Leser, in: Das innere
Reich, IV 12, 1400-1416.
G r e n z m a n n, Wilhelm: Motive und Formen der dt. Dich-
tung der Gegenwart, in: Stimmen der Zeit 78 (1952/53)
Heft 5, 343-357.
L a m p r e c h t, Helmut: Der Erzähler und das Lyrische, in:
Neue Deutsche Hefte Nr. 37. August 1957. 449—454.
P f e i f f e r, Johannes: Das Lyrische Gedicht als ästhetisches
Gebilde. Ein phänomenologischer Versuch. Halle 1931.
L e h m a n n, Wilhelm: Dichterische Grundsituation und not-
wendige Besonderheit des Gedichts. Abh. d. Kl. d. Lit. Jg.
1953 Nr. 4. Mainz (Verlag der Wiss. u. d. Lit.).
M a i e r, Rudolf Nikolaus: Das Symbolische des Gedichts und
die Erziehung des symbolischen Sinns, in: Wirk. Wort VI
(Nov. 1955) 1, S. 41—53.
O p p e r t, Kurt: Der Reiz des Ungesagten in der Lyrik, in:
Wirk. Wort VI (1955/56) 2, S. 76—82.
W e s s e l s, P. B.: Vom Lachen der Sprache, in: Wirk. Wort VI
(1955/56) 3, S. 145—154.
K a y s e r, Wolfgang: Die Wahrheit der Dichter, Wandlung
eines Begriffes in der deutschen Literatur. Hamburg (Ro-
wohlt) 1959.
E l i o t, T. S.: Dichter und Dichtung, Essays. Frankfurt/M.
(Suhrkamp) 1958.
E l i o t, T. S.: Die Grenzen der Literaturkritik. Merkur 11
(1957), 11.
H i r s c h e n a u e r, R.: Dichter und Dichtung. Anregung
1958, 3, 139—147.
P o e t h e n, Johannes: Dichter — Gedicht — Leser. Variationen über ein altes Thema, in: Akzente 1 (1957), S. 43—47.

M o n, Franz: Die zwei Ebenen des Gedichts, in: Akzente 3 (1957), S. 224—228.

L e h m a n n, Wilhelm: Grundsätzliches zur Kunst des Gedichts, in: Das Gedicht, Jahrbuch zeitgenössischer Lyrik 1954/55, S. 126 ff. Hamburg 1954.

K l e i n, Johannes: Wesen und Probleme der deutschen Lyrik, in: Welt und Wort XII (1957) 5, S. 138—141.

K i l l y, Walter: Wandlungen des lyrischen Bildes. Göttingen 1957.

H a m b u r g e r, K ä t e: Die Logik der Dichtung. Stuttgart (Klett) 1957.

H a u s m a n n, Manfred: Lyrik in Hellas, in: Welt und Wort I (1946), 2, 36-37.

F ä r b e r, H.: Die Lyrik in der Kunsttheorie der Antike. 1936.

III. Formprinzipien der Lyrik

H i l l i g e n, Wolfgang: Maß, Bild und Gesetz, in: Die Sammlung 1953, 442-449.

M a i e r, Rudolf Nikolaus: Das Bildreihengedicht, in: Wirk. Wort III/3 (Febr. 1953), 132-140.

B r a u t l a c h t, Erich: Thema und Form, in: Welt und Wort V (1950), 139-141.

W e i n h e b e r, Josef: Einiges über lyrische Formen, in: ZfDK 53 (1939) 1, 1-5.

P e t s c h, Robert: Die Aufbauformen des lyrischen Gedichts, in: DVLG XV (1937), 51-69.

R o s s, Werner: Abendlieder. Wandlungen lyrischer Technik und lyrischen Ausdruckwillens, GRM XXXVI (1955), 297-310.

W i e g a n d, Julius: Abriß der lyrischen Technik. Fulda 1951.

W i e g a n d, Julius: Zur lyrischen Technik, in: Wirk. Wort IV/5 (Juni 1954), 310-312.

W i e g a n d, Julius: Der Rahmen im lyrischen Gedicht, in: ZfDPh 66 (1942), 183-204.

M e y e r, Hermann: Vom Leben der Strophe in neuerer dt. Lyrik, in: DVLG XXV (1951), 436-474.

M ü l l e r, Joachim: Das zyklische Prinzip in der Lyrik, in: GRM XX (1932), 1-20.

V a l e n t i n, Veith: Die Dreifaltigkeit in der Lyrik, in: Z. f. vergleichende Literaturgeschichte 2 (1889), 9-40.

W a l z e l, O: Das Wortkunstwerk. 1926.

E r m a t i n g e r, E.: Das dichterische Kunstwerk, 1939[8].

J a n c k e, Oskar: Das dichterische Kunstwerk als Sprachwerk, in: DU 1950, 4, 49-62.

S t r i c h, Fritz: Dichtung und Sprache, in: Der Dichter und die Zeit, 43-70.

B a r z e l, Werner: Die moderne Sprache, in: Stimmen der Zeit, 77 (1951/52), 1, 22-28.

E l s c h e n b r o i c h, Adalbert: Bewegung in der Dichtung, in: Die Sammlung IX (1954), 116- 125.
P f e i f f e r, Johannes: Ton und Gebärde in der Lyrik, in: Zwischen Dichtung und Philosophie, 108-119. zuvor in: Dichtung und Volkstum (Euphorion) 37 (1936), 430-441.
W e s s e l, Oskar: Urlaut und Wortsinn, in: Welt und Wort II (1947), 127-129.
L o c k e m a n n, Fritz: Das Gedicht und seine Klanggestalt. Emsdetten (Westf.) 1952.
R i t t e r, Heinz: Das lyrische Gedicht als Lautgewebe, in: Wirk. Wort IV/1 (Okt. 1953), 24-26.
K a u l h a u s e n, Marie-Hed: Die Gestalt des Gedichtes. Seine sprechkundliche Interpretation und Nachgestaltung. 1953.
K a u l h a u s e n, Marie-Hed: „Dur" und „Moll" in der Sprachmelodie der Dichtung, in: Wirk. Wort IV/6 (Sept. 1954), 337-349.
K a u l h a u s e n, Marie-Hed: Die Bedeutung der irrationalen Sprachkräfte für die Gestalt des lyrischen Gedichts, in: DVLG XXV (1951), 232-250.
M ö n c k e b e r g, Vilma: Der Klangleib der Dichtung. Hamburg (Claassen u. Goverts) 1946.
K l e i n s c h m i d t, Oswald: Das Lautgewebe im Gedicht, in: „Das Manuskript", 173-190. Wilhelmshaven (Hübener) 1954.
S c h o l z, W i l h e l m: Gesprochene Dichtung, in: Welt und Wort II (1947), 98-101.
B l ü m e l, Rudolf: Atemgebrauch beim Vortrag von Gedichten, in: ZfDK 38 (1924), 189-201.
S t o r z, Gerhard: Rhythmus und Sprache in der Dichtung, in: Hochland 46/3 (Febr. 1954), 286-290.
S t o r z, Gerhard: Rhythmus und Sprache, in: DU 1952, 2, 47-56.
N o h l, Hermann: Der Rhythmus, in: Die Sammlung IX (1954), 113-116.
K a y s e r, Wolfgang: Vom Rhythmus in dt. Gedichten (bes. Novalis, Brentano, Droste) in: Dichtung und Volkstum (Euphorion) 38 (1939), 487-510.
J ü n g e r, Friedrich Georg: Rhythmus und Sprache im dt. Gedicht. Stuttgart (Klett) 1952.
H e i s e l e r, Bernt von: Rhythmischer Ausdruck im Vers, in: Die Sammlung, XIII (1953), 569-607.
K a y s e r, Wolfgang: Zur Frage von Syntax und Rhythmus in der Verssprache, in: Trivium V (1947), 283-292.
P a u l, Otto: Deutsche Metrik. München (Hueber) 1950[3].
K a y s e r, Wolfgang: Kleine dt. Versschule (Dalp 306). München (Lehnen) 1954[4].
H e u s l e r, Andreas: Deutsche Versgeschichte, Bd. 1-3, 1925-29
E l i o t, T.S.: Der Vers. Frankfurt/M. 1952.
P r e t z e l, Ulrich: Vers und Sinn, in: Wirk. Wort III/6 (Aug. 1953), 321-330.
K a y s e r, Wolfgang: Der Vers als Ordnung, in: Welt und Wort V (1950), 331-332.

J ü n g e r, Friedrich Georg: Was sind „freie Rhythmen"? in:
Welt und Wort VII (1952), 197-199.
C l o ß, A.: Die freien Rhythmen in der dt. Lyrik. 1947.
B u s c h, E.: Stiltypen der deutschen freirhythmischen Hymne
aus religiösem Erleben. 1934.
B r e c h t, Bert: Über die reimlose Lyrik mit unregelmäßigen
Rhythmen, in: Trivium VI (1948), 179-186.
L o e r k e, Oskar: Vom Reimen, in: Die Neue Rundschau 46/2
(1935), 414-426.
S t a p e l, Wilhelm: Stabreim und Endreim. Ein Versuch, in:
Wirk. Wort IV/3 (Febr. 1954), 140-151.
W i e g a n d, Julius: Die Überschrift des lyrischen Gedichts,
in: GRM XXX (1942), 171-179.
K a r s t e n, Werner: Das Schrifttum in der Poesie, in: Tri-
vium IV (1946), 295-301.
B r e m s e r, Horst: Baum und Wald in Dichtung und Malerei.
Gedanken zu einer stilistischen Untersuchung an deutscher
Lyrik, in: Pädagogische Provinz Aug. 1956 8, S. 417—429.
F r i e d r i c h, H.: Die Struktur der modernen Lyrik. Von
Baudelaire bis zur Gegenwart. Rowohlts deutsche Enzyklo-
pädie Nr. 25.

IV. Zur Methode der Interpretation

D i l t h e y, Wilhelm: Das Erlebnis und die Dichtung. 1950[12].
K o m m e r e l l, Max: Gedanken über Gedichte. (Bes. „Vom
Wesen des lyrischen Gedichts", 7-56). Frankfurt/M (Klo-
stermann) 1943.
M ü h l b e r g e r, Josef: Umgang mit Dichtung, in: Welt und
Wort XI (1956) 2, 35-38.
P f e i f f e r, Johannes: Umgang mit Dichtung. Eine Einfüh-
rung in das Verständnis des Dichterischen. Hamburg
(Meiner) 1952[7].
P f e i f f e r, Johannes: Zwischen Dichtung und Philosophie.
Bremen (Strom) 1947.
P f e i f f e r, Johannes: Wege zur Dichtung. Hamburg (Meiner)
1954[4].
P f e i f f e r, Johannes: Grundsätzliches über den Umgang mit
Dichtung, in: Philosophie und Dichtung, 5-8.
P f e i f f e r, Johannes: Was haben wir an einem Gedicht?
Hamburg (Wittig) 1955.
S t a i g e r, Emil: Meisterwerke deutscher Sprache. 1948[2].
S t a i g e r, Emil: Die Zeit als Einbildungskraft des Dichters
(Untersuchungen zu Brentano, Goethe u. Keller). Zürich
(Atlantis) 1953[2].
S t a i g e r, Emil: Die Kunst der Interpretation. Zürich (At-
lantis) 1955.
B u r g e r, Heinz Otto: Gedicht und Gedanke. Halle/S. (Nie-
meyer) 1942.
S t o r z, Gerhard: Gedanken über die Dichtung. Frankfurt/M.
(Societas-V.) 1941.

Zur Methode   G o e s, Albrecht: Freude am Gedicht. Frankfurt/M. (S. Fischer) 1952.
S c h n e i d e r, Wilhelm: Liebe zum deutschen Gedicht. Freiburg/Br. (Herder) 1952.
T r u n z, Erich: Über das Interpretieren deutscher Dichtungen, in: Studium generale, 1952, 5, 65—68.
T r u n z, Erich: Literaturwissenschaft als Auslegung und als Geschichte der Dichtung. Festschrift für J. Trier Meisenheim 1954. S. 50—87.
F r i e d r i c h, Hugo: Dichtung und die Methoden ihrer Deutung, in: Neue Deutsche Hefte 40 (Nov. 1957), 676—688.
R o s s, Werner: Grenzen der Gedichtinterpretation, in: Wirk. Wort VII (September 1957) 6, 321—334.
R o s s, Werner: Zur Frage der Wertung von Gedichten, in: Wirk. Wort (Dezember 1958) 1, 25-36.
W a l s d o r f f, Friedrich: Interpretation in der Schule und auf der Universität, in: Gymnasium Bd. 63. 3/4 (1956), 206-216.
M a y, Kurt: Form und Bedeutung. Interpretation deutscher Dichtung des 18. u. 19. Jahrhunderts. Stuttgart (Klett) 1957.
M a i e r, Rudolf Nikolaus: Das Gedicht. Düsseldorf (Schwann) 1956.
M a i e r, Rudolf Nikolaus: Das moderne Gedicht. Düsseldorf (Schwann) 1959.
Interpretationen moderner Lyrik. Hsg. Fachgruppe Deutsch-Geschichte im Bayr. Philologenverband. Frankfurt/M. (Diesterweg) 1954.
v. W i e s e, Benno: Die deutsche Lyrik. Form und Geschichte. Interpretationen vom Mittelalter bis zur Gegenwart. 2 Bde. Düsseldorf (August Bagel) 1956. 1. Bd. Vom Mittelalter bis zur Frühromantik. 2. Bd. Von der Spätromantik bis zur Gegenwart; darin:
v. W i e s e, Benno: Über die Interpretation lyrischer Dichtung. Bd. 1, S. 11—21.
O h m s, H. H.: Über das Sehen von Gedichten, in: Die Sammlung 1951, 6-12.
B o r c h a r d t, Rudolf: Dichten und Forschen, in: Merkur IV (1950), 823-841.
S p o e r r i, Theophil: Der Philologe, das Absolute und die Form, in: Trivium IV (1946), 73-80.
S p o e r r i, Theophil: Stil der Ferne, Stil der Nähe, in: Trivium II (1944), 25-41.
S c h u m a n n, Otto: Handwerk und Sinn im Gedicht, in: Das Manuskript, 155-173, Wilhelmshaven (Hübener) 1954.
B o l l n o w, Otto Friedrich: Was heißt, einen Schriftsteller besser verstehen, als er sich selber verstanden hat? in: DVLG XVIII (1940), 117-139.
O p p e r t, Kurt: Der Reiz des Ungesagten in der Lyrik, in: Wirk. Wort VI/2, 76-82.
S c h n e i d e r, Wilhelm: Zum Verständnis von Gedichten, in: Welt und Wort VIII (1953), 48-50.

M o t e k a t, Helmut: Vom Wesen des modernen Gedichts und
von den Möglichkeiten der Interpretation, in: Interpreta-
tionen moderner Lyrik, 5-19.
K l e i n, Johannes: Wie legt man Gedichte aus? in: Wirk.
Wort I/2 (Dez. 1950), 79-91.
C l o ß, August: Gedanken zur Auslegung von Gedichten, in:
DVLG XXVII (1953), 268-287.
R a s c h, Wolfdietrich: Probleme der Lyrik-Interpretation, in:
GRM XXXV (1954), 282-288.
B u r g e r, Heinz Otto: Methodische Probleme der Interpreta-
tion, in: GRM XXXII (1951/52), 81-92.
H a r t u n g, Rudolf: Interpretation des Sprachkunstwerks,
in: Welt und Wort V (1950), 363-365.
P f e i f f e r, Johannes: Über das Erschließen von Dichtungen,
in: DU 1950, 3, 3-23.
R y s y, Joseph: Heimkehr zum Wort. Ein Weg zur Erschlie-
ßung liedhafter Dichtung, in: DU 1948/49, 7, 64-76.
B ä t j e r, Annemarie: Gedichtinterpretation vom Lied her, in:
DU 1955, 4, 42-48.
B e r i g e r, L.: Die literarische Wertung. 1938.
K a y s e r, Wolfgang: Literarische Wertung und Interpretation,
in: DU 1952, 2, 13-27.
K a y s e r, Wolfgang: Vom Werten der Dichtung, in: Wirk.
Wort II/6 (Aug. 1952), 350-357.
K n ö l l e r, Fritz: Von Wert u. Wertung neuerer dt. Dichtung,
in: Welt und Wort IV (1949), 309-312.
P f e i f f e r, Johannes: Über „Echt" und „Unecht" im Gedicht,
in: Die Sammlung IX (1954), 360-370.
B e c h e r, Hubert: Maßstäbe der literarischen Kritik, in:
Stimmen der Zeit, 80 (1954/55), 339-345.
K r o l o w, Karl: Buchkritik in der Tageszeitung,
S i e b u r g, Friedrich: Du sollst nicht töten,
S e n g l e, Friedrich: Ein Aspekt der literarischen Wertung.
Alle drei in: Akzente 1/1955, 15-36.
S t a i g e r, Emil: Entstellte Zitate, in: Trivium III (1945),1-17.
B e r g e n g r u e n, Werner: Der Dichter und die Interpreta-
tion seines Werkes, in: Wirk. Wort II/3 (Febr. 1952),
129-130.

V. L y r i k   i n   d e r   S c h u l e

S c h n e d e r m a n n, F.: Zur Behandlung erzählender Gedichte
in Tertia, in: ZfDU 1 (1887), 259-262.
L i n d e, Ernst: Kind und Lyrik, in: ZfDU 26 (1912), 779-791.
B i e s e, Alfred: Moderne dt. Lyrik und die höhere Schule.
Vortrag 1913, in: ZfDU 28 (1914), 33-47.
S c h u l z, Bernhard: Dichtung und Erziehung, in: Die Samm-
lung 1953, 65-74.
E s s e n, Erika: Das lyrische Gedicht im Deutschunterricht,
in: Die Pädagogische Provinz, VI/11 (Nov. 1952), 568-575.

Lyrik in
der Schule

K o s l e r, Alois M.: Über die Stellung des lyrischen Gedichts im Deutschunterricht der Oberstufe, in: Blätter für den Deutschlehrer 1960, 2.

L e v i n s t e i n, Die Behandlung der dt. Dichtung im Universitäts- und Schulunterricht, in: Wirk. Wort, Sonderheft 1, 103-115.

F r a n k e, Walter: Über die Situation der modernen lyrischen Dichtung in der Schule, in: DU 1954, 6, 5-16.

E m r i c h, Wilhelm: Die Behandlung der dt. Literatur auf der Oberstufe, in: Die Sammlung 1950, 650-662.

K r a n z, Fritz: Zur Behandlung der Lektüre im Deutschunterricht der Oberstufe, in: Wirk. Wort IV/3 (Febr. 1954), 177-186.

W a l s d o r f f, Friedrich: Interpretation in der Schule und auf der Universität, in: Gymnasium Bd. 63 (1956) 3/4, 206-216.

H a n n ö v e r, Emmy: Nachkriegslyrik im Unterricht, in: Wirk. Wort. VII. 6, 365—373.

B e n t m a n n, Friedrich: Vor welche besonderen Aufgaben sieht sich die Höhere Schule bei der Behandlung von Bert Brecht gestellt? in: DU 1958, 5, 81-96.

B r ä u t i g a m, Kurt: Zur Behandlung des Volksliedes in OII, in: Wirk. Wort. VI. 6, 354—360.

W a n n e r, Paul: Das Gedicht im Deutschunterricht, in DU 1948/49, 1, 56-74.

W a n n e r, Paul: Das neue deutsche Gedicht im Unterricht der Oberstufe, in: DU 1950, 3, 45-73; II. Teil, in: DU 1953, 3, 5-27.

V o g t, Friedrich E.: Vorstoß zum extrem-modernen Gedicht auf dem Weg der vergleichenden Betrachtung, in: DU 1954, 6, 78-88.

M a i e r, Rudolf Nikolaus: Das Symbolische des Gedichts und die Erziehung des symbolischen Sinns, in: Wirk. Wort VI (1955/56), 1, 41-53.

K r a u l, Fritz: Gedichtinterpretation als Aufsatzthema, in: DU 1948/49, 7, 77-84.

L o r b e, Ruth: Wechselseitige Erhellung der Künste im Deutschunterricht, in: DU 1955, 4, 20-41.

S t o r z, Gerhard: Von der Kunst des Lesens, in: DU 1948/49, 2/3, 5-13.

H o c k, Erich: Motivgleiche Gedichte (dazu Lehrerband). Bamberg (Bayr. VA) 1953.

V o i t—S c h e r e r: Dichtung im Unterricht.
　　1. Hölderlin. München (Kösel) 1954.
　　2. Goethe. München (Kösel) 1956.
　　3. Trakl. Bearbeitet von W e b e r, Albrecht. München (Kösel) 1957.

F ä r b e r, Hans: Moderner Unterricht an der Höheren Schule. Darin: Hirschenauer, Rupert: Erfahrungen und Gedanken zum Deutschunterricht an der Höheren Schule. München 1959, S. 43-88.

B. Die Dichter und Gedichte

I. Zur Lyrik des Mittelalters

Zu Form und Bau mittelalterlicher Dichtung (mit Beiträgen von Maurer, F., Schupp, V., Schirmer, K.-H., Gennrich, F., Eggers, H., Jammers, E. und Rupp, H.).

B r i n k m a n n, Hennig: Zu Wesen und Form mittelalterlicher Dichtung. 1928.

M o h r, Wolfgang: Wandel des Menschenbildes in der mittelalterlichen Dichtung, in: Wirk. Wort, 1. Sonderheft, 37-49

M o s e r, Hugo: Dichtung und Wirklichkeit im Hochmittelalter, in: Wirk. Wort V/2 (Dez. 1954), 79-91.

N e u m a n n, F.: Hohe Minne, in: ZfDK, 1925.

T h o m a s, Helmuth: Minnesang in neuer Gestalt, in: Wirk. Wort IV/3 (Febr. 1954), 164-177.

A c k e r m a n n, F.: Zum Verhältnis von Wort und Weise im Minnesang, in: Wirk. Wort 9 (1959), 5.

M o h r, Wolfgang: Zur Form des mittelalterlichen Strophenliedes, in: DU 1953, 2, 62-82.

H e i s e, Ursula: Die Interpretation mittelhochdeutscher Dichtung im Bildungsplan der höheren Schule, in: DU 1956/1, 5-27.

T h o m a s, Helmuth: Die jüngere deutsche Minnesangforschung, in: Wirk. Wort. VII. 5, 269-286.

B i n d s c h e d l e r, Maria: Mittelalterliche Marienlyrik, in: DU 1957, 2, 30-37.

R u p p, H.: Deutsche religiöse Dichtung des 11. und 12. Jahrhunderts, Untersuchungen und Interpretationen. Freiburg (Herder).

H a l b a c h, Herbert: Lyrik und Epik in Übersetzung, in: DU 1957, 2, 108-120.

W e s s o b r u n n e r G e b e t (814): VII/6.

U n b e k a n n t e r D i c h t e r
Dû bist mîn: VII/10

(Schröder, F. R.: Balder und der zweite Merseburger Zauberspruch, in: GRM 34 (1953), 161-183.

(Weber, A.: Christliche Stabreimdichtung, Ein Unterrichtsversuch in einer 7. Klasse, in: Anregung 5 (1959), 3.

(Brinkmann, Hennig: Verwandlung und Dauer. Otfrieds Endreimdichtung und ihr geschichtlicher Zusammenhang, in: Wirk. Wort II/1 (Okt. 1951), 1-5.

(Schneider, Hermann: Die Lieder Reimars des Alten, in: DVLG XVII (1939).

(Dietmar von Eist: Uf der linden obene: I Hennig Brinkmann in: Gedicht und Gedanke, 29-34.
I Helmut de Boor in: v. Wiese 1. Bd. 30-34.

(Friedrich von Hausen: Ich denke under wîlen: I Hennig Brinkmann in: Gedicht und Gedanke, 35-42.

(Mîn herze und mîn lîp...: H Helmut de Boor in: v. Wiese 1. Bd. 35-42.

(Wolfram von Eschenbach
    Mohr, W.: Wolframs Taglieder, in: Festschrift für Kluck-
    hohn-Schneider. Tübingen 1948
    Scholte, J. H.: Wolframs Lyrik, in: Paul-Braunes Beiträge
    69, 1947.
    Naumann, Hans: Der Prosabericht vom Wartburgkrieg,
    in: Gedicht und Gedanke, 43-54.
(Ursprinc bluomen...: I Wolfgang Mohr in: v. Wiese 1. Bd.
    78-89.
Der Kürnberger
    Ich zôch mir einen valken: VII/10
Heinrich von Morungen (um 1200)
    Uns ist zergangen: VII/11
(Ich wêne nieman lebe ...: I Helmut de Boor in: v. Wiese
    1. Bd. 43-47
Hartmann von Aue (um 1200)
    Dem kriuze zimt wôl: VII/7
    (Jungbluth, Günther: Das dritte Kreuzlied Hartmanns, in:
    Euphorion 49 (1955), 145-163.
(Reinmar von Hagenau
    Niemen seneder suoche...: I Helmut de Boor in: v. Wiese
    1. Bd. 48-51
Walther von der Vogelweide (um 1170 — um 1227)
    Ausgabe: K. Lachmann, 11. Aufl.: von Kraus, Berlin 1950
    Kraus, Carl von: Walther als Liebesdichter (1925)
    Kraus, Carl von: Walther von der Vogelweide. Untersu-
    chungen. Berlin 1935
    Neumann, Friedrich: Der Minnesänger Walther von der
    Vogelweide, in: DU 1953, 2, 43-62
    Kerstiens, Ludwig: Walthers Lied von der wahren Minne,
    in: Wirk. Wort V/3 (Febr. 1955), 129-134
    Kuhn, Hugo: Walthers Kreuzzugslied und Preislied. Diss.
    Tübingen 1935
    Wiegand, Julius: Zur lyrischen Kunst Walthers, Klopstocks
    und Goethes. Tübingen (Niemeyer) 1956
    Maurer, Friedrich: Die politischen Lieder Walthers von der
    Vogelweide. Tübingen 1954
    Maurer, Friedrich: Zu den religiösen Liedern Walthers
    von der Vogelweide, in: Euphorion 49 (1955), 29-50
    Maurer, Friedrich: Die Lieder Walthers von der Vogel-
    weide unter Beifügung erhaltener und erschlossener Me-
    lodien. 2 Bändchen, Altdeutsche Textbibliothek, Nr. 43,
    Nr. 47.
    Uns hât der winter: VII/12
    Wôl mich der stunde: VII/13
    Muget ir schouwen: VII/14
    Ir sult sprechen willekomen: VII/16
    I von Friedrich Neumann, in: Gedicht und Gedanke, 11-28
    (Zu Walther von der Vogelweide 124, 24 ff.
    Nu merkent wie den frouwen ihr gebende stat...
    I Wolfgang Stammler in: Wirk. Wort. VI. 4, 207-368
    Ich sâz ûf eime steine: VII/18
    I (zugleich mit Ich horte diu wazzer diezen) von Wolf-

gang Mohr: Der Reichston Walthers von der V., in: DU
1953, 6, 45-57
Bell, Kurt: Zwei Sprüche Walthers von der Vogelweide
im „Reichston", in: DU 1951, 1, 75-89
Zwei Sprüche im Reichston: I Kurt Bell
Ich hôrte ein wazzer diezen..., in: DU 1956, 1, 75-81
Ich saz uf eine steine..., in: DU 1956, 1, 82-84
Kienast, R.: Walther v. d. V. ältester Spruch im „Reichston" in: Gymnasium, 57 Jg., 3, 201 ff.
Owê war sint verswunten: IX/100
    I von Max Wehrli in: Trivium I (1942), 3, 12-29
    I von Hennig Brinkmann in: Wirk. Wort V/4 (April 1955),
    198-205
    H von Alfons Huther (Vergleich mit Nietzsche „Vereinsamt") in: Anregung 1/1956, 5-14
(Die verzagten aller guoten dinge...: I Helmut de Boor in:
    v. Wiese 1. Bd. 52-55
(Herzeliebez frouwelîn...: I Friedrich Neumann in: v. Wiese
    1. Bd. 56-61
(Nemt, frouwe, disen kranz!: I Friedrich Neumann in:
    v. Wiese 1. Bd. 62-70
(Under der linden...: I Friedrich Neumann in: v. Wiese
    1. Bd. 71-77
Neidhart von R e u e n t h a l (um 1180 — um 1250)
    Ausgabe: E. Wiessner, 1955
    Kommentar von E. Wiessner. Leipzig 1954
    Lieder: W. Schmieder, Lieder von Neidhart, Denkmäler
    der Tonkunst in Österreich, hsg. G. Adler, XXXVII. Jg.
    Bd. 71, Wien 1930
Der walt stuont aller grîse: VII/19
    (Ez meiet hiuwer aber als ê...: I Karl Otto Conrady in:
    v. Wiese 1. Bd. 90-98
Ulrich von L i c h t e n s t e i n (um 1200 — um 1274)
    In dem walde suëze doene: VII/20
(Die dt. Lieder der Carmina burana. Hsg. F. Lüers. Bonn 1922
S p e r v o g e l d e r J ü n g e r e
    Wurze des waldes: VII/22
Johannes T a u l e r (um 1300—1361)
    Es kumpt ein schiff geladen: VII/22
Oswald von W o l k e n s t e i n (1367—1445)
    Ave, mueter küniginne: VII/23
Heinrich von L o u f f e n b e r g (um 1400-1460)
    Ach arge welt: VII/23
    (Volkslied: Ich hört ein sichelin rauschen...: I Karl Otto
    Conrady in: v. Wiese 1. Bd. 99-106

II. D i e Z e i t d e r R e f o r m a t i o n, d e s B a r o c k u n d
    d e r A u f k l ä r u n g

    Strich, Fritz: Der lyrische Stil des 17. Jahrh. in: Muncker-Festschrift 1916
    Trunz Erich: Die Entwicklung des barocken Langverses, in:
    Dichtung und Volkstum (Euphorion) 38 (1939), 427-469

Milch, Werner: Deutsche Barocklyrik und „Metaphysical Poetry" in England, in: Trivium V (1947), 65-73

Oßwald, C.: Die Barockdichtung im Unterricht der 7. Kl., in: DU 1951, 6, 81-85

Zitzmann, Rudolf: Dt. Barocklyrik im Unterricht der Oberstufe, in: Wirk. Wort V/3 (Febr. 1955), 165-172

Trunz, Erich: Die Überwindung des Barock in der dt. Lyrik, in: Zf Aesthetik 35

v. Delius, R.: Die deutsche Barocklyrik. 1921

Bieder, S.: Natur und Landschaft in der deutschen Barocklyrik. Diss. Zürich 1927

Cysarz, Herbert: Deutsches Barock in der Lyrik. Leipzig 1936

Cysarz, Herbert: Vom Geist des deutschen Literaturbarocks, in: DVLG 1, 1923, 243 ff.

Alewyn, Richard: Formen des Barock, in: Corona X. (1943) 6, 662-690

Aus der Welt des Barock. Beiträge verschiedener Verfasser zum Weltbild usw. des Barock. Stuttgart (Metzler) 1957

Bräutigam, Kurt: Barockdichtung in moderner Sicht. Wege und Möglichkeiten zur Behandlung in der Oberstufe, in: Pädagogische Provinz Okt. 1956, 10, 544-550

Lischner, H.: Anakreontik in der weltlichen Lyrik des 17. Jahrhunderts. Diss. Breslau 1932

Pfeiffer, Johannes: Über fünf Gedichte aus dem 17. Jahrhundert (Weckherlin, Fleming, Klaj, A. U. v. Braunschweig, Brockes), in: Die Sammlung, Nov. 1957, 11, 537-542

Weber, Albrecht: Deutsche Barockgedichte. Frankfurt/M. (Diesterweg) 1960. Gedichte: 1-37, Interpretationen: 39-148 zu: J. H. Schein, G. R. Weckherlin, M. Opitz, S. Dach, P. Fleming, A. Gryphius, P. Gerhardt, F. v. Logau, D. v. Ccepko, Angelus Silesius, Ch. v. Grimmelshausen, G. Greflinger, J. Klaj, H. v. Hofmannswaldau, J. Neander, C. R. v. Greiffenberg, A. U. Herzog v. Braunschweig, J. 'Ch. Günther, N. L. Eßmarch, J. Plavius, Ph. G. Harsdörffer, M. Claudius.

Martin L u t h e r (1483—1546)
Schröder, R. A.: Luther und sein Lied. Gütersloh 1942
Stapel, W.: Luthers Lieder und Gedichte. (Mit Einleitung und Erläuterungen). Stuttgart 1950
Aus tieffer not: IX/84
Ein feste burg: VII/24

Johann H e s s e (1490—1574)
O Welt, ich muß dich lassen: VII/26

(Abendgang, 15. / 16. Jahrh.: Es wonet lieb bey liebe und Es warb ains edelmans kindt: I von Hermann Schneider, in: Gedicht und Gedanke, 55-71

Martin O p i t z (1579—1639)
Gundolf, Friedrich: Martin Opitz. München 1923
Weydt, Günther: Nachahmung und Schöpfung bei Opitz. Die frühen Sonette und das Werk der Veronica Gambara, in: Euphorion 50 (1956), 1, 1-27

Aus dem „Ring von Sonetten" 4. Ich gleiche nicht: VII/29
Drei Sonette:
Ich gleiche nicht mit dir des weißen Mondes Licht...
(Ich will dies halbe Mich, was wir den Körper nennen...
(Ein jeder spricht zu mir, dein Lieb ist nicht dergleichen...:
I Herbert Cysarz in: v. Wiese 1. Bd. 109-130

(Georg Rudolf W e c k h e r l i n (1584—1653)
Die Lieb ist Leben und Tod. I Johannes Pfeiffer in: Die
Sammlung, Nov. 1957, 11, 537-542

Martin R i n k a r t (1586—1648)
Nun danket alle Gott: VII/28

Friedrich von S p e e (1591—1635)
Trutz Nachtigall (mit Einleitung) hsg. G. O. Arlt. Halle
1936
Rüttenauer Ilse, über Fr. v. Spee. 1951
Märtens, Ilse: Die Darstellung der Natur in den Dich-
tungen Friedrichs von Spee, in: Euphorion XXVI (1925),
564-592
Eingang zu diesem Büchlein, Trutz Nachtigal genant: VII/30

Friedrich von L o g a u (1604—1655)
Heutige Weltkunst: VII/33

Johannes K u e n (1605—1675)
Hirschenauer, R.: Johannes Kuen - ein Dichter und Sänger
des baier. Barock, in: Klerusblatt 1960, Nr. 16, S. 335-340.

Paul G e r h a r d (1607—1676)
Pachaly, Paul: Paulus Gerhard als Lyriker, in: Euphorion
XIV (1907), 489-507
Sommerlied: VI/68
Abendlied: VI/30

Paul F l e m i n g (1609—1640)
Pyritz, H.: Paul Flemings dt. Liebeslyrik. Leipzig 1932
Honsberg, Eugen: Studien über den barocken Stil in Paul
Flemings deutscher Lyrik. Würzburg 1938
An sich: VII/38
H von Johannes Pfeiffer in: Wege zur Dichtung, 88—90
I von Johannes Pfeiffer in: v. Wiese 1. Bd. 131-132
Grabschrift: VII/39
I von Joh. Pfeiffer in: Die Sammlung, Nov. 1957, 537-542

Johann K l a j (1616—1656)
Vorzug des Sommers: VII/34
(Der leidende Christus (1645): I von Herbert Cysarz in: Ge-
dicht und Gedanke, 84—88
(Spazierlust: I von Johannes Pfeiffer in: Die Sammlung, Nov.
1957, 537-542
(Kayser, W.: Harsdörfer. 1932)

Johann G e u d e r († 1693)
Nürnberger Feuerwerk: VII/35

Andreas G r y p h i u s (1616—1664)
Wentzlaff-Eggebert, F. W.: Dichtung und Sprache des jungen Gryphius. Berlin 1936.
Fricke, G.: Die Bildlichkeit in der Dichtung des A. Gryphius. 1933

Rüttenauer, Ilse: Weltangst und Erlösung in den Gedichten von A. Gryphius. 1940
Pfeiffer, Johannes: Andreas Gryphius als Lyriker, in: Zwischen Dichtung und Philosophie, 30—43
Thränen in schwerer Krankheit: VII/44
I von Erich Trunz in: Vom Geist der Dichtung, 180—205. Hamburg (Hoffmann und Campe) 1949
Threnen des Vatterlandes: VIII/85
I von Erich Trunz in: Vom Geist der Dichtung, 180—205
I von Erich Trunz in: v. Wiese 1. Bd. 139-144
I von Johannes Pfeiffer: Zwischen Dichtung und Philosophie, 30—43, und Das innere Reich II (Apr. 1935), 106-118
I von Herbert Cysarz in: Gedicht und Gedanke, 72—77
Über die Geburt Jesu: VIII/136
I von Erich Trunz, in: Vom Geist der Dichtung, 180-205
I von Erich Trunz in: v. Wiese 1. Bd. 133-138
I von Albrecht Weber: „Lux in tenebris lucet", in: Wirk. Wort, VII (1957), 1, 13-16
Menschliches Elende: VIII/84
I von Johannes Pfeiffer (am selben Ort wie oben Threnen des Vatterlandes)
H von Gerhard Storz: Ein Versuch über den Alexandriner, in: Festschrift für Kluckhohn u. Schneider, 231—242. Tübingen (Mohr) 1948
Es ist alles eitel: IX/102
I von Erich Trunz in: Vom Geist der Dichtung, 180—205
I von Erich Trunz in: v. Wiese 1. Bd. 145-151
I von Wilhelm Schneider in: Liebe z. dt. Gedicht, 279-298
Christian Hofmann von H o f m a n n s w a l d a u (1617—1679)
Aus den „Verliebten Arien": VII/36
(Kaspar Stieler: Der Haß küsset ja nicht
I von Herbert Cysarz in: Gedicht und Gedanke, 78—84
A n g e l u s S i l e s i u s (Johannes Scheffler) (1624—1677)
v. Wiese, Benno: Die Antithetik in den Alexandrinern des Angelus Silesius, in: Euphorion 1928, 503-522
Aus dem „Cherubinischen Wandersmann": IX/78
Ausgabe L. Held. 3 Bde. München 1952 (3)
Hans Jakob Christoffel von G r i m m e l s h a u s e n (1625—1670)
Komm Trost der Nacht, o Nachtigal: VII/40
Katharina Regina von G r e i f f e n b e r g (1633—1694)
Uhde-Bernays, H.: K. R. von Greiffenberg. 1903
In äußerster Widerwärtigkeit: VIII/83
A n t o n U l r i c h, Herzog von Braunschweig (1633—1714)
Ich kan nit mehr: VII/42
(Sterb-Lied: I von Johannes Pfeiffer in: Die Sammlung, Nov. 1957, 537-542
Joachim N e a n d e r (1650—1680)
Lobe den Herren: VII/45
(Berthold Heinrich B r o c k e s (1680—1747)
Entdeckte Merkmale der Gottheit im Meere: I von Johannes Pfeiffer in: Die Sammlung, Nov. 1957, 537-542

Johann Christian G ü n t h e r (1695—1723)
An Leonoren bey dem andern Abschiede: VIII/16
An Gott um Hülfe: IX/82

(Als er der Phillis einen Ring mit einem Totenkopf über-
reichte: I von Karl Otto Conrady in: v. Wiese 1. Bd. 152-162

(Albrecht v. H a l l e r (1708—1777)
Unvollkommenes Gedicht über die Ewigkeit: I von Eduard
Stäuble in: DU 1956, 5, 7-23

(Christian Fürchtegott G e l l e r t (1715—1769)
Das Gespenst: I von Wilhelm Schneider in: Liebe zum dt.
Gedicht, 330-333
(Die Ehre Gottes aus der Natur: I von Johannes Pfeiffer in:
v. Wiese 1. Bd. 165-167

Friedrich Gottlieb K l o p s t o c k (1724—1803)
Ausgewählte Werke. München (Hanser) 1954
Fricke, Gerhard: Klopstock, in: ZfDK L (1936), 5, 305-321
Kommerell, Max: Der Dichter als Führer in der dt. Klas-
sik, 11-60. Frankfurt (Klostermann)
Kindt, Karl: Klopstock. Berlin 1941
Langen August: Klopstocks sprachgeschichtliche Bedeu-
tung, in: Wirk. Wort III/6 (Aug. 1953), 330-346
Friedrich Gottlieb Klopstock, der Begründer der neueren
deutschen Dichtung. DU 1956, 5, 23-46. (Darin Hinweise
auf Klopstocks Lyrik S. 36-40)
Julius Wiegand: Zur lyrischen Kunst Walthers, Klopstocks
und Goethes. Tübingen (Niemeyer) 1956
Busch, E.: Die Form von Klopstocks Ode, in: GRM
XXVIII (1940), 1/3, 39-50

Der Zürcher See: VII/50
H bei Busch
H bei Nohl, Hermann: Die Lyrik der Aufklärung, in: Die
Sammlung 1946, 475-484
I von Emil Staiger in: Heidegger-Festschrift. Bern 1949
I von Friedrich Beißner: Klopstocks Ode „Der Zürcher-
see". Münster-Köln 1952

(Den toten Freunden. Zu drei Klopstockgedichten in der höheren Schule. Darin: (Die frühen Gräber. (Die Sommernacht. (Die Erinnerung. H. von Herbert Thiele in: Pädagogische Provinz, Febr. 1957, 2, 88-90

(Die Frühlingsfeier
I von Rudolf Ibel in ZfDPh 54 (1929), 359-377
I von Paul Böckmann in: Gedicht und Gedanke, 89-101
I von Robert Ulshöfer in: v. Wiese 1. Bd. 168-184
I von Gerhard Kaiser in: Wirk. Wort 6 (1958), 329-335
(Das Wiedersehen
I von A. Kelletat: Über ein Altersgedicht Klopstocks, in:
Euphorion 45 (1950), 186-197

Matthias C l a u d i u s (1740—1815)
Abendlied: VI/28
I von Johannes Pfeiffer: M. CL. Der Wandsbecker Bote,
in: Zwischen Dichtung und Philosophie, 51-76
I von Johannes Pfeiffer in: v. Wiese 1. Bd. 185-189

H bei Erich Hock, in: Motivgleiche Gedichte. Lehrerband, 33-34
I Walter Franke: Zum Thema „Der Mensch", in: DU 1950, 3, 88-101
Der Tod: VIII/108
H Joachim Müller in: ZfDK 51 (1937), 3, 181-194
I Johannes Pfeiffer in: Umgang mit Dichtung, 11-27
Auf einen Selbstmörder: IX/121
(Die Sternseherin Liese
I Wilhelm Schneider in: Liebe zum dt. Gedicht. 146-153
(Der Mensch
I Annemarie Ruprecht-Bangert in: DU 1958, 2, 115-122
(Täglich zu singen
H Annemarie Ruprecht-Bangert in: DU 1958, 2, 126.

Leopold Friedrich Günther von Göckingk (1748-1828)
(Als der erste Schnee fiel
I Johannes Pfeiffer in: Wege zur Dichtung, 113
Lied eines Invaliden: VII/86

Die Dichter des Göttinger Hains
Karl August Schleiden in: DU 1958, 2, 62-85.

Ludwig Christoph Heinrich Hölty (1748—1776)
Mailied: VI/66
H Erich Hock in: Motivgl. Ged. Lehrerband, 27-30
Mainacht: VI/42
Auf den Tod einer Nachtigall: VI/129
Die Schiffende: VII/66

(Bürger: Lenore:
I Albrecht Schöne in: DVLG XXVIII (1954), 324-344
I Eduard Stäuble in: DU 1958, 2, 85-114.

Friedrich Leopold Graf zu Stolberg (1750—1819)
Reinhard, E.: Münsterische „Familia sacra". Münster 1953
Lied, auf dem Wasser zu singen: VII/49
An den Abendstern: VII/101

(Johann Gaudenz von Salis-Seewis (1762—1834)
Zu singen bei einer Wasserfahrt: I von Johannes Pfeiffer in:
v. Wiese 1. Bd. 211-213

III. Die Zeit der Klassik

Johann Wolfgang von Goethe (1749—1832)
Weimarer Ausgabe, 1887-1919. 143 Bde.
Hamburger Ausgabe, 1948 ff. Hsg. Erich Trunz, 14 Bde.
Bd. 1 Gedichte, Bd. 2 Divan (wesentliche Erläuterungen!)
Artemis Ausgabe, Zürich 1948 ff. Hsg. E. Beutler, 24 Bde.
Knaur Klassiker, 2 Bde., Gedichte (Bd. 1) München 1953
Dichtung im Unterricht. Goethe: Gedichte. Ausgewählt
und erläutert von Michael Scherer. München (Kösel) 1956
Müller, Günter: Forschungsbericht, in: DVLG XXVI
(1952), 119-148 und 377-410
Goethe über seine Dichtungen. Hsg. H. G. Gräf, 9 Bde.
Frankf./M 1901—1914 (7—9: Die lyrischen Dichtungen)
Korff, H. A.: Geist der Goethezeit, I—IV, Lpz. 1923-52

Gundolf, Friedrich: Goethe. Berlin 1916
Vietor, K.: Goethe. Dichtung, Wissenschaft, Weltbild. Bern 1949
Staiger, Emil: Goethe. Bd. 1 (1749—86). Zürich 1953
Fairley, B.: Goethe. München 1953
Grenzmann, Wilhelm: Goethe, in: Stimmen der Zeit 1949/ 50, 1, 1-16
Holthusen, H. E.: Goethe als Dichter der Schöpfung, in: Merkur III (1949), 1041-1062
Lüders, Eva Maria: Goethe und das Gebet, in: Stimmen der Zeit 1949/50, 4, 277-285
Flitner, Wilhelm: Goethe im Spätwerk, Hamburg 1947
Scherer, Michael: Das Bild der Zeit in Goethes Lyrik, in: Blätter für den Deutschlehrer 1959, 1, 3—11
Stöcklein, Paul: Wege zum späten Goethe. Hamburg 1949
Trunz, Erich: Goethes Altersstil, in: Wirk. Wort V/3 (Febr. 1955), 134-139
Strich, Fritz: Goethe und Heine, in: Der Dichter und die Zeit, 187-225
Strich, Fritz: Goethe und unsere Zeit, in: Der Dichter und die Zeit, 151-169
Korff, H. A.: Vom Wesen Goethescher Gedichte, in: Hochstift 1927, 3-27
Kommerell, Max: Goethes Gedicht, in: Dichterische Welterfahrung, 23-52. Frankf. (Klostermann) 1952
Kommerell, Max: Versuch eines Schemas zu Goethes Gedichten, in: Gedanken über Gedichte, 57-215
Mohr Wolfgang: Zu Goethes Verskunst, in: Wirk. Wort IV/3 (Febr. 1954), 151-163
Kommerell, Max: Goethes freie Hymnen, in: Gedanken über Gedichte, 434-448
Ketzler, Lore: Die Sprache des jungen Goethe, in: DU 1948/49, 2/3, 13-23
Maurer, Th.: Sesenheimer Lieder. 1932
Keipert, H.: Die Wandlungen Goethescher Gedichte zum klassischen Stil. (Jenaer germ. Forschungen 21). 1933
Trunz, Erich: Goethes späte Lyrik, in: DVLG XXIII (1949), 409-432
Vietor, Karl: Alterslyrik, in: Geist und Form, 144-193
Wiegand, Julius: Die lyrische Kunst Walthers, Klopstocks und Goethes. Tübingen (Niemeyer) 1956

Maifest: VI/64
  H Gerhard Salomon: Frühling und Liebe, in ZfDK 36 (1922), 202-213
  I Gerhard Storz in: Gedanken über die Dichtung, 70-74
  I Emil Staiger in: Goethe, 52 ff.
  H Erich Hock in: Motivgl. Ged. Lehrerband, 27-30
  H Scherer, 18-19. 70

Willkomm und Abschied: VII/67
  H bei Scherer, 18-19. 68-69

Mahomets Gesang: VII/88
  H Hermann Pongs: Das Bild in der Dichtung, I, 278-280
  I Emil Staiger in: Trivium VII (1949), 187-199 und in: Goethe, 96-111

Prometheus: VI/126

Walzel, O.: Das Prometheussymbol von Shaftesbury zu Goethe. 1932[2]
H Julius Richter: Die Hütte des Prometheus, in: GRM XXI (1933), 415-419
I Emil Staiger in: Goethe, 130-146
I von Karl Otto Conrady in: v. Wiese 1. Bd. 214-226
Heselhaus, Clemens: Prometheus und Pandora, in: Festschrift für Jost Trier, 219-252. Meisenheim 1954
Burkhardt, Sigurd: Sprache und Gestalt, in: Goethes „Prometheus" und „Pandora", in Euphorion 50 (1956) 2, 162-176
H Scherer, 23-24, 71-72

Ganymed: VI/128

I Wolfdietrich Rasch, in: Wirk. Wort, 2. Sonderheft 34-45
I E. Vincent, in: Festschrift für Leitzmann, 66-85. 1937
I Gerhard Storz, in: Gedanken über die Dichtung, 75-78
I Clemens Lugowski, in: Gedicht und Gedanke, 102-118
I von Karl Otto Conrady in: v. Wiese 1. Bd. 227-234
H Konrad Gaiser: Die Schicksalslieder von Goethe und Hölderlin, in: DU 1948/49, 7, 5-18
I Emil Staiger, in: Goethe, 25-82
H Scherer, 23-24, 73-74

Auf dem See: VI/8

I Gerhard Storz in: Gedanken über die Dichtung, 81-85
I Johannes Pfeiffer in: Wege zur Dichtung, 56-58
I Michael Scherer in: Wirk. Wort IV/6 (Sept. 1954), 349-354
H Scherer, 30-31, 79-80

Im Herbst: VI/71

H Hermann Pongs in: Das Bild in der Dichtung I, 132-134
H Emmy Frey: Über Rilkes Gedichte, in: DU 1948/49, 2/3, 73-101
H Scherer, 32, 80-82
(Eingemischte Prosasätze zu „Lilis Park".
I von Werner Kraft in: Akzente 1956, 4, 374-376

An den Mond: VI/37

I Julius Petersen in: DVLG I (1923), 1 ff.
I R. Petsch in: Z. d. dt. Bildung 4
I H. Spieß in: ZfDPh 53
I O. Walzel in: Zfdt. Altertum 64
H Hermann Pongs in: Das Bild. I, 325-326
I Gerhard Storz, in: Gedanken über G., 86-91
I Emil Staiger in: Goethe, 328-349
I Wilhelm Schneider in: Liebe zum dt. Gedicht, 136-146
H Scherer, 30-31, 82-84

Harzreise im Winter: VIII/32

Dietert, F.: Goethes Harzerlebnis, 1927[2], hsg. Kind 1949
Dennert, F.: Goethe und der Harz, 1932 (3)
I Paul Alverdes in: Das innere Reich, (Febr. 1935), 1387-1400, und in: Goethe V. Schr. d. Goethe-Gesellschaft III (1938), 85-94
I Harry Mielert in: Goethe V. Schr. VI (1941), 168-181
H Scherer, 23/24, 74-78

Gesang der Geister über den Wassern: VIII/22 Goethe
H Scherer 30-31, 84-85
Grenzen der Menschheit: VII/24
  I Otto Richard Meyer in: Euphorion 26 (1925), 592-602
  H (Wortgeschichtlich) Friedrich Stählin in: ZfDK 50
  (1936), 9, 613-620
  H Scherer, 36, 88-89
(Das Parzenlied: I von Günther Müller in: v Wiese 1. Bd.
  237-250
(Die Metamorphose der Pflanzen: I von Günther Müller in:
  v. Wiese 1. Bd. 251-271
Das Göttliche: VIII/26
  H Scherer, 36, 89-90
Wanderers Nachtlied. Ein Gleiches: IX/139
  H Karl Muthesius in: ZfDU 24 (1910), 364-369
  I Gerhard Storz in: Gedanken über G., 78-81
  I Oskar Jancke in: DU 1950, 4, 56 ff.
  I Emil Staiger in: Goethe, 328-349
  H Emil Staiger in: DU 1952, 2, 5-12
  H Scherer, 30-31, 85-87
(Erlkönig
  H Heide in: ZfDU 26 (1912), 104-108
  H Adolf Müller in: ZfDK 39 (1925), 562-577
  I Erich Hock in: ZfDK 51 (1937), 3, 195-199
  I Michael Scherer in: Anregung 1/1955, 5-17
(Sommernacht
  I Emil Staiger in: Meisterwerke dt. Sprache, 119-135
(Nachtgesang: I von Gerhard Storz in: v. Wiese 1. Bd.
  272-278
(Gedichte sind gemalte Fensterscheiben
  I Wilhelm Schneider in: Liebe zum dt. Gedicht, 35-44
(Warum gabst du uns die tiefen Blicke
  I Hugo Kuhn in: Dichtung und Volkstum (Euphorion)
  41 (1941), 406-426
Römische Elegien: IX/41-42
  Siebs, Th. in: Jb. d. Goethe-Gesellschaft 12
  I Robert Petsch in: Hochstift 1931, 167-208
  H Walter Rehm: Europäische Romdichtung, 151-162
  München (Hueber) 1939
  I Max Kommerell in: Gedanken über Ged., 224-248
Aus den „Venetianischen Epigrammen": VII/60
  I Ernst Maaß in: Jb. d. Goethe-Gesellschaft 12 (1926),
  68-92
Das Sonett: VII/84
Dauer im Wechsel: IX/62
  I Wilhelm Fehse in: Goethe Vschr. d. Goethe-Gesellschaft
  7 (1942), 69-77
  I Emil Staiger in: Die Zeit als Einbildungskraft des Dich-
  ters, 109-157
Sonette
  VI Reisezehrung: VII/68
  VII Abschied: VII/69

VIII Die Liebende schreibt: VII/70
IX Die Liebende abermals: VII/71
Aus dem „West-östlichen Divan"
Hofmannsthal, Hugo von: Goethes „West-östlicher Divan",
in: Jb. d. Goethe-Gesellschaft VI (1919), 53-58
Divan, hsg. und erläutert von Ernst Beutler unter Mitwir-
kung von H. H. Schaeder. Leipzig, Diederichs 1943
Beutler, Ernst: Der west-östliche Divan, in: Etudes Ger-
maniques 1950, 134-153
Kommerell, Max: Gedanken über Gedichte, 249-318
Schaeder, Grete: Religion und Kunst im WÖ Divan, in:
Gott und Welt, 323-395. Hameln (Seifert) 1947
Schultz, Werner: Goethes Deutung des Unendlichen im
WÖ Divan, in: Goethe Vschr. d. Goethe-Gesellschaft 10
(1947), 268-288
Flitner, Wilhelm: in: Goethe im Spätwerk, 161-190
Konrad, Gustav: Form und Geist des WÖ Divans, in: GRM
XXXII (1950/51), 187-192
Mommsen, Katharina: Die Barmekiden im WÖ Divan,
in: Goethe Jb. d. Goethe-Gesellschaft 14/15 (1953), 279-
301
Talismane: IX/31
Hegire: IX/32
Lied und Gebilde: IX/34
Selige Sehnsucht: IX/35
H Johannes Pfeiffer in: Umgang mit Dichtung, 62-63
und in: Was haben wir an einem Gedicht? 81 ff.
H Eduard Spranger in: Die Sammlung, 1946, 389-394
I F. O. Schrader in: Euphorion 46 (1952), 48 ff.
I Wilhelm Schneider, in: Liebe zum dt. Gedicht, 298-309
Unbegrenzt: IX/40
Hatem (Nicht Gelegenheit): IX/36
Suleika (Hochbeglückt): IX/36
Suleika (Ach, um deine feuchten Schwingen): IX/37
Wiederfinden (Ist es möglich): IX/38
I Wilhelm Schneider in: Liebe zum dt. Gedicht, 232-247
(Höchstes Glück der Erdenkinder
I Richard Harder in: Gedicht und Gedanke, 152-166
(Im Gegenwärtigen Vergangenes: I von Hans Egon Hass in:
v. Wiese 1. Bd. 290-317
Prooemion: IX/5
I Erich Trunz in: DVLG XXI (1943), 99-112
(Schillers Reliquien
I Günter Müller in: Gedicht und Gedanke, 140-151
I Günther Müller in: v. Wiese 1. Bd. 279-289
Urworte. Orphisch: IX/64
I Robert Petsch in: GRM XXI (1933), 32-45
I Wilhelm Flitner in: Goethe Vschr. d. Goethe-Gesell-
schaft IV (1939), 128- 147
I J. Hofmeister in: Logos, Bd. 19, 173-212
und in: Die Heimkehr des Geistes
I R. Schautz in: ZfReligions- und Geistesgesch. 3/1951
H Scherer 36. 90-92

Eins und Alles: IX/59
Elegie (Marienbader Elegie): IX/43
  H Scherer 52, 104-107
Der Bräutigam: VIII/20
  I Karl Vietor in: Euphorion 33 (1932), 105-152
  I Paul Stöcklein in: DVLG XXII (1944), 382-412 und in:
  Wege zum späten Goethe, 125-156
  I Walter Hof in: Euphorion 46 (1952), 301-307
  I Liselotte Blumenthal in: Goethe Vschr. d. Goethe-Ge-
  sellschaft 14/15 (1953), 108-136
  H Scherer, 57-58, 109-111
(Um Mitternacht
  I Karl Vietor, wie bei Der Bräutigam
  I Walter Hof: Um Mitternacht, in: Euphorion 45 (1950/
  51), 50-82 (auch über Der Bräutigam)
  I Albrecht Goes in: Freude am Gedicht, 46-53
  H Scherer, 57-58, 108-109
(Die Nacht und: Dämmerung senkte sich von oben
  H Erich Hock, Motivgleiche Ged. Lehrerband, 21-22
Wenn im Unendlichen: IX/140
Vermächtnis: IX/60
  I Richard Paasch in: Jb. d. G .Ges. VIII (1920), 154-162

Friedrich von S c h i l l e r (1759—1805)
  Nationalausgabe in 33 Bänden, hsg. H. Schneider. Wei-
  mar 1943 ff.
  von Wiese, Benno: Schiller-Forschung und Schiller-Deu-
  tung von 1937-1953, in: DVLG XXVII (1953), 452-483
  Buchwald, R.: Schiller. 2 Bde. Neue bearbeitete Ausgabe
  im Insel Verlag 1953/54
  Schröder, Rudolf Alexander: Schillers Ruhm, in: Die neue
  Rundschau, 49 (1938), 541-564
  Grenzmann, Wilhelm: Schiller, in: Stimmen der Zeit, 80.
  Jg. (1954/55), 203 ff.
  Lange, F. A.: Einleitung und Kommentar zu Schillers phi-
  losophischen Gedichten. 1922[2]
  Nohl, Hermann: Schillers Lyrik, in: Die Sammlung 1946,
  609-618
  Storz, Gerhard: Der Lyriker Schiller, in: DU 1959, 3,
  96-111
  Rasch, Wolfdietrich: „Die Künstler" — Prolegomena zur
  Interpretation des Schillerschen Gedichtes, in: DU 1952, 4,
  76-97
  Müller, Joachim: Schillers lyrische Kunst, in: Sinn und
  Form VII (1955), 2, 176-211
Der Abend: VII/102
Das Ideal und das Leben: IX/54
  I Robert Petsch in: Gedicht und Gedanke, 119-139
Hoffnung: VIII/21
(Die Götter Griechenlands (erste Fassung von 1788): I von
  Benno von Wiese in: v. Wiese 1. Bd. 318-335
(Dithyrambe (Nimmer, das glaubt mir ...): I von Wolfgang
Kayser in: v. Wiese 1. Bd. 336-346
Distichen: VII/86

Xenien: VII/86

Das Glück: VII/27
Mann, Thomas: Versuch über Schiller. Frankf./M. (S.
Fischer) 1955
I Thomas Mann in: Akzente 3/1955, 194-207
Nänie: VII/82
I Johannes Pfeiffer in: Wege zur Dichtung, 39-41
I Wilhelm Schneider in: Liebe zum dt. Gedicht, 170-180
Der Pilgrim: VIII/94
(Der Spaziergang
Sacherklärung von Hugo Hildebrandt, in: ZfDU I (1887),
547-554
(Das verschleierte Bild zu Sais
I Hermann Binder in: DU 1948/49, 2/3, 23-35

Friedrich H ö l d e r l i n (1770—1843)
Sämtliche Werke in 8 Bänden (Große Stuttgarter Aus-
gabe) hsg. Friedrich Beißner. Gedichte in I und II, be-
sonders wichtig dazu die Kommentarbände I/2 und II/2.
Stuttgart 1943 ff.
Adolf Beck: Hölderlin-Literaturbericht in: Hölderlin Jahr-
buch 1944, 1947, 1948/49, 1950, 1952
Böhm, W.: Hölderlin. 2 Bde., Halle 1918—1930
Böckmann, Paul: Hölderlin und seine Götter. München
1935
Otto, W. F.: Der Dichter und die alten Götter. 1942
Strich, Fritz: Zu Hölderlins Gedächtnis, in: Der Dichter
und die Zeit, 255-270
Kommerell, Max: Der Dichter als Führer in der dt. Klas-
sik, 395-483
Hellingrath, Norbert von: Hölderlin und das Wesen der
Dichtung. Frankfurt/M. (Klostermann) 1936
Gerlach, Kurt: Hölderlins neue Haltung. Eine Interpreta-
tion der Dichtungen der Reife und Spätzeit. I. Teil in: Die
pädagog. Provinz VIII/4 (April 1954), 169-180. II. Teil in
VIII/5 (Mai 1954), 231-238
Konrad, Gustav: Hölderlin und die Sendung des Dichters,
in: GRM 1938, 11/12, 415 ff.
Rupprecht Erich: Hölderlins dichterische Sendung, Höl-
derlins Christushymnen, in: Die Botschaft des Dichters,
15-58 und 281-332. Stuttgart 1947
Heidegger, Martin: „... dichterisch wohnet der Mensch",
in: Akzente 1/1954, 57-71
Heidegger, Martin: Erläuterungen zu Hölderlins Dichtung
1951 (2)
Heidegger, Martin: Hölderlin und das Wesen der Dichtung. München 1937
Buddeberg, Else: Heidegger und die Dichtung Hölderlins,
in: DVLG XXVI (1952), 293-330
Pfeiffer, Johannes: Zu Heideggers Deutung der Dichtung,
in: DU 1952, 2, 57-59
Klenk, Friedrich G.: Das Sein und die Dichter. Zu Heideggers Hölderlin-Auslegung, in: Stimmen der Zeit 1950/
51, 12, 418-428

Allemann, Beda: Hölderlin und Heidegger. Zürich (Atlantis) 1954

Guardini, Romano: Hölderlins Weltbild und Frömmigkeit. München (Kösel). 2. Aufl. 1955. Beachte das Verzeichnis der untersuchten Texte (S. 577-578)!

Rehm, Walter: Tiefe und Abgrund in Hölderlins Dichtung, in: Hölderlin Gedenkschrift, 70-133. Tübingen 1944

Vietor, Karl: Die Lyrik Hölderlins. Frankfurt/M. 1921

Lehmann, Emil: Hölderlins Lyrik. Stuttgart 1922

Hübscher, Arthur: Hölderlins späte Hymnen. München 1942

Wentzlaff-Eggebert, F. W.: Die Bedeutung des Ursprungsgedankens für die Schicksalsauffassung in Hölderlins Jugendlyrik, in: Festschrift für Kluckhohn und Schneider, 299-316

Kommerell, Max: Über Hölderlins Oden, in: Dichterische Welterfahrung 174-204

Binder, W.: Hölderlins Odenstrophe, in: Hölderlin Jb. 1952, 85-110

Beck, Adolf: Die Anfänge des hymnischen Stiles bei Hölderlin, in: Hölderlin und Leopold Graf von Stolberg, Iduna 1944, 88-114

Müller, E.: Hölderlins späte Gedichte, in: Universitas VII (1952), 465 ff.

Beißner, F.: Vom Baugesetz der späten Hymnen Hölderlins, in: Hölderlin Jb. 1950, 28-46

Maeder, Hannes: Hölderlin und das Wort. Zum Problem der freien Rhythmen in H. Dichtung, in: Trivium II (1944), 42-59

Hof, Walter: Hölderlins Stil als Ausdruck seiner geistigen Welt. Meisenheim 1954

Stöber, Willibald: Ich und Welt im Ausdruck der lyrischen Sprachform. Borna (Noske) 1944

Corssen, Meta: Der Wechsel der Töne in Hölderlins Lyrik in: Hölderlin Jb. 1951, 19-49

Hohoff, Curt, Über den Einfluß Pindars und Sophokles' auf Hölderlin Sprache, in: Die neue Rundschau 51 (1940), 231-238

Kraft, Werner: Hölderlin und der Reim, in: Trivium IX (1951), 225-240

Lachmann, E.: Hölderlins Christushymnen. Wien 1951

Lachmann, E.: Hölderlins Christusbild, in: Stimmen der Zeit, 80. Jg. (1954/55), 332-343

Hötzer, Ulrich: Die Gestalt des Herakles in Hölderlins Dichtung. Freiheit und Bindung. Stuttgart (Kohlhammer) o. J., in: Forschungen zur Kirchen- und Geistesgeschichte, Neue Folge 1. Bd.

Kerényi, Karl: Vergil und Hölderlin, in: Deutsche Rundschau, Januar 1957, 1, 56-65

Seckel, Dietrich: Hölderlins Raumgestaltung, in: Dichtung und Volkstum (Euphorion) 38 (1939), 469-486

Lehmann, Emil: Hölderlins Donaugesänge, in: ZfDK 37 (1923), 20-25

Guardini, Romano: Die Landschaft in Hölderlins Dichtung. 1946
Guardini, Romano: Der Strom und der Raum menschlichen Daseins in der Dichtung Hölderlins, in: Die Schildgenossen 14 (1935), 322 ff.
Halbach, Herbert: Der Schwaben-Mythos in Hölderlins Dichtung, in: Dichtung und Volkstum (Euphorion) 41 (1941), 424-440
Rosendahl, Günther: Die Behandlung Hölderlinscher Lyrik im dt. Unterricht, in: ZfDK 53 (1939), 89-100
Binder, Hermann: Hölderlins Dichtung in der Schule, in: Iduna, Jb. der Hölderlin-Gesellschaft 1 (1944), 196-202
Hölderlin. Gedichte. Ausgewählt und erläutert von Ludwig Voit und Michael Scherer. München (Kösel) 1954

Die Eichbäume: VI/96
H Josef Rysy: Heimkehr zum Wort in: DU 1948/49, 7, 64-76

Da ich ein Knabe war: VIII/8
H Voit-Scherer, 81-82

An die Parzen: VIII/35
H Walter Rehm in: Götterstille und Göttertrauer, 101-182, bes. 132 ff. München (Lehnen) 1951
H Walter Rehm in: Orpheus, 151-378, bes. 173 ff. Düsseldorf (Schwann) 1950
I Wilhelm Schneider in: Liebe zum dt. Gedicht, 45-55
H Voit-Scherer, 134-135

Abendphantasie: VII/103
H Wilhelm Dilthey in: Das Erlebnis und die Dichtung, 442 ff. 1921 (7)
H Herbert Cysarz in: Sieben Wesensbildnisse, 7-46. Brünn-Wien-München (Rohrer) 1943
I Friedrich Beißner in: Hölderlin-Gedenkschrift, 240-246. Tübingen 1944
H Voit-Scherer, 89-90

Geh unter, schöne Sonne: VI/36
H Voit-Scherer, 86-87

Des Morgens: VII/91
I Friedrich Beißner in: Hölderlin-Gedenkschrift, 240-246. Tübingen 1944
I Friedrich Sengle in: Hölderlin Jahrbuch 1951, 19-49
I Robert Ulshöfer in: DU 1948/49, 2/3 35-55
H Voit-Scherer, 86

Diotima: VIII/15
H Walter Rehm: Griechentum und Goethezeit, bes. 335 ff. Leipzig (Diederichs) 1936
I Wolfgang Binder: Abschied und Wiederfinden. Hölderlins dichterische Gestaltung des Abschiedes von Diotima, in: Festschrift Kluckhohn-Schneider, 317-344. Tübingen (Mohr) 1948

Hyperions Schicksalslied: IX/103
H Wilhelm Dilthey in: Das Erlebnis und die Dichtung, 392 ff.

H Walter Rehm: Götterstille und Göttertrauer, in: Hochstift 1931, 208-291
I Konrad Gaiser in: DU 1948/49, 7, 5-18
H Voit-Scherer, 84-85
Natur und Kunst: VII/85
I Emil Staiger in: Meisterwerke dt. Sprache, 25-39
Heidelberg: VIII/38
I Adolf Beck in: Hölderlin Jb. 1947, 47-61
I Emil Staiger in: Meisterwerke . . ., 13-24, und in: Gedicht und Gedanke, 167-175
I Wilhelm Schneider in: Liebe zum dt. Gedicht, 86-98
H Erich Hock in: Motivgleiche Ged. Lehrerbd., 65-66
H Voit-Scherer, 114-115
Rückkehr in die Heimat: VIII/14
H Voit-Scherer, 113-114
(Die Heimat
H Hock Motivgl. Ged. Lehrerband, 39-40
Wie wenn am Feiertage: IX/9
Hellingrath, Norbert von: Hölderlins Hymne: Wie wenn . .
Frankfurt/M. (Klostermann) 1941
I Eduard Lachmann in: DVLG XVII (1937), 221-250
H Gustav Konrad in: GRM XXVI (1938), 415-425
H Franz Dornseiff in: Geistige Arbeit, IX, 19,5 ff.
I Martin Heidegger: Hölderlins Hymne: „Wie wenn . .".
Halle 1941
H Voit-Scherer, 137-140
Menons Klagen um Diotima: IX/48
H Johannes Pfeiffer in: Umgang mit Dichtung, 60-61
und in: Wege zur Dichtung, 111-113
I Karl Vietor in: Geist und Form, 267-291
Heimkunft: IX/130
H Erich Rupprecht: Wanderung und Heimkunft. Stuttgart (Schmiedel) 1947, 40 S.
Hellingrath: Hölderlins Elegie Heimkunft. Frankfurt/M. (Klostermann) 1944
I Martin Heidegger in: Trivium VI (1948), 1-22
und in: Wort und Wahrheit III (1948), 824-840
H Walter Rehm in: Orpheus, bes. 247 ff.
H Johannes Pfeiffer in: DU 1952, 2, 57-69
H Wolfgang Binder: Sinn und Gestalt der Heimat in Hölderlins Dichtung, in: Hölderlin Jb. 1954, 46-78
(Menschenbeifall: I von Clemens Heselhaus in: v. Wiese 1. Bd. 364-368
(Dem Sonnengott: I von Clemens Heselhaus in: v. Wiese 1. Bd. 369-374
(Lebenslauf 1798, Lebenslauf 1800: I von Clemens Heselhaus in: v. Wiese 1. Bd. 377-380
(Stimme des Volks: I von Wolfgang Kayser in: v. Wiese 1. Bd. 381-393
(Dichterberuf: I von Guido Schmidlin. Bern (Francke) 1958
Brot und Wein: VIII/36
H Hermann Pongs in: Das Bild in der Dichtung I, 293
H Voit-Scherer, 141-148

Die Romantik im Unterricht. Pädagogische Provinz 1958, 4

N o v a l i s (Friedrich von Hardenberg. (1772-1801)
Ausgabe Kluckhohn-Samuel, 4 Bde. Leipzig 1939
Hederer, Edgar: Novalis. Wien 1949
Hiebel, F.: Novalis. München 1951
Müller-Seidel, W.: Probleme neuerer Novalis-Forschung,
in: GRM 32, 1953
Rupprecht, E.: Novalis und das Christentum, in: Die Bot-
schaft der Dichter, 247-280
Bollnow, O. F.: Der „Weg nach innen" bei Novalis, in:
Unruhe und Geborgenheit, 178-206. Stuttgart 1953
Wenn nicht mehr Zahlen und Figuren: VIII/131
H Walter Rehm in: Orpheus, bes. 32 ff.

Geistliche Lieder
VI Wenn alle untreu: VI/138
VIII Wenn in bangen, trüben Stunden: VI/139
H Hermann Pongs in: Das Bild in der Dichtung I, 345-
346
I von Lied V: Wilhelm Schneider in: Liebe zum dt. Ge-
dicht, 309-319
(Das Lied der Toten: I von Hans Joachim Schrimpf in:
v. Wiese 1. Bd. 414-429
Hymnen an die Nacht:
Einst, da ich: IX/92
Noch weckst du: IX/94
H Hermann Pongs in: Das Bild . . ., I, 339-343
I Max Kommerell in: Gedicht und Gedanke, 202-236, und
in: Gedanken über Gedichte, 449-456
H Klaus Ziegler: Die Religiosität des Novalis im Spiegel
der „Hymnen an die Nacht", in: ZfDPh 70 (1948/49),
396-418 (I. Teil) und 1950, 256-277 (II. Teil)
I Edgar Hederer in: Novalis, 271 ff.
H Walter Rehm in: Orpheus, 120 ff.
I E. Biser: Abstieg und Auferstehung. Die geistige Welt
in Novalis Hymnen an die Nacht. Heidelberg 1954

Clemens B r e n t a n o (1778—1842)   Brentano
Rehm, Walter: Brentano und Hölderlin, in: Hölderlin-
Jb. 1947, 127-178
Böckmann, Paul: Die romantische Poesie Brentanos und
ihre Grundlage bei Friedrich Schlegel und Ludwig Tieck,
in: Jb. des Freien dt. Hochstiftes 1934/35, 56-176
Jaeger, H.: Brentanos Frühlyrik. 1926
Auf dem Rhein: VI/120
I Emil Staiger in: Die Zeit als Einbildungskraft des Dich-
ters, 23-106. Zürich (Atlantis) 1953²
Wiegenlied (Da droben auf dem Turme): VII/110
Wiegenlied (Singet leise . .): VIII/9
Eingang: VIII/5
I Emil Staiger in: Die Zeit als Einbildungskraft des Dich-
ters, bes. 105 ff.

438

Eichendorff

Rückert

Platen

Droste

Heselhaus, Clemens: Die Droste als Lyrikerin, in: Jb. der Droste-Gesellschaft. Münster 1947

Köhler, Lotte: Der Dualismus im Wesen der Annette von Droste-Hülshoff unter besonderer Berücksichtigung der Balladen. Diss. Münster 1948

Konrad, Gustav: Dichtertum und Leid bei Annette v. D.-H. und Adalbert Stifter, in: Wirk. Wort II/1 (Okt. 1951), 34-46

Schepper, Ewald: Über die Sprache in den lyrischen Gedichten und den Balladen der Annette v. D.-H., in: DU 1950, 3, 33-44

Frühbrodt, G.: Der Impressionismus in der Lyrik der Annette v. D.-H. Berlin 1930

Kayser, Wolfgang: Bild und Symbol bei der Droste, in: Zeitschrift „Westfalen", Münster 1953, 208-218

Heselhaus, Clemens: Die späten Gedichte der Droste, in ZfDPh 70 (1948/49), 83-96

Für die armen Seelen: IX/110

Abschied von der Jugend: VIII/18

Aus „Das geistliche Jahr": VIII/132-134
   Am Pfingstmontage
   Am letzten Tage des Jahres
   I von Clemens Heselhaus in: v. Wiese 2. Bd. 159-167
   Möllenbrock, Klaus: Die religiöse Lyrik der Droste und die Theologie der Zeit. Berlin 1935
   Müller, Joachim: Die religiöse Grundhaltung im Geistlichen Jahr der A. v. D., in: Dichtung und Volkstum (Euphorion) 37 (1936), 459-466
   Heselhaus, Clemens: Das geistliche Jahr der Droste, in: Jb. der Droste-Ges. 1948/50, 88-115
   Schröder, Cornelius: Einführung in das Geistl. Jahr. Regensburg-Münster 1951[2]
   Eilers, E.: Probleme religiöser Existenz im „Geistlichen Jahr". Werl 1953

Spiegelbild: IX/110
   I von Clemens Heselhaus in: v. Wiese 2. Bd. 168-173

Heidebilder: VI/88-89
   Kayser, Wolfgang: Sprachform und Redeform in den „Heidebildern" der A. v. D.-H., in: Jb. des Freien dt. Hochstifts 1936/1940
   Der Weiher
   Die Vogelhütte

Am Turme: VI/116

Im Grase: VI/16
   H Karl Huber in: ZfDK 37 (1923), 25-30
   H Erich Hock in: Motivgl. Gedichte. Lehrerbd., 74-75

Durchwachte Nacht: VI/48
   I Joachim Müller in: Gedicht und Gedanke, 254-266

Mondesaufgang: VI/34
   I Wilhelm Schneider in: Liebe zum dt. Gedicht, 153-162
   H Hermann Pongs in: Das Bild . . ., I, 323-325
   I von Clemens Heselhaus in: v. Wiese 2. Bd. 174-181

Heinrich H e i n e (1797-1856)
  Höllerer, Walter: Heine als ein Beginn, in: Akzente 1956,
  2, 116-129
Wo?: VI/133
(Abenddämmerung: I von Ursula Jaspersen in: v. Wiese
  2. Bd. 134-143
(Das Fräulein stand am Meere ...: I von Ursula Jaspersen in:
  v. Wiese 2. Bd. 144-149
(Seegespenst
  I Wilhelm Schneider in: Liebe zum dt. Gedicht, 256-265
(Loreley
  I R. Buck in: DU 1950, 3, 24-33
  I von Ursula Jaspersen in: v. Wiese 2. Bd. 128-133
L e n a u (Nikolaus Edler von Strehlenau, 1802—1850)
  Bischof, H.: Lenaus Lyrik. 2 Bde. Berlin 1920/21
Bitte: VI/46
Schilflieder: VI/87
4 Sonnenuntergang
5 Auf dem Teich
  H Johannes Pfeiffer in: Umgang mit Dichtung, 26-27
Winternacht: VI/76
Stimme des Regens: VI/92
(Einsamkeit
  I Wolfdietrich Rasch in: DVLG XXV (1951), 214-232
  I Wolfdietrich Rasch in: v. Wiese 2. Bd. 150-158
Eduard M ö r i k e (1804—1875)
  von Wiese, Benno: Eduard Mörike. Tübingen 1950
  Kohlschmidt, Werner: Wehmut, Erinnerung, Sehnsucht in
  Mörikes Gedicht, in: Form und Innerlichkeit, 232-247.
  München (Lehnen) 1955. Sammlung Dalp 81
  Jakob, Kurt: Mörikes Balladen, in: ZfDK 50 (1936), 2,
  98-105
Nachts: VIII/31
  H Adolf Beck in: Euphorion 46 (1952), 370-393
Peregrina: IX 27/30
  I Horst Oppel. 1947
  H H. Emmel: Mörikes Peregrina-Dichtung und ihre Be-
  ziehung zum Nolten-Roman. Weimar 1952
Gesang zu zweien in der Nacht:VI/45
  I Wilhelm Schneider in: Liebe zum dt. Gedicht, 244-253
Um Mitternacht: VII/114
  H Alfred Biese in: ZfDU V (1891), 822-839
  I Richard Jahnke in: ZfDU 24 (1910), 260-263
  H Hermann Pongs in: Das Bild . ., I, 280-282
  H Heinrich Werner in: ZfDK 50 (1936), 10, 713-719
  I Albrecht Goes in: Die neue Rundschau 49/2 (1938),
  162-190
  I Johannes Pfeiffer in: DU 1950, 3, 18 ff. und in: Wege
  zur Dichtung 78-80
  I Erich Weißer in: Wirk. Wort II/5 (Juni 1952) 289-294
  H Eberhard Sitte in: DU 1953, 3, 67-82

Im Frühling: VI/57
H Gerhard Salomon in: ZfDK 36 (1922), 202-213
H Heinrich Werner in: ZfDK 50 (1936), 10, 713-719
H Erich Hock: Motivgl. Ged. Lehrerband, 73-74
In der Frühe: VI/9
I Fritz Tschirch in: DU 1948/49, 2/3, 65-73
Er ist's: VI/56
H Johannes Pfeiffer in: Wege zur Dichtung, 76-77
H Erich Hock in: Motivgl. Ged. Lehrerbd., 48-49
Nur zu: IX/26
An die Geliebte: IX/26
H Hermann Binder in: DU 1955, 4, 48-55
Weylas Gesang: VII/48
H Hermann Pongs in: Das Bild . ., I, 280-282
H Herbert Meyer in: Die Pforte I (1947/48), 521-543
Gebet: IX/90
Früh im Wagen: VI/10
H Georg Schwarz in: Welt und Wort III (1948), 286-288
I Albrecht Goes in: Freude am Gedicht, 7-11
Neue Liebe: IX/90
(An einem Wintermorgen
I Joachim Müller in: DVLG XXV (1951), 82-94
(Die traurige Krönung
I Friedrich Stählin in: ZfDK 50 (1936), 10, 719-723
I Fritz Rahn in: DU 1948/49, 2/3, 55-65
(Auf eine Lampe
I Wilhelm Schneider in: Liebe zum dt. Gedicht, 98-113
I Heidegger-Staiger: Briefwechsel zu einem Vers von Mörike in: Trivium IX (1951), 1-16
I Leo Spitzer in: Trivium IX (1951), 133-147
I Werner von Nordheim in: Euphorion 50 (1956) 1, 71-86
(Elfenlied
I Hans Stahlmann in: Wirk. Wort I/5 (Juni 1951), 280-282
(Der ungesattelte Feuerreiter
I Alfred Mundhenk in: Wirk. Wort V/3 (Febr. 1955), 143-149
Märchen vom sicheren Mann
I Wilhelm Schneider in: Liebe zum dt. Gedicht, 334-348
(Das verlassene Mägdlein
I Wilhelm Schneider in: Liebe zum dt. Gedicht, 266-270
I Emil Staiger in: Trivium V (1947), 44-53
(Die schöne Buche: I von Romano Guardini in: v. Wiese
2. Bd. 71-78
(Auf eine Christblume: I von Gerhard Storz in: v. Wiese
2. Bd. 79-90
(Denk es, o Seele!: I von Wolfgang F. Taraba in: v. Wiese
2. Bd. 91-97
(Erinna an Sappho: I von Wolfgang F. Taraba in: v. Wiese
2. Bd. 98-102
(Am Rheinfall (in der Unterprima): I von H. J. Steigerthal in: Wirk. Wort März 1957, 3, 173-177

443

Großmann,, Bernhard: C. F. Meyer und Michelangelo, in: DU 1955, 4, 48-55
Faßbinder, Maria: C. F. Meyers religiöse Entwicklung, in: Stimmen der Zeit 1950/51, 6, 435-446
Gutzke, Karl S.: Kunstsymbolik im Werke C. F. Meyers, in: Wirk. Wort 1958, 6, 336-347
Eingelegte Ruder: VI/86
   I Emil Staiger: Das Spätboot, in: Die Kunst der Interpretation, 245 ff.
Erntegewitter: VI/90
Schwarzschattende Kastanie: VI/93
   I Emil Staiger in: Die Kunst der Interpretation, 258 ff.
Die Veltliner Traube: VI/101
Chor der Toten: VI/135
Auf dem Canal grande: VII/57
   H Erich Hock in: Motivgl. Gedichte, Lehrerbd., 58-59
Fülle: VII/81
Der römische Brunnen: VIII/44
   H Johannes Pfeiffer in: Umgang mit Dichtung, 31-33
   H Hermann Pongs in: Das Bild . ., I, 139-141
   I Wilhelm Schneider in: Liebe zum dt. Gedicht, 114-121
   I Joachim Kröll in: Muttersprache 1953, 150-155
   I Robert Hippe in: Wirk. Wort IV/5 (Juni 1954), 268-274
   I Erich Hock in: Motivgl. Gedichte, Lehrerbd., 61-62
Möwenflug: IX/109
   I Emil Staiger in: Die Kunst der Interpretation, 261 ff.
Schillers Bestattung: IX/24
(Die tote Liebe
   I Emil Staiger in: Trivium I (1942), 2, 24-43
   und in: Meisterwerke dt. Sprache, 204-224
(Säerspruch
   I Wilhelm Schneider in: Liebe zum dt. Gedicht, 319-329
(Unter den Sternen
   I Friedrich Stählin in: Wirk. Wort V/3 (Febr. 1955), 149-151
(Das Spätboot
   I Emil Staiger in: Weltliteratur, Festschrift für Fritz Strich, Bern 1953
(Die sterbende Meduse
   I W. v. Scholz in: Gedicht und Gedanke, 288-293
(Lethe: I von Heinrich Henel in: v. Wiese 2. Bd. 217-229
(Stapfen: I von Heinrich Henel in: v. Wiese 2. Bd. 230-242
(Jung Tirel: I von Wolfgang Kayser in: v. Wiese 2. Bd. 107-112

Martin G r e i f (1839—1911)
   Kosch, W.: Martin Greif, 1941[3]
Mittagsstille: VI/15
Abend: VI/21
Detlev Freiherr von L i l i e n c r o n (1844—1909)
   Leip, Hans: Liliencron. Stuttgart 1938
Heidebilder: VI/19
   H Else Löns in: DU 1955, 4, 48-55

H H. Benzmann in: ZfDK 1920, 464-471
(Theodor Fontane: John Maynard
Malberg, Gustav: Die Zeitdarstellung und das Zeiterlebnis
in Fontanes „John Maynard", in: Wirk. Wort V/6 (Aug.
1955), 362-365

VI. Dichter der Gegenwart

Allgemeine Literatur:

Bochinger, Richard: Die Klage im Gedicht der Gegenwart, in: DU 1954, VI, 56-77

Emrich, Wilhelm: Die Struktur der modernen Dichtung, in: Wirk. Wort III/4 (April 1953), 213-223

Grenzmann, Wilhelm: Dichtung und Glaube, Probleme und Gestalten der Gegenwartsliteratur, Bonn 1952[2]

Grenzmann, Wilhelm: Motive und Formen der deutschen Dichtung der Gegenwart, in: Stimmen der Zeit, Febr. 1953, 343-356

Grenzmann, Wilhelm: Die deutsche Dichtung der Gegenwart, Fkf. 1955, bes. 195-206, 287-334, 364-431

Grenzmann, Wilhelm: Weltdichtung der Gegenwart, Probleme und Gestalten, Bonn (Athenäum) 1955

Heller, Erich: Enterbter Geist, Essays über modernes Dichten und Denken, 1952

Hock, Erich: Zeitgenössische Lyrik im Unterricht der Oberstufe, in Wirk. Wort V/3 (Febr. 1955), 172-179

Höllerer, Walter: Deutsche Lyrik 1900-1950, Versuch einer Überschau, in: DU 1953, IV, 72-104

Höllerer, Walter: Zeitgenössische deutsche Lyrik, in: Welt und Wort 1952, 303 ff.

Höllerer, Walter: Nach der Menschheitsdämmerung, Notizen zur zeitgenössischen Lyrik, in: Akzente 5/1954

Hohoff, Curt: Dichtung der stummen Intelligenz, in: Geist und Ursprung, 190-197

Hohoff, Curt: Antike Strophen in heutiger Dichtung, in: Geist und Ursprung, 175-185

Hohoff, Curt: Flötentöne hinter dem Nichts (Piontek), in: Geist und Ursprung, München (Ehrenwirth) o. J.

Holthusen, Hans Egon: Der unbehauste Mensch, Motive und Probleme der modernen Literatur, München 1952

Holthusen, Hans Egon: Fünf junge Lyriker (Heinz Piontek, Walter Höllerer, George Forestier, Alb. Arnold Scholl, Paul Celan), in: Ja und Nein, 124-165

Holthusen, Hans Egon: Ja und Nein, Neue kritische Versuche, München 1954

Kemp, Friedhelm: Deutsche Lyrik vor und nach dem zweiten Weltkrieg, Hochland 39/6 (August 1947), 546-556

Lennart, Franz: Die Dichter unserer Zeit. Stuttgart 1952[5]

Martini, Fritz: Was war Expressionismus? Deutung und Auswahl seiner Lyrik. Urach 1948

Lyrik des expressionistischen Jahrzehnts. Wiesbaden (Limes)

Expressionismus. Ausstellungskatalog der Marbacher Dokumentation des Expressionismus 1960

Märztag: VI/60
Dorfkirche im Sommer:VI/108
Viererzug: VI/109
  H Else Löns in: DU 1955, 4, 48-55
Weite Aussicht: VI/117
Die Musik kommt: VI/110
Tod in Ähren: VI/132
  H Rudolf Ibel in: DU 1958, 5, 56
Siegesfest: VI/131
Siziliane: VII/137
Auf dem Kirchhof: VII/137
Der Maibaum: VIII/110
(Einer Toten
  I Wilhelm Schneider in: Liebe zum dt. Gedicht, 194-200

Friedrich N i e t z s c h e (1844—1900)
  Gedichte, in Inselbücherei, Leipzig 1923
  Klein, J.: Die Dichtung Nietzsches. München 1936
  Rehder, Helmut: Leben und Geist in Nietzsches Lyrik, in:
  Dichtung und Volkstum (Euphorion) 37 (1936), 187-257
  Olzien, O. H.: Nietzsche und das Problem der dichte-
  rischen Sprache. Berlin 1941
  Böckmann, Paul: Die Bedeutung Nietzsches für die Si-
  tuation der modernen Literatur, in: DVLG XXVII (1953),
  77-101
Nach neuen Meeren: VI/14
  H O. F. Bollnow: Der Mittag. Ein Beitrag zur Metaphy-
  sik der Tageszeiten, in: Unruhe und Geborgenheit, 143-
  177
Venedig: VII/58
  H Johannes Pfeiffer: Ton und Gebärde der Lyrik, in:
  Dichtung und Volkstum (Euphorion) 37 (1936), 430-441
  Oswald Kleinschmidt: Das Lautgewebe im Gedicht, in:
  Das Manuskript, 173-190. Wilhelmshaven (Hübener) 1954
  H Erich Hock in: Motivgl. Ged. Lehrerband, 58-59

Vereinsamt: VIII/98
  H Johannes Pfeiffer in: Umgang mit Dichtung, 52-54
  I Richard Bochinger in: DU 1954, 6, 59 ff.
  I Oswald Kleinschmidt in: Das Manuskript, 173-190.
  H Alfons Huther in: Anregung 1/1956
  I von Franz Norbert Mennemeier in: v. Wiese 2. Bd.
  245-254
Dem unbekannten Gott: IX/73
(An Hafis
  I Wilhelm Schneider in: Liebe zum dt. Gedicht, 56-69
(Der geheimnisvolle Nachen: I von Wolfgang F. Taraba in:
  v. Wiese 2. Bd. 255-267

Arno H o l z (1863—1929)
  Döblin, Arno: Arno Holz. Die Revolution der Lyrik. Wies-
  baden (F. Steiner) 1951
  Motekat, Helmut: Arno Holz. Kitzingen (Holzner) 1953
Phantasus 7 und 11: VIII/52
  I F. Kleitsch: Der Phantasus von Arno Holz. 1940

H. H. Benzmann in: ZfDK 1920, 464-471
(Theodor Fontane: John Maynard
Malberg, Gustav: Die Zeitdarstellung und das Zeiterlebnis
in Fontanes „John Maynard", in: Wirk. Wort V/6 (Aug.
1955), 362-365

VI. Dichter der Gegenwart

Allgemeine Literatur:

Bochinger, Richard: Die Klage im Gedicht der Gegenwart, in: DU 1954, VI, 56-77
Emrich, Wilhelm: Die Struktur der modernen Dichtung, in: Wirk. Wort III/4 (April 1953), 213-223
Grenzmann, Wilhelm: Dichtung und Glaube, Probleme und Gestalten der Gegenwartsliteratur, Bonn 1952[2]
Grenzmann, Wilhelm: Motive und Formen der deutschen Dichtung der Gegenwart, in: Stimmen der Zeit, Febr. 1953, 343-356
Grenzmann, Wilhelm: Die deutsche Dichtung der Gegenwart, Fkf. 1955, bes. 195-206, 287-334, 364-431
Grenzmann, Wilhelm: Weltdichtung der Gegenwart, Probleme und Gestalten, Bonn (Athenäum) 1955
Heller, Erich: Enterbter Geist, Essays über modernes Dichten und Denken, 1952
Hock, Erich: Zeitgenössische Lyrik im Unterricht der Oberstufe, in Wirk. Wort V/3 (Febr. 1955), 172-179
Höllerer, Walter: Deutsche Lyrik 1900-1950, Versuch einer Überschau, in: DU 1953, IV, 72-104
Höllerer, Walter: Zeitgenössische deutsche Lyrik, in: Welt und Wort 1952, 303 ff.
Höllerer, Walter: Nach der Menschheitsdämmerung, Notizen zur zeitgenössischen Lyrik, in: Akzente 5/1954
Hohoff, Curt: Dichtung der stummen Intelligenz, in: Geist und Ursprung, 190-197
Hohoff, Curt: Antike Strophen in heutiger Dichtung, in: Geist und Ursprung, 175-185
Hohoff, Curt: Flötentöne hinter dem Nichts (Piontek), in: Geist und Ursprung, München (Ehrenwirth) o. J.
Holthusen, Hans Egon: Der unbehauste Mensch, Motive und Probleme der modernen Literatur, München 1952
Holthusen, Hans Egon: Fünf junge Lyriker (Heinz Piontek, Walter Höllerer, George Forestier, Alb. Arnold Scholl, Paul Celan), in: Ja und Nein, 124-165
Holthusen, Hans Egon: Ja und Nein, Neue kritische Versuche, München 1954
Kemp, Friedhelm: Deutsche Lyrik vor und nach dem zweiten Weltkrieg, Hochland 39/6 (August 1947), 546-556
Lennart, Franz: Die Dichter unserer Zeit. Stuttgart 1952[5]
Martini, Fritz: Was war Expressionismus? Deutung und Auswahl seiner Lyrik. Urach 1948
Lyrik des expressionistischen Jahrzehnts. Wiesbaden (Limes)
Expressionismus. Ausstellungskatalog der Marbacher Dokumentation des Expressionismus 1960

Wolffheim, Hans: Die Problematik der jungen deutschen Lyrik, in: DU 1960, 3, 5-12

Rütsch, Julius: Die Situation des modernen Dichters, in: DU 1958, 5, 5-20

Roß, Werner: Zur Wertung moderner Lyrik, in: DU 1958, 5, 21-38

Ibel, Rudolf: Die nachexpressionistische Lyrik im Deutschunterricht. DU 1958, 5, 45-58

Wiese, Benno von: Die deutsche Lyrik der Gegenwart, in: Deutsche Literatur in unserer Zeit. Göttingen 1959, 32-57

Maier, Rud. Nikolaus: Das moderne Gedicht. Düsseldorf 1959

Pfeiffer, Johannes: Über die gegenwärtige Situation in der dt. Lyrik, in: Die Sammlung 1952, 281-300

Piontek, Heinz: Selbstporträt, in: Welt und Wort, IX (1954), 4

Rychner, M.: Zur europäischen Literatur zwischen zwei Weltkriegen, 1943

Klotz, Volker: Jugendstil in der Lyrik, in: Akzente 1957, 1, 26-34. (Hinweise auf Stadler, George, Heym, Dehmel)

Rasch, Wolfdietrich: Was ist Expressionismus? in: Akzente 1956, 4, 368-373

Konrad, Gustav: Expressionismus. Ein kritisches Referat, in: Wirk. Wort, Sept. 1957, 6, 351-365

Maier, Rudolf Nikolaus: Das surrealistische Gedicht im Unterricht, in: Pädagogische Provinz 1957, 7/8, 420-428

Leonhard, Kurt: Zur Definition des modernen Gedichts, in: Akzente, 1957, 1, 35-43

Friedrich, Hugo: Die Struktur der modernen Lyrik. Von Baudelaire bis zur Gegenwart. Hamburg 1956 (Rowohlts Deutsche Enzyklopädie Nr. 25)

Melchinger, Siegfried: Ist moderne Lyrik modern? in: Wort und Wahrheit, 1956, 8, 598 ff.

Carlsson, Anni: Das moderne Gedicht und die Wirklichkeit, in: Universitas, 1955, 8, 817 ff.

Meidinger-Geise, Inge: Sprachgebärden der jungen deutschen Lyrik, in: Muttersprache, 1956, 4, 133 ff.

Krolow, Karl: Jenseits von Tradition und Avantgarde. Wesenszüge deutscher Lyrik in diesen Jahren, in: Frankfurter Allgemeine Zeitung v. 29. 2. 1956

Piontek, Heinz: Von der lyrischen Praxis, in: Mein Gedicht ist mein Messer. Lyriker zu ihren Gedichten. Heidelberg (Rothe)

Scholl, A.: Die gestundete Zeit. Junge deutsche Lyrik nach dem Kriege, in: Schweizer Rundschau, 1955, 11/12, 670

Scholl, A.: Dichtung als Symptom? Das Gedicht, Jahrbuch zeitgenössischer Lyrik 1955/56. 124 ff. Hamburg (Christian Wegner Verlag)

Seidler, Herbert: Gedanken zu neuen Büchern von Martini, Muschg und Pongs, in: Wirk. Wort, 1957, 5, 257-268

Bremser, Horst: Von der Übereinstimmung zwischen moderner Malerei und Lyrik, in: Pädagogische Provinz, 1957, 7/8, 412-419

Hoffmann, Friedrich G.: Kleiner Kurs in moderner Lyrik, in: Pädagogische Provinz, 1957, 7/8, 400-412

Donath, Andreas: Form-Elemente der modernen Lyrik, in:
Texte und Zeichen, 1957, 5, 545-550
Hannöver, Emmy: Wege der Nachkriegslyrik, in: Wirk.
Wort, 1957, 4, 203-212. (Hinweise auf Heinz Piontek,
Günter Eich, Ingeborg Bachmann und Helmut Heissen-
büttel.)
Schwerte, H.: Zur deutschen Lyrik der Gegenwart, in:
Blätter für den Deutschlehrer, 1956, 1, 2-8; 1956, 2, 33-37
Muschg, Walter: Zerschwatzte Dichtung, in: Texte und
Zeichen, 1957, 1, 63-75
Hannöver, Emmy: Nachkriegslyrik im Unterricht, in: Wirk.
Wort, 1957, 6, 365-373. (Hinweise auf Heinz Piontek,
Alexander Xaver Gwerder, Helmut Heissenbüttel und Gün-
ter Eich.)

Richard D e h m e l (1863—1920)
Bab, Julius: R. D., Die Geschichte seines Lebenswerkes,
Leipzig 1926
v. Hagen, P.: R. D., Die dichterische Komposition seines
lyrischen Gesamtwerkes, Berlin 1932
Manche Nacht: VI/33
I Wilhelm Schneider in: Liebe zum dt. Gedicht, 162-168
Am Ufer: VI/32
Predigt an das Großstadtvolk: VIII/60

Ricarda H u c h (1867—1918)
Im Gebirge: VI/21
Herbst: VII/117
Der Stelzfuß: VIII/88
(Tief in den Himmel verklingt
I Albrecht Goes in: Freude am Gedicht, (S. Fischer) 1952,
12-17

Maximilian D a u t h e n d e y (1867-1918)
Die Amseln haben Sonne getrunken: VI/61
In der Frühe: VII/63

Rudolf Georg B i n d i n g (1867—1939)
Gipfelgespräch: VII/106

Stefan G e o r g e (1868—1933)
Blank, Bernhard: St. G. Symbolische deutsche Dichtung
um 1900, in: ZfDPh 61 (1936), 167-209
Boehringer, Robert: Mein Bild von St. G., Küpper, Mün-
chen-Düsseldorf 1951
Bömig, Horst: Um St. G., in: Die Sammlung 1950, 493-498
Cysarz, Herbert: Wagner, Nietzsche, George. Formwille
und Kulturwille vornehmlich bei George, in: Hochstift
1931, 94—126
Gundolf, Friedrich: George. Berlin 1920
Hahn, Karl Joseph: St. G.-Mythos und Wahrheit, in:
Hochland 46/5 (Juni 1954), 461-467 (Kritische Betrach-
tung nimmt auch Stellung zur neueren George-Lit.)
Lachmann, Eduard: St. G.s Reimstrophen, in: Dichtung
und Volkstum (Euph.) 39 (1938), 60-69
Lützeler, H.: Gedichtaufbau und Welthaltung des Dich-

ters aufgewiesen am Werk Stefan Georges, in: Dichtung
und Volkstum (Euph.) 35 (1934), 247-262
Morwitz, E.: Die Dichtung Stefan Georges, Düsseldorf
1942
Sengle, Friedrich: Vom Algabalgarten zum Land der
Gnade, in: Gedicht und Gedanke, 308-317
Strich, Fritz: St. G. in: ZfDK 39 (1925), 542-556
Bock, Werner: Stefan George und sein Kreis, in: Universi-
tas, Okt. 1957, 10, 1027-1032
Maximin. Kunfttag III: VIII/92
    Aler, M.: Im Spiegel der Form, Stilkritische Wege zur
    Deutung von Georges Maximin-Dichtung, Amsterdam 1947
Der hügel wo wir wandeln: VII/100
    H Lewandrowsky, Herbert: Die Erfassung von Formeigen-
    tümlichkeiten beim lyrischen Dichtwerk in: Die Litera-
    tur 26 (1923/24), 385-388
    I Pfeiffer, Joh. in: Die Sammlung X (1955) 6, 291-294
Einem jungen führer im ersten weltkrieg: VIII/74
    I Pfeiffer, Joh. in: Die Sammlung X (1955) 6, 291-294
Komm in den totgesagten park: VIII/101
    I Pfeiffer, Joh. in: Die Sammlung X (1955) 6, 291-294
Der tag der hirten: VI/7
Stätte von quälenden lüsten: VI/130
Nun laß mich rufen: VII/76
Gemahnt dich noch das schöne bildnis: VII/77
(Der schleier
    Adam Friedrich in: Gedicht und Gedanke, 294-307
    I Aler, Jan, in: Wirk. Wort 1960, 3, 149-164.
(Ursprünge
    I Landmann, Edith: in: Trivium V (1947), 54-64
(Im windes-weben: I von Theodor W. Adorno in: Rede über
    Lyrik und Gesellschaft, in: Akzente, 1957, 1, 8-26
(Wir schreiten auf und ab im reichen flitter: I von Paul
    Gerhard Klussmann in v. Wiese 2. Bd. 268-276
(Der Freund der Fluren: I von Paul Gerhard Klussmann in:
    v. Wiese 2. Bd. 277-283
(Das Wort: I von Paul Gerhard Klussmann in: v. Wiese
    2. Bd. 284-291
Christian M o r g e n s t e r n (1871—1914)
    Hellberg, Helmut: Die Freude am Grotesken, in: Die
    päd. Provinz 6/12, (Dez. 1952) 628-633
Novembertag: VI/74
(Der Gaul
    I Goes, Albrecht: in: Freude am Gedicht, 39-45
Hugo von H o f m a n n s t h a l (1874—1929)
    Bollnow, O. F.: Der Lebensbegriff des jungen Hugo von
    Hofmannsthal, in: Unruhe und Geborgenheit, Kohlham-
    mer, Stuttgart 1953, 15-30
    Hederer, Edgar: Hofmannsthals Weg und Vermächtnis,
    Hochland 46/4 (April 1954), 313-325
    Laubach, Jakob: Hofmannthals Weg von der Magie zur
    Mystik, in: Wirk. Wort I/4 (April 1951), 238-245

Hofmannsthal

Naumann, Walter: Hofmannsthals Lyrik und das moderne Gedicht, in: Wirk. Wort 1959, 3, 155-160
Perl, W.: Das lyrische Jugendwerk H. v. H., Bln. 1936
Requadt, Paul: H. v. H., in: Dt. Lt. im XX. Jh., Heidelberg 1954
Rey, W. H.: Die Drohung der Zeit in H.s Frühwerk, in: Euph. 48, 1954, und in: Die Neue Rundschau, Sonder-Nr. 3/4, 1954
v. Heiseler, Bernt: Hugo von Hofmannsthal, in: Die Sammlung XII, 9, 425-432
Ballade des äußeren Lebens: IX/105
    I Bogner, Gerhard, in: Interpretationen moderner Lyrik, Diesterweg, 31-39
    H Löns, Else, in: DU 1955/IV, 48-55
    H Requadt, Paul: H. v. H., in: Dt. Lit. im XX. Jh., Rothe, (Heidelberg 1954) 36-61
    I von Franz Norbert Mennemeier in: v. Wiese 2. Bd. 303-317
Manche freilich: IX/104
(Die Beiden
    H Hock, Erich, in: Motivgl. Ged. Lehrerbd., 49-51
    H Pfeiffer, Johannes, in: Wege zur Dichtung, 26-27
    I Schneider, Wilhelm: Liebe zum deutschen Gedicht, 271-278
(Lebenslied   (Den Erben laß verschwenden)
    I Wocke, Helmut, in: Muttersprache, 1955/6, 330-336
(Reiselied
    Dornheim, Alfredo: Das „Reiselied" H. v. H.s: eine hyperboreische „Mignon Landschaft", in: Euph. 49/1 (1955), 50-56
    I Fick, Josef, in: DU 1953, IV, 29-33
    H Hock, Erich, in: Motivgl. Ged. Lehrerbd., 56-57
(Terzinen über Vergänglichkeit
    H Franke, Walter, in: DU 1954,VI, 12 ff.
(Wir gingen einen Weg
    I Goes, Albrecht, in: Freude am Gedicht, (S. Fischer) 1952, 18-24
(Vor Tag: I von Franz Norbert Mennemeier in: v. Wiese 2. Bd. 292-302
(Wasser stürzt, uns zu verschlingen: I von Hofmannsthals Reiselied in: Grenzen der Gedichtinterpretation, von Werner Ross in: Wirk. Wort, 1957, 6, 321-334

Rilke

Rainer Maria R i l k e (1875—1926)
    Ritzer, W.: Bibliographie, Wien 1951
    Kuhn, H.: Forschungsbericht in DVLG XVII (1939), 90-136
    Angelloz, F. J.: Rilke, (Nymph. VH.) München 1955
    Bassermann, D.: Der späte Rilke, 1948[2]
    Becher, Hubert S. J.: Versuch über Rilke, Stimmen der Zeit 1950/51, Heft 11, 341-351
    Beißner, Friedrich: Rilkes Begegnung mit Hölderlin, in: Dichtung und Volkstum, (Euph.) 37 (1936), 36-51
    Berger, K.: Rilkes frühe Lyrik, 1931
    Bollnow, O. F.: Rainer Maria Rilke, Stuttgart 1951.

Bollnow, O. F.: Das Weltbild des reifen Rilke, Universitas 7 (1952), 681 ff.

Buddeberg, Else: R. M. R., Eine innere Biographie, Stuttgart 1955

Buddeberg, Else: Kunst u. Existenz im Spätwerk Rilkes, 1948

Buddeberg, Else: Heideggers Rilkedeutung, in: DVLG XXVII (1953), 387-413

Cysarz, Herbert: Diesseits und Jenseits im Werk R. M. R.s., in: „Welträtsel im Wort", 277-310, (Bergland Verl.) Wien 1948

Frey, Emmi: Über Rilkes Gedichte, in: DU 1948/49, 2/3, 73-101

Gehl, Walter: Das Todesproblem im Spätwerk Rilkes, in: Dichtung und Volkstum (Euph.) 42 (1942) IV, 73-82

Guardini, Romano: R. M. R.s Deutung des Daseins, München 1953

Günther, W.: Weltinnenraum, Bern 1943

Hoffmann, G.: Das Geheimnis der Rose, 1953 (Akad. Vortr. u. Abh. 10)

Holthusen: H. E.: Die Überwindung des Nullpunktes, in: Der unbehauste Mensch, München 1952

Holthusen, H. E.: Rilke und kein Ende, in: Ja und Nein, 166-172

Holthusen, H. E.: Rainer Maria Rilke in Selbstzeugnissen und Bilddokumenten. Rowohlts Monographien 1958

Kohlschmidt, W.: Rilke-Interpretationen, 1940

Kunisch, Hermann: R. M. R., Dasein und Dichtung, Berlin 1944

Kunisch, Hermann: Rilke und die Dinge, Köln 1946

Mason, E. C.: Lebenshaltung und Symbolik bei Rilke, 1939

Müller, H. R.: Rilke als Mystiker, 1935

Müller, Joachim: Rilkes Frömmigkeit, in: Hochstift 1934/35, 321-366

Papst, Walter: Satan und die alten Götter in Venedig, Entwicklung einer literarischen Konstante, Euph. 49/3 (1955), 335-359

Oppert, K.: Das Dinggedicht, in DVLG 1936, IV

Rehm, W.: Wirklichkeitsdemut und Dingmystik, Logos 19

Rehm, W.: Orpheus, Der Dichter und die Toten, Selbstdeutung und Totenkult bei Novalis-Hölderlin-Rilke, (Schwann) Düsseldorf 1950

di San Lazzaro, Clementina: Die Nacht in der Persönlichkeit und Dichtung Rilkes, in: ZfDPh 65 (1940), 182-190

Schneditz, W.: Rilkes letzte Landschaft, Salzburg 1951

Steinmetz, Rudolf: Rilkes Schicksalslosigkeit, in: Euph. 45 (1950/51), 373-395

Warnach, Walter: Rilke und das Christentum, Hochland 42. Jg., 5. Heft (Juni 1950), 417-439

Warnach, Walter: Neue Rilke-Literatur, Hochland 42/5, 498

Wocke, Helmut: Rilke und Rom, in: ZfDPh 64 (1939), 269-277

Kanzog, K.: Wortbildwahl und phallisches Motiv bei R. M. Rilke in: ZfDPh Bd. 76, 2, 203-228

Demetz, Peter: Epochen der Rilkedeutung, in: Merkur XI, 10, 985-991
Holthusen, H. E.: Rilke und die Dichtung der Gegenwart, in: Universitas, Nov. 1957, 11, 1157-1170
Rickmann, H. P.: Das Vergängliche und die Dichtung. Eine vergleichende Studie von Gedankengängen in Rilke und Eliot, in: Die Sammlung, 12. Jg., 4, 178-196
Herbst (Die Blätter...): VI/75
   H Maier, Nikolaus, in: DU 1951, VI, 59 ff.
Ich finde dich in allen diesen Dingen: VI/82
   I Rehm, Walter: Orpheus, 379-670, bes. 418
Ich fürchte mich so: VI/83
   H Wanner, Paul, in: DU 1950, III, 45 f.
Blaue Hortensie: VI/100
   H Frey, Emmy: Über Rilkes Gedichte, in: DU 1948/49, 2/3, 73-101
   H Oppert, Kurt: Das Dinggedicht, DVLG 1934, IV, 747-783
Das Karussell: VI/112
   I Schneider, W.: Liebe zum dt. Gedicht, 121-131
Papageienpark: VI/114
   H Wanner, Paul, in: DU 1950, III, 67 ff.
Spätherbst in Venedig: VII/56
   H Frey, Emmy: Über Rilkes Gedichte, in: DU 1948/49, 2/3, 73-101
   H Hock, Erich, in: Motivgl. Ged. Lehrerbd., 59-60
   H Holthusen, H. E., in: Merkur II (1948), 194-220
Werkleute: VIII/30
   I Rysy, Josef, in: DU 1950, III, 74-77
O Brunnen-Mund, VIII/40
   I Pfeiffer, Johannes, in: Die Sammlung 1950, 193-194
   I Johannes Pfeiffer in: v. Wiese 2. Bd. 359-361
   H Rehm, Walter: Orpheus, bes. 549, (Schwann) Düsseldorf 1950
   H Reiche, Hilde, in: Die Sammlung 1950, 572-575
   I Müller, Paul E.: Interpretation von Sonett XV unter Zuhilfenahme der 9. Duineser Elegie, in: DU 1958, 5, 40-44
Römische Fontäne: VIII/41
   I Hippe, Robert, in: Wirk. Wort IV/5 (Juni 1954), 268-274
   H Hock, Erich, in: Motivgl. Ged., Lehrerbd., 61-62
   I Kröll, Joachim, in: Muttersprache 1953, 150-155
Der Panther: VIII/54
   H Oppert, Kurt: Das Dinggedicht, Eine Kurzform bei Mörike, Meyer und Rilke, DVLG 1936, IV, 747-783
   H Henke, Conrad (Ein Unterrichtsgespräch) in: Blätter für den Deutschlehrer 1960, 2, 43-47
Sonette an Orpheus: IX/12-20
   Bertallot, H. W.: Der Sinn des Orpheus-Symbols in R.s Sonetten an Orpheus, in: DVLG XV (1937), 124-142
   I Bollnow, O. F.: Das Bild vom Menschen in R.s S. a. O., in: Dichtung und Volkstum (Euph.) 38, (1937), 340-348
   Holthusen, H. E.: R.s S. a. O., München 1937
   I Holthusen, H. E., in: Merkur I (1948), 194-220

Rilke

Janke, Rudolf: Rilke-Kierkegaard, in: Dichtung und Volkstum (Euph.) 38 (1939), 314-329
Kippenberg, Katharina: R. M. R.s D. E. u. Sonette an Orpheus, Wiesbaden (Insel) 1948
Klein, Johannes: Die Fügung der Motive in Rilkes D. E., in: Dichtung u. Volkstum (Euph.) 39 (1938), 298-314
Kommerell, Max: Rilkes D. E. (I), in: Gedanken über Gedichte, 491-503
Lachmann, Eduard: Der Engel in R.s D. E., in: DVLG XXVII, (1953), 413-430
Rehm, Walter: Orpheus, bes. 652 ff. (Schwann) Düsseldorf 1950
Rupprecht, Erich: R.s Botschaft in den D. E., in: Die Botschaft der Dichter, Stuttgart 1947, 333-372
Schwerte, Hans: Das Lächeln in den D. E., in: GRM XXV (1954), 289-298
(4. Duineser Elegie
I Dehn, Fritz, in: Gedicht und Gedanke, 318-334
(5. Duineser Elegie
I Jäger, Hans: Die Entstehung der 5. D. E., in: Dichtung und Volkstum (Euph.) 40 (1939), 213-257
(7. Duineser Elegie
I Cämmerer, Heinrich, in: Dichtung und Volkstum (Euph.) 37 (1936), 60-66
Theissen, Mien, daselbst, 66-75
(10. Duineser Elegie
I Pongs, Hermann, daselbst, 97-141
Denn, Herr, die großen Städte sind: VIII/61
Jetzt reifen schon die roten Berberitzen: VIII/100
Todeserfahrung: VIII/109
H Rehm, Walter: Orpheus, bes. 604 ff.
(Die Aschanti
H Wanner, Paul: DU 1950, III, 61 ff.
(Kriegsgesänge
I Pongs, Hermann, in: Gedicht und Gedanke, 391-417
(Die Grabschrift
I Fiedler, Leonhard: Die Grabschrift Rilkes und das Rosensymbol in seiner Dichtung, in: DU 1954, VI, 89-103
H Ohms, H. H., in: Die Sammlung 1950, 65-67
(Von der Erstgeburt
H Mörchen, Hermann, in: Die Sammlung 1951, 30-43
(Wir sind die Treibenden
I Lorenzen, Käthe, in: Wirk. Wort III/3 (Februar 1953), 140-149
(Stundenbuch
Rößner, Hans: Rilkes Stundenbuch als religiöse Dichtung, in: GRM XXIII (1935), 260-283
(Orpheus. Euridike. Hermes: I von Else Buddeberg in: v. Wiese 2. Bd. 318-335
(Der Geist Ariel (Nach der Lesung von Shakespeares Sturm): I von Hans Joachim Schrimpf in: v. Wiese 2. Bd. 336-350

(Himmel im Wasser
  I Hahn, Ludwig, in: Interpretationen moderner Lyrik,
  73-75
(Rauhes Land
  I Stahlmann, Hans, in: Interpretationen moderner Lyrik,
  65-69
(Sinnerfülltes Dasein
  I Kosler, Alois, in: Interpretationen moderner Lyrik,
  70-71
(Tage lang hab ich den Acker gepflügt
  I Goes, Albrecht, in Freude am Gedicht, 86-92, (S. Fi-
  scher) 1952
(Und wie manche Nacht bin ich aufgewacht: I von Hermann
  J. Himstedt in: Pädagogische Provinz, 1957, 7/8, 429-430

Agnes M i e g e l (1879)
  Meidinger-Geise, Inge: Dreigestalt der Heimat, Ein Bei-
  trag zum dichterischen Ausdruck A. M.s, in: Mutter-
  sprache 1954/4, 123-132
  Sonnenspuk: VI/18
  Johannisnacht: VI/67
(Schöne Agnete
  I Schneider, Wilhelm, in: Liebe zum dt. Gedicht, 349-353

Josef W i n c k l e r (1881)
  Industrie: VIII/49
  Die neue Zeit: VIII/50

Wilhelm L e h m a n n (1882)
  Hohoff, Curt, in: Geist und Ursprung, 52-60
  Starenschwarm im Baum: VII/96
  Auf sommerlichem Friedhof (1944): VIII/75
(Augusttag
  I Conrady, Karl Otto: Zu einem Gedicht W. L.s, in:
  Wirk. Wort V/6 (Aug. 1955), 341-347

Max M e l l (1882)
  Hochsommernacht: VI/43
  H Pfeiffer, Johannes, in: Was haben wir an einem Ge-
  dicht? 64 ff.

Joachim R i n g e l n a t z (1883—1934)
  Und auf einmal steht er neben dir; Ges. Ged. Berlin 1951
  Auf dem Kirchhof: VI/134

Ernst S t a d l e r (1883—1914)
  Resurrectio: VI/63
  Glück: VII/74
  Parzival vor der Gralsburg: IX/88
(Vorfrühling: I von Karl Otto Conrady in: v. Wiese 2. Bd.
  389-400

(Franz K a f k a (1883—1924)
  In der abendländischen Sonne: H von Klaus Wagenbach,
  in: Akzente, 1957, 3, 287

Oskar L o e r k e (1884—1941)
  Heselhaus, Clemens: O. Loerke und Konrad Weiß —

Loerke	zum Problem des literar. Nachexpressionismus, in: DU 1954, IV, 28-55
	Kasack, H., in: N. Rundschau 1948 und 1951
	Lehmann, W., in: Das lit. Deutschland, Dez. 1951
	Loerke, O.: Meine sieben Gedichtsbücher, in: Die Neue Rundschau XLVII, Dez. 1936, 1250 ff.
	Blauer Abend in Berlin: VIII/46
	H Franke, Walter, in: DU 1954, VI 8 ff.
	I Lehmann, Jakob, in: Interpretationen moderner Lyrik, 76-81
	Der Silberdistelwald: VI/104
	Meine alten Verse: VI/140
	(Pansmusik
	I Heselhaus, Clemens, in: DU 1954, VI, 32 ff.
Seidel	Ina S e i d e l (1885)
	Deubel, W.: Die Lyrik I. S.s, in: Literar. Echo 36 u. 40
	Dies und Das: VI/124
	Aufbruch: VI/137
Benn	Gottfried B e n n (1886—1956)
	Benn, Gottfried: Lyrisches Ich, ein Selbstporträt, in: Welt und Wort 1956/5, 149
	Grenzmann, Wilhelm: G. B., in: Stimmen der Zeit 77/2 (Nov. 1951), 106-116
	Gürster, Eugen: Das Schöne und das Nichts. Die Welt G. B.s, in: Hochland 47/4 (April 1955), 310-321
	Hohoff, Curt, in: Geist und Ursprung, 87-101
	Hohoff, Curt, in: Wort und Wahrheit 5
	Langgässer, E., in: Frankfurter Rundschau 1949
	Paetel, K., in: Sammlung 6
	Rychner, Max: G. B., in: Zur europ. Literatur zwischen zwei Weltkriegen, Zürich 1943, 217-224
	Vietta, E., in: Literar. Echo 37
	Soll die Dichtung das Leben bessern? Rundfunkgespräch mit Reinhold Schneider. Wiesbaden 1956
	Können Dichter die Welt ändern? in: Provoziertes Leben. Ausgewählte Prosa Benns. Ullstein-Bücherei, Berlin 1955
	Holthusen, H. E.: Das Schöne und das Wahre in der Poesie. Zur Theorie des Dichterischen bei Eliot und Benn, in: Merkur, XI, 4, 305-330
	Gail, Anton: Faszinierende Montage. Zum 70. Geburtstag Gottfried Benns, in: Wirk. Wort, 1956, 5, 293-296
	Muschg, Walter: Abrechnung mit G. Benn in: Welt und Wort, 1957, 2, 39-41
	Astern: VII/119
	H Pfeiffer, Joh., in: Wege zur Dichtung, 1952, 50 ff.
	Siehe die Sterne, die Fänge: VIII/123
	I Wanner, Paul: Das neue dt. Ged. im Unterricht der Oberstufe, II, in: DU 1953, III, 5-27
	H Roß, Werner, in: DU 1958, 5, 25-26
	Verlorenes Ich: IX/122
	H Zimmermann, Werner, in: Pädagogische Provinz 1959, 7/8, 384-385

(Reisen
I Fick, Josef, in: Interpretationen moderner Lyrik, 87-89
(Schnellzug
H Löns, Else, in: DU 1955/IV, 48-55
(Abschied: I von Edgar Lohner in: v. Wiese 2. Bd. 450-461
(Widmung (Wenn Du noch leidest). Für Oskar Loerke zum
50. Geburtstag. H von Walter Höllerer in: Akzente 1957,
4, 383
(Gewisse Lebensabende
I Hannöver, Emmy, in: Wirk. Wort 1960, 2, 105-112
(Mann
I Ibel, Rudolf, in: DU 1958, 5, 47-50
(Und was bedeuten diese Zwänge
H Ibel, Rudolf, in: DU 1958, 5, 50
(Eure Etüden
H Ibel, Rudolf, in: DU 1958, 5, 51
(März. Brief nach Meran
I Ritscher, Hans, in: DU 1960, 3, 14 ff.
(Ein Schatten an der Mauer
H Roß, Werner, in: DU 1958, 5, 26-27.
(Ich habe Menschen getroffen
H Roß, Werner, in: DU 1958, 5, 27-28.

Georg T r a k l (1887—1914)

Ritzer, W.: Bibliographie, Salzburg 1956
Benzmann, Hans: Über Georg Trakl, Hochland (Nov.
1921), 192-199
Falkenberg, Hans-Gert: Zu einer neuen Trakl-Ausgabe,
Hochland 44/4, (April 1952), 368-373
Focke, Alfred: G. T., in: Stimmen der Zeit, 78 (1952/53)
VII, 35-46
Focke, Alfred: G. T., Liebe und Tod, Herold Wien-München 1955
Gerlach, Kurt: G. T., der Dichter der Seele, in: Die päd.
Provinz, 9/2, (Febr. 1955), 57-67
Heidegger, Martin: G. T., in: Merkur 3, 1953, 226-258
Jaspersen, Ursula: G. T., Hamburg 1947
Killy, W.: G. T., in: Die Sammlung, April 1952
Lachmann, Eduard: Kreuz und Abend. Eine Interpretation der Dichtungen Trakls (T.-Studien Bd. 1) Müller
Salzburg 1952
Morris, J.: Trakls Weltanschauung, in: Trivium 1949
Schubert, Benno: Verlorene Zeichen, Versuch über T., in:
Akzente 2/ 1955, 184-191
Simon, Klaus: Traum und Orpheus. Eine Studie zu T.s
Dichtungen, Otto Müller, Salzburg 1955
Singer, H.: G. T., in: Trivium 1951, 43 ff.
Spoerri, Theoph.: G. T., Strukturen in Persönlichkeit und
Werk, Francke, Bern 1955
Weber, Albrecht: Klang und Farbe bei Trakl, in: Wirk.
Wort V/4 (April 1955), 215-224
Guttenbrunner, Michael: Georg Trakl in: Deutsche Rundschau, 1957, 2, 179-182

Rey, W. H.: Heidegger-Trakl. Einstimmiges Zwiegespräch in DVLG 1956, 89 ff.
Weber, Albrecht: Georg Trakl. Gedichte. Ausgewählt und interpretiert. München (Kösel) 1957
Verklärter Herbst: VI/73
  I E. Lachmann, in: Kreuz und Abend, 21
  H Weber, Albrecht, in: G. T. 58-66
Im Winter: VI/78
  I Fierz, Jürg: Zu einem frühen Gedicht G. T.s, in: Trivium II (1944), 195-198
  H Hock, Erich, in: Motivgl. Ged. Lehrerbd. 66-67
  I Lachmann, E., in: Kreuz und Abend, 130-131
  Sitte, Eberhard: Tr.s Im Winter, Eichendorffs Winternacht. Vergleichende Gedichtbetrachtung im Unterricht, in: DU 1953, III, 67-82
Ein Winterabend: VI/79
  I Lachmann, E., in: Kreuz und Abend, 25-28
  H Lachmann, Eduard, in: Wirk. Wort, März 1957, 3, 159-162
  I Simon, Klaus, in: Traum und Orpheus, 85-87, 121 ff.
  H Maier, Nikolaus, in: DU 1951, VI, 61 ff.
  H Pfeiffer, Joh., in: Umgang mit Dichtung, 27-29
  I Focke, A., in: G. Tr., Liebe und Tod, 119 ff.
  I Wanner, Paul: Das neue dt. Gedicht im Unterricht der Oberstufe, II, in DU 1953, III, 5-27
  H Weber, Albrecht, in: G. T. 70 und 91-93 und 103
Im Park: VI/95
  I Lachmann, E., in: Kreuz und Abend, 161-162
In Venedig: VII/59
  H Lachmann, E., in· Kreuz und Abend, 64-65
  H Weber, Albrecht, in: G. T. 78-79
Abend in Lans: VII/104
  I Focke, A., in: G. Tr. Liebe und Tod, 157 ff.
  H Weber, Albrecht, in: G. T. 77-78
Am Moor: VII/105
  I Lachmann, E., in: Kreuz und Abend, 143-144
  H Hock, Erich, in: Motivgl. Ged. Lehrerbd. 67-68
  H Weber, Albrecht, in: G. T. 77
Verfall: VII/120
I Focke, A., in: G. Tr. Liebe und Tod, 28 ff.
  I Lachmann, E., in: Kreuz und Abend, 167-168
  H Weber, Albrecht, in: G. T. 58-66
Herbstseele: VII/121
  I Lachmann, E., in: Kreuz und Abend, 23-25
  I Focke, A., in: G. Tr., Liebe und Tod, 175 ff.
(Winternacht: I Weber, Albrecht, in: G. T. 68-69
Kaspar Hauser Lied: VIII/12
  I Killy, Walter: G. Tr., in: Die Sammlung 1952, 192-204
  I Lachmann, E., in: Kreuz und Abend, 87-89
Abendland: VIII/62
  I Lachmann, E., in: Kreuz und Abend, 100-109
  H Singer, Herbert., G. Tr., in, Trivium IX (1951), 43-57
  H Weber, Albrecht, in: G. T. 83 und 49-53

(Mondnacht auf dem Turm
  I Pfeiffer, Joh., in: Wege zur Dichtung, 131
Josef W e i n h e b e r (1892—1945)
  Sämtliche Werke, 5 Bde., Salzburg 1953-1956
  Bergholz, Harry: Josef Weinheber Bibliographie, Bad Bock-
  let-Wien 1953 (Bibliotheca bibliographica, Bd. 14)
  Bergholz, Harry: Weinheber-Schrifttum (Forschungsbe-
  richt), in: Dt. Vjs. f. LW. u. GG. XXXI/1957, S. 557-579
  Adel, Kurt: Verzeichnis der Gedichte Josef Weinhebers, in:
  Jahresgabe IV/1959, S. 97-107
  Przywara, Erich: Zwischen Kosmos und Chaos, in: Stim-
  men der Zeit CXXXII/1937 (Sept.)
  Martini, Fritz: Menschlichkeit, in: Dichtung und Volks-
  tum (Euph.) XLIII/ 1943, S. 69-106
  Jahresgaben der Josef-Weinheber-Gesellschaft, Wien III,
  Marxergasse 25, 1956 ff.
  Finke, Edmund: Josef Weinheber. Der Mensch und das
  Werk, Salzburg 1950
  Zillich, Heinrich: Bekenntnis zu J. Weinheber, Salzburg 1950
  Winklhofer, Alois: Josef Weinheber, in: Dichter der Zeit.
  Gesicht und Seele, Nürnberg 1948, Bd. 2, S. 27-50 (Görres-
  Bibliothek Nr. 7)
  Nadler, Josef: J. W., Die Geschichte seines Lebens und
  seiner Dichtung, Salzburg 1952
  Hartl, Edwin, Weinheber und Karl Kraus, in: Jahresgabe
  (s. o.) III/1958, S. 55-65
  Heer, Friedrich: J. W. aus Wien, in: Frankf. Hefte 1953,
  VIII, 590-602
  Pfeiffer, Johannes, in: Zwischen Dichtung und Philoso-
  phie, 134-143
  Weinheber, Josef: Über mein Verhältnis zu Rilke, in:
  Dichtung und Volkstum (Euph.) 40 (1939), 74-77
  Bollnow, O. F.: J. Weinhebers Weg zu neuer Humanität,
  in: Unruhe und Geborgenheit, Stuttgart 1953, 70-107
  Frenzl, Herbert: J. W., Tragik und Form, in: Merkur X
  (1956), 4, 393-397
  Jenaczek, F.: Josef Weinhebers frühe Gedichte. Studien
  zur Periode des am Stoff orientierten Interesses (1915-
  1922), in: Stifter-Jahrbuch VI/1959, S. 164-190
  Jenaczek, F., Im Hinblick auf Weinhebers „Romane“, in:
  Jahresgabe IV/1959, S. 32-74
  Jenaczek, F., Weinhebers Übersetzung von Rilkes Zyklus
  „Les Roses“, I-XXIV; Erstdruck der deutschen Fassungen,
  in: Jahresgabe IV/1959 ff.
  Jenaczek, F.: Resultate eines lyrischen Experiments, in:
  Jahresgabe V/1960, VI/1961
  Jenaczek, F.: Zum Begriff der „Wortgestalt“. Ein Beleg
  für den Einfluß der Ästhetik von Karl Kraus auf Josef
  Weinheber, in: Stifter-Jahrbuch VII/1961, hsg. v. H. Preidel
(Späte Krone
  H Adel, K., in: Jahresgabe II/1957, S. 9-24
Im Grase
  H Hock, Erich, in: Motivgl. Ged. Lehrerbd., 75-76

I Motekat, Helmut, in: Interpretationen moderner Lyrik,
21-29
H Pfeiffer, Joh., in: Was haben wir an einem Gedicht?
74 ff.
Buschwindröschen: VII/78
H Hock, Erich, in: Motivgl. Ged. Lehrerbd., 78
Zwischen Göttern und Dämonen: IX/75
I Pongs, Hermann, in: Dichtung und Volkstum (Euph.)
40 (1939), 77-84
I Jenaczek, F., in: Aufzeichnungen zu einem Gedicht von
J. W. (Ode 36), in: Stifter-Jahrbuch V, 1957
H Bollnow, F. O., in: Unruhe und Geborgenheit im Welt-
bild neuerer Dichter. Stuttgart 1953.
Vorfrühling: VI/55
Der Baum: VI/98
I Franke, Walter, in: DU 1958, 5, 59-66.
Die einen gehen leicht und licht: VII/79
Die Nacht: VII/112
Am Ziele: VII/123
Den Toten: VII/132
Zivilisation: VIII/54
Die Trommel, VIII/70
I Jenaczek, F., in: Resultate eines lyrischen Experiments,
in: Jahresgabe V/1960.
Aber die Abende: VIII/96
Mit halber Stimme: IX/8
An Hölderlin: IX/23
(An den antiken Vers
I Schneider, Wilhelm, in: Liebe zum deutschen Gedicht.
Freiburg i. Br. 1952, 69-77.
(An den Bruder und Notturno
H Pfeiffer, Joh., in: Was haben wir an einem Gedicht?
38-41
(An die Nacht /Sonettenkranz/
H Schmidt, Heinrich, in: Jahresgabe IV/1959, S. 12-28
(Auf das Vergängliche
I Bollnow, O. F., in: Unruhe und Geborgenheit im Welt-
bild neuerer Dichter, Stuttgart 1953, 96-100
(Aus dem Geiste des Gesanges
I Jenaczek, F., in: Stifter-Jahrbuch VII/1961
(Das Haus
I Stählin, Friedrich, Zwei Vorstadtbilder / ein Gedicht-
vergleich, in: Denkendes Volk, II/1948, 78 ff.
(Gesang vom Manne. Mit fünfzig Jahren
I Wanner, Paul: Das neue dt. Gedicht im Unterricht der
Oberstufe, II, in: DU 1953, III, 5-27
H Jenaczek, F., in: Resultate eines lyrischen Experiments,
in: Jahresgabe VI/1961
(Hymnus auf die deutsche Sprache
I Lützeler, Heinrich, in: Dichtung und Volkstum (Euph.)
37 (1936), 418-430
Weinheber, J.: In eigener Sache, Hymnus auf die dt.
Sprache, in: Gedicht und Gedanke, 363-377

Gerrit E n g e l k e (1892—1918)
    Winckler, Josef: G. E., in: Literar. Echo 1921/22, 272-273
    Stadt: VIII/48
    Ich will heraus: VIII/59
Anton S c h n a c k (1892)
    Am Feuer: VIII/71
Richard B i l l i n g e r (1893)
    November: VI/74
    Der Knecht: VIII/13
Carl Z u c k m a y e r (1896)
    Gang im Gewitter: VI/91
Manfred H a u s m a n n (1898)
    Weg der Dämmerung: VIII/126
    H Pfeiffer, Joh., in: Wege zur Dichtung, Hbg. 1952, 103-104
    Sommermorgen: VI/13
Bert(old) B r e c h t (1898—1956)
    Grözinger, Wolfgang: B. B. Zwischen Ost und West, in: Hochland 43/1, (Okt. 1950), 80-86
    Von der Freundlichkeit der Welt: IX/106
    I Motekat, Helmut, in: Blätter für den Deutschlehrer, 1956, 2, 38-42
    (Erinnerung an die Marie A.: I Schöne, Albrecht, in: v. Wiese 2. Bd. 485-494
    (Vom Schwimmen in Seen und Flüssen
    H Roß Werner, in: DU 1958, 5, 33
    (Schlechte Zeit für Lyrik
    H Roß Werner, in: DU 1958, 5, 36
    (Böser Morgen
    H Roß Werner, in: DU 1958, 5, 37
    (Einst
    H Geißler, Rolf, in: Wirk. Wort 1958, 6, 347
    (Vom ertrunkenen Mädchen
    H Geißler, Rolf, in: Wirk. Wort 1958, 6, 348
    (Großer Dankchoral
    H Geißler, Rolf, in: Wirk. Wort 1958, 6, 348
    (Lob des Revolutionärs
    H Geißler, Rolf, in: Wirk. Wort 1958, 6, 351
Elisabeth L a n g g ä s s e r (1899—1950)
    Becher, Hubert, S. J.: E. L., in: Stimmen der Zeit 1950/51, 223-226
    Fischer, J. M.: E. L., in: Wirk. Wort I/2 (Dez. 1950), 110-115
    Regnerischer Sommer: VII/99
Erich K ä s t n e r (1899)
    Der Blinde: VIII/89
    (Sachliche Romanze
    I Schneider, W., Liebe zum dt. Gedicht, 353-356
Oda S c h ä f e r (1900)
    Liebespaar 1945: VIII/82
    Irdisches Geleit: IX/138

Marie Luise K a s c h n i t z (1901)
   Im Sturm: IX/118
   (Genazzano
      I Maier, R. N., in: Das moderne Gedicht. Düsseldorf 1959
Martin K e s s e l (1901)
   Das Andere: IX/124
Reinhold S c h n e i d e r (1903)
   Zuversicht: VI/136
   Allein den Betern: VIII/81
Albrecht H a u s h o f e r (1903—1945)
   Grimme, Adolf: A. H., in: Die Sammlung X (1955), 4,
   179-182
   Moabiter Sonette: H. Wassermann, Felix Martin, in: Gym-
   nasium 1950, 4, 301-308
   Rundmarsch der Gefangenen: VIII/76
Günter E i c h (1907)
   Hohoff, Curt: G. E.s Hieroglyphik, in: Geist und Ur-
   sprung, 206-211
   Mühlberger, Josef: G. E.s Lyrik, in: Welt und Wort XI
   (1956) 1, 7-8
   Inventur: VIII/78
   H Lorbe, Ruth: G. Britting u. G. E. auf der Oberstufe,
   in: DU 1953, IV, 60-71
   Herbstliches Meer: VII/61
   Berlin, Hafenplatz: VIII/47
   Abends am Zaun: VIII/81
   (Aurora
      I Hajek, Siegfried, in: DU 1954, VI, 23-27
   (Einsicht
      I Maier, R. N., in: Das moderne Gedicht. Düsseldorf 1959
   (Schuttablage
      I Ritscher, H., in: DU 1960, 3, 22
   (Angst
      I Ritscher, H., in: DU 1960, 3, 24 ff.
   (Königin Hortense
      H Ritscher, H., in: DU 1960, 3, 27
Albrecht G o e s (1908)
   Landschaft der Seele: VI/125
   (Die Schritte
      I Pfeiffer, Johannes, in: Wege zur Dichtung, 41
   (Nachtgefühl
      I Pfeiffer, Johannes, in: Wege zur Dichtung, 51
Rudolf H a g e l s t a n g e (1912)
   Aus dem venezianischen Credo: VIII/106
   (Im Anfang war der Geist
      I Bauer, Ruth, in: Interpretationen moderner Lyrik, (Die-
      sterweg) 83-85
Wolf von N i e b e l s c h ü t z (1913)
   Lichternacht: VII/103
Hans Egon H o l t h u s e n (1913)
   Klage um den Bruder: VII/133

H de Haas, Helmut, in: Merkur 5 (1951), 776-787
H Pfeiffer, Joh., in: Was haben wir an einem Gedicht? 29 ff.
H Pfeiffer, Joh.: Über „Echt" und „Unecht", in: Die
Sammlung IX (1954), 360-370
Karsamstag: VIII/130
    H Pfeiffer, Joh.: Über „Echt" und „Unecht", in: Die
    Sammlung IX (1954), 360-370
    und in: Was haben wir an einem Gedicht? 22-23
Tabula rasa: VIII/80
Acht Variationen über Zeit und Tod: VIII/118

(Der Morgen
    I Hock, Erich, in: Interpretationen moderner Lyrik, 93-99
Karl K r o l o w (1915)
    Holthusen, H. E.: Die lyrischen Errungenschaften K. K.s,
    in: Ja und Nein, 86-123
Verlassene Küste: VII/116
    H Hohoff, Curt, in: Geist und Ursprung, 228-231
    I Maier, Rudolf Nikolaus in: Surrealistisches Inferno und
    schlichter Neubeginn, in: Moderne Lyrik im Unterricht,
    in: Wirk. Wort, Sept. 1956, 6, 346-351
Pappellaub: VI/102
Spiegelbild mit der Blume: VII/94
Wasserflasche: VII/95
Auf dem Fluß: VII/108
Der Tote: VII/130
Gedichte von der Liebe in unserer Zeit: VIII/116
    I Maier, R. N., in: Das moderne Gedicht. Düsseldorf 1959
    Hand vorm Gesicht: VIII/122

(Die Zeit verändert sich
    I Maier, R. N., in: Das moderne Gedicht. Düsseldorf 1959
(Im Leben
    H Zimmermann, W., in: Pädagogische Provinz 1959, 7/8,
    387
Paul C e l a n (1920)
So bist du denn geworden: IX/51
    H Lorbe, Ruth, in: DU 1955, IV, 39 ff.
Ein Lied in der Wüste: IX/117
(Todesfuge
    I Seidensticker, P., in: DU 1960, 35-42
    I Butzlaff, W., in: DU 1960, 3, 42—51
(Sprachgitter
    I Maier, R. N., in: Das moderne Gedicht. Düsseldorf 1959
Paul C o r d a n
Jardin du Luxembourg: VII/97
George F o r e s t i e r (Pseudonym für Krämer)
Mein Lied für Europa: VIII/64
    H Hajek, Siegfried, in: DU 1954, VI, 17-23
Auf der Straße nach Moskau: VIII/73
    H Hajek, Siegfried, in: DU 1954, VI, 17-23
Der Heimkehrer: VIII/79
    H Lorbe, Ruth, in: DU 1955, IV, 32 ff.

In den Sevennen: VII/98
Drei Meter Erde ohne Asphalt: VIII/66
Der blinde Matrose: VIII/91
Stark wie der Tod: IX/107
(Ich schreibe mein Herz
    H Hajek, Siegfried, in: DU 1954, VI, 17-23

Walter Höllerer (1922)
Sizilischer Brunnen: VII/62
(Wind von Kristall
    H Wolffheim, H., in: DU 1960, 3, 11

Heinz Piontek (1925)
    Woerner, Gert: Zu Heinz Pionteks Lyrik, in: Welt und
    Wort, 1957, 8
Die Furt: VI/85
Teiche im Sommer, Bootsfahrt: VI/86
Heim vom Pferdemarkt: VI/113
Vergängliche Psalmen XI: VIII/114
Diese Sekunde am Fenster: IX/115

Anja Hegemann
Überstunden: VIII/51

Dagmar Nick (1926)
Die Flucht: VIII/77
Flucht: VIII/77

Ingeborg Bachmann (1926)
Herbstmanöver: VIII/99
Psalm: VIII/115
Fall ab, Herz: IX/108
(Nebelland
    I Maier, R. N., in: Das moderne Gedicht. Düsseldorf 1959
(Exil
    H Wolffheim, H., in: DU 1960, 3, 10

470

The left margin labels:
Forestier
Höllerer bis Bachmann

DIE MITARBEITER

Dr. Otmar B o h u s c h, Oberstudiendirektor, München
Dr. Hans F ä r b e r, Oberstudiendirektor, München
Dr. Marita F i s c h e r, Studienprofessorin, Berlin
Dr. Brigitte F o r s t i n g, Studienprofessorin, Berlin
Walter F r a n k e, Oberstudienrat, Kirchzarten/Schwarzwald (†)
Dr. Hermann G l a s e r, Studienprofessor, Roßtal bei Nürnberg
Dr. Wilhelm G r e n z m a n n, Universitätsprofessor und
    Oberstudiendirektor, Bonn
Dr. Romano G u a r d i n i, Universitätsprofessor, München
Dr. Anneliese d e H a a s, Essen
Dr. Edgar H e d e r e r, Universitätsprofessor († 1962)
Dr. Rupert H i r s c h e n a u e r, Oberstudienrat, München
Dr. Curt H o h o f f, Schriftsteller, München
Dr. Erich H o c k, Oberstudiendirektor, Würzburg
Dr. Hans Egon H o l t h u s e n, Schriftsteller, München
Dr. Friedrich J e n a c z e k, Studienprofessor, München
Dr. Max K o m m e r e l l, Universitätsprofessor († 1942)
Dr. Alois M. K o s l e r, Oberstudienrat, München
Dr. Fritz K r a n z, Oberstudienrat, Regensburg
Dr. Hugo K u h n, Universitätsprofessor, München
Dr. Hermann K u n i s c h, Universitätsprofessor, München
Dr. Jakob L e h m a n n, Oberstudiendirektor, Lichtenfels
Dr. Friedrich L e i n e r, Studienprofessor, München
Dr. Wilhelm L o o c k, Oberstudienrat, Braunschweig
Rudolf M e i e r, Studienprofessor, Istanbul
Dr. Helmut M o t e k a t, Universitätsprofessor, München
Dr. Johannes P f e i f f e r, Schriftsteller, Hamburg
Dr. Max P i c a r d, Schriftsteller, Neggio bei Lugano
Dr. Emil P l o ß, Dozent, München
Dr. Michael S c h e r e r, Studienprofessor, München
Herbert S c h m i d t, Studienprofessor, München
Dr. Hans S c h w e r t e, Professor, Erlangen
Dr. Hans S t a h l m a n n, Oberstudiendirektor, Coburg
Dr. Emil S t a i g e r, Universitätsprofessor, Zürich
Dr. Paul S t ö c k l e i n, Universitätsprofessor, Frankfurt/Main
Dr. Gerhard S t o r z, Kultusminister a. D., Stuttgart
Dr. Erich T r u n z, Universitätsprofessor, Kiel
Dr. Ludwig V o i t, Oberstudienrat, München
Dr. Ludwig W a g n e r, Oberstudiendirektor, Landshut
Dr. Albrecht W e b e r, a.o. Professor, Frankfurt/Main
Dr. Friedrich Wilhelm W e n t z l a f f - E g g e b e r t, Universitäts-
    professor, Mainz

DEUTSCHE GEDICHTE

ausgewählt und mit einem Nachwort versehen von
RUPERT HIRSCHENAUER und ALBRECHT WEBER

Für den Unterricht an höheren Lehranstalten

RINGE DES DASEINS
VI (Untersekunda)

DER EWIGE STROM
(VII Obersekunda)

WAAGE DES SCHICKSALS
VIII (Unterprima)

GIPFELBLICK
IX (Oberprima)

Je Bändchen 160 Seiten, holzfreies Papier, kart. lam., DM 3,50

*Alle in „Wege zum Gedicht" interpretierten Gedichte sind
in diesen vier Bändchen enthalten*

DEUTSCHE BALLADEN
III (Quarta) - IX (Oberprima)

Doppelband 292 Seiten DM 5,80

Lernmittelfrei bzw. für den Unterrichtsgebrauch zugelassen in
allen Bundesländern

Prüfstücke für Schulen zum halben Preis

Bei Klassenbestellungen ab 25 Stück Gutschein auf 33% Preisermäßigung
auf ein Exemplar dieses Buches „Wege zum Gedicht"

SCHNELL & STEINER MÜNCHEN UND ZÜRICH